VICENTE LECUNA

Crónica Razonada de las Guerras de Bolívar

VICENTE LECUNA

Crónica Razonada de las Guerras de Bolívar

Formada sobre documentos, sin utilizar consejas ni versiones impropias. Conclusiones de acuerdo con hechos probados, y la naturaleza de las cosas.

TOMO II

NEW YORK, N.Y.
THE COLONIAL PRESS INC.
1950

PRINTED IN THE UNITED STATES OF AMERICA
BY THE COLONIAL PRESS INC., CLINTON, MASS.

Bolivar
Por Tenerani. Se conserva en Popayán.

CAPITULO XI

LA CONQUISTA DE GUAYANA

Regreso de Morillo a Venezuela. Batalla de Mucuritas.

Pacificado casi todo el Nuevo Reino de Granada en los primeros meses de 1816, las reliquias de la extinguida república de las Provincias Unidas, protegidas por la columna de Serviez huyeron a los llanos de Casanare y de Venezuela. Estos patriotas, arrostraban en su peregrinación, a través de espacios inmensos, sufrimientos indecibles y todo género de miserias, en lucha contra las asperezas de la naturaleza en estado salvaje, el desierto y las llanuras inundadas en la estación lluviosa. Su sacrificio no aparece en la historia con los caracteres trágicos de la emigración de Caracas en 1814 porque los emigrados procedentes de distintos puntos no marchaban en masa compacta sino en grupos sucesivos y los sobrevivientes lograron relativa seguridad en los territorios semidesiertos del Bajo Apure. En persecución de los fugitivos había marchado con una división el general La Torre, y en su apoyo el general en jefe Morillo trajo otras tropas. Venezuela, revuelta y alzada de nuevo contra el rey, requería estos refuerzos y su presencia.

Pasada la cordillera oriental, La Torre bajó al río Ocoa y atravesando el Upía, el Cursiana, el Tocaría, el Pauto y otros ríos caudalosos, llegó a Pore, capital de la provincia de Casanare, después de aniquilar en el tránsito los restos de la división de Serviez, batida en la batalla de Cáqueza el 26 de mayo.

En combinación con La Torre, pero a largas distancias, partieron dos columnas, una de Tunja y otra de San Gil. Unidas en el Sogamoso, dispusiéronse a pasar la cordillera. La primera compuesta de las compañías de cazadores de diversos batallones, a las órdenes del coronel Escuté, y la segunda de infantería y caballería de línea a las del coronel Villavicencio, encargado de tomar el mando de ambas fuerzas, atravesaron la cordillera por Chita y bajaron a Sacama, donde se reunen los caminos del llano a Bogotá, Tunja y el Socorro; luego torcieron a la derecha, derrotaron de nuevo a Serviez reforzado en el tránsito por partidas locales y se incorporaron a La Torre en Pore el 10 de julio. Por las innundaciones de los llanos, estas fuerzas no penetraron a Venezuela sino meses después, cuando ya habían bajado las aguas, a principios de diciembre, tiempo aprovechado hábilmente por Páez para batir en el Yagual la división del Gobernador de Barinas, arrollar diversas partidas realistas, y establecer el sitio de San Fernando.

Poco antes de este último suceso, emprendió marcha desde Cúcuta hacia la provincia de Barinas la división Calzada, siguiendo en dos columnas las vías de Mérida a los Callejones y la del Táchira a la montaña de San Camilo; a mediados de diciembre ambas columnas ocuparon el territorio de la provincia al norte del Apure y la mayor parte de sus soldados dirigiéronse al sur, cruzaron el río de este nombre y se unieron a La Torre.

Según Enrile todas estas tropas enviadas a Venezuela sumaban 4.000 hombres, distribuidos en la columna de Cazadores, en los batallones de Victoria, Cachirí, Tercero de Numancia, un escuadrón de artillería, sin piezas, dos de Húsares, uno de Carabineros de Fernando VII, y los llaneros de Remigio Ramos. En marcha tan prolongada, de cerca de 300 leguas, sin reemplazos fuera de algunos reclutas de los pueblos del tránsito, sin almacenes y sin material suficiente, los cuerpos con dificultad conservaron su fuerza (1).

La Torre avanzaba hacia Guasdualito y Nutrias, arrimado a los bosques y cubría su flanco derecho un escuadrón de llaneros al mando de Cirilo Medina. Páez reforzó con varios escuadrones escogidos del Bajo Apure la columna de Ramón Nonato Pérez, llanero enérgico y voluntarioso de Casanare, y lo envió a batir a La Torre, pero dicho jefe se empeñó en batir primero tropas de

(1) Enrile al Ministro de la Guerra. El Teniente General Don Pablo Morillo, por Rodríguez Villa. III, pág. 303.

Calzada situadas en Guasdualito; sostuvo con ellas un violento combate el 4 de enero, y no pudiendo hacer frente a La Torre por las pérdidas sufridas, replegó ante él. Sus vencedores continuaron río abajo hasta San Vicente, llevando los parques, equipajes y parte de las tropas embarcadas y luego siguieron a Nutrias. Mientras tanto La Torre avanzaba tranquilamente por las sabanas hacia Mantecal, con los Húsares, una columna de Cazadores, los artilleros montados y algunos llaneros, en solicitud de Calzada; y Nonato Pérez, acercándose a su flanco derecho, soprendió y destruyó el escuadrón de Medina que lo resguardaba.

Aunque vencedor en Palital de la columna de Gorrín enviada en socorro de San Fernando, y dueño del Bajo Apure, Páez no pudo reunir en esa región para la lucha contra Morillo sino 500 jinetes: pronto a marchar ordenó a las poblaciones de Guasimal, Achaguas y Banco Largo, situadas a la derecha del Apurito y del Apure, irse al Sur al otro lado del Arauca con el objeto de dejar a los enemigos el país desierto, y avanzó a unirse a Nonato Pérez a quien había dado orden de retirarse delante de La Torre y Calzada. La reunión de estas dos fuerzas españolas, en comunicación segura desde hacía varios días, tuvo lugar cerca del paso del Frío y enseguida Páez y Nonato Pérez, juntaron las suyas, algo más al sur, en las sabanas del Frío. En la mañana del 28 de enero de 1817 se avistaron los contendientes en la sabana de Mucuritas a una legua de distancia. Páez describió un extenso arco hacia el este para situarse a barlovento de los enemigos, porque en el verano los vientos constantes del este arrastran en los llanos polvo y cenizas de paja quemada y ciegan o estorban al soldado.

La Torre avanzaba con algo más de 1.500 infantes en tres columnas macizas en el centro y a sus flancos los 800 jinetes de Remigio Ramos. Confiando en que los insurgentes continuarían su retirada, no procuró reunir todas sus tropas en marcha. Páez a su vez, empeñado en combatir antes que los enemigos se reforzaran, se adelantó sobre ellos atrevidamente con sus 1.100 jinetes, armados únicamente de lanzas, y los formó en tres líneas: cuando estuvieron a tiro de fusil, la primera línea recibió orden de seguir avanzando y a mitad de distancia dividirse en dos partes, cargar de flanco a las líneas de caballería enemiga y retirarse en esa misma dirección a su altura, es decir, al terreno ocupado antes de iniciar la carga, a fin de que la caballería enemiga los persiguiera, y se alejara de la infantería para envolverla con las otras dos líneas cuanto estuvieran fuera del alcance de los fuegos de la infantería. Logrado todo esto por el caudillo apureño, con insuperable maestría, los escuadrones de Remigio Ramos fueron envueltos y alanceados por los jinetes de Páez y los hombres que no cayeron muertos o heridos huyeron del campo de batalla. Sólo se salvaron los Húsares españoles de Fernando VII por no haber avanzado tanto como los escuadrones llaneros. Al término de estos movimientos 50 hombres preparados anticipadamente por Páez pegaron fuego a la paja seca de las sabanas, muy alta en aquellos lugares, y las columnas de infantería se vieron cercadas de llamas por su frente, derecha y retaguardia. La Torre pudo sacar la infantería de aquel infierno y salvarla, en el terreno limpio a la izquierda de su campo, por haber quemado los pastos poco antes los vecinos del lugar. En la retirada hacia el paso del Frío, en el río Apure, distante una legua del campo de batalla, los españoles fueron cargados muchas veces por los escuadrones de Páez hasta que se guarecieron de los bosques (2). "Catorce cargas consecutivas sobre mis cansados batallones—escribió Morillo—me hicieron ver que aquellos hombres no eran una gavilla de cobardes, poco numerosa, como me habían informado. Pero a pesar de su valor los soldados de mi ejército, como buenos españoles, los rechazaron constantemente" (3). La acción duró desde las nueve de la mañana hasta las cuatro de la tarde. En poder de los patriotas quedaron 300 caballos de madrina, tres cajas de guerra, dos cargas de pertrechos, algunos fusiles y carabinas, muchas lan-

---

(2) Narración del general Páez, publicada por nosotros en el Boletín nº 21 de la Academia Nacional de la Historia, pág. 1.145 y siguientes. Ni en esta narración original, sencilla y espontánea, ni en la Autobiografía dice Páez si los escuadrones realistas avanzaron en persecución de los patriotas hacia un solo lado o en dos direcciones distintas. Como va dicho los españoles no esperaban combatir tan pronto y por esto no estuvieron todas sus tropas presentes en el campo. El efectivo de La Torre lo tomamos del oficio de Páez al Jefe Supremo en el cual le dice que él llevó al combate 1.300 jinetes y La Torre poco más de 1.000 infantes y 800 caballos. Este oficio fue escrito el 18 de febrero cuando Páez estaba muy bien informado del número de las tropas de La Torre. (O'Leary, XV, pág. 177). El efectivo supuesto a este general posteriormente es mayor que el de todo el ejército de Morillo. Véase la Autobiografía de Páez. I, pág. 124.

(3) Mémoires du General Morillo. Paris, 1826, pág. 97. En su narración Morillo hace subir a 3.000 el número de jinetes de Páez.

zas y multitud de prisioneros. Numerosos muertos y heridos cubrieron el campo. Morillo venía detrás con la columna de Cazadores del coronel Escuté y al día siguiente se incorporó a La Torre.

Poderío de Páez.

Páez obraba desde el año anterior como jefe supremo y esta brillante victoria confirmó sus títulos de señor de Apure. Era entonces un mocetón de 26 años de edad, criado amansando potros, en otros trabajos análogos, y atravesando ríos a nado. En su oficio a Bolívar, de 18 de febrero, excusándose de concurrir a la concentración de tropas en Oriente, muestra todo su poderío. Según afirma disponía de 4.000 guerreros, vencedores en trece acciones campales, de diez mil caballos empotrerados, de otros tantos en las sabanas al cuidado de los vecinos y de inmensas dehesas de ganados. Sólo necesitaba fusiles, pólvora, plomo y piedras de chispa para dar la libertad a Venezuela. Pide estos elementos al Jefe Supremo y le envía al capellán de su ejército Becerra, a comunicarle cuantos informes pueda desear. Tanta arrogancia revela al futuro dominador de Venezuela.

Los realistas siguieron hacia San Fernando por Banco Largo y Achaguas, caminando a la orilla de los bosques, mientras Páez marchaba por la sabana limpia en línea paralela a ellos. Cuando llegaron a este último punto Páez les presentó arrogantemente su caballería en una extensa sabana, pero rehusaron el combate y prosiguieron a San Fernando.

Distribución de fuerzas reales.

De aquí Morillo envió a La Torre con 800 hombres en 26 lanchas, navegando por el Apure y el Orinoco, a socorrer la plaza de Angostura; a Correa lo destinó con 600 a Nutrias por la izquierda del Apure; a Remigio Ramos, a las órdenes de Correa, con 400 a Barinas, dejó a Calzada 1.300 infantes y jinetes y pasando a la izquierda del Apure marchó a Calabozo con el resto de sus tropas unos 1.200 hombres entre infantes y jinetes, incluyendo un escuadrón de Guayabal, al mando de Antonio Ramos; y de allí los envió al Oriente, mientras él se dirigía acompañado de una escolta a los valles de Aragua. Los españoles contaban además, a uno y otro lado del Apure, con partidas locales, tan tenaces y heroicas como las patriotas. En la marcha desde el corazón de la Nueva Granada, a través de la cordillera inclemente y de los llanos semidesiertos, el ejército español sufrió toda clase de fatigas. El hambre, la disentería y las calenturas ejercieron su cruel imperio sobre las tropas en casi toda la travesía. El paso de ríos navegables y de caños profundos, sin medios adecuados, y el tránsito de valles y esteros pantanosos pusieron a prueba a los infatigables soldados de Morillo (4).

En Apure los españoles sólo conservaron el territorio al sur de San Fernando hasta Achaguas y San Juan de Payara, rico en frutos menores y provisto de ganados. Páez dividió sus fuerzas, destinando diversas partidas a ocupar casi todo el Apure y parte del territorio de Barinas. Estableció su cuartel en el Yagual a la margen izquierda del Arauca, y luego en Achaguas, y situó a largas distancias, con sendas columnas, a su derecha a Guerrero en el hato de Merecure y a su izquierda a Rangel frente a Apurito y Mantecal (5).

Derrota de Páez en San Antonio.

Estorbando a sus comunicaciones una columna de 300 hombres, compuesta de infantes de Numancia y algunos jinetes, apostada por Correa en San Antonio, a orillas del Apure, al mando del comandante venezolano Jacinto Perera, Páez la mandó atacar por 300 jinetes a las órdenes del comandante Peña, pero rechazados con pérdidas, marchó el mismo Páez con 500 jinetes y el

(4) Morillo al Ministro de la Guerra. Maracay, 1º de abril de 1817. Rodríguez Villa III, p. 369.

(5) O'Leary XV, p. 177. Narración de Páez en el Boletín de la Academia de la Historia Nº 21 y Autobiografía de Páez, págs. 1.148 y 124 respectivamente. Las fuerzas distribuidas por Morillo sumaban 4.300 hombres y se componían de las siguientes: 1.500 de Correa y Gorrín existentes en San Fernando, desde antes de la llegada de Morillo, 800 de la división de Calzada y 1.900 de las columnas de La Torre, Arce, Villavicencio y Carmona, restadas las pérdidas en marchas y combates. Los números citados son deducidos en parte. En el material histórico de que disponemos no existen datos precisos. Morillo exagera casi siempre los efectivos, para dar colorido a las acciones, como dice Restrepo. Páez incurre con frecuencia en la misma falta, y los historiadores copian sin analizar. Por ejemplo, como veremos adelante, se asegura que Morillo en marcha a Guayana, reunió en el Chaparro 6.000 hombres, cuando incluyendo a la división de Aldama, apenas dispondría de poco más de la tercera parte de ese número.

propósito de sorprender el puesto. El 13 de abril se presentó de improviso ante él y aunque embistió varias veces con empeño, tuvo que retirarse con sus heridos, dejando 132 muertos en el campo, según el parte oficial de los españoles (6). En sus narraciones el jefe llanero oculta esta derrota.

Casanare se pronunció pronto por la Independencia, a consecuencia del triunfo de Mucuritas y por el esfuerzo de caudillos locales apoyados en una columna enviada por Páez al mando de Galea.

Las Misiones del Caroní.

El fracaso del 18 de enero demostró a Piar y a Sedeño la imposibilidad de tomar la plaza de Angostura con los medios de que disponían, y sin otro partido mejor resolvieron asediarla con dos escuadrones y dirigirse a las Misiones del Caroní, abundantes en toda clase de vituallas, y débilmente defendidas por tropas colecticias y mal armadas. Los capuchinos catalanes, bajo el régimen colonial, habían logrado, en casi un siglo, reducir los indios salvajes de ese extremo oriental de Guayana, y fundar 29 pueblos en los que reinaban el orden, el aseo, el hábito del trabajo, y las prácticas cristianas de la institución. Las Misiones ocupaban cerca de 400 leguas cuadradas entre el Caroní y el Orinoco. "Su territorio es el único que ofrece en Venezuela—escribía Piar al Libertador—el aspecto risueño de la abundancia y de la inocencia, el único donde se ven poblaciones y campos cultivados" (7). Se entiende sin contar los valles inmediatos a Caracas y a las principales ciudades. Grandes dehesas de caballos y ganados y plantaciones de toda clase de frutos proporcionaban el bienestar a los indígenas y algunas rentas a la administración de los religiosos. Durante las guerras de la revolución y del imperio se exportaron a las colonias mulas, ganados, cueros, algodón, tabaco y otros artículos. Defendidas de invasiones extrañas por las fortalezas de Guayana la Antigua, las Misiones habían vivido en paz desde su origen.

(6) Parte de Correa. Rodríguez Villa, III, p. 376. En la Autobiografía Páez dice que los enemigos se retiraron en la noche, pero el hecho fue que quedaron dominando la línea del río. Véase la relación original de Páez, Boletín de la Academia de la Historia N° 21 p. 1.149.

(7) Piar a Bolívar, 10 febrero. O'Leary XV, pág. 169.

Resuelta la ocupación de este territorio los insurgentes levantaron su campo de La Mesa el 24 de enero y se dirigieron a él. Sedeño, con dos de sus escuadrones, acostumbrados a cruzar los ríos a nado, llevaba la vanguardia para procurar los medios de atravesar el Caroní. Piar lo seguía con el resto de las tropas: frente a Angostura quedó el coronel Miguel de Armas, con los escuadrones Caicara y Altagracia, en junto 200 jinetes, encargado de impedir a los de la plaza sacar ganados de los hatos del sur.

El 30 de enero 70 jinetes de Sedeño dispersaron en Uri, del otro lado del Caroní, a unos 200 hombres indisciplinados al mando de Sánchez y todas las misiones inmediatas al Caroní quedaron a merced de los patriotas. Ni los indios ni los frailes se escondían. Todos se presentaban (8). No sucedió lo mismo en los días subsiguientes probablemente por las tropelías naturales en revolución o por motivos ignorados. El 3 y 4 de febrero pasó el ejército por el paso de Carhuachi, y Piar fue hasta Upata y ocupó todas las Misiones hacia el Sur. La administración se encomendó con el título de comisionado, al presbítero coronel José Félix Blanco, vicario del ejército, recién llegado de Apure, hombre activo, entendido y de probidad proverbial. En los pueblos principales se pusieron comandantes militares. Recogidos los frailes fueron enviados con escolta al pueblo de Carhuachi, a la orden de su comandante el coronel Ucrós. Una partida de 100 hombres situada al Sur, a las órdenes de Ramos se disolvió y los fugitivos se dirigieron por caminos extraviados a Angostura. El 23, en una excursión de Piar sobre Guayana la Vieja, el coronel Pedro Hernández dispersó la columna del llanero Torrealba, muy cerca de las fortalezas y quedó asediándolas con dos escuadrones, mientras Piar regresaba a Upata. Ocupado todo el territorio Sedeño se devolvió a la Mesa a estrechar el asedio de Angostura. Poco después el coronel Chipia con el batallón Barlovento, denominado vanguardia, se estacionó en San Miguel cerca de las bocas del Caroní y del puerto de Tablas, punto intermedio de Angostura a Guayana la Vieja.

El 6 de marzo Piar se dirigió de nuevo a esta última, llevando esta vez toda la infantería disponible y los carabineros montados, dispuesto a establecer el sitio en forma; pero sin los útiles necesarios, se limitó a colocar las tropas frente a la plaza, sin efectuar

(8) Piar al comandante Armas, 4 de febrero. O'Leary XV, 152.

trabajos de sitio, y de avanzada un destacamento, río abajo en Piacoa. Puso estos cuarteles a las órdenes de P. L. Torres, y los de la línea del Caroní a las de Chipía. Pocos días después llevó a San Miguel una parte de la infantería del sitio y personalmente se estableció en Carhuachi, en el paso del Caroní.

Pacificadas las Misiones, y asediadas las dos plazas fuertes todo el interior de la provincia, desde Caicara hasta la frontera del Este quedó en manos de los patriotas. En cambio los españoles dueños de la marina, de las comunicaciones del río, y de las dos plazas fuertes, considerábanse seguros.

La Marina Real.

Ellos dominaban el Orinoco y sus afluentes desde la sangrienta batalla del 26 de marzo de 1812, ganada por el teniente de fragata de la Real Armada Francisco de Sales Echeverría, en medio de los estremecimientos de las aguas del Orinoco durante el terremoto de Caracas. La escuadrilla principal contaba en 1817 de una corbeta mercante armada con 8 cañones, un bergantín de 14, cinco goletas, una polacra, un guairo, una balandra, seis cañoneras, y 4 flecheras, contando entre todos 60 cañones, 635 soldados de guarnición y 555 marineros, muchos de unos y otros españoles. Estas naves mantenían libres las comunicaciones y protegían los buques de trasporte, de todas clases y tamaños, ocupados en abastecer las plazas, en el comercio ribereño y de Barinas y en el contrabando, tradicional en aquellas aguas. Los realistas disponían además de varias flotillas secundarias. (9).

La penetrante mirada de Bolívar había descubierto desde el primer momento el punto débil de los enemigos, y desde Barcelona escribió a Piar que para tomar a Guayana era indispensable alejar o destruir la marina real. (10).

Refuerzos de Apure. Salida de La Torre.

Estacionado en Carhuachi, observando el asedio de las plazas, con una reserva en San Miguel, y dueño de las Misiones, Piar se

(9) Expediente sobre la pérdida de Guayana, por José de Olazarra. El Teniente General Don Pablo Morillo, por Rodríguez Villa, Tomo IV, 116 a 154. Véase página 144.

(10) Bolívar a Piar, 10 de enero de 1817. O'Leary XV, 116.

mantenía en espectativa, aumentando y mejorando sus tropas, cuando el 29 de marzo recibió despachos de Sedeño anunciándole la llegada a Angostura de 26 lanchas con refuerzos de San Fernando. El pensamiento natural era suponer que estas tropas intentaran rescatar las Misiones por Puerto de Tablas y San Miguel. En consecuencia el jefe patriota dispuso prepararse para esperarlas, y en el mismo momento dictó las órdenes del caso. El destacamento situado en Piacoa, más abajo de las Fortalezas, al mando del capitán Morales, y las tropas del sitio a cargo de Torres, debían marchar a San Miguel, y Sedeño concurrir con su caballería y caballadas de repuesto al paso de Carhuachi a incorporarse al ejército; pero el 30 un oficial de Sedeño le llevó la noticia de que el brigadier La Torre con 800 infantes y 80 caballos había salido de Angostura al Sur hacia los hatos Ferraneros en solicitud de caballos y ganados, los jinetes de Sedeño lo dejaron pasar y luego volvieron sobre su retaguardia, sin comprometer choques formales (11). Informes simultáneos de la isla de Siguao y del río de la Paragua hicieron creer a Piar que La Torre pensaba estacionarse por lo menos durante muchos días en aquellos parajes y resolvió llevar toda su caballería, incluyendo 200 carabineros, hacia la Mesa de Angostura para dar una batalla solamente con jinetes, interponiéndose entre los enemigos y la plaza, pero en vista de nuevos informes del coronel Felipe Mauricio Martín sobre la composición de las tropas de La Torre, dispuso que la infantería a las órdenes de P. L. Torres (Guardia de Honor del Jefe Supremo y batallón Conquista de Guayana) marchase en la misma dirección de la caballería, quedando solamente del lado allá del Caroní la vanguardia (Batallón Barlovento) al mando de Chipia en San Miguel, y un escuadrón frente a las Fortalezas. El mismo Piar se fue adelante con los jinetes, pasó el Caroní y avanzó por San Felipe. La infantería lo seguía a marchas forzadas.

El Libertador.

Tal era el estado de la campaña cuando al llegar el general a la Mesa de Angostura el 3 de abril en la mañana se le presentó un oficial llamado José Antonio Gómez con la inesperada noticia de que el general Bolívar se hallaba al otro lado del Orinoco y venía a su campamento. Fue una casualidad feliz la llegada de

(11) Diario de Piar. O'Leary XV, pág. 220 y 222.

Piar en esos momentos. Como la infantería venía atrasada el jefe republicano tenía tiempo de ir a la ribera del río a recibir al Libertador y de regresar a unirse a sus tropas. Inmediatamente envió su caballería a Sedeño y acompañado del secretario de guerra Briceño Méndez, del jefe de estado mayor Anzoátegui, y de una escolta se dirigió a la margen del Orinoco, siguió río arriba y pernoctó en San José, tal como lo hemos expuesto en el capítulo anterior.

Al día siguiente 4 de abril a poco andar encontró al Libertador a las 7 de la mañana acompañado de tres edecanes y fueron a descansar en San José. Algo más tarde supieron por Sedeño la retirada de los enemigos a la plaza, en el curso de la noche, a favor de los montes de Orocopiche, quedando por tanto frustrado el proyecto de Piar de dar una batalla, interponiéndose entre los españoles y Angostura. A las dos de la tarde los jefes emprendieron marcha al campamento y entrada la noche, hallándose en el sitio de la Mesa, un joven de Angostura les llevó la noticia de que La Torre con todas sus tropas se había embarcado en la tarde rumbo a Guayana la Antigua. Este hecho, de la mayor trascendencia, ponía en peligro las Misiones, y era urgente asegurarlas. Por tanto sin vacilación tomaron el partido de disponer el regreso de las tropas al Caroní a marchas forzadas, y en efecto estas la emprendieron al día siguiente al amanecer después de pasarles revista el Libertador. En seguida los dos jefes hicieron con la caballería un reconocimiento de la plaza, hasta muy cerca de La Laguna, regresaron a la Mesa y al medio día se separaron: Piar a alcanzar la infantería, y el Libertador a dirigirse, no al lugar por donde había cruzado el Orinoco, sino al de Angosturita, más abajo de Angostura, para despistar al enemigo, repasar el río y seguir a los llanos de Barcelona. Sedeño quedó con sus jinetes frente a la capital (12).

¿ Cuáles fueron los temas de conversación de los dos caudillos en las 30 horas que estuvieron juntos? No existen documentos a este respecto, pero es de suponer trataran de las causas del fra-

(12) O'Leary, dice que penetrando Bolívar la intención de La Torre al embarcarse para las Misiones ordenó a Piar marchar con su división en busca de los realistas. Pero el hecho estaba a la vista de todos y si Piar hubiera estado solo seguramente habría tomado la misma disposición. Narración, I. pág. 376.

caso de la campaña de Barcelona, por las voluntariedades de Mariño, sobre la marina necesaria para reducir a Guayana, de las gestiones de nuevos armamentos, la llegada de Morillo al Apure, las fuerzas de Páez, el rompimiento inevitable con Mariño y la conducción a Guayana de los elementos reunidos en Barcelona. La mayor armonía, por lo menos aparentemente, debió reinar en estas conferencias. Frases cordiales se habían prodigado ambos jefes en sus comunicaciones. "Nada es para mi corazón más grato —le había escrito Piar a Bolívar el 31 de enero—ni más satisfactorio, después del bien de la Patria, que un razgo de V.E. aplaudiendo mi conducta" (13). Pero hondas desconfianzas sembraría en su corazón el proyecto del Libertador de dirigirse a Guayana, pues no podía escapar a su penetración que los principales jefes del Ejército, Briceño Méndez, Anzoátegui, Torres, Chipia, Landaeta, Salom, Blanco y Sedeño, eran amigos decididos de Bolívar, y ¡cuántos lo habían abandonado a él por dirigirse al cuartel general, donde la vida no era más agradable, ni los trabajos menores que en Guayana! Recientemente, el 30 de enero, el coronel Segura se le había separado con los Soberbios Dragones de Caracas, para dirigirse a Barcelona dejándolo sin caballería, en la marcha al Caroní!

Batalla de San Félix.

El regreso de las tropas a las Misiones se hizo rápidamente. La infantería cruzó el 6 abril el Caroní, el 7 se remontó la caballería en Carhuachi en caballos recogidos rápidamente en los distintos pueblos por el Padre Blanco, y en la tarde marcharon todas las tropas a San Félix, adonde llegaron al día siguiente en la mañana a unirse a la columna de Chipía. El convoy de La Torre, bajando el Orinoco, había pasado hacia las Fortalezas, o sea Guayana la Vieja donde desembarcaron las tropas al día siguiente.

El 10 la partida de observación en Puga anunció la aproximación de los enemigos, pero éstos no llegaron al Banco de San Félix, frente al pueblo de este nombre, donde los esperaba Piar, sino el 11 después de medio día. La Torre con 1.000 infantes y 150 húsares, lanceros y artilleros, casi todos a pie, por carecer de caballos, se presentaba a los insurgentes, superiores en número, en una in-

(13) O'Leary. XV, pág. 148.

mensa llanura despejada, donde fácilmente podía ser envuelto. Piar disponía de 700 fusileros, 600 jinetes, entre carabineros y lanceros, 300 de éstos a pie y 200 indios flecheros. Total 1.800 hombres (14). La acción empezó a las cuatro de la tarde. Los españoles avanzaron en tres columnas macizas, a estrechas distancias, y algunos jinetes a sus flancos, haciendo fuego de fusil, a la vez que la línea de infantería de los patriotas, después de una descarga general, atacó a la bayoneta de propia iniciativa de Chipia y Landaeta; Piar en persona dando un rodeo cargó a los enemigos por la espalda con los carabineros a caballo, mientras Anzoátegui y P. L. Torres dirigían la lucha de frente, y la caballería, guiada por Pedro Hernandez y otros jefes llaneros, embestía por ambos flancos.

Los españoles envueltos, sin poder maniobrar, por la violencia y simultaneidad de los ataques, formaron una sola masa, y después de media hora de resistencia, emprendieron la retirada, tratando de ampararse en los montes del Orinoco, distantes una legua, pero no lo pudieron lograr, porque se desorganizaron y en el desorden fueron destrozados. El combate y la persecución terminaron al anochecer, salvándose La Torre con algunos grupos en los bosques del río cuando los jinetes patriotas estaban a punto de alcanzarlo. En el campo quedaron 593 muertos de los realistas y 497 prisioneros, según el diario de Piar, entre estos últimos

(14) Como en tantos otros casos se ha exagerado el número de combatientes. El Diario de Operaciones de Piar, escrito por el estado mayor en posesión, después de la batalla, de cuantos datos se pudieran desear, le asigna a La Torre 1.000 infantes y 150 jinetes. Su columna se componía exclusivamente del Batallón Cachiri, de reclutas granadinos y oficiales españoles, una columna de Cazadores europeos, tropas mermadas por su larga marcha desde la Nueva Granada, dos compañías de Barbastro de la guarnición de Angostura, y unos cuantos húsares y artilleros, y compulsando cuantas relaciones y documentos existen se llega a la conclusión de que no podía tener ni un soldado más de los indicados en el diario. No es exacto que los españoles recibieran caballos de las colonias o del otro lado del Orinoco.

El efectivo de Piar lo hemos deducido de diversos datos de distintos documentos. Montenegro Colón exagerando le asigna 2.200, y al mismo tiempo reduce el número de fusileros y jinetes. Piar sacó de Barcelona 800 de los primeros y muchos fusiles sobrantes, y aunque ha debido perder bastantes en la campaña, en el combate disponía de 700 fusileros y cerca de 200 carabineros a caballo. Su caballería se había aumentado después de la ocupación de las Misiones, y al combate llevó gran parte de la de Sedeño.

200 españoles (15). Los vencedores no habían dado cuartel en el combate. De los españoles murieron, al decir del diario citado, el coronel de Cachiri Carmona, el jefe de estado mayor Esteban Díaz, los comandantes de Cazadores y Húsares, Silvestre Llorente y Juan Muñoz, y el llanero jefe de escuadrón José Torralba, pero todo esto no es exacto, pues los dos primeros y el último se salvaron. De los patriotas quedaron en el campo los dos jefes de infantería que tomaron la iniciativa en la carga general, el experto Chipia y el constante y hábil Landaeta, ambos de grandes servicios en la revolución, 31 oficiales y soldados muertos y 65 heridos.

¿Cómo fue que La Torre, con la experiencia de su travesía del Apure, se lanzó inconsideradamente en una llanura sin caballería y con sus infantes en masa compacta? ¿Por qué sus batallones invulnerables en la sabana de Mucuritas, resistieron las catorce cargas de caballería de Páez y en San Félix se arremolinan, no forman cuadros y casi no oponen resistencia? Es verdad que en aquella acción su infantería era más numerosa y Páez sólo disponía de lanceros, pero en el presente caso la limitación de sus fuerzas ha debido sugerirle más prudencia. ¿Acaso desprevenidos se imaginaron los realistas que los insurgentes se retirarían como en el hato Ferranero, y no tuvieron tiempo de maniobrar? Sólo hemos encontrado una explicación a este atolondramiento y descuido: las tropas desembarcaron sin víveres y el general se vió precisado a operar aceleradamente sin haber podido montar la caballería, y sin estar bien informado de las fuerzas de su adversario (16). Así como Morillo estaba persuadido, antes de Mucuritas,

---

(15) El número de muertos es exagerado. Lo sacaron del efectivo total de La Torre, restando el número de prisioneros, suponiendo que el general español escapó casi solo.

(16) Relación de José de Olazarra. El General Morillo por Rodríguez Villa. IV, p. 116 y siguientes.

Según el Diario de Piar, el brigadier La Torre se salvó con 16 a 20 hombres solamente, dato supuesto, por las huellas encontradas en el bosque. Montenegro Colón dice se salvaron 17, pero según el coronel Sevilla, presente en Angostura, con La Torre salieron del campo el comandante de Cachirí, Carmona, dado por muerto en el Diario de Piar, 10 oficiales sueltos y 250 hombres de Cachirí, los cuales fueron recogidos al día siguiente por la mañana por varias cañoneras y piraguas enviadas de las Fortalezas por el comandante de marina Lizarza. Estos restos de la columna de La Torre

de que las tropas de Apure eran una gavilla de cobardes, al parecer La Torre no creyó en la consistencia de las de Piar y se imaginó que las podría destruir al primer choque.

El jefe republicano presentó sus tropas hábilmente en línea extensa y envolvió a los contrarios sin que éstos estorbaran sus maniobras. La sangre fría y la rapidez en los movimientos de Piar tuvieron sin duda mucha parte en el éxito. Sus fuerzas eran superiores en número pero entre ellas había indios mal armados y de escasas aptitudes militares, mientras las españolas eran tropas regulares.

En poder de Piar quedaron 900 fusiles, 25.000 cartuchos y 3 banderas. El Gobernador Cerruti, prisionero, valiente hasta el último momento, fue decapitado al otro día junto con los españoles prisioneros, de los cuales sólo perdonaron a los cornetas y tambores. En los tres batallones de Piar, Barlovento, Guardia de Honor del Jefe Supremo, y Conquista de Guayana, se distribuyeron 200 prisioneros americanos. Torres y Anzoátegui fueron elevados a generales de brigada y Salom a coronel efectivo. A cada uno de los oficiales de la expedición de los Cayos se dió un grado (17).

---

llegaron a Angostura el 23 y constituyeron el refuerzo enviado de las Fortalezas, según el Diario de Piar. O'Leary XV, p. 247. Memorias de un Militar (Rafael Sevilla) Puerto Rico. 1877, p. 316.

(17) Refiere Baralt que la marcha de La Torre al sur de Angostura tuvo por objeto engañar a Piar para hacerlo salir de las Misiones, pero que este general, más astuto de lo que suponía La Torre, adivinó el plan antes de partir aquellas hacia Angostura, y lo dejó todo preparado para su regreso. Pura leyenda, forjada años después, durante la reacción antiboliviana, de 1830 a 1840, época fecunda en invenciones y consejas semejantes respecto a los planes de Boves en La Puerta, todo en el empeño de embellecer las acciones del héroe que se había enfrentado al Libertador en la guerra, y del monstruo que lo venció en 1814. En las luchas armadas el guerrero, en posesión de datos ciertos, vé mejor que los demás pero no adivina. Los hechos, honrosos bajo todos respectos, para Piar, pasaron tal como los hemos descrito, de acuerdo con los documentos inéditos que publicamos en el Boletín número 80 de la Academia de la Historia y el Diario de Piar. Si hubiera existido el plan atribuido al jefe patriota este no habría obligado a su infantería y caballería a efectuar siete marchas forzadas, y dos pasos del río Caroní, para llevarlas sin necesidad de las Misiones a Angostura y volverlas a conducir a las Misiones. Bastábale esperar a La Torre en estas

Ataque infructuoso a Angostura.

Cinco días permaneció Piar inactivo con el ejército en San Félix, alegando no tener ganados para seguir las operaciones. Por fin el 18, cuando ya había pasado la primera impresión de la derrota, se presentó frente a las Fortalezas, pero no dando los españoles señales de temor ni de debilidad, regresó a San Miguel el 19, dejando al comandante Franco encargado del asedio con dos escuadrones; y luego el 20 emprendió marcha rápida hacia Angostura, adonde llegó el 23, por haber tenido informes de Sedeño, de que un grupo de oficiales conspiraba para entregar la plaza. La conjuración o no existió, o fue descubierta, y el 25 Piar dispuso un nuevo asalto a la ciudad. A las dos de la madrugada avanzaron varias columnas llevando P. L. Torres la principal, y aunque atacaron con vigor fueron rechazadas por el propio La Torre, quien había regresado el 23 con 300 hombres, de los cuales 260 procedían del campo de batalla. A las seis de la mañana los patriotas replegaron con pérdida de 7 oficiales y 78 soldados, entre muertos y heridos, disimulados en el Diario de Piar, en el cual sólo se anotan 17 de unos y otros. Al jefe de estado mayor Anzoátegui le mataron el caballo de un tiro de cañón. Los españoles habían reforzado sus tropas con voluntarios de la ciudad, e hicieron jugar con gran éxito su numerosa artillería (18). En los días 26 y 27 regresaron a Angostura los buques de la escuadrilla española, todavía existentes en Guayana la Vieja.

Bolívar en Guayana.

En el paso del Caura el 31 de diciembre se había distinguido

últimas. El río Caroní, en el paso de Carhuachi tiene 800 metros de ancho y los medios disponibles para pasarlo eran exiguos.

En la obra de Rodríguez Villa, "El Teniente General Don Pablo Morillo", III, p. 377, se encuentra el parte de La Torre a Morillo, fechado el 4 de abril en Angostura, momentos antes de embarcarse para las Fortalezas, en el cual expone con sencillez y exactitud los motivos que lo indujeron, primero a la salida hacia el sur de Angostura, en busca de ganados, de la cual trajo 250 novillos, y luego su resolución de dirigirse a ocupar las Misiones, unico punto de donde podía sacar subsistencias para Angostura y sus tropas.

(18) Relación de Un Joven Caraqueño, publicada por nosotros. Boletín de la Academia Nacional de la Historia N° 15, p. 362.

un caroreño de habilidad y valor llamado Rafael Rodríguez (19). Este hombre con unas cuantas curiaras recogidas por el coronel Chipia, escondiéndose en los caños y saliendo cuando era oportuno, la emprendió contra los buques españoles. Comprendiendo Piar la utilidad de la marina le había proporcionado algunos elementos y mandó a construir dos piraguas. A mediados de abril Rodríguez capturó tres lanchas con víveres, y el 29 se apoderó frente a Panapana de un bergantín cargado de subsistencias, pero tuvo necesidad de incendiarlo por presentarse un convoy de 16 a 20 velas, procedente de Angostura. Por su magnitud Piar se engañó al ver tantas naves desde la ribera: creyó en la evacuación de la plaza, y corrió a ocuparla, pero lejos de eso, encontró a los españoles aumentando las fortificaciones, y supo como habían aumentado sus tropas a la primera noticia de la derrota de La Torre, enrolando en sus filas a todo hombre útil al servicio fuera empleado público, comerciante, marinero, artesano o esclavo. Todos se convirtieron en soldados y se batieron con valor cuantas veces fue necesario (20).

Tales eran las ocupaciones de Piar cuando llegaron a su campamento el coronel Tomás Montilla y el teniente coronel Montes de Oca de parte del Jefe Supremo, a solicitar guías, bestias de silla y ganados para la marcha de las tropas que traía del otro lado del Orinoco. El 25 en la tarde, el mismo día del asalto a la plaza, despachó los comisionados hacia Moitaco, pero estos tardaron en encontrar al Libertador, como lo explicamos en el capítulo anterior, bien porque no les entregaron los auxilios a tiempo o por causas que ignoramos.

Las tropas del general Bolívar terminaron el paso del Orinoco el 27 de abril. El 30 ya habían dejado atrás el río Aro, y avanzaban sobre Angostura. El 2 de mayo a las cuatro de la madrugada, Piar salió a su encuentro y a las once de la mañana entró el Libertador al campamento del Juncal, en la Mesa de Angostura,

(19) En los documentos españoles lo denominan Cabeza de Gato, y así lo nombraban sus paisanos y amigos. El Libertador proscribió del lenguaje oficial los apodos y otras vulgaridades tan frecuentes en nuestras luchas civiles posteriores.

(20) Memorias de Un Militar, Rafael Sevilla. Puerto Rico, 1877, pág. 318.

en medio de "las más vivas expresiones de júbilo, estimación y respeto, y con los correspondientes honores". Era un nuevo reconocimiento de su autoridad suprema. Una hora después llegaron Arismendi, Bermúdez, Valdés, Zaraza, Soublette y las tropas salvadas de las disensiones causadas por Mariño (21).

Primeros actos de Bolívar. Idea fundamental para rendir a Guayana. La Marina Republicana. Combate de Fajardo.

El 2 de mayo, con los victores y aclamaciones del ejército, comenzó propiamente el gobierno efectivo de Bolívar, en este tercer período de la República, pues hasta entonces sólo había influído parcialmente sobre determinados grupos, en cortos momentos y teniendo que contemporizar con los jefes locales y los corsarios. La experiencia de jefes y oficiales en los sucesos ocurridos desde Los Cayos hasta Barcelona produjo una reacción en favor del establecimiento de un gobierno efectivo y solo el Libertador reunía los sufragios de todos los presentes en Guayana. Los oficiales de Los Cayos, núcleo principal del ejército de Piar, se habían mantenido fieles amigos suyos, hasta el punto de haber conservado a uno de los tres batallones en los que refundió Piar la infantería, el nombre de Guardia de Honor del Jefe Supremo. Sedeño, su amigo decidido desde 1814, había infundido a sus hombres los mismos sentimientos, y los disidentes de Mariño venían dispuestos con Bermúdez a apoyarlo en todo y por todo. Aunque la victoria había seguido los pasos de Piar, la acrimonia de su trato corriente y violencias de carácter, cuyas resultas a veces no podía subsanar, le proporcionaban enemigos a cada paso, y ni en saber, ni en talentos, ni en desprendimiento, podía compararse con Bolívar, principal animador de la revolución en este nuevo período, e investido desde Los Cayos con el mando supremo. "Bolívar, escribía Tomás Montilla, en esos días, a pesar de sus reveces, tiene una gran reputación y es muy querido" (22). Tales hechos, y la presencia de la división Bermúdez decidieron del reconocimiento del Juncal, pues como dice Briceño Méndez, tan íntimamente unido a Piar en aquellos días, este general habría desconocido al Libertador "si no hubiese temido a todos los

(21) Diario de Piar. En O'Leary XV, p. 249.

(22) Carta a sus hermanas. Maturín, 1° de julio de 1817. Boletín de la Academia Nacional de la Historia, número 80, pag. 500.

jefes y tropa cuya adhesión al Jefe Supremo era un verdadero entusiasmo" (23).

Desde el primer momento el Libertador confirmó los ascensos y condecoraciones militares acordados por Piar, y lo elevó al grado de general en jefe (24); y el mismo día envió por tierra al comandante Salcedo con despachos urgentes para el almirante Brion llamándolo a penetrar con su escuadrilla en el Orinoco, para intimidar a los españoles, cortarles sus comunicaciones y producir la rendición de las plazas.

Tan convencido estaba de la exactitud de este concepto que el 16 de mayo dió una proclama frente a Angostura, sin dudar de la decisión del jefe de la marina, pero anticipándose a los hechos, en la cual estampó estas solemnes palabras: "S. E. el Almirante ha llegado ya a las bocas del Orinoco con una fuerte escuadrilla a destruir a la vez las fuerzas de mar y tierra de vuestros tiranos", y en un boletín difundido el día 18 afirma que la rendición de las dos plazas se realizará al penetrar toda la escuadrilla de Brion en el Orinoco. Idea fundamental a la cual ajustó todos sus actos, en los tres meses trascurridos desde su llegada a Guayana, hasta la liberación completa de la provincia.

Desde los primeros días se construyó una batería en la Punta o la Vuelta más abajo de Angostura para estorbar los movimientos de la escuadrilla real y se reunió una flotilla con el mismo objeto en la boca del Orocopiche. En la madrugada del 17 de mayo el capitán español Echeverría, desembarcó una columna, atacó por sorpresa y tomó la batería, pero reaccionados los patriotas volvieron a la carga, retomaron el puesto y obligaron a los españoles a reembarcarse (25).

El Libertador había enviado hacia Soledad, desde el paso de Guaycupá un escuadrón de Lanceros al mando del coronel Encinoso a ocupar los llanos por ese lado y cortar el acceso a Angostura. El 2 de mayo los patriotas se apoderaron de aquel pueblo

(23) Relación Histórica. Caracas, 1933. P. 47.
(24) Apuntes de J. J. Conde. En Blanco y Azpúrua VI, p. 99.
(25) Memorias de Un Militar. Rafael Sevilla. Edición de Puerto Rico p. 320.

y desde entonces quedaron dueños del terreno a la izquierda del Orinoco.

Al mismo tiempo Bolívar mandó a mejorar el apostadero de Puerto de Tablas, en las bocas del Caroni, y a establecer un astillero, si se puede usar esta expresión, en San Miguel, punto abundante en maderas, para construir flecheras al estilo margariteño. En los pueblos y en las tropas se recogieron herramientas y algunos carpinteros de ribera, y las obras se encomendaron a la pericia y actividad incansable del general Arismendi, y del coronel Armario, encargado este último especialmente del corte y preparación de maderas en los bosques detrás de San Miguel. Respecto a las tropas quiso Bolívar que Piar permaneciera al frente de la situadas en el Caroni y del sitio de las Fortalezas, y Bermúdez de las destinadas al asedio de Angostura, teniendo éste de segundo a Sedeño; y dispuesto todo así se dirigió al Caroni el 20 de mayo, hacia donde había marchado Piar poco antes, pero este general en vez de esperarlo en Carhuachi, se fue a Upata resuelto a encargarse de la administración de las Misiones, sin renunciar, al parecer, el puesto que se le asignaba en el ejército.

Pasado el Caroni el Libertador marchó a San Miguel a activar la creación de los establecimientos recién decretados, y a observar de cerca las Fortalezas, y los lugares propios para establecer las tropas; mientras Piar daba sus primeros pasos en Upata en contra del gobierno.

A la llegada de Bolívar todo se reanimó en San Miguel. Los trabajos iniciados por Arismendi los prosiguió con gran actividad; al mismo tiempo reorganizó la flotilla de curiaras recogidas por el malogrado coronel Chipia, dotándola de hombres expertos, sacados de las tropas, y la destinó a sorprender el apostadero de los españoles en la isla de Fajardo, frente a la boca del río Caroní. El coronel Armario, el vencedor del Morro de Barcelona, encargado de realizar el golpe cuanto antes, se puso en movimiento en la madrugada del 24 de mayo. Los enemigos fueron asaltados de improviso y el puesto y todo cuanto había en él quedó en poder de los patriotas, tras corta resistencia. Estos tuvieron un muerto y tres heridos y los contrarios cuarenta entre muertos, heridos y prisioneros.

Este acontecimiento feliz proporcionó a los independientes una excelente cañonera con un cañón de a 8 en coliza, 2 grandes flecheras con sus pedreros, una balandra de comercio, 1 lancha, 1 bongo, 3 curiaras y 1 piragua; muchos tiros de cañón y de fusil, 10.000 piedras de chispa y 1 cañón de a 3. Con estos elementos la flotilla republicana adquirió cierta importacia. Ella se resguardaba de la marina española en el Caroní, bajo la protección de la infantería convenientemente colocada.

El Congresillo de Cariaco.

La catástrofe de 1814 y las derrotas de Ocumare y Clarines atrajeron sobre Bolívar críticas acerbas. Censurábanle sus vastos proyectos y consiguientes métodos de guerra y sobre todo su decisión por la forma de gobierno central y el sistema de militarizar la administración mientras durase la guerra. Estas quejas se oían especialmente entre los civiles, ajenos al servicio de las armas, y deseosos de influir en la cosa pública; y acompañábanlos algunos militares cansados o poco dispuestos a los sacrificios sin cuento y a las penas infinitas que en nuestro medio primitivo proporcionaba el servicio en campañas activas. Muchos de estos hombres ilusos atribuían las tremendas e inevitables reacciones realistas de los últimos años, no a sus causas naturales, sino a la dirección dada en 1813 a la política y a la guerra, y creían arreglarlo todo restableciendo el gobierno constitucional y plural de 1812.

Los momentos más propicios para promover un cambio son los de desilusión y desaliento, y tal fue el resultado de la campaña de Barcelona, malograda por las pretensiones particularistas de Mariño y las consiguientes disensiones. En estas circunstancias, disuelto el ejercito de Oriente y distante el Libertador, era muy fácil introducir en la provincia de Cumaná cualquier sistema distinto al censurado por los descontentos. Sólo faltaba un agitador, y no tardó en presentarse el más apropiado para el caso, el célebre canónigo Madariaga, el hombre del 19 de abril de 1810.

El 18 de abril de este año de 1817 llegó a Margarita, y el 25 escribió al Libertador anunciándole haber venido con el capitán Sterling, comandante de una corbeta inglesa, encargado por las autoridades de Jamaica de fomentar relaciones con la República. Hallándose lejos el Jefe Supremo el inglés entregó sus despachos al gobernador de Margarita y retornó a su estación militar. Madariaga daba mucha importancia a esta gestión: según decía el gobierno inglés reconocería la independencia de estos paises al establecerse en ellos gobiernos legales, con fuerza y recursos. Pero no contento con esta justa propaganda, la complementaba abogando por el restablecimiento del "gobierno en receso" es decir el gobierno de 1812, bajo el sistema federal y con un poder ejecutivo plural de tres presidentes en turno, de mes en mes.

Bolívar lo había convidado desde Haití, así como a sus compañeros de prisión y de destierro Roscio y Castillo a colaborar en la construcción del edificio de la República, pues "en vano —les decía— las armas destruirán a los tiranos, si no se establece un orden político capaz de reparar los estragos de la revolución, porque el sistema militar es el de la fuerza, y la fuerza no es gobierno". Idea exacta, sin duda, pero ¿cómo fundar un gobierno constitucional en abril de 1817 si todavía no había donde establecerlo? En Margarita era imposible por la dificultad de las comunicaciones y la miseria de la isla y los demás territorios libertados carecían de estabilidad y seguridad.

Nada de esto lo tomaban en cuenta Madariaga y sus amigos; aferrados a sus ideas constitucionales creían componerlo todo eliminando a Bolívar, unos por ambición, otros porque habían perdido la fé en el vencido de Clarines, y otros por las propias ideas políticas absurdas. Después de varios días de conversaciones el general Mariño reunió en Cariaco once ciudadanos y los invitó a congregarse en asamblea nacional y a fundar el gobierno legal de la República. Eran ellos: el almirante Brion y el intendente Zea, funcionarios nombrados por Bolívar; el primero agobiado de deudas contraídas en el servicio de la revolución y empeñado en una reforma cualquiera para acallar a sus acreedores; y el segundo, orador insigne, letrado y naturalista, hombre de sentimientos elevados, pero fantástico en administración y en política: el mismo Madariaga, canónigo de merced, de la Catedral de Caracas; Francisco Xavier de Alcalá, Francisco Xavier Maiz, Diego Vallenilla, Diego Antonio Alcalá, Manuel Isaba, Francisco de Paula Navas, Diego Bautista Urbaneja y Manuel Maneiro, servidores casi todos civiles de la revolución, y estos individuos, sin representación popular alguna, se constituyeron en congreso. Pero lo más raro del caso fue que Mariño en su discurso declaró a Madariaga investido de las funciones de jefe supremo y en seguida excitó a los presentes, en nombre del verdadero Jefe Supremo, es decir del general Bolívar, sin tener autorización para ello, a plantear un gobierno conforme a la constitución de 1812, o sea un gobierno plural y federalista.

Brión apoyó el plan esperanzado en el supuesto apoyo de "nuestros aliados del extranjero" a la República y fiado en las promesas vagas, difundidas por Madariaga, del próximo reconocimiento de la independencia por Inglaterra. En realidad los tales "aliados extranjeros", hasta aquel momento, no eran sino los acreedores del Almirante, y algunos de las contratas con Bolívar en Haiti, porque todavía los simpatizantes de Londres no habían comenzado su extraordinaria labor de organizar expediciones de voluntarios y remesas de armamentos contratados al fiado pero a precios de oro. Estando todos los presentes de acuerdo, y sus miras conformes, según decían, con las expuestas por el Jefe Supremo verdadero en todas sus proclamas y actos oficiales, el general Mariño invocando la presencia del Omnipotente y la del pueblo venezolano, declaró instalado el Supremo Congreso de la República, y renunció en su nombre y en nombre del general Bolívar, la autoridad suprema conferida en Los Cayos y en Margarita (26).

El Congresillo de Cariaco, nombre histórico de esta reunión de once ciudadanos, decretó el establecimiento del gobierno federal de Venezuela, y nombró para ejercer el poder ejecutivo en turno al general Fernando Toro, excelente sujeto, inválido desde la toma de Valencia en 1811, en cuya acción perdió una pierna, y a la sazón residente en Trinidad; al ciudadano Maiz, oficial pasivo, antiguo alcalde de Cumaná, ambos miembros del poder ejecutivo en 1812; y en tercer término al general Bolívar, ausente en Guayana. Zea, Madariaga y Vallenilla fueron designados suplentes. Se fijó la capital de la República en la ciudad de la Asunción en Margarita, y a ella debían dirigirse los nombrados, so pena de perder sus derechos de ciudadanía, a menos de tener causa justificada que lo impidiera. Naturalmente Mariño conservaba su destino de comandante en jefe de los ejercitos na-

(26) Lecuna. Proclamas y Discursos del Libertador. 28 diciembre 1816. p. 151.

cionales y Brión el mando de la marina. Del general Bolívar, a quien se anulaba por completo al relegarlo, en un puesto por turno, a un rincón de Margarita, se hicieron grandes elogios, como medida conciliadora, y se le participó lo actuado. Al día siguiente se reunieron de nuevo para tomar juramento a los funcionarios y llenada esta formalidad se disolvieron (27). El día 10 de mayo el general Mariño dió una proclama anunciando la buena nueva y convidando a la unión. En ella asienta que la constitución de 1812 era "tal vez algo defectuosa", pero necesaria al establecimiento del gobierno representativo, y promete al país resultados prodigiosos de una constitución sabia y la observancia de los principios de justicia y filantropía del nuevo gobierno.

Nada de esto tuvo efecto. Instalado el ejecutivo en Pampatar en una casa cualquiera, bautizada con el nombre de Palacio de Gobierno, decretó una ley marcial el 13 de mayo, y el 21 el presidente pro tempore Maiz escribió al de los Estados Unidos proponiéndole celebrar tratados o pactos diplomáticos, para lo cual acreditaba al padre Madariaga; pero este gobierno no llegó a tener acción sobre las fuerzas patriotas y se disolvió en seguida, no como dice Baralt por el avance de Morillo a las costas de Carúpano y a Margarita, sino desde mucho antes de la marcha del general español. Bolívar no contestó al Congresillo la participación de las disposiciones tomadas y de su nombramiento, ni escribió una sola palabra contra el tal gobierno federal, sin embargo éste no pudo sostenerse; en Margarita, donde se había hecho sin éxito un ensayo de gobierno civil a fines de 1814, lo desobedecieron abiertamente, en Carúpano quisieron prender a algunos de sus miembros, y cuando otros desilusionados, entre ellos el presidente pro tempore Maiz, se embarcaron en Margarita el 30 de mayo rumbo a Guayana pasaron mal rato por el tratamiento recibido a bordo de un corsario, enemigo de sus planes disociadores (28).

En Guayana sólo encontraron eco estas ideas en el vencedor de San Félix, irritado hasta lo sumo al verse de segundo, sin pensar que la guerra ofrecería un vasto campo a todas las actividades una vez tomada Guayana. Mal político, se imaginaba intermi-

(27) Congreso de Cariaco. O'Leary XV. p. 250 y siguientes.
(28) Lecuna. Cartas del Libertador. I, p. 292.

nable aquella situación. Enemigo de Bolívar desde 1814, lo había reconocido en Los Cayos por necesidad y en Costa Firme para desprenderse de la tutela de Mariño; y de Barcelona se llevó las tropas a Guayana con el objeto de crearse un gobierno independiente, y arrebatarlas moralmente a Bolívar, empeño inútil, este último, dados los sentimientos dominantes en el ejército. Pero su influencia, por lo menos en una parte de la tropa, y en los elementos anárquicos existentes en toda agrupación humana, podía crear una situación peligrosa en momentos de alarma en los cuarteles debido a la noticia del avance de Morillo por los llanos sobre Guayana, con un ejército, según la fama, de muchos miles de hombres.

Asesinato de los capuchinos.

Tal era el estado de las cosas cuando ocurrió uno de los hechos más lamentables de la guerra de Independencia, la muerte de veinte capuchinos detenidos en Carhuachi, bajo custodia de los oficiales Jacinto Lara y José María Monzón, suceso cuyo origen no se ha puesto en claro y del cual debemos exponer algunos antecedentes. Según documentos de Piar en los primeros días de la ocupación de las Misiones los frailes espontáneamente se presentaban a los patriotas y éstos los mantenían en libertad relativa, pero no ocurrió así en todos los pueblos y pronto se procedió contra ellos como enemigos públicos, se les redujo a prisión y fueron enviados por partidas con escolta al pueblo de Carhuachi, a orillas del Caroni. De los 41 capuchinos existentes en las Misiones en el momento de la ocupación, 14 murieron en los primeros meses por efecto de las "prisiones, insultos y vejaciones", 7 lograron escapar a la Guayana Inglesa y Angostura y 20 quedaron prisioneros en Carhuachi (29). Allí permanecieron cerca de tres meses hasta su sacrificio en los primeros días de junio de 1817, sin saberse hasta ahora de quien partió la orden de la ejecución (30).

(29) Oración Fúnebre, pronunciada por Fray Nicolás de Vich en la Iglesia de los Padres Capuchinos de Barcelona, el 10 de junio de 1818. Blanco y Azpurua, VI, 388.

(30) Diario de Operaciones de Piar. O'Leary XV, 206. Oficio de Upata, 28 de febrero. Boletín Nº 80 de la Academia Nacional de la Historia, p. 463.

Montenegro Colón, el más antiguo de nuestros historiadores, servidor del gobierno español en todo el curso de la guerra, presenta sin prueba alguna, como origen de este crimen una frase imprudente del Libertador, proferida en su primera estada en Guayana, del 4 al 7 de abril, cuyas expresiones, dice este autor, bastaron para excitar el odio de los indios a los frailes, e impedir toda oposición a la ejecución del crimen. Esta versión forjada lejos de Guayana, fue lanzada al público en 1837, cuando se hacía gala de arrojar todos los pecados sobre el jefe de la independencia, y según ella al referirse Bolívar a los frailes prisioneros en Carhuachi, preguntó: ¿por qué no los han matado? de cuya frase imprudente se arrepintió, observa el mismo historiador, cuando tuvo noticia del asesinato (31): explicación inverosímil, primero, porque en los tres días de la estada de Bolívar en Guayana, en el mes de abril, estuvo siempre muy distante de los indios de las Misiones, a los cuales se pretende presentar como los autores del suceso; segundo, porque no es lógico dejaran pasar dos meses antes de efectuar el hecho; y tercero, porque dado caso de ser la ejecución obra exclusiva de los oficiales, tratándose de asunto tan grave y estando el Libertador muy cerca del lugar de la tragedia, lo natural habría sido consultarle antes de guiarse por una exclamación de dos meses atrás, sin el carácter de orden.

Montenegro Colón, sin duda hostil al régimen monacal de las Misiones, y dudando al parecer de la veracidad de la leyenda, añade lo siguiente: "Entre los capuchinos catalanes, es cierto que había varones muy respetables, dignos de toda consideración, y aunque como se ha dicho, nunca podrá encontrarse disculpa de la muerte que se les dió, ni de la que sufrieron otros de sus compañeros, en extremo reprensibles por sus costumbres, también debe asegurarse que Bolívar no dió semejante orden, ni llegó a presumir que produjeran aquel efecto unas expresiones vertidas al acaso, en que no hubo otra culpa sino la irreflexión de decirlas a presencia de personas de cortos alcances, y cuando una gran parte de aquellas tropas se componía de indios del Caroní, enemigos mortales de los misioneros, cuya destrucción solicitaban algunos con ahinco, en despique de resentimientos personales que nunca supieron olvidar en casos semejantes, como nos lo re-

(31) Montenegro Colón, IV, p. 255.

cuerda la historia de otros pueblos de América, en donde se han sublevado para libertarse de sus pastores, por no haberse conducido algunos de los mismos con la moderación y dulzura que les prescribía el evangelio que predicaban. Los misioneros del Caroní se habían dedicado además a hacer la guerra a los independientes en las veces que habían intentado invadir las Misiones: se granjearon con esto doble odiosidad; y aun se asegura por personas fidedignas, que algunos de ellos la provocaron de nuevo, intentando seducir a muchos, después de hallarse en Carhuachi, sin usar miramiento de ninguna clase" (32).

De distinto modo refiere los hechos el padre Blanco, presente en el cuartel general cuando tuvo lugar la tragedia. El Libertador llegó a Carhuachi a la entrada de las Misiones, el 21 de mayo, y sin detenerse siguió apresuradamente al Norte a impulsar los trabajos de la marina, y a disponer el asalto a la isla de Fajardo. Luego fue a inspeccionar la Fortalezas, y a tomar las primeras disposiciones para el sitio, y regresó a la misión denominada de Nuestra Señora de la Purísima Concepción del Caroní, a principios de junio, donde platicó extensamente con el Padre Blanco, y desde luego trataron de la seguridad de las Misiones y de los frailes; deseando ambos situar a éstos en lugar donde no pudieran influir en los indios, mientras llegara el momento de "echarlos del país y que se fueran con Dios", resolvieron enviarlos a Tupuquen o Tumeremo, misiones situadas en el extremo Este de la región (33). Había un motivo poderoso para no dejarlos en Carhuachi, punto obligado del paso de las tropas a través del caudaloso Caroní, y era que en aquellos días se esperaba de un momento a otro la aparición de Morillo en Angostura con un ejército superior, procedente de Santa María de Ipire, adonde había llegado a mediados de mayo.

En efecto, si el general en jefe español se hubiera presentado en la capital de Guayana, el ejército independiente habría tenido que abandonar el sitio y concentrar rápidamente todas sus columnas detrás del Caroni a esperar al enemigo, y en estas circunstancias era imposible dejar a los frailes en Carhuachi, so pena de

(32) Montenegro Colón, IV, p. 256.

(33) Blanco y Azpurua. V, p. 646. El padre Blanco dice que la conferencia fue en mayo, sin precisar fecha.

que se escapasen y sublevaran los pueblos a espaldas de los independientes (34). Por tanto esta parte importante de la versión del Padre Blanco es perfectamente verosímil, así como lo son también, en cuanto a las órdenes impartidas, las de Larrazábal, O'Leary y Restrepo, mencionadas enseguida. Según el Padre Blanco, en la resolución adoptada, influyó el deseo de Bolívar de poner a los frailes a salvo de tantos locos o desalmados existentes en las tropas, situándolos lejos del tráfico de las tropas; y apenas se separaron y se hallaba Blanco tomando las disposiciones para el traslado de los frailes, cuando llegó la noticia de la tragedia, causando el mayor asombro tanto a él como al Jefe Supremo.

Pero, ¿cuándo tuvo efecto la conferencia y por tanto la tragedia? Determinar esta fecha es importante para atinar los motivos de exaltación posibles de los patriotas en aquellos momentos. Desde luego consideramos inexacta la fecha de 7 de mayo hasta ahora asignada a la tragedia. Según los documentos conocidos y los publicados por nosotros en el boletín Nº 80 de la Academia de la Historia, el Libertador estuvo en la Mesa de Angostura del 2 al 18 de mayo. En carta al Padre Blanco de esta fecha le ofrece partir el 20 hacia las Misiones, y así debió suceder pues el 25 informa al jefe de estado mayor desde San Miguel el resultado del asalto a la isla de Fajardo, dispuesto y ejecutado por su orden en la madrugada del 24. Al día siguiente debía partir a las Fortalezas a efectuar un reconocimiento, y seguir despues a Upata. De estos datos y teniendo en cuenta las distancias, y el tiempo de cada operación, se puede establecer esta cronología: salida del Libertador de la Mesa, el 20 de mayo; llegada a Carhuachi el 21 en la noche. En Caroní y San Félix el 22, el 23 en Puerto de Tablas, el 24 y 25 en San Miguel. Ida y vuelta y reconocimiento de las Fortalezas, el 26, 27 y 28. Por tanto la conferencia debió tener lugar después de este día.

Los documentos del Padre Blanco nos proporcionan estos datos. El se hallaba el 8 de mayo en Miamo, el 17 en Puedpa, y el 27 en Cupapuy, en el interior de las Misiones, solicitando 100 vacas de leche pedidas por el Libertador, desde San Miguel, para

(34) En la invasión de La Torre, el general Piar no tomó medidas de seguridad respecto a los frailes, pero esta conducta no podía servir de regla en otra invasión de fuerzas mayores.

el ejército (35). Por su parte el general Soublette, subjefe de estado mayor titular, y jefe de estado mayor interino, permaneció en la Mesa de Angostura, después de la salida del Libertador, por lo menos hasta el 28 o 29 de mayo, como se deduce de la correspondencia de Sedeño publicada por nosotros en el boletín Nº 80 de la Academia de la Historia, y del 30 al 31 de mayo o el 1º de junio se incorporó al cuartel general en San Miguel. Por tanto la orden de trasladar a los frailes, firmada por Soublette, a que se refieren las versiones de Larrazábal, de O'Leary y de Restrepo, ha debido darse hacia esta última fecha o poco después. Por otra parte el Padre Blanco, según carta del Libertador del 12 de junio, se hallaba el 6 en Cupapuy, y para dirigirse desde Caroní a ese punto necesitaba dos días. De todo esto deducimos que la tragedia tuvo lugar del 1º al 4 de junio, precisamente cuando, en medio de las mayores angustias, se tomaban medidas para hacer frente a la anunciada invasión de Morillo, y este cálculo lo confirma el dato suministrado por el Padre Vich, al afirmar que los frailes fueron sacrificados en distintos días desde febrero a junio de 1817.

Opina Larrazábal que la aproximación de Morillo pudo influir en la tragedia, y de esto no hay duda alguna. En los documentos publicados por nosotros consta que Monagas avisó desde el Pao, con fecha 27 de mayo, la marcha del general español y Sedeño comunicó el 2 de junio la noticia de que en Angostura esperaban a Morillo hacia el 12 de junio noticias llegadas también por otros conductos (36). De manera que cuando ocurrió el desgraciado acontecimiento de Carhuachi los patriotas amenazados por fuerzas superiores, en un rincón del país, sin salida, por el dominio español del Orinoco, estaban obligados a jugar el todo por el todo, como lo expresa Bolívar, elegantemente, al Padre Blanco, diciéndole que en ese mes de junio se decidiría la suerte de todos, sea salvándose, sea perdiéndose.

En situación tan erizada de peligros, el jefe de estado mayor Soublette, según esta segunda versión, creyó prudente trasladar

(35) Carta de 23 de mayo en Cupapuy. Blanco y Azpurua V, 664. Oficios de 17 y 27 de mayo. Boletín Nº 80 de la Academia de la Historia, páginas 486 y 491.

(36) Boletín de la Academia de la Historia, Nº 80. páginas 490 y 491.

los frailes a la misión llamada la Divina Pastora, también al interior de las Misiones, en caso de ataque de los realistas, y así lo dispuso, realizándose la matanza de los frailes por los oficiales encargados de su custodia sin tener órdenes de ejecutarla. Añade el historiador que sorprendido Bolívar escribió a Piar pidiéndole explicaciones, y el general le contestó en seguida, por conducto de Briceño Méndez, rechazando la imputación que podían envolver las palabras de Bolívar, como inocente del hecho. Alega además Larrazábal, que en el tomo XVIII, p. 297 de la Colección de Documentos Relativos a la Vida Pública del Libertador de Colombia y del Perú, dado al público en Caracas, en1829, se insertó la contestación del Obispo Jiménez, fechada el 9 de noviembre de 1828 en Popayán, a una carta calumniosa del traidor y feroz guerrillero J. M. Obando, alzado en Pasto en combinación con los invasores peruanos, en la cual el prelado le dice, respecto al suceso de Carhuachi, lo siguiente: "He tratado de imponerme del caso, y varios sujetos, a quienes debo dar crédito, me han asegurado que lejos de ser el general Bolívar el que mandó matar a los capuchinos, se opuso fuertemente a la ejecución enviando a su edecán Freites para impedirlo, y haciendo ver al general Piar, coronel Lara y un ayudante Monzón, que fueron los autores de este terrible escena, que ella les haría perder todo el concepto en Venezuela". No queremos arrojar sombras sobre el imprudente e infortunado caudillo que terminó su vida en el patíbulo, pero debemos exponer todas las circunstancias del momento y el hecho es que bajo su mando habían muerto de maltrato 14 capuchinos y que el día de la tragedia él tenía a su cargo las Misiones, y por tanto no hay justicia en atribuir toda la responsabilidad al Jefe Supremo. En aquellos días Piar y el Padre Blanco después de aparente reconciliación, habían vuelto a reñir y puesto en desarreglo las Misiones por el choque de las autoridades, y la oposición de las órdenes entre sí, situación propicia a cualquier acto de indisciplina o rebeldía. A raiz del suceso Bolívar llamó a Piar, según el Padre Blanco, con motivo del hecho de insubordinación que suponía la tragedia, y Piar acudió al cuartel general, pero desgraciadamente no sabemos lo tratado en él (37). El es-

(37) Véase la relación del Padre Blanco en Blanco y Azpurua. V, pgs. 646 y 647, y la carta de Bolívar para Blanco, del 12 de junio de 1817, en Lecuna, Cartas del Libertador, I, pág. 263.

crito del Obispo publicado primero en las gacetas de 1828, y luego en un folleto, llegó indispensablemente a noticia de los oficiales en cuestión y ninguno de los dos lo contradijo, ni en la época de su publicación, ni después de la muerte del Libertador (38).

Al decir de O'Leary, temeroso el Jefe Supremo del influjo que pudieran ejercer los frailes sobre los indios, dió orden por conducto del jefe de estado mayor Soublette, de que se les enviase a la Divina Pastora, y el coronel Jacinto Lara, recién llegado a las Misiones, e ignorante de la existencia de una población de ese nombre, interpretó la frase como una orden de matarlos, y la ejecutó sin demora; explicación poco satisfactoria, desde luego, porque es imposible creer una equivocación de tal magnitud (39). El estudio de numerosos documentos inéditos de la campaña del Perú nos ha hecho concebir buen concepto del juicio, claro y firme, y estricto sentido de disciplina, del general Lara, Comandante de la Primera División del Ejército Colombiano en dicha campaña, y por ello nos cuesta trabajo atribuirle una conducta arbitraria en Carhuachi cuando posiblemente lo arrastraron acontecimientos imprevisibles e inevitables (40).

---

(38) Larrazábal. Vida de Bolívar, I, págs. 469 y 470. Los detalles referentes a la actitud de Bolívar y a la de Piar en este asunto fueron dados a Larrazabal por el edecán Freites, amigo decidido de Piar.

El folleto publicado por el Obispo Jiménez en 1828, impreso al parecer en Popayán, contiene la carta del traidor Obando al Obispo, la contestación de éste; una nota del Ministro del Interior, José Manuel Restrepo, fechada en Bogotá el 22 de octubre de 1828, sobre los sucesos del 25 de setiembre; un escrito titulado "Antídoto contra los males de Colombia" y la réplica de Obando al Obispo anunciándole que marcha con sus bayonetas contra Popayán. El ejemplar que poseemos del folleto carece de carátula, por esto no podemos determinar donde fue impreso.

El realista José Domingo Diaz atribuye a Piar la orden de matar a los capuchinos. Su afirmación, por lo menos, vale tanto como la de Montenegro Colón, sin embargo no se ha hecho caso de ella y se ha adoptado sin pruebas la de este último. Véase Recuerdos sobre la Rebelión de Caracas. Madrid, 1829. Pág. 207.

(39) O'Leary. Narración I, p. 376.

(40) La relación tendenciosa contra Bolívar, de Duarte Level, sólo tiene de cierto los datos tomados del Diario de Piar y de la Oración Fúnebre del Padre Vich. Todo lo demás es inventado o supuesto por el escritor. Es

La magnífica "Historia de la Revolución de la República de Colombia", de Restrepo, segunda edición, se dió al público en 1858, antes de la "Vida de Bolívar", de Larrazábal, y mucho antes de las "Memorias de O'Leary". El autor adopta la misma versión de este último; niega la leyenda de Montenegro Colón, y aporta nueva luz sobre la causa principal de la tragedia, en los siguientes términos: "Apoyados en la autoridad de testigos respetables que estuvieron en Guayana en la época de aquel suceso, creemos que el Libertador no profirió tan indiscreta expresión. También nos parece que la muerte de los capuchinos acaeció, no en la primera visita que hizo a Piar, sino después que el primero regresó con las tropas, y que el ejército de Morillo amenazaba a los independientes de Guayana, porque aun se ignoraba que se dirigiera contra la isla de Margarita. Tenemos entre otros el testimonio del general Santander" (41). Estas notables observaciones confirman las conclusiones obtenidas por nosotros, y ante una autoridad de primer orden, como la del ilustre Vicepresidente de la Gran Colombia, no puede caber duda respecto a los puntos afirmados por el historiador.

De este período no existen ni los copiadores de órdenes del estado mayor, ni los de la secretaría del Libertador y por esto no podemos saber como fue puesta la orden de trasladar a los frailes, pero asi como dudamos de la culpabilidad voluntaria de Lara, no creemos en una orden de muerte del Jefe Supremo, como arbitrariamente se ha pretendido en un escrito reciente: primero, porque desde el desembarco de la primera expedición de Los Cayos, Bolívar manifestó su propósito de suprimir la guerra a muerte, así lo ratificó en diversas ocasiones, y lo cumplió en Margarita con los prisioneros del combate naval del 2 de mayo, y en Carúpano, en Ocumare, en Barcelona y en Guayana, con casi todos los españoles prisioneros en su poder; y segundo porque la ejecución de aquellos infelices era innecesaria y contraria a la política vigente.

Los días eran crueles: las cuchillas del gobierno del Rey amenazaban las cabezas de aquellos hombres empeñados en la

---

de sentirse que tan falsa relación haya sido reproducida en la obra del Padre Baltasar de Lodares "Los Franciscanos Capuchinos en Venezuela". II, p. 317.

(41) Restrepo. T. II, págs. 402 y 584.

redención del país, contra la voluntad de gran parte de sus conciudadanos. A la noticia de la llegada de Morillo a Santa María de Ipire, en marcha sobre Angostura se agregaba que todavía, a principios de junio, no se tenía seguridad de que el almirante Brión viniera al Orinoco y en cambio Morillo podía reforzar su marina como quisiera, a lo que se debe añadir el estado de anarquía de las Misiones, expuesto en las líneas anteriores, la agitación de Piar, la disidencia de Mariño y los efectos en toda su fuerza del Congresillo de Cariaco. Todo esto formó la atmósfera candente dentro de la cual se consumó la tragedia. Júzguese si en esas circunstancias, como ha pretendido Baralt, se hubiera podido enjuiciar a los sindicados de la muerte de los frailes, entre los cuales se hallaban un excelente jefe de batallón y muchos oficiales, cuyos servicios en tan insegura situación eran indispensables. A todo esto se añaden las dificultades de un proceso cuando los asesinatos pudieron resultar de un tumulto, u otro hecho imprevisible del cual no fueran responsables los comandantes del pueblo.

La guerra a muerte había dejado hondas huellas en el carácter nacional: la vida se estimaba en poco, y después de tantos actos de barbarie sólo inspiraba respeto la fuerza bruta. Como fenómeno propio de esa época de instabilidad y de creación, es digno de notarse que aunque el Libertador declarara abolida la guerra a muerte los más altos caudillos continuaron practicándola, como medida política, para afianzar su dominación insegura: Páez decapitó al gobernador de Barinas, el ilustrado coronel López, vencido en el Yagual y San Antonio, y a muchos otros; Piar al gobernador de Guayana, Cerruti, y a los 200 españoles prisioneros de San Félix; y Santander al General Barreyro y sus 35 compañeros de infortunio, en Bogotá (42).

El ejército expedicionario. Morillo en los llanos.

Cinco divisiones de infantería con la caballería y artilleria

(42) Véase el patético relato de la ejecución del coronel Francisco López, escrito por el Pbro. Coronel José Félix Blanco, publicado por nosotros en el Boletín de la Academia Nacional de la Historia Nº 17, p. 570. Caracas. Páez se negó obstinadamente a las exigencias del Padre Blanco, por su empeño de dar un espectáculo impresionante al ejército y al Apure, y el famoso Negro Primero Camejo, el porta alfange del Jefe de Apure, de un solo tajo, le cortó la cabeza al desgraciado coronel López.

correspondientes, componían el ejército de Morillo, en su origen de 10.500 hombres. Las pérdidas en las marchas, en los hospitales y en los combates habían reducido a poco más de sus dos terceras partes el número de peninsulares en servicio, y las bajas se llenaban con soldados escogidos del país. La primera división se hallaba en los llanos de Barcelona a las órdenes de Aldama; parte de la segunda fue enviada por Morillo de Calabozo hacia los llanos de Oriente. La tercera quedó en la Nueva Granada. La cuarta, la más pequeña, al mando de Correa se estacionó en Nutrias y en Barinas, y la quinta regida por Calzada en San Fernando de Apure. El general en jefe pasó a los Valles de Aragua a imponerse mejor de la situación del país y a vigorizar la administración. Quejábase de la incuria de las autoridades, tanto de los justicias españoles y criollos como de algunos gobernadores españoles y del abuso de unos y otros de mantener crecido número de oficiales y empleados inútiles agotando los escasos recursos del erario (43). "¿Cree Vd. —le escribía a Moxó— que gobernar es trasmitir notas?" Tenía razón. Aunque Venezuela quedó esquilmada de las luchas de 1814, y la empresa de destruir guerrillas en país tan extenso era harto difícil, el capitán general, en vez de ponerse a la cabeza de las tropas se quedó muellemente en la capital, y contentándose con infundir terror por medio de castigos crueles, no supo imprimir energía ni eficiencia a la acción del gobierno. Muy distinta fue la administración de Morillo. Al principio, a causa de la miseria, sin los caudales de la Nueva Granada, según decía, no hubiera podido cubrir los gastos más urgentes de la campaña; en los meses subsiguientes aumentó el ejército y pudo contener personalmente, durante tres años, arrostrando toda clase de penalidades y de peligros, las acometidas del Libertador.

A fines de marzo tuvo noticias el general en jefe de la próxima llegada de una división española de 2.800 hombres al mando de Canterac, destinada por la Corte a reducir la isla de Margarita y a seguir luego al Perú, pero no considerando suficientes estas tropas para la mencionada empresa, proyectó desembarcarlas en Cumaná y enviarlas luego con la división Aldama a destruir las fuerzas combinadas de Bolívar y Mariño, y al mismo

(43) A Moxó. 2 de febrero de 1817. Rodríguez Villa. III, 265.

tiempo dispuso remitir al Perú el batallón venezolano Primero de Numancia, de 1.300 plazas, existente en Nueva Granada, en reemplazo del batallón Burgos, de la división Canterac, designado por la Corte para marchar enseguida a aquel país. Cuando tomó estas disposiciones el general español contaba con el triunfo de La Torre en Guayana y consideraba segura la destrucción de Bolívar y Mariño en Barcelona (44). Terminadas sus gestiones administrativas regresó a los llanos a alcanzar las tropas de la segunda división, despachadas, como va expuesto, de Calabozo hacia el Oriente.

Pero al llegar a Chaguaramas el 8 de mayo recibió dos noticias funestas a sus planes, a saber: la destrucción de las fuerzas de Bayer en Casanare, encargadas de cubrir las entradas a la Nueva Granada, y la derrota completa de La Torre en Guayana, la provincia más importante de la Costa Firme, según su modo de ver, para las armas del Rey. Estos hechos venían a sumarse a otros también adversos pues desde su regreso al "suelo infiel de Venezuela", no había descansado un momento y a cada paso veía trastornados sus proyectos (45). Siguiendo hacia el sureste unió sus tropas a las de Aldama el 13 de mayo, en el hato de San Simón, poco antes de llegar a Santa María de Ipire, juntándose por todo unos 2.200 a 2.500 hombres efectivos, porque aunque Morillo se había esforzado en completar los batallones, y en organizar algunos escuadrones de caballería, sus órdenes estaban todavía en ejecución, y Aldama no había llevado todas sus fuerzas por haber enviado algunas en persecución de Infante con el cual había sostenido un combate en esos mismos días (46). El proyecto de Morillo consistía en seguir sobre Guayana, a pesar de la distancia, de más de ochenta leguas hasta Angostura, y del país semi desierto y desolado por donde debía transitar, pero al acercarse a Santa María empezó a sentir el rigor de la estación lluviosa y estando en el pueblo constantes y copiosos aguaceros

(44) Al ministro de la guerra. 3 de abril. Rodríguez Villa. III, 372.

(45) Al ministro de la guerra. Rodríguez Villa III, 379.

(46) Baralt, Restrepo y Larrazabal, afirman que Morillo reunió 6.000 hombres en el Chaparro. Es inexacto. Sin datos precisos pero fundados en antecedentes y en afirmaciones de algunos documentos suponemos que de San Fernando y Calabozo envió algunas tropas a Oriente, pero no es posible que su número excediera de 1.000 a 1.200 hombres.

materialmente le cerraron el paso hacia el Orinoco (47). Tal fue la razón expuesta al gobierno de Madrid para justificar el abandono de Guayana pero nosotros creemos influyera también en su determinación la pequeñez relativa de sus fuerzas. Cuando todavía vacilaba recibió la noticia de haber arribado a Barcelona la expedición Canterac, y desde ese instante resolvió definitivamente dirigirse a la costa. Dejó por el momento la división Aldama en el Chaparro, pensando fortificarlo con obras de campaña, y siguió a Cumaná a disponer la recuperación de Carúpano y la reconquista de Margarita.

Preparativos de defensa. La campaña fluvial.

Este período, desde la llegada del Libertador a Guayana, hasta poco después de la liberación de la provincia es uno de los más pobres en documentos. Los reunidos por nosotros, publicados en el boletín Nº 80 de la Academia de la Historia, unos cuantos dados a luz por Blanco y Azpurua, reproducidos por O'Leary copiándolos de aquellos autores, y los datos esparcidos en algunas relaciones españolas es todo el material de que disponemos, por haberse perdido los copiadores del Libertador, de febrero a setiembre de este año, la mejor fuente para el estudio de sus guerras, y los diarios de operaciones del estado mayor de 1816 y 1817, devueltos por Restrepo a Soublette como ya lo hemos dicho. Por este motivo no podemos precisar las disposiciones de Bolívar para resistir a Morillo en el caso de presentarse este general en Angostura con fuerzas superiores como se anunciaba. Sólo hemos encontrado algunas indicaciones en la carta de Bolívar a Piar de 14 de junio y en una nota de Sedeño a Soublette del día 6. Según la primera a Piar se le había encomendado tener organizada una leva general de reclutas en las Misiones y acelerarla o retardarla de acuerdo con nuevas instrucciones, y se refiere la segunda a las órdenes dadas a Sedeño el 4 de junio, las cuales dice este general, serán exactamente cumplidas excepto la referente al traslado al otro lado del Caroní de las caballadas empotreradas en San Felipe, hasta exponer al Libertador para su consideración, las ventajas de dejarlas donde estaban por razones de los pastos, respondiendo Sedeño de su traslado a las Misiones

(47) Nota al Ministro de la Guerra; Cumaná, 2 de julio. En la obra de Rodríguez Villa, el General Morillo, Tomo III, p. 390.

a través del Caroní, sin pérdida alguna, aun cuando tuviera que efectuar esta operación con el enemigo en Guayana (48). Al parecer el proyecto del Libertador consistió en reunir todas las tropas a la entrada de las Misiones, esperar allí al enemigo y maniobrar según las circunstancias; y al mismo tiempo activar cuanto fuera posible la construcción de flecheras y ciertas obras propias a servir de apoyo a la escuadra del almirante Brión cuando llegara al Orinoco.

Además de los trabajos de construcción de flecheras emprendidas en Puerto de Tablas y San Miguel y de algunas obras de fortificación de campaña para las tropas encargadas de la defensa del lugar, dispuso el Libertador la construcción, emprendida enseguida, de un fuerte en uno de los extremos de la ensenada de Cabrian, poco más abajo de Guayana la Antigua, donde pudiera apoyarse la escuadrilla de Brión y resistir a la enemiga, muy superior en número. A este fuerte se le dió el nombre de Brion, y al llegar la escuadra, para completar la defensa, se levantó una batería en otra punta de la ensenada. La construcción de estas obras se encomendó al oficial italiano Passoni bajo la dirección del general Arismendi. Una vez construído el fuerte se montaron en él seis cañones y se le puso guarnición fija con la idea de reforzarla notablemente, y sostenerla con parte del ejército al presentarse el enemigo. Esta disposición magistral, al asegurar la escuadra, decidía la campaña, pues los españoles sitiados por tierra y por el río o tendrían que atacar al almirante Brion en su posición formidable o abandonar el Orinoco. Sólo faltaba cortarles las comunicaciones con el Apure, y para esto, el general Bolívar mandó a establecer un apostadero en la vuelta del Torno 28 leguas más arriba de Angostura, a cargo del capitán Rafael Rodríguez, quien debía por el momento reunir allí las embarcaciones menores hasta entonces ocultas en los caños, cortar las comunicaciones de los españoles con el Apure, y sostenerse interin fuera reforzado con otros elementos.

Descontento y actitud de Piar.

Mientras se disponía y comenzaba la ejecución de estos trabajos las intrigas políticas provocadas por la repercusión de los

(48) Lecuna. Cartas del Libertador I, 269. La nota de Sedeño en el Boletín N° 80 de la Academia de la Historia p. 492.

decretos del Congresillo de Cariaco se agitaron en Upata, residencia de Piar, y causaron cierta desorientación en algún otro campamento. El 13 de junio el Libertador escribió desde San Miguel a Briceño Méndez, quien había estrechado amistad con Piar en la campaña y continuaba a su lado como amigo y secretario, sobre los proyectos atribuidos a este general. La carta no existe pero podemos juzgar de su contenido por la contestación de Briceño Méndez fechada el 16. Según este excelente patriota, insigne secretario de guerra, pero débil político, íntimamente unido a Bolívar en años anteriores, Piar no había tratado de la erección de un nuevo gobierno, sino de reformar el existente y aumentar su eficacia, estableciendo un senado o consejo encargado de la administración civil, mientras el Libertador se ocupara de las atenciones de la guerra, dando así forma democrática o representativa al gobierno. Pensamiento muy justo, no hay duda, pero extemporáneo en aquellas circunstancias, cuando ni siquiera la provincia de Guayana estaba libre. Por más que Briceño Méndez se esforzara en justificar estos manejos de Piar, con el cual, al parecer se hallaba de acuerdo, el hecho de que esta propaganda de división de poderes, se hiciera a espaldas del Jefe Supremo y en cierto modo apoyando los principios de Cariaco, pues el mismo Briceño Méndez reconoce que no habría tenido lugar sin la farsa del Congresillo, es una prueba de su intención subversiva, y así lo interpretó el Libertador en su contestación a Briceño Méndez datada el 19 de junio cuando le dice: "Sin duda se ha imaginado Vd. que estamos en una situación como la de Cartagena, Güiria o Carúpano, donde las circunstancias me fueron desfavorables, y donde el espíritu de partido triunfó de la justicia y de la patria. Si hasta ahora he sido moderado por prudencia, no lo he sido por debilidad: no crea Vd. que las intrigas sean tan grandes que nos puedan destruir. Jamás he tenido una situación más feliz, a pesar de quien diga lo que quiera. A mi voz obedecen tres mil hombres, que harán lo que mande, defenderán la inocencia y no permitirán facciones. Créame Vd. Briceño: Vd. no debe temer nada: Vd. no está ni en Constantinopla, ni en Haití: aquí no hay tiranos ni anarquía mientras yo respire con la espada en la mano" (49).

---

(49) Lecuna. Cartas del Libertador. I, 276. La carta original cayó en manos de los españoles en 1818 y fue reproducida con adulteraciones en la Gaceta de Caracas. Nosotros la encontramos en el Archivo Nacional, en los

Esta carta era una declaración de guerra a la demagogia y a los facciosos, en plena actividad desde las derrotas de 1814. Establecer en aquellos momentos, cuando sólo existían libres los territorios ocupados por unas cuantas guerrillas, un consejo o senado encargado de la administración, restando facultades al Jefe Supremo, para dar aspecto democrático al gobierno y sobre todo, como pretendía Briceño Méndez, para obtener su reconocimiento por Mariño, era una insensatez; porqué sólo existía la administración militar, y no podían crearse todavía, tribunales, ni oficinas públicas, ni rentas, fuera de los frutos y ganados que se arrancaban a las Misiones, y Mariño no era hombre capaz de abandonar por las buenas sus pretensiones al mando supremo. La dolorosa experiencia de casi tres años de dominio de las pasiones partidarias sobre el interés general, había agrupado alrededor de Bolívar, a la gran mayoría de los patriotas activos, es decir, a cuantos luchaban con la espada en la mano, y en cualquier conflicto estos podían inclinar la balanza en su favor. Cegado Piar por su orgullo de caudillo, acostumbrado a obrar independientemente, no se dió cuenta de este hecho nuevo y fundamental en ese momento crítico del partido republicano, y por su mal, se lanzó en el vacío.

Naturalmente las opiniones no podían ser uniformes en todo momento, y no faltarían quejas contra el Gobierno y frases lisonjeras, de jefes y oficiales, respecto a Piar, que lo indujeran a concebir esperanzas sobre un apoyo dudoso, dificil de prestar, como hemos visto muchas veces, en casos análogos, en las luchas civiles. Tales expresiones no eran suficientes para lanzar a un hombre de juicio a promover una revolución.

La agitación de este general lo condujo a enemistarse con el padre Blanco y quiso quitarle la administración de las Misiones, que él mismo le había dado, pero siendo Blanco insustituible por su actividad, honradez y espíritu público, Bolívar lo mantuvo en su puesto, y empeñado en borrar toda mala impresión en Piar recomendó a Blanco, con instancias fuertes, conservar la mayor armonía con el general dándole cuenta de todo como si no hubiese ocurrido ningún incidente. Sus palabras pintan la peligrosa

---

Papeles de la Capitanía General, y la colocamos en el archivo del Libertador en su Casa Natal. Tavera Acosta funda sus críticas a Bolívar en la carta adulterada. Anales de Guayana, 1914. Tomo II, pag. 58.

situación del momento: "Querido amigo, le dice el 12 de junio, yo le pido a Vd. por favor, que sufra y calle, como lo hacemos todos, por el bien de la patria que, en bien o en mal, muy pronto ha de variar nuestra situación de un modo muy sensible. Yo creo que no pasará este mes sin que la faz de nuestros negocios haya recibido una alteración extraordinaria, sea salvándonos sea perdiéndonos; y, entre tanto, trabaje Vd. como siempre, con la actividad, celo y patriotismo que necesitamos para librarnos de nuestros crueles enemigos. . . . En estas circunstancias en que estamos esperando de un momento a otro al enemigo, es prudencia sufrirlo todo para que no se disloque nuestra miserable máquina" (50).

Cinco días después, impuesto Bolívar del desarreglo en que se hallaban las Misiones por el choque de las autoridades, y la oposición entre las órdenes de Piar y las del Padre Blanco, volvió a escribir a éste en el mismo sentido de la carta anterior, aconsejándole prudencia y "llevar nuestros asuntos adelante hasta salir de los enemigos externos. Después, le agrega, podemos arreglarlo todo, y si no lo pudiéramos hacer, por circunstancias, tendremos paciencia y nos someteremos al imperio de la necesidad. Si apesar de todo lo que llevo dicho a Vd., no podemos conseguir nada, y los males empeoran en lugar de mejorarse, le aconsejo a Vd. como amigo, se separe de su comisión, y la deje Vd. a disposición de quién la quiera tomar, pues tener quebraderos de cabeza sin utilidad alguna, es necedad que no debe cometer un hombre de juicio" (51).

La cuestión planteada por el Congresillo de Cariaco sugirió al general Arismendi, en los primeros diás de junio, la idea de formar otro Congreso en Guayana que organizara el Gobierno, y acogiéndola Piar la transformó inmediatamente en el sentido de sus proyectos. Según dice Briceño Méndez en sus Memorias, escritas quince años después, este general "de acuerdo con Arismendi trató de ganar a los demás generales y jefes del ejército, exagerando el peligro en que estábamos de ser envueltos en una guerra civil, si el general Bolívar continuaba con la autoridad suprema, y que era preciso establecer otro Congreso en contraposición al de Margarita para que separado el general Bolívar

(50) Lecuna. Cartas del Libertador, I, p. 263.
(51) Lecuna. Cartas del Libertador, I, p. 275.

del mando se restableciera la confianza y la unión. El objeto verdadero era apoderarse Piar del gobierno y hacer partícipe de la autoridad a Arismendi que estaba suelto sin mando. No tardó en llegar a la noticia del general Bolívar el proyecto, y usando de su prudencia y política lo hizo encallar con sólo dejar entender que lo conocía" (52). Esta idea, de la cual desistió Arismendi muy pronto, con gran desagrado de Piar, tendía a dividir la República en dos gobiernos, ambos con los mismos vicios de ilegalidad, pues en el estado de las cosas no se podían efectuar elecciones generales. Conformes todos los jefes con la opinión del Libertador de que todavía no había llegado el momento de dar forma legal al gobierno no hicieron caso a las sugestiones de Piar.

Al mismo tiempo el Libertador le escribía a este general exponiéndole cuantas razones se pueden aducir en favor de la armonía y de la unión, e ideas lisonjeras respecto a la situación interna y externa de manera a provocar en él reflexiones exactas que lo condujeran por camino seguro. El 14 le informa haber recibido el acta de Cariaco enviada por el secretario Bezares; los próximos conflictos de España con Portugal, de una expedición de Mac Gregor, al partir de Baltimore, y del abandono del partido de Mariño por parte de Urdaneta, Sucre y muchos oficiales y el 19 le escribe: "Acabo de recibir la apreciable carta de Vd. del 16, y en consecuencia de ella, oficio ahora mismo y escribo en particular al Comisionado de las Misiones llamándolo, pues he resuelto eximirlo del encargo que tenía de órdenes de Vd. y mías . . . Esto lo hago por complacer a Vd. hasta en una equivocación suya, cuando me dice que ya Blanco no podrá ser su amigo . . . y en cuanto al general Arismendi, le añade, también está Vd. equivocado . . . Aquellas mulas a que se refiere Vd., como las que mandó el general Sedeño, no han sido robadas . . . ¡Por Dios General! ¿Y qué dirán entonces nuestros enemigos y calumniadores? ¿No sabe Vd. que con las mulas, ganados y otros valores se han buscado en las Colonias, y se han proporcionado aquí mismo, elementos de guerra que no teníamos y subsistencias y abrigos para los cuerpos? General, prefiero un combate con los españoles a estos disgustos entre los patriotas. Vd. si que está

(52) Relación Histórica del general Pedro Briceño Méndez. Caracas. 1933. página 47.

prevenido contra sus compañeros, que debe saber que son sus amigos, y de quienes no debe separarse para el mejor servicio de la causa. . . . Sí, si nos dividimos, si nos anarquizamos . . . triunfará España, y con razón nos titularán vagabundos. . . . No insista Vd. en separarse de su puesto. Si Vd. estuviera a la cabeza yo no lo abandonaría. . . . La patria lo necesita a Vd. hoy como lo que es y mañana habrá de necesitarlo como lo que por sus servicios llegare a ser" (53). Pero estas expresiones fuertes, racionales y sinceras no produjeron ningún efecto. A una cabeza obcecada no le entra la luz, y ante la prudencia de Bolívar, Piar se fue exacerbando cada vez más, y como no encontrara apoyo en los militares, pocos días después, intentó soliviantar a los de color contra los blancos, empeño absurdo como en seguida lo mostró la experiencia, volviéndose todos, absolutamente todos, contra él.

Cuan distinto el entendimiento del Libertador! A pesar del éxito parcial de la propaganda de Boves contra los blancos criollos, debido al incentivo del asesinato y del saqueo en masas rudimentarias, Bolívar no creyó posible la guerra de razas en nuestro medio y lo demostró en un artículo escrito en Jamaica en 1815, a raiz de los actos sanguinarios del feroz asturiano, artículo que no llegó a ver la luz en aquella época, y encontrado por nosotros en el archivo del héroe, lo dimos al público en la obra "Papeles de Bolívar" (54).

Junta en San Miguel. Bolívar aclamado Jefe Supremo.

La ofuscación de Piar se hacía día por día más violenta y no tardó, por desgracia, en producir el rompimiento definitivo, mostrándose resuelto a abandonar el servicio, según decía por motivos de salud. En consecuencia el Jefe Supremo el 30 de junio tuvo que otorgarle el pasaporte, solicitado con insistencia, autorizándolo a dirigirse al lugar que tuviera a bien dentro o fuera de la República. Piar salió de Upata el 3 de julio escoltado por los dragones de su guardia al mando del teniente coronel Mina, pero como este oficial se devolviera con algunos dragones a saquear la villa, en la cual cometieron torpes desórdenes, el Libertador

(53) Cartas del Libertador, obra citada I. págs. 269 y 278.

(54) Edición de Caracas, de la Litografía del Comercio, 1917, página 271.

Angostura

los mandó a prender y el general Piar se excusó de entregarlos el 12 de julio en el campamento del Juncal, en la Mesa de Angostura, alegando que Mina se había ausentado enfermo (55). Mientras ocurría esto una comunicación de Valdés, Torres, Anzoátegui, Manrique, Soublette y otros jefes, avisando los manejos de Piar en el campamento del Palmar y hato de San Felipe, produjo el rápido regreso de Bolívar de Upata al cuartel general de San Félix, llamado por los expresados generales para un acto solemne y necesario, y en el momento de su llegada, el 24 de julio, se reunieron todos los generales y jefes de cuerpo, en San Miguel, en junta formal de guerra, proclamaron de nuevo al general Bolívar Jefe Supremo de la República y formado el ejército fue reconocido, jurado y victoriado con el expresado título como jefe del gobierno. En estas tropas habría seguramente oficiales adictos a Piar, pero la mayoría, provenientes de los cuadros del Estado de Occidente, de 1813 y 1814, reunidos en los Cayos de Haití, amaban y respetaban a Bolívar. Las de Bermúdez y Sedeño, ocupadas en el asedio de Angostura, eran insospechables en cuanto a fidelidad (56).

El 17 de julio, como veremos adelante, los españoles evacuaron a Angostura, a la cual entraron al día siguiente los patriotas encabezados por Bermúdez y Sedeño. Piar se trasladó a la ciudad, y allí nuevos actos subversivos suyos convidando a la rebelión contra los blancos y mantuanos, comunicados al cuartel general, produjeron la orden dada a Bermúdez, el 23 de julio, de intimar al general Piar que se presentara en el cuartel general de San Miguel o que lo remitiera preso si no obedecía la intimación (57). Cumplida esta última de oficio, Piar sin dar tiempo a su detención se fugó el 26 hacia Maturín. Su edecán Mina y dos oficiales fueron arrestados.

Fracaso de Mariño.

La provincia de Cumaná, rica por la agricultura y la pesca, y decidida desde el principio en favor de la revolución, proporcionaba con facilidad fuerzas numerosas, pero la falta de método

(55) Los documentos referentes a estos hechos se encuentran en el Boletín N° 80 de la Academia de la Historia, páginas 505 a 507.

(56) Relación del Padre Blanco. Blanco y Azpúrua, VI, p. 110.

(57) O'Leary XV, página 276.

y la disidencia de su caudillo impidieron la formación de un verdadero ejército. Urdaneta nombrado por Mariño para dirigir el sitio de Cumaná, el jefe de estado mayor coronel Antonio José de Sucre, los jefes de batallón Jerónimo Sucre y Francisco Portero y 30 oficiales, casi todos de las fuerzas organizadas por Sucre, no quisieron reconocer el gobierno faccioso formado en Cariaco y de Cumanacoa se dirigieron a Maturín, a mediados de mayo, para seguir a Guayana a ponerse a las órdenes del Jefe Supremo. Mariño trató de atraer a estos oficiales a su partido, así como a los existentes en Maturín, pero no logró nada ni en una conferencia celebrada con Urdaneta en Guanaguana, ni en la del 21 de mayo con su amigo personal el general Andrés Rojas y muchos oficiales en Aragua de Maturín; tanto estos últimos como Urdaneta en su propio nombre y en nombre de Sucre y sus compañeros, le manifestaron su resolución de sostener el gobierno de Bolívar (58).

Mariño retrocedió desconcertado a Guanaguana donde permaneció inactivo muchos días, mientras los españoles destacados por Morillo de Cumaná tomaban a Cariaco el 10 de junio, y a Carúpano el 13 tras reñidos combates en los cuales destruyeron las principales fuerzas de Mariño e hicieron prisioneros y fusilaron por orden de Morillo al célebre coronel Rafael Jugo, el favorito de Mariño, causa de tantos trastornos, al valiente capitán Francisco Sucre, hermano menor del futuro Mariscal de Ayacucho y a muchos otros (59). Desde entonces Mariño quedó irremediablemente perdido en cuanto a sus aspiraciones al primer puesto.

Sitio de las plazas. Preparativos para la campaña fluvial.

Situada a la derecha del Orinoco, en el punto donde el río es más angosto, la capital de Guayana está construída en anfiteatro sobre un cerro rocoso. Al Este la limitaba y servía de defensa una extensa laguna en comunicación con el río. Para cubrir la ciudad al Oeste y al Sur, los españoles construyeron un largo parapeto, casi contínuo, con ancho foso, de 922 metros de exten-

---

(58) Apuntamientos del general Urdaneta. O'Leary. VI; pág. 340. Relación de Silvestre Palacios. O'Leary XV, p. 288.

(59) Montenegro Colón IV, 262.

sión entre el Orinoco al Oeste y la laguna al Este, pasando estas obras al sur por una hondonada detrás del cerro de la ciudad. En el extremo Oeste construyeron un reducto, denominado San Rafael, en la boca de la laguna una gran batería, a la que nombraban Santo Tomás, al frente sobre el Orinoco el fortín San Gabriel, y al Sur, dominando la hondonada, el reducto San Fernando. La población era de 5.000 almas. El terreno de los alrededores de la ciudad es plano, e insensiblemente sube al Sur hasta la Mesa, a legua y media de la ciudad. En posición tan abrupta, y protegida por sus fortificaciones y la escuadra, la ciudad, valientemente defendida por la guarnición y la población en masa, era intomable por los independientes, como ya lo hemos expresado.

Lo mismo acontecía en Guayana la Antigua, denominada también las Fortalezas, situada al Este y a 30 leguas de Angostura. Construída a la margen derecha del Orinoco y a orillas de la laguna de Casacoima, consiste en un caserío situado entre dos cerros, coronados estos con sendos fuertes de cal y canto bien artillados, distantes entre sí 300 metros más o menos. Las entradas al pueblo estaban cubiertas con palizadas, abrigos de tierra, y fosos. Al Oeste y un poco al Sur de la laguna hay una montaña, y entre ésta y el pueblo una sabana extendida al Sur hasta la mesa de Chirica. La laguna de Casacoima, separada del río por una línea de arrecifes, tiene más o menos un kilómetro de largo.

Ambas plazas quedaron sitiadas por tierra, con infantería y algunas piezas, apostadas detrás de obras ligeras de campaña, y la caballería mas lejos impedía todo acceso por tierra. Los españoles se comunicaban libremente por el río. Bermúdez y Sedeño mandaban las tropas sitiadoras de Angostura y Bolívar y Piar debían dirigir las situadas frente a las Fortalezas y en las Misiones, pero Piar no quiso ejercer jurisdicción sino en estas últimas. El cuartel general estuvo casi siempre en San Miguel, como punto central y para atender a la construcción de flecheras.

A principios de junio todo estaba listo para concentrar las tropas en caso de presentarse Morillo en la provincia; al mismo tiempo se continuaban los trabajos de la marina y existiendo ya algunas embarcaciones menores se sacaron del ejército hombres a propósito para servirlas. A esto se añadía que de Margarita habían enviado algunas flecheras, pedidas expresamente, de las mejor tripuladas, y a mediados de junio se internaron al Orinoco por el caño Loran y con fortuna llegaron a San Miguel sin ser sentidas al pasar de noche por las Fortalezas.

Después de la ocupación del apostadero de la isla de Fajardo las fuerzas sutiles españolas quedaron distribuidas río arriba en el apostadero de Borbón, de donde protegían las comunicaciones con Apure; en Angostura, como auxiliares de los buques mayores; algo más abajo de esta ciudad, en Panapana, y en las Fortalezas. La escuadrilla real se mantenía casi siempre en la capital, lista a acudir donde fuera necesaria, y bajo su amparo de cuando en cuando entraban algunos convoyes, como el del contador español Tomasety, oficial de largos servicios en Guayana, el cual llegó el 2 de junio conduciendo algunos víveres y un grupo de oficiales.

Combate de Borbón.

Rafael Rodríguez había tenido éxito en la vuelta del Torno. Con las pocas embarcaciones de los patriotas escondidas hasta entonces en distintos caños se apoderó de otras y se atrajo los indios caribes de la Boca del Pao, de Uberito, y de otros puntos, excelentes para manejarlas, y así reunió 21 embarcaciones, entre ellas 3 cañoneras, 1 flechera y las demás curiaras y lanchas, con las cuales estorbaba las comunicaciones entre Angostura y San Fernando, utilísimas a los españoles por las carnes del Apure. En vista de esto el general La Torre dispuso enviar una flotilla a despejarlas y la encomendó al alférez de fragata Pedro Echenique, oficial español experto y valeroso.

Al mismo tiempo, ya adelantada la construcción de flecheras en San Miguel, el Libertador formó dos flotillas, una fue enviada a Rodríguez con las municiones que le faltaban y la orden de asaltar el apostadero de Borbón y la otra puesta a las órdenes del capitán Rosendo sería despachada río abajo. El oficial enviado a Rodríguez debía pasar sus flecheras, furtivamente, de noche, frente a Angostura, y seguir a unirse a aquel capitán para la ejecución de la empresa que se le había encomendado, y a Rosendo destinábase a desfilar, también de noche, delante de Guayana la Antigua, y seguir a las Bocas al encuentro del Almirante, pero no debía emprender su marcha sino algunos días después.

Las flecheras provistas de numerosos remeros podían burlar por su mayor velocidad a todas las otras embarcaciones.

La flotilla de los españoles partió de Angostura hacia Borbón en la mañana y su capitán Echenique se quedó en la ciudad, haciendo algunas diligencias, hasta después de la oración, pensando alcanzarla luego en la rápida flechera que lo conducía, pero dió la casualidad que esa misma noche pasaban frente a Angostura las flecheras enviadas a Rodríguez, y más adelante alcanzaron a la de Echenique y lo hicieron prisionero. Hasta ese momento, Rodríguez al asecho en un caño, recibió sus buques, atacó por sorpresa a los enemigos sin jefe, se apoderó de tres flecheras, y después de un brillante combate, obligó a huir a las cañoneras españolas hacia Angostura, y tomó por sorpresa el apostadero de Borbón quedando desde entonces cortada la comunicación de Angostura con el Apure. Poco antes había pasado un corto auxilio de carne salada, más las remesas importantes preparadas en Cabruta con grandes sacrificios, por don Marco Oronoz, de orden de Morillo, cayeron en la vuelta del Torno en poder de Rodríguez, así como un convoy de armas y municiones, custodiado por una flechera, y remitido días antes de Angostura a San Fernando de Apure (60).

Derrota de Rosendo.

Muy distintas fueron la suerte y la conducta del capitán Rosendo. Con diez flecheras, y una cañonera bien tripuladas, se preparó a desfilar de noche frente a las Fortalezas, y a seguir río abajo, cumpliendo instrucciones delalladas, al encuentro del almirante Brión. Partió en efecto la flotilla en la noche del 3 de julio; las cinco flecheras de adelante pasaron sin novedad y siguieron hacia las Bocas del Orinoco, donde se unieron, días después, a la escuadrilla republicana, pero cuando intentaron pasar las restantes, les hicieron fuego y destacaron contra ellas seis lanchas cañoneras, a cargo del Capitán Ambaredes. Rosendo en vez de batirse retrocedió con sus flecheras, y perseguido por las cañoneras se refugió en el caño Boca Negra, con cuatro flecheras, donde se había situado un destacamento de infantería para pro-

(60) Relación de Olazarra, en la obra El General Morillo por Rodríguez Villa. IV, p. 141.

tegerlos en caso de retirada, y las otras dos embarcaciones, la cañonera Bolívar y la flechera Santa Bárbara, al mando del capitán Fourneau regresaron sin inconveniente a Puerto de Tablas (61).

Casacoima.

Impuesto el Libertador de lo sucedido, fue con el estado mayor al caño a hacer salir los buques a batirse, pero en ese momento los españoles desembarcaron un pelotón de soldados y ocuparon la única salida del lugar, en la cual habían dejado las bestias Bolívar y sus compañeros y para salvarse no les quedó otro partido sino atravesar a nado el estero o rebalsa del Orinoco, con dirección a la casa cerca del cuartel general y así lo hicieron sin vacilar siendo los últimos en salir al otro lado, el Libertador y el coronel Lara (62). El destacamento patriota contuvo a los enemigos, Rosendo no presentó resistencia y los españoles le quitaron las cuatro flecheras, pero enseguida fueron obligados a reembarcarse con pérdida, por el general P. L. Torres quien acudió en socorro de los suyos con una columna. Todo esto ocurrió el 4 de julio a una legua del cuartel principal de los independientes, situado en el Trapiche de Casacoyma (63).

El triunfo del capitán Rafael Rodríguez en Borbón compensaba con ventajas la pérdida de las cuatro flecheras de Rosendo. Bolívar se hallaba animadísimo con la noticia recibida ese día de la aproximación del almirante Brión, considerando infalible la rendición de las plazas al entrar la escuadra republicana al Orinoco. No temía a Piar, aunque ya éste en cierto modo se había declarado contra el gobierno, y pensaba que libertada Guayana, podría concentrar un ejército capaz de redimir a Venezuela, y luego a la Nueva Granada, a Quito y al Perú. . . . En síntesis brillante y llena de fuego expuso esa noche a sus compañeros la posibilidad de llevar a cabo la redención de todo el continente,

(61) Larrazábal I, p. 478.

Relación de Fourneau, 3 de julio de 1817. Boletín N° 80 de la Academia de la Historia, pág. 504. La fecha del original está equivocada debe ser del 4 de julio.

(62) O'Leary, Narración, I, pag. 399. Relación Histórica de Briceño Mendez, Caracas, 1933, pag. 45. Relación de Olazarra, en Rodriguez Villa, IV, 140.

(63) O'Leary. Narración I, pág. 399.

en marcha progresiva, reforzando el ejército con elementos y reemplazos de los distintos países, conmovidos todos en favor de la independencia, aun cuando estuvieran sometidos a la metrópoli.

Según la leyenda el amanuense Martel preguntaba aparte, angustiado, si el Jefe Supremo estaría loco, pero ¿cuántas veces no había expresado Bolívar que su misión lo conduciría a los extremos del mundo americano? La grandeza de sus ideas era su fuerza principal, y los hechos acreditaban su capacidad para llevarlas a cabo. Sus amigos las conocían, habían presenciado los prodigios realizados en las primeras campañas y el mismo Martel le llevó la pluma en Barcelona, el 1º de enero de 1817, cuando invitaba a sus compañeros de Ocumare a marchar al lejano y rico Perú, luego que libertasen la Guayana (64).

La escuadra en el río. Pagayos. Angostura libre.

Ambaredes se dirigió hacia las Bocas en observación de la anunciada escuadrilla republicana. Pocos días tardó ésta en presentarse. Venía en dos divisiones por Boca Grande: adelante cinco flecheras margariteñas a cargo de Antonio Díaz y a muchas horas de distancia cinco bergantines y tres goletas de Brión, en completo tren de guerra, acompañados de las flecheras enviadas por el Jefe Supremo. La flotilla española encontró a la de Antonio Díaz junto a la isla de Pagayos, a pocas leguas de la boca principal del río, se apoderó de tres flecheras y acuchilló a muchos de sus tripulantes, y entre estos a un hermano del capitán Díaz. Poco después se presentó este último con las dos flecheras restantes y en lucha al arma blanca, y degollando a cuantos caían en sus manos, en venganza de la muerte de su hermano, represó dos de sus flecheras, tomo otras al enemigo, y echó una a pique. Ambaredes huyó con pocos buques, dejando cien de los suyos muertos o heridos, y muchos prisioneros, y no pudo apare-

(64) Cartas del Libertador, obra citada. I, 258. Cuéntase también que Bolívar desnudó su garganta para matarse si caía en manos de los españoles. Soublette y el edecán Miguel Arismendi compañeros de Bolívar en este trance, decían a Larrazabal que no creían esto cierto. Este autor supone que todas las flecheras se perdieron, pero no fue así. Vida de Bolívar I, p. 479. Urdaneta no había llegado todavía a Guayana. En sus Memorias, entre otros errores, incurre en el de suponer que solo se había construído una flechera.

cer más en el río. El capitán Díaz regresó al Guarapiche a reparar sus buques, maltrechos y con escasa tripulación, por las pérdidas sufridas en el combate.

Evacuación de Angostura.

Esta acción gloriosa dejó el paso franco al almirante. Sus buques y las cinco flecheras enviadas a su encuentro siguieron río arriba y fueron a anclar majestuosamente en la ensenada de Cabrián, bajo la protección del fuerte construído para servirles de apoyo, é inmediatamente se procedió a levantar la batería necesaria para completar la defensa.

La noticia de este acontecimiento cayó en Angostura como un rayo. Padeciendo las mayores escaseces desde hacía algún tiempo, sin víveres desde la retirada del guerrillero Chicuán Guzmán, el obstáculo del destacamento de caballería del coronel Encinoso del otro lado, la derrota de Borbón, y perdida la esperanza de auxilios de Morillo, se les cerraba la única vía por donde podían recibir mantenimientos de las Antillas y no creyeron posible batir la escuadrilla de Brion acoderada en la ensenada de Cabrián. En consecuencia las autoridades resolvieron evacuar la plaza.

Treinta buques de los cuales doce armados en guerra con 90 cañones, componían la escuadrilla real y la de trasporte. Entre todos llevaban 2.000 hombres, marineros y soldados. El 17 de julio se embarcaron además 1.800 habitantes de todas edades y sexos, realistas decididos desde el comienzo de la guerra, dispuestos a morir antes de ceder en su lealtad al rey y a España, o comprometidos en la causa real y temerosos de las represalias. Gran parte del material de guerra y equipajes de toda clase llenaron los buques. El mando de la expedición correspondía al capitán de fragata Fernando Lizarza y a su segundo el teniente de fragata Francisco Sales de Echeverría, el vencedor de Sorondo el 26 de marzo de 1812. El general La Torre, el obispo electo Ventura y Cabello y el gobernador Fitzgerald se distribuyeron en los principales buques. El embarco se hizo a la vista y bajo el fuego de las tropas de Bermúdez, clavando al mismo tiempo los cañones, todo con el mayor orden. El 18 al amanecer el general Bermúdez ocupó la plaza, y su primer cuidado fue repartir carne a la población hambrienta.

Con fresca brisa barinesa levó anclas la expedición a la caída de la tarde. Jamás se vió en el soberbio Orinoco un espectáculo semejante, escribió el español Olazarra, entristecido al ver como se desprendía de la Madre Patria la tierra del Dorado, célebre por sus leyendas y los sacrificios heroicos de conquistadores y misioneros. El 19 entre siete y ocho de la noche fondearon los buques en Guayana la Antigua, bajo la protección de sus fortalezas. Las flecheras de San Miguel salieron a hostilizar a los fugitivos pero sólo pudieron capturar una cañonera con muchos españoles a bordo.

En Guayana la Vieja. Batalla de Cabrián.

Los emigrados y soldados desembarcaron al día siguiente porque se resolvió armar en guerra, con piezas de artillería de a 12 existentes en las fortalezas, algunos de los buques de trasporte y para esto precisaba construir las cureñas correspondientes. Por este motivo, y la esperanza de recibir un refuerzo de Morillo, el convoy se detuvo 14 días, a pesar de la escasez de víveres, en lugar de unas horas suficientes para recoger la guarnición.

Seguros de ocupar pronto las fortalezas los insurgentes no intentaron ningún ataque a fondo y se limitaron a aproximar sus líneas. En estos días, escribe el capitán Sevilla, adquirieron tal osadía que al avanzar se exponían impávidamente al fuego de la metralla, mientras construían ligeros abrigos de campaña. "Veíamos a Bolívar, montado en su mula, en medio de sus edecanes, recorrer el campo a tiro de fusil de nosotros" (65). La energía de La Torre, y el anuncio dado en un bando, de que de un momento a otro llegaría Morillo a salvarles, pudo vencer la desesperación de los emigrados por salir de aquel estado de agonía en que se hallaban; devorados por el hambre y trabajando día y noche terminaron los montajes dispuestos. Mientras tanto los patriotas mantenían el grueso de sus fuerzas en disposición de dar una batalla pues aunque siempre consideraron inverosímil el proyecto anunciado por algunos desertores, de una salida en masa de los sitiados, manteníanse preparados para todo evento.

Por fin, el 2 de agosto, a la oración, comenzó el embarque del material, y poco después los emigrados pasaron a las naves.

(65) Memorias de Un Militar. (Rafael Sevilla) Ob. cit. pág. 339.

Los patriotas rompieron la palizada y ocuparon parte del pueblo. La Torre corrió a contenerlos. Al amanecer del 3 de agosto estaba concluído el embarco y el convoy se puso en marcha, bajo el nutrido fuego de sus adversarios apostados en los cerros vecinos a los fuertes.

Las tropas republicanas dirigidas por Anzoátegui ocuparon los castillos y procedieron a instalarse convenientemente. El Libertador y sus edecanes corrieron a Cabrián donde acudió con tiempo P. L. Torres con los batallones Barlovento y Guardia de Honor, a sostener los buques de Brión.

La escuadrilla real aumentada su artillería y tripulación en Guayana la Antigua, constaba de las siguientes naves:

ARMADOS EN GUERRA	Cañones	Tripulación	Soldados y Milicianos	Capitanes
		Marineros		
Corbeta Merced. Comandanta	14	23	70	Costa y Mur
Goleta Carmen 2a. Comandanta	12	37	61	F. S. Echeverría
Goleta Monteverde. El Parque	12	20	60	
Goleta Dolores	6	22	20	
Polacra Carmen	10	32	59	Manuel López
Bergantín Vigilante	12	19	69	F. A. Casanueva
Goleta Pancha	4	30	57	José Elorriaga
Goleta Isabel	3	15	69	
Guayro María	6	28	42	J. A. Pérez
Balandra Reina Luisa	1	14	20	Burguera
Bombarda Malagueña	6	16	30	José Bonet
Goleta Guadalupe	2	14	20	
Goleta Guayanesa	2	18	25	
Goleta Rapelo	2	26	40	
Seis Cañoneras	12	60	70	
Cuatro flecheras	4	88	84	
	108	462	796	
12 trasportes principales, entre ellos dos bergantines y varias goletas, y muchos otros menores.		782	640	
Totales	108	1.244	1.436	

Brión había levado anclas de Margarita el 30 de mayo y su escuadrilla se componía de los bergantines Terror, Tártaro, América Libre, Conquistador, e Indio Libre y las goletas: la Diana del Capitán Vicente Dubouille, el corsario constante amigo de la Patria, y las denominadas Guayanesa y Conejo. A bordo venían el presidente pro-tempore Maiz, empleado más adelante en puesto subalterno, el intendente Zea, otros personajes del Congresillo de Cariaco, y muchas familias patriotas emigradas de Caracas y Cumaná entre éstas la esposa e hijos de don Vicente Sucre. No tenemos datos precisos sobre el porte y armamento de los buques (66).

Al aproximarse a Cabrián los españoles formaron dos grandes columnas. A la derecha, dando frente a los patriotas, los buques mayores armados en guerra, y a la izquierda los de trasporte y los menores.

Comprendiendo el general Bolívar que los españoles pasarían de largo envió de refuerzo a los buques de Brión numerosas secciones de tiradores escogidos, preparados al efecto con anticipación.

Reconocidos los buques enemigos, Brión se adelantó corto trecho a su encuentro, en línea oblicua, apoyado en la batería reconstruída, sin cerrar el paso al enemigo. Hacia atrás de su línea los defensores del rey divisaban el fuerte Brión y la infantería dispuesta a sostener a los corsarios. El comandante de marina Lizarza ordenó a los buques de la primera columna formar con la proa hacia los enemigos mientras los de la segunda, con la masa principal de emigrados se deslizaba por detrás. Los buques españoles avanzaron contra los de Brión, pero estos retrocedieron a la batería. Siguiendo adelante los realistas se comprometió el combate. El fuego de metralla de los insurgentes destrozaba las arboladuras y obra muerta de los buques españoles y diezmaba su gente. La capitana española se enfrentó a la de Brión a muy corta distancia. Un tiro de metralla de ésta mató o hirió 16 hombres de la española y entre ellos cayó el co-

(66) Los referentes a los buques, anotados en los "Apuntes de Morillo sobre Margarita", no son exactos. O'Leary, Narración I, p. 416.

Respecto a los buques españoles véanse las relaciones citadas de Olazarra y Sevilla.

mandante Lizarza gravemente herido en los muslos (67). Desde tierra los insurgentes rompieron el fuego sobre sus enemigos. Mientras tanto los trasportes desfilaban detrás de los buques de guerra (68).

Al mismo tiempo las flecheras de Rafael Rodríguez, llamadas con anticipación por el Libertador, avanzaban sobre los buques españoles; y sus tripulantes, casi todos indios caribes, dando gritos de guerra, mostraban sus armas blancas preparadas para el abordaje. El Tártaro, el Indio Libre y el Terror guiados por Brión, avanzaron sobre la línea enemiga, y ésta sin jefe que la dirigiera emprendió la retirada. Fuertes ventolinas del oeste favorecían a los fugitivos pero arreciando el viento amenazaba el temporal. A la oración los enemigos, en plena retirada, dejaron atrás cinco embarcaciones a saber: el bergantín de D. Juan Inche, el de D. Miguel Rodríguez, dos goletas y la bombarda Malagueña salvándose de caer en manos de los patriotas esta última solamente por favorecerla su posición. Las cañoneras españolas pudieron protegerlos, pero pasando a su lado, los abandonaron a su suerte. Envueltos en las sombras de la noche y azotados por la tormenta los buques españoles siguieron hacia los brazos del Orinoco. Frente a la isla Yaya, punto en que estos se abren, trataron de detenerse, bajo un fuerte chubasco, pero luego siguieron la fuga sin plan y sin concierto. Las cañoneras se escurrieron por el caño Macareo, y huyeron hacia Trinidad, abandonando el convoy. El espacio de Yaya a Sacupana en la ruta a Boca Grande, lo recorrieron los buques españoles en el mayor desorden, debido a la tempestad y al afán de escapar lo más pronto. Imposibilitado Lizarza de ejercer el mando, el experto Echeverría no pudo hacerse obedecer por falta de señales convenidas (69).

(67) Memorias de Un Militar. (Rafael Sevilla). Ob. cit. pág. 342.

(68) Relación de Olazarra. Rodríguez Villa IV, p. 146.

(69) Relación citada de Olazarra. (Rodríguez Villa IV, p. 147). Memorias de un Militar (Rafael Sevilla, p. 341 a 343). El coronel Francisco de Paula Santander, apostado en el Fuerte Brión, informó al día siguiente al jefe de estado mayor, que la escuadra enemiga habia pasado sin disparar ni un tiro de cañón al fuerte, y que la artillería del fuerte obró contra aquella sin ningún suceso. Esto porque, en lo ancho del río, los buques se alejaron del fuerte. Luego refiere la captura de un bergantín y tres goletas por la escuadra en la noche del 3 y que en la madrugada del 4 se oyó un cañoneo bastante vivo. Archivo de Santander. Tomo I, p. 402.

Combates en la Tórtola, Sacupana, Imataca y Boca Grande.

Tarde de la noche dos buques de Brión y varias flecheras atacaron frente a la isla Tórtola a la corbeta Merced, a la polacra Carmen y a otros buques, trabándose un largo combate: los españoles defendiéndose con nutrido fuego de cañón y de fusil y con granadas de mano, hicieron retroceder a los insurgentes, pero ante nuevas y empeñadas acometidas de éstos siguieron su retirada, después de haber luchado valientemente hasta media noche.

Al amanecer del 4 se reunieron alrededor de la corbeta Merced, en la que iba La Torre y de la goleta Carmen, varios buques entre otros el bergantín de Casanueva, las goletas Guadalupe, Rapelo, Pancha y el guairo María, frente a la isla de Sacupana. Poco después se presentó Brión y se comprometió un fuerte combate, en el cual estuvieron a punto de caer en manos de los insurgentes el buque de Seijo y la comandanta o sea la Merced, varada en una de aquellas orillas. La artillería de la segunda comandanta, la goleta Carmen, dirigida por Echeverría, salvó a sus compañeros. Esta última, la fragata de trasporte de Delgado, la goleta Monteverde, donde iba el parque, y otros buques tomaron la dirección de Río Grande y del caño Lorán, empujados por las corrientes, mientras algunos, entre ellos la polacra Carmen y otros de guerra, se encaminaban por el brazo de Imataca. La fragata de trasporte de Delgado fue capturada un poco después. Cerca de 100 emigrados desembarcaron en las playas desiertas para salvarse y fueron víctimas del hambre. Más adelante se renovó el combate frente a la isla Imataca, en momento en que se aconchaba la Bombarda Malagueña. Echeverría mandó una flechera a socorrerla, pero no pudo salvarla, porque la metralla de los buques de Brión no la dejó acercar, y el capitán Bonet murió combatiendo. Algunos de los tripulantes de la bombarda se salvaron huyendo en una lancha. En la tarde Brión capturó el bergantín de don Miguel Rodríguez donde iban el archivo de la Real Contaduría de Guayana, y varios caudales, entre ellos las riquezas de las Misiones estimadas en 100.000 pesos. En este segundo combate del día 4 murieron muchos españoles y los patriotas sufrieron pérdidas sensibles (70).

(70) El capitán Rafael Sevilla no presenció estos combates porque su buque, la polacra Carmen, fue de los que se escurrieron por el brazo de Imataca.

El día 5 en la tarde se reunieron ocho buques mayores en Pagayos, más adelante de la unión del brazo Imataca con el Río Grande. En dos columnas presentaron batalla a Brión, pero éste esquivó el combate, porque en aquel momento él no tenía allí todas sus naves. Los españoles siguieron adelante, y en la noche con la marea pasaron la barra. En mar abierto Brión siguió haciendo presas importantes entre otras el guairo María, la goleta trasporte La Baguier, cargada de intereses valiosos, como 23.000 pesos en onzas de oro pertenecientes a don Francisco Farreras. La Dolores fue tomada al abordaje y pasados a cuchillo sus defensores. En los combates, y en la captura de estos barcos murieron los capitanes españoles Lapresa, González y Bernís. El brigadier La Torre, el comandante Lizarza, gravemente herido, pero sin peligro de muerte, los coroneles Carmona y Díaz, los capitanes Sevilla, Ambaredes, Aguayo, Costa y Mur, y los oficiales Tomasety, Díaz Aguado y muchos emigrados, llegaron a la isla de Granada el día 9 en la noche en la corbeta Merced y la polacra Carmen. Poco después se trasladaron a Cumaná y La Guaira.

Brión capturó 14 buques mayores, con 73 cañones, y muchos menores, y recogió en diversos buques 330 fusiles, abundantes municiones, ciento sesenta mil pesos en plata y oro y una cantidad de cobre. Las pérdidas en sus buques propios alcanzaron a 31 heridos y 32 muertos, sin contar las de los otros de su escuadra, y las flecheras. Los españoles tuvieron 280 muertos, y otros tantos heridos, soldados y marineros en los buques capturados, muchos dispersos, de los cuales la mayor parte perecieron en los bosques del Delta, y 1.731 prisioneros entre soldados y paisanos. De los emigrados murieron muchísimos, y fue una de las víctimas el excelente anciano gobernador de la Diocesis Presbítero Don José Ventura y Cabello, quien desembarcó en una isla del Delta y pereció de cansancio y abandono. Entre los prisioneros se encontraron dos frailes escapados de las Misiones, muchos oficiales y sujetos notables españoles y guayaneses: todos fueron puestos en libertad por Bolívar (71).

(71) La mayor parte de nuestros historiadores no han narrado los trabajos efectuados para libertar las plazas de Guayana, y atribuyen el resultado unicamente a la batalla de San Félix, que tuvo lugar tres meses y medio antes de la conquista de aquellas. Sólo Baralt da a la escuadra la influencia que tuvo en la obra de libertar la provincia, y a grandes rasgos expone la destrucción de los buques españoles. Todo se explica por haberse

Morillo en Margarita.

Mientras tuvieron lugar esos sucesos extraordinarios el general Morillo invadía a Margarita. El 14 de julio se presentó en el Puerto de Guamache con 22 velas y desembarcó 3.000 hombres. Los margariteños en número de 550 hombres le opusieron fuerte resistencia, pero tuvieron que retirarse. Morillo tomó a Pampatar el 24 de julio y el 31 atacó desde el cerro de Matasiete, junto a la capital La Asunción, el cuerpo principal de los margariteños apostado en esta villa y sus alrededores, a cargo del gobernador Francisco Esteban Gómez, hombre de principios constitucionales, hábil militar e inquebrantable en los conflictos. El general Morillo llevó al ataque 2.000 españoles y 600 caribes de guayuco y después de todo un día de combate contra fuerzas inferiores en número, tuvo que retirarse con grandes pérdidas de muertos y heridos. En vista de una resistencia tan obstinada rodeó las posiciones enemigas y ocupó tras rudos y sangrientos combates a San Juan y al puerto de Juan Griego. Al mismo tiempo la escuadra española imponía el espanto en varios puertos por continuos cañoneos. Aunque los habitantes de Margarita se defendieron, en estos y en otros encuentros, con sin igual bravura el general español, a la larga, habría dominado la isla, "si Bolívar, como dice Baralt, no la salvara con la toma de Guayana" (72). En efecto, al recibir Morillo en Juan Griego el 10 de agosto la noticia de la pérdida de Guayana resolvió evacuar la isla, se embarcó con sus tropas el 17 de agosto en Pampatar, después de vengar su derrota en algunos infelices, y voló a Caracas, a contrarrestar las invasiones que esperaba de Bolívar. Había enviado adelante un batallón de Navarra y luego llegó él con el resto del ejército y 700 heridos y enfermos. "Yo los ví entrar en la capital de Caracas, escribió J. D. Díaz, sorprendida con tan inesperada aparición; y admirada hasta el extremo cuando estuvo cierta de las causas". (73).

Los buques y caudales capturados en las luchas del Orinoco, permitieron a los patriotas duplicar su marina y asegurar para

perdido los documentos de esa época. A nosotros nos han servido de guía las relaciones citadas de los españoles y los documentos que hemos podido reunir.

(72) Baralt y Díaz Historia de Venezuela. Brujas, I, 395.

(73) Recuerdos sobre la Rebelión de Caracas. Madrid. 1829. Pág. 212.

siempre el dominio del río, con la cooperación de los corsarios y de los margariteños. Los primeros dominando el mar, casi constantemente, desde las bocas del Orinoco hasta Margarita, y los segundos prestando por su valor y constancia, abrigo seguro a los buques de aquellos (74). Por este encadenamiento de fuerzas, se consolidó la posesión de Guayana, se pudo fundar el Estado y la revolución, impulsada por Bolívar, fue progresivamente adelantando hasta alcanzar sus más altos destinos.

Informando días después a Páez el resultado de la batalla de Cabrian el Libertador le dice: "Este golpe decisivo sobre la marina enemiga nos da una preponderancia eterna, y fija irrevocablemente el destino de Guayana, Barinas y aun de la Nueva Granada. El Orinoco será siempre nuestro, y nada podrá obstruir este canal, por donde recibiremos de fuera y trasladaremos a lo interior elementos para hacer la guerra, mientras los españoles no abandonen el injusto proyecto de sometemos (75).

Fundábase este concepto también en el cambio de la opinión en la Nueva Granada con motivo de la cruel política de Morillo. Rendida Cartagena y ocupadas las provincias del Norte, llegaron el 6 de mayo a Bogotá las columnas de La Torre y Calzada. El primero de estos jefes cumplió exactamente sus promesas de conciliación ofrecidas por él en un indulto promulgado en Zipaquirá, pero al saber su conducta benigna el general Morillo la desaprobó y le ordenó reducir a prisión a los principales corifeos del gobierno republicano. La llegada del general en jefe español agravó la situación de los patriotas. Para juzgarlos creó un Consejo de Guerra Permanente y este terrible tribunal condenó a muerte a cuantos habían figurado en la revolución. Los primeros hombres del país perecieron en los patíbulos. Así sucumbieron el grande hombre de estado Camilo Torres, el sabio Caldas, Torices, ilustre gobernador de Cartagena, el ex-presidente García Robira y muchos otros, y sus familias fueron implacablemente desterradas a diferentes y lejanos puntos. Tanta crueldad preparó los ánimos en favor de la revolución.

(74) En las guerras civiles se ha demostrado que sin el dominio marítimo, Guayana no puede sostenerse.

(75) Bolívar a Páez, 15 de setiembre. O'Leary XV, p. 295.

CAPITULO XII

CREACION DEL ESTADO

Primeros actos administrativos.

La provincia de Guayana, célebre por su situación geográfica y las leyendas del Dorado, posee tierras inmensas entre ríos caudalosos. A pesar de la fertilidad de su suelo, la colonización, dirigida por funcionarios y misioneros españoles, sólo tuvo éxito en algunos lugares, menos expuestos a la malaria, el azote de las tierras bajas de esa región.

Su riqueza a principios del siglo XIX consistía en escasas plantaciones de caña, cacao, tabaco y frutos menores, y crías importantes de caballos y ganados en distintos puntos, especialmente en las Misiones de los capuchinos catalanes del Caroní y en la región de Caicara. La población repartida en las dos plazas fuertes, en los establecimientos monacales, y en algunos pueblos a inmediaciones de los ríos se estimaba en 30.000 almas. En medio de aquel escenario grandioso, y de una naturaleza exuberante, el aspecto de la República era por demás lamentable. Los soldados casi desnudos, el armamento incompleto y la población de la capital y de muchos pueblos dispersa y hambrienta. El dinero tomado al enemigo, en su fuga a través del Orinoco, tocó en su mayor parte a los marinos, fuertes acreedores del Estado. ¿Cómo adelantar la revolución en medio de tantas escaseses? La aplicación de todos a un solo objeto, bajo una voluntad inexorable realizó el milagro. El Jefe Supremo multiplicó su actividad habitual. Desde el regreso de la escuadra envió comisionados a las Antillas con el poco dinero disponible a comprar pólvora y plomo, y al mismo tiempo remontó la caballería y puso las maestranzas a trabajar día y noche componiendo el armamento y reparando los buques del Estado y de los corsarios y los tomados a los españoles. En pocos días entregó al Almirante una cantidad importante en mulas, ganados, cueros y algodón en rama, destinada a comprar en las Antillas fusiles, pólvora, plomo, piedras de chispa y vestuarios.

La fuente principal de recursos estaba en las Misiones: en los ocho primeros meses de su ocupación estas dieron a la República 14.513 reses, 301 mulas, 851 caballos, 1.787 yeguas, 202 pacas de algodón, algunos otros efectos de valor y gran cantidad de frutos menores (1). Desgraciadamente el tropel de la revolución no permitía continuar el régimen benéfico de los religiosos. La recluta, aun limitada a los solteros, produjo un alzamiento en la misión de Tupuquén y los indios huyeron a los bosques. Al saberlo el Libertador encomendó al Padre Blanco asegurar a los pueblos que los reclutas incorporados a las filas serían devueltos al tomar a San Fernando, e imponer a los comandantes militares trato más benigno a los naturales. Trabajando estos una semana para el Estado y otra en sus sementeras, como en tiempo de los misioneros, podían vender sus productos, pero les faltaba la atención cuidadosa, la tranquilidad y seguridad de los tiempos monacales. En noviembre la deserción de unos reclutas, en camino de Angostura, y su regreso a las Misiones, produjo una fuga general a los montes. El general Bolívar envió a toda carrera a tranquilizar los pueblos al general Sedeño, siempre activo y dispuesto a toda clase de servicios. La promesa de no hacer más recluta y de perdonar a los desertores si se restituían a sus casas y labores, como antes, produjo el efecto deseado, pero la concesión otorgada por Sedeño de trabajar dos semanas para sí y una para el Estado perjudicó las sementeras de algodón y tabaco emprendidas con el objeto de exportar sus productos en beneficio del erario.

Pronto estableció Angostura con las Antillas pequeño tráfico, cada vez mayor en los meses posteriores, cangeando los artículos de importación más necesarios por ganados. Los comerciantes ocupados en estos negocios llevaron a Guayana en los primeros días vestidos de tropa, tela de paño azul y grana para oficiales,

---

(1) Véase el cuadro completo en el Boletín de la Academia de la Historia, número 82, página 217.

útiles de costura, sables, machetes, azadas, ron y tabaco y recibieron en pago ganados grandes y mulas a 25 y a 45 pesos respectivamente, y ganados inferiores a 16 pesos.

Detenido Brion en Guayana con sus buques para defender el Orinoco de posibles agresiones de los enemigos, colaboró con interés en la organización general: bajo su dirección estableciéronse diferentes servicios, a saber; el almirantazgo, el cual entre otras funciones cobraba los derechos de buques mercantes a razón de 10 pesos por cada pie de calado si usaban prácticos del Estado y la mitad si no los usaban; un arsenal de marina donde reunió el material tomado a los españoles, y un astillero en el cual fuera de reparaciones de todo género, se construyeron en los últimos meses del año y principios del siguiente 20 cañoneras y dos bombardas de dos cañones cada una; y con oficiales de sus buques y reclutas escogidos organizó dos batallones de marina. Su escuadra, en el Orinoco o bien en el mar, era tan necesaria a la seguridad del Estado como el ejército. Según veremos adelante en noviembre fue designado presidente del Consejo de Gobierno, y por tanto debía asumir el mando en ausencia del Libertador (2).

El Jefe Supremo tomó varias medidas encaminadas a procurar el regreso de los fugitivos y emigrados, y fue la principal una amnistía publicada en el país y en el Exterior, con la sola condición de presentarse a las autoridades los interesados y entregar sus papeles. Angostura, además iba a recibir pronto gran número de los emigrados independientes, dispersos en las Antillas u ocultos en los montes. Las familias de Caracas y Cumaná embarcadas en la escuadra de Brion en Margarita, el 30 de mayo, desembarcaron en Cabrián y luego pasaron a Angostura. Allí se reunieron en el resto de este año y los primeros meses del siguiente las Sucre, Palacios, Paredes, Picon, Tovares, Aristeguietas, Soublette, Oriach, Alcalá, Bermúdez, Arguindeguis, Briceño, Pulido, Méndez y muchas otras. A mediados de 1818, llegaron Juana Bolívar, hermana del Libertador y su hija Benigna Palacios, procedentes de Curazao.

En los primeros días creáronse los puestos principales, sin

(2) Bolívar a Brión, 7 y 18 de noviembre. O'Leary XV, pgs. 451 y 467.

sueldo, sometidos los funcionarios como los oficiales a una ración. Sedeño fue nombrado gobernador y comandante general de la Provincia, el espiritual Tomás Montilla, antiguo secretario de guerra, gobernador político de la capital, y el sabio y honrado Peñalver, intendente de hacienda de la Provincia. Con la creación de este funcionario las atribuciones de Zea, como intendente general de hacienda, quedaron anuladas, por el momento, por no tener el Estado ninguna recaudación fuera de Guayana, y fue indemnizado con otras funciones. El edecán José Gabriel Pérez continuó de secretario de guerra y pasó algún tiempo antes de reencargarse de este puesto importante el célebre Briceño Méndez. Soublette fue nombrado jefe de estado mayor en propiedad.

Por decreto de 7 de junio dado en San Félix, el Jefe Supremo había creado Consejos de Guerra permanentes en todos los ejércitos y en las plazas principales, y establecido al mismo tiempo un Reglamento sencillo y breve para conocer y terminar las causas militares. Tomada Angostura entró en vigor (3).

El estado necesitaba vivir y pagar a sus servidores abnegados. Los patriotas pudientes tenían sus fincas embargadas y confiscadas y no podrían recobrarlas, después de la guerra, sino en condiciones deplorables por el abandono en su administración o la explotación inconsiderada de nuevos dueños, y la mayor parte de los servidores de la República habían nacido sin bienes de fortuna. Para llenar las necesidades del Estado y recompensar a unos y otros, no había otro medio sino el de confiscar los bienes de los enemigos en los territorios libertados, y así lo decretó el Jefe Supremo el 3 de setiembre (4). Según esta ley todos los bienes, muebles e inmuebles, de los venezolanos adictos al bando real, quedaban secuestrados y confiscados a favor del Estado, exceptuando los bienes dotales de la mujer, y la tercera parte del caudal del marido, destinados por la ley a las hijas solteras y a los hijos menores; y se dispuso la confiscación total de los bienes del gobierno español y de sus súbditos fuera cual fuere el lugar de

(3) O'Leary XV, 264. Uno de los sometidos a juicio fue el comandante de flecheras, Cecilio Rosales, por actos de piratería en las Bocas del Orinoco. Se le mandó a juzgar el 20 de setiembre.

(4) O'Leary XV, 293.

su residencia. Por decreto de 18 de octubre las mujeres cuyos maridos incurrieren en la pena de confiscación, además de los bienes dotales, tendrían la mitad de los gananciales y los hijos sus herencias legítimas en caso de haber tomado estos últimos parte activa en favor de la república (5). La administración estaría a cargo de un administrador general y de dos subalternos, uno para el Alto y otro para el Bajo Orinoco.

El 23 de setiembre fue creado el Tribunal de Secuestros, encargado de administrar y conocer todo lo relativo a los bienes secuestrados, y declarar los que serían confiscados a favor del erario, y quedó organizado con el doctor Francisco Antonio Zea, de presidente, los ministros José España y Fernando Serrano, este último el granadino notable nombrado en Apure el año anterior jefe del Estado, el fiscal Luis Peraza y el secretario Manuel Quintero. Mas adelante la administración se encomendó a los intendentes de hacienda de la respectiva provincia (6).

Un decreto de 29 de setiembre reglamentó la distribución de las presas de la escuadra en la reciente campaña. La octava parte del producto correspondería al Almirante y el resto se dividiría por mitad entre los armadores o propietarios de los buques apresadores y la tripulación (7). Por disposición especial debía adjudicarse una parte a las flecheras de Antonio Díaz y Rafael Rodríguez y a las tropas de tierra embarcadas abordo de la escuadra para la persecución del enemigo. El primero cedió lo de él y de sus hombres a la isla de Margarita para emplearlo en armas y municiones, y el segundo y las tropas de tierra cedieron su parte a la ciudad de Angostura con igual destino.

En la misma fecha del decreto de confiscación el Jefe Supremo dió otro declarando libre la navegación del Orinoco y abierto al comercio exterior, manteniendo los mismos derechos de importación y exportación del gobierno del rey. El decreto de bloqueo dado en Barcelona el 6 de enero quedó en toda su fuerza respecto a La Guaira, Cumaná y Puerto Cabello. Para estimular

(5) Tribunal de Secuestro. O'Leary XV, 305.
(6) O'Leary XV, págs. 304, y 533.
(7) O'Leary XV, pag. 313.

a los negociantes se dispuso concederles una rebaja importante en los derechos de importación siempre que trajeran en el mismo buque cierta proporción de armas y pertrechos (8).

Preparativos para abrir la campaña.

Mientras se iba modelando el estado con estas y otras medidas, expuestas adelante, se aumentaba y mejoraba el ejército. Las tropas de la Antigua Guayana pusiéronse a las órdenes del experto general Urdaneta, llegado con sus compañeros a Angostura la víspera de la liberación de la ciudad, y las de esta última, quedaron como antes a las de Bermúdez y Sedeño. Se formaron nuevos cuerpos de infantería, uno de ellos, denominado batallón del bajo Orinoco fue encomendado al coronel Antonio José de Sucre, a quien poco después se dió el mando de todo el Bajo Orinoco y de la Antigua Guayana. Este oficial, destinado a alcanzar los más altos puestos en la revolución americana, y los expertos generales Urdaneta y Anzoátegui consagráronse especialmente a mejorar la disciplina de la infantería. Se puso en práctica un tratado de táctica española, traducido del francés. El 4 de octubre se enviaron a Páez dos ejemplares para instruccion de sus tropas (9).

Una de las disposiciones más útiles fue la relativa a la organización de los estados mayores decretada el 24 de setiembre. Al estado mayor general correspondían las funciones de los antiguos mayores generales y cuarteles maestres. En cada división activa debía organizarse un estado mayor divisionario, cuyas plazas serían dadas a los ayudantes generales del estado mayor general a fin de establecer mayor enlace entre unos y otros cuerpos, debiendo servir de regla el Manual de los Estados Mayores Generales y Divisionarios publicados por el oficial francés Barón de Thiebault (10). En esta obra se establecen reglas de servicio y preceptos de guerra. Aunque demasiado amplia para nuestro medio embrionario su aplicación parcial introdujo mejoras bene-

(8) O'Leary XV, 292. En las contratas se calculaban los fusiles de 8 a 10 pesos uno, la pólvora de 3 a 4 reales libra, y el plomo de 12 a 14 pesos quintal.

(9) Oficio a Páez. O'Leary XV, 324.

(10) Decreto de 24 de setiembre. O'Leary XV, 308.

ficiosas al servicio. Fue traducida al español y publicada en Madrid en 1818, en la imprenta de don Miguel de Burgos, un año después de estar en uso en las desoladas llanuras venezolanas.

Los fusiles y pertrechos tomados al enemigo, y los artículos traídos a Guayana por comerciantes y aventureros, permitieron poner en pie de guerra, con las deficiencias que son de suponer, dada la miseria general, los 3.000 a 3.500 combatientes de que constaba el ejército a mediados de octubre, número alcanzado después de recoger cuantos hombres útiles había en la despoblada provincia. Mas para abrir la campaña esperábase la pólvora enviada a buscar con urgencia a las Antillas. En el parque sólo existían 70.000 cartuchos.

Entre otros partió a solicitar armas y pólvora, el excelente marino capitán Felipe Esteves, en su corsario El Cóndor. Dió a la vela a fines del mes. A su regreso debía tomar en Margarita unos legionarios ingleses, los primeros en venir a incorporarse al ejército libertador.

Monagas y Zaraza.

Monagas nombrado gobernador y comandante general de la provincia de Barcelona, recibió orden de levantar un batallón de 500 hombres, reunir las partidas independientes, batir las diferentes bandas españolas y guerrillas locales, y operar contra la capital (11).

Cumpliendo órdenes del Jefe Supremo de obrar activamente contra Chaguaramas, Zaraza batió el campo volante local y el 24 de agosto obligó a los españoles a evacuar la plaza y su célebre casa fuerte. Hasta entonces los españoles habían mantenido la ofensiva sin poder destruir las partidas insurgentes, habituadas a disolverse y a reaparecer en los flancos o fuera del alcance de sus perseguidores. Fatigados, con algunos enfermos, y escasos de caballos, los españoles no podían, después de la pérdida de Guayana, ocupar todo el alto llano. Zaraza permaneció en Chaguaramas con 300 jinetes, 100 fusileros y 100 flecheros, mientras Infante y Urquiola, cada uno con 200 jinetes, cubrían sus flancos a

(11) Instrucciones a Monagas. O'Leary XV, 303.

alguna distancia, y los tres amenazaban la línea de los españoles de Orituco. A las órdenes de Zaraza servían también en distintos puntos el esforzado lancero Juan José Rondón, mestizo claro de fisonomía fina, descendiente de esclavos, recién incorporado a la patria y célebre después por su extraordinario heroísmo, y virtudes políticas y los comandantes Belisario, Zamora y Ledezma, los tres de familias distinguidas de los llanos. Todos juntos sumaban de 1.200 a 1.300 hombres, la mayor parte de caballería. Dueño de Chaguaramas, Zaraza se dedicó a recoger caballos y ganados para la próxima campaña. En esos días destruyó el fuerte construído y abandonado por los españoles en el hato de la Piragua.

Expedición de Páez a Barinas.

Desde el mes de mayo el Libertador había enviado al Apure a los coroneles Parejo y Manrique a solicitar el reconocimiento del gobierno. Recibidos con demostraciones de regocijo, Páez y sus tropas prestaron juramento de obediencia al Jefe Supremo y aquel envió a Angostura, con fecha 31 de Julio una protesta contra el Congresillo y el gobierno plural de Cariaco, cuya disolución se ignoraba en Apure. Esta actitud de Páez, comunicada a los distintos jefes en los días de la rebelión de Piar, contribuyó a aumentar la confianza en el gobierno (12).

Enseguida de este suceso importante, en pleno invierno, con todas las sabanas innundadas, Páez emprendió marcha hacia el norte con 1.000 jinetes, proponiéndose proveerse de telas para su desnudo ejército. Atravesando los ríos a nado, llegó de improviso a Barinas, el 14 de agosto, sorprendió y batió la columna de Remigio Ramos perteneciente a la 4ª división de los españoles, entró en la ciudad y recogió cuantioso botín de géneros. Enseguida regresó por el mismo camino, cruzó el Apure, pasando sus cargas en botes de cuero, más arriba del paso de Quintero, ocupado por lanchas y flecheras españolas, y corrió al Yagual a prevenir una invasión de Calzada. Este último aprovechando la ausencia del caudillo apureño remontó en su escuadrilla el Apure seco, sorprendió y destruyó la columna de 200 hombres de Revo-

---

(12) Rojas al Jefe Supremo, 12 de setiembre. Boletín No. 82 de la Academia de la Historia, pág. 203.

lledo en Apurito, y al saber la vuelta de aquel bajó por el Apure a encerrarse otra vez en San Fernando.

Casanare reconoce a Bolívar.

En Casanare el antiguo gobernador Juan Nepomuceno Moreno, el bravo coronel Ramón Nonato Pérez y el presbítero coronel Ignacio Mariño, libertadores del territorio, en cuenta de la misión de los coroneles Parejo y Manrique se apresuraron a reconocer a Bolívar, como Jefe Supremo, por sus eminentes servicios a la Nueva Granada, y considerarlo el único capaz de restaurar la libertad a su país. Sin duda esos eran los sentimientos de los casanareños pero también los animaba, el deseo de sacudir el dominio de Páez, a quien acusaban de haber correspondido con mezquindad a los auxilios prestados por ellos al Apure en la campaña anterior, y Páez a su vez les censuraba su falta de obediencia y rencillas lugareñas.

El ejército español.

A la noticia de la pérdida de Guayana y la destrucción de su marina, los españoles evacuaron a Cabruta, punto importante de comunicaciones en la margen izquierda del Orinoco, y los escasos habitantes de los llanos inmediatos se insurreccionaron y formaron partidillas, de merodeadores y combatientes, hostiles a los españoles. Al mismo tiempo éstos abandonaron los territorios del Alto Llano de Caracas, al este del río Orituco, y pusieron guarniciones en el Sombrero, Barbacoas y Camatagua, en la línea del alto Guárico, y puestos avanzados desde San Rafael y Altagracia hasta el Calvario, en la del río Orituco, unos y otros a las órdenes de los tenientes coroneles Juan Nepomuceno Quero y José Isturiz y de los capitanes Durán, Rubín y Ramírez, y todos bajo el mando del comandante general de los Llanos el coronel Juan Juez, oficial experto e ilustrado, a juzgar por las notas suyas que se conservan. Sus fuerzas demasiado pequeñas para cubrir tan extenso territorio, ascendían a 640 infantes y 500 caballos y consistían en unas compañías españolas de la Unión y de Castilla, otras de infantería de Aragua, un escuadrón de Húsares, uno del Regimiento del Rey, el de Lanceros de Calabozo, el escuadrón del Sombrero y unos cuantos artilleros. A mediados de setiembre el coronel Juez, concentrando sus tropas, batió en dos combates sucesivos a las de Julián

Infante, cuando este jefe, aumentada su columna con una guerrilla al mando del joven Monserrate Matos, trató de penetrar hacia los valles de Barbacoas y Camatagua (13).

La línea de Apure estaba defendida por la 4ª división situada en Nutrias y Barinas y la 5ª en San Fernando de Apure, a las órdenes de Correa y Calzada respectivamente, contando entre las dos de 2.500 a 2.600 combatientes, fuera de los marineros de las lanchas cañoneras y flecheras del capitán Juan Comos. Numerosas partidas locales servían de apoyo y sostén a los españoles tanto en la línea del Orituco como en la del Apure.

Medidas eficaces tomadas por Morillo para aumentar las tropas debían elevar pronto su número: en las divisiones 4ª y 5ª se organizaban dos regimientos de caballería de cuatro escuadrones cada uno, a cargo del valeroso llanero Antonio Ramos y del experto jefe canario Salvador Gorrín; y de diversas partidas de jinetes de Guanare, San Carlos y los Tiznados, se formaban en Calabozo cuatro escuadrones de cazadores, denominados Guías del General, y su mando destinado a Remigio Ramos se confirió por fin a Rafael López, ambos llaneros célebres desde 1814.

Numerosos reemplazos se preparaban para reforzar las tropas de infantería. El coronel español Mendivil levantó en Valencia un batallón selecto con cuadros sacados de diversos cuerpos, denominado Cazadores de la Reina Isabel, destinado luego al Oriente; y de todas las provincias tranquilas de Occidente, y de muchos partidos en la de Caracas, se sacaban reemplazos para la infantería (14).

Juicio de Morillo sobre los venezolanos.

El general español llegó a la capital impresionado por la resistencia de Margarita, la pérdida de Guayana y de la escuadra del Orinoco. Luchando con la pobreza del erario activó la ejecución de las medidas dispuestas anteriormente para reforzar los cuerpos y reparar las bajas sufridas en Margarita y otros teatros de la guerra. Por lo pronto retuvo la división de Canterac, desti-

(13) Oficio de Juez a Morillo, 17 de setiembre de 1817. Rodríguez Villa, III, 343.

(14) Morillo al Ministro de la Guerra. 1° de abril y 6 de julio de 1817. Rodríguez Villa, III, págs. 368 y 397.

nada al Perú por el gobierno de Madrid. Impaciente por abrir la campaña esperaba reponerse de una caída del caballo, y terminar el arreglo de los cuerpos. Preocupábalo en grado sumo el cambio favorable a la revolución, visible a todas luces: "Es increíble, escribía de Cumaná al Ministro de la Guerra el 28 de agosto, los progresos que ha hecho la opinión de independencia entre estos habitantes. Los venezolanos son los franceses de América, y con la misma veleidad e inconstancia de éstos, pero con mucha menos ilustración. Son susceptibles de todos sus defectos, e incapaces de ninguna de sus virtudes; dispuestos a alborotos y tumultos, de una variedad ilimitada en sus opiniones, que los lleva a ser tan pronto de un partido como de otro, y como el mayor número son de color, no tienen más objeto ni más guía que robar y enriquecerse. Apenas los rebeldes acaban de conseguir alguna ventaja, cuando al instante se desbandan las partidas y cuerpos formados en el interior, y van a aumentar las guerrillas de los rebeldes". Para completar el cuadro Morillo debió recordar los sacrificios de millares de realistas por la causa de España, la fidelidad heroica de los guayaneses, de los corianos y de tantos otros pueblos adictos hasta el fin de la lucha a la Madre Patria, a los cuales el mismo Morillo había elogiado en otras ocasiones. Mas adelante de las palabras trascritas, rectificando con justicia su juicio, decía: "La ocupación de Guayana y la prontitud con que pueden los rebeldes del Orinoco extender sus relaciones hasta darse la mano con los malcontentos de la Nueva Granada, es fácil concebir, mucho más si se tiene presente el carácter revolucionario de los habitantes de Venezuela, que ni carecen de actividad ni de genio y conocimientos. La continuación de los sucesos militares los ha instruído y pelean con valor y encarnizamiento" (15).

Guarniciones españolas.

Al abandonar el Oriente, además de la división de Jiménez, encargada de la conquista y defensa de la península de Paria y costas de Güiria, Morillo dejó en Cumaná de guarnición el batallón Provincial, el de Granada, y algunos piquetes de Húsares y de artillería ligera; dos compañías del batallón Barbastro en la escuadrilla sutil del heroico capitán Guerrero, y tres en Barcelona,

(15) Morillo al Ministro de la Guerra, 24 de agosto. Rodríguez Villa, III, págs. 432, 433, 436 y 437.

de refuerzo a una columna del país de infantería y caballería encargada de hacer frente a Monagas. Estas tropas de Oriente sumaban 3.200 hombres, sin contar las partidas locales.

Trajo a La Guaira una compañía de Barbastro y a Caracas el batallón Burgos, destinado a la guarnición compuesta hasta entonces de varios destacamentos de distintos cuerpos. En Ocumare del Tuy permanecieron dos compañías de la Unión y Castilla y dos del país. Los cuadros del batallón Cachirí, salvados de Guayana, se llenaron en Puerto Cabello con reemplazos del lugar, y servían de guarnición con el 6º escuadrón de artillería y un depósito de inválidos y enfermos. El batallón de la Corona, casi en cuadro, pasó de la capital a los valles de Orituco y allí debía recibir los reclutas que necesitaba. Las provincias de Occidente tenían de guarnición diversos destacamentos de tropas locales, casi todos con jefes y oficiales españoles. El presbítero coronel Torrellas y el coronel mestizo Reyes Vargas, de estas provincias, condecorados por el Rey, prestaron servicios notables en las últimas campañas de Apure y como tantos otros venezolanos continuaron todavía por algunos años fieles al gobierno español.

Poco después de su regreso a Caracas, Morillo promulgó el 21 de setiembre, una amnistía en nombre del Rey, recibida, según su mismo autor, con desprecio por los insurgentes. En efecto, pocos se acogieron a ella y muchos la miraron como prueba de debilidad. Bajo estas impresiones poco favorables partió el general español hacia Calabozo a tomar el mando del ejército (16).

Proyecto de concentración.

En vista del proyecto de Páez de avanzar de Barinas hacia el norte, y terminados los arreglos en Angostura el Libertador dispuso el 15 de setiembre concentrar las fuerzas de la República a inmediaciones de Calabozo. Bermúdez debía cruzar el Orinoco con las tropas de Guayana, reunirse a Zaraza al Sur de Chaguaramas y seguido de una reserva, dirigirse a Calabozo, adonde también concurriria Páez con su división mientras, una columna de Guayana iría embarcada a tomar a San Fernando (17). Bolívar

(16) Mémoires dú général Morillo. París 1826, p. 106.

(17) Bolívar a Páez, 15 y 18 de setiembre. O'Leary XV, págs. 295 y 299.

esperaba reunir a principios de noviembre 5.000 hombres y caerle encima a los españoles diseminados y desapercibidos.

Todo esto estaba preparándose cuando noticias alarmantes sobre la agitación de Piar desviaron la atención del gobierno hacia Maturín. Hasta ese momento Bolívar no había tomado ninguna medida contra él ni contra la disidencia de Mariño. Por otra parte las armas y municiones pedidas a las Antillas tardaban en llegar. Solo se recibían pequeñas partidas.

Rebelión de Piar.

Escapado de Angostura el 26 de julio, cuando Bermúdez le intimó la orden de presentarse al Jefe Supremo, Piar se dirigió a Maturín creyendo sin duda levantar en la provincia de Cumaná, fuerzas suficientes para derribar al Gobierno, o por lo menos para mantenerse en armas contra él y provocar en Guayana movimientos favorables a su causa. Contaba con el estado anárquico del interior de la provincia, el apoyo de Mariño, su propio prestigio y la propaganda en contra de los blancos y mantuanos; factores favorables a primera vista a su intento, pero débiles ante un análisis detenido. Muchos actos habían demostrado la tendencia general en favor del gobierno, y la disolución espontánea del establecido por el Congresillo de Cariaco, indicaba hasta donde habían perdido terreno las ideas anárquicas. Los sacrificios de los blancos en general, y especialmente de los mantuanos, es decir de los nobles descendientes de conquistadores, en favor de la libertad y de la igualdad ante la ley, eran bien conocidos, y el mismo Piar, elevado a general en jefe, no sólo por sus eximias dotes militales, sino también por la cooperación de jefes y oficiales blancos era un ejemplo vivo de la falsedad de sus alegatos (18). Sin la ayuda de Mariño, de los Sucre, de los Bermudez, de Isava, de Armario y de Azcúe no habría triunfado en Maturín, y sin la de Briceño Méndez, Anzoátegui, Torres, Salom, Chipía y Landaeta, no hubiera realizado la campaña de Guayana, y el mismo Bolívar, el más prominente de los mantuanos, objeto prin-

(18) Piar no era negro como han asentado algunos autores extrangeros. Hijo de una mulata de Curazao, partera célebre en La Guaira, en años posteriores, y de un isleño de Canarias, domiciliado en sus últimos años en Caracas, tenía el color blanco o casi blanco. Véase el Manifiesto del Jefe Supremo. Boletín No. 82 de la Academia de La Historia, página 193.

cipal de su odio, olvidando los cañonazos que le disparara en Pampatar en 1814, lo había acogido en la expedición de Los Cayos y le proporcionó en Carúpano armas y la ocasión de formar en Maturín sus primeras tropas. Estos hechos dejaban ver claramente el verdadero motivo de la actitud subversiva de Piar: no eran las supuestas injusticias alegadas en su propaganda sino el afan de alcanzar el primer puesto, ocupado por el hombre de mayores servicios a la revolución, y de mayor suma de cualidades eminentes y de virtudes.

El primer tropiezo serio lo tuvo Piar en Maturín: Andrés Rojas, comandante general del Departamento, y caudillo natural de esos llanos, elevado por Bolívar a general de brigada en la promoción de Carúpano, era hombre de juicio sano, firme en sus principios, sagaz y prudente. Subalterno de Piar en 1813, se opuso a una revuelta proyectada por este jefe contra Mariño, y amigo íntimo y compadre de Mariño no lo siguió en su disidencia; en este conflicto, aún siendo de color zambo, no hizo ningún caso de las sugestiones de Piar, y así como en esta época en los años posteriores a la guerra sostuvo siempre el orden. En 1830 lo asesinaron vilmente en Cumaná, al frente de sus tropas, en momentos de proclamar la integridad de la gloriosa república de Colombia. Sabiendo Piar la decisión de este jefe por el gobierno de Bolívar, no le descubrió sus proyectos; pero seguro de su propia influencia los expuso públicamente y en vista de esta actitud subversiva, Rojas le exigió desocupase la ciudad y así lo hizo, dirigiéndose hacia el norte en solicitud de Mariño (19). Para prevenir a este último, Rojas despachó al ciudadano Diego de Alcalá, hombre de confianza del caudillo oriental, y probablemente esta prudente gestión tuvo alguna influencia en los acontecimientos posteriores. Tal fue el resultado de las primeras diligencias de Piar, y las subsiguientes no fueron más felices. Cansada la fortuna de protegerlo, le negó sus favores en esta ocasión y él cegado por sus pasiones no vió el abismo hacia donde se encaminaba.

Ya hemos expuesto los triunfos del enérgico y valeroso coronel Jiménez, destacado por Morillo de Cumaná, sobre las tropas de Mariño en Cariaco y Carúpano el 10 y 13 de junio, y la captura de un corsario pequeño surto en el último, mientras Mariño in-

(19) Rojas a Bolívar, 12 de agosto. O'Leary XV, 358.

tentaba catequizar para su partido a los oficiales de Maturín, quedando así perdido el territorio reconquistado, durante su ausencia en Barcelona, por el coronel A. J. de Sucre. El 23 de julio, en vista de la resistencia heroica de los margariteños, el general en jefe español dió orden a Jiménez de trasladarse a Margarita con el batallón Clarines y cuantos hombres pudiera reunir, dejando al comandante Armas encargado de defender a Carúpano y Río Caribe con muy pocos soldados. En esos mismos días Mariño había reunido en Cumanacoa unos 400 hombres e informado de la ausencia de Jiménez, se presentó de improviso en Cariaco defendido solamente por el capitán Fuentes con 100 hombres apostados en la casa fuerte, construída en la iglesia, por haber marchado el comandante Arévalo con el resto de la guarnición a cubrir la Esmeralda de las incursiones de las flecheras de Margarita. De regreso este último con su columna de 260 hombres embistió a Mariño pero fué rechazado con grandes pérdidas. Cuatro días resistieron los españoles valerosamente: el último sorprendiendo de noche la línea de los republicanos huyeron a Cumaná los pocos que lograron salvarse. Mariño, dueño del pueblo, aumentó su hueste a 500 hombres, y cuando supo la marcha del coronel Cini, desde Cumaná contra él con otros tantos soldados de Barbastro y naturales del país, salió a su encuentro y el 3 de agosto comprometió una acción larga y sangrienta cerca de la casa de Carlos López, a orillas del golfo de Cariaco. Agotadas sus municiones y herido en una mano abandonó el campo sin ser perseguido, dejando 200 muertos y heridos de los suyos y se dirigió a Guanaguana, con ánimo de regresar a Cumanacoa, pero en marcha a este punto, encontró a sus amigos en retirada, por haber entrado al pueblo el mayor Vicente Bausá con el batallón Barbastro a ejecutar la orden dada por Morillo de arrasarlo, como resguardo de insurgentes (20).

A causa de estos sucesos adversos, el jefe oriental se retiró hacia Maturín y en el camino, con gran sorpresa suya, encontró a Piar caminando en su busca. Allí se amistaron de nuevo aquellos dos hombres, alternativamente amigos y enemigos. Peleados a muerte desde la traición de Piar y de Ribas y la consiguiente expulsión de Mariño y Bolívar en 1814, y reconciliados en Los

(20) Morillo al Ministro de la Guerra. Rodríguez Villa III, 428 y 447.

Cayos, volvieron a enemistarse en 1816, a causa de pronunciarse Piar por el Libertador después del Juncal. Las circunstancias los colocaban otra vez en la misma línea, pero según se desprende de los sucesos subsecuentes, entre ellos no hubo cordialidad ni unión. Se miraban con recelo.

En Chaguaramal, caserío situado entre el pueblecillo de Aragua y la ciudad de Maturín detuvieronse algunos días, esperando a unos hombres de Mariño, y cuando reunieron 200 marcharon a dicha ciudad con ánimo de apoderarse de ella, pero Rojas se mantuvo firme y aunque dejó entrar a Mariño solo y le dió tres damesanas de pólvora y un poco de papel para cartuchos, no permitió que la fuerza disidente cruzara el río Guarapiche, límite de la ciudad por el norte. Esto ocurrió el 17 de agosto, y en vista de la resuelta conducta de Rojas, los dos generales regresaron al pueblo de Aragua de Maturín; pero de sus manejos dedujo el jefe de la plaza, no tardarían 15 días en volver con fuerzas mayores, y así lo participó al Jefe Supremo, expresándole que si no le mandaba refuerzos, se vería expuesto a abandonar a Maturín o a sucumbir (21).

Aunque los españoles quemaron a Cumanacoa y devastaron sus campos, los patriotas volvieron enseguida a establecerse en ella por las ventajas militares del lugar y la feracidad de su suelo. Poco a poco se reunieron cerca de 300, amigos de Mariño, al mando del coronel Rafael Guevara, y del teniente coronel Isava, sirviéndoles de apoyo la guerrilla de Domingo Montes de 200 soldados, estacionada en las montañas inmediatas desde largo tiempo. Cuando ya tenían unos días en Cumanacoa, se presentó Piar el 24 de agosto con muy pocos adeptos y según declaró en el proceso, tomó el mando de todas las fuerzas montantes a 500 hombres, contando la guerrilla de Montes, pero los hechos inducen a creer lo contrario, como veremos adelante (22). Mariño, al separarse de él se había dirigido hacia Güiria. Ni en las narraciones históricas ni en los documentos se encuentra indicio alguno de medidas suyas en favor de Piar.

Otro acontecimiento funesto a los patriotas, debía asestar un golpe inesperado y terrible al caudillo disidente y por tanto al

(21) Rojas a Bolívar, 19 de agosto. O'Leary XV, 359.
(22) Proceso de Piar. O'Leary XV, 386.

rebelde. El 13 de agosto, en vísperas de evacuar a Margarita, Morillo destacó de nuevo al valiente y enérgico coronel Jiménez desde Pampatar con los batallones Clarines y Reina Isabel en junto 800 hombres a reconquistar a Güiria y la costa del Golfo Triste, es decir la base de operaciones de Mariño. El jefe español debía fortificar dicha plaza y enviar luego al segundo de los batallones nombrados, al mando del comandante Arana, hacia Guanaguana. De paso por Río Caribe, Jiménez incorporó la experta guerrilla de Nacario Martínez, cruzó la península de Paria y el 27 de agosto, después de un empeñado combate, heroicamente sostenido por el comandante republicano José María Hermoso, tomó el puerto de Yaguaraparo en el Golfo Triste. De los patriotas quedaron en el campo 250 muertos y heridos, según los partes españoles, y pocos huyeron a los montes (23). Continuando su marcha por la playa, Jiménez ocupó a Güiria, tres días después, también a sangre y fuego. El coronel Hermoso murió al frente de los suyos, los oficiales Fuches y Benn huyeron a Trinidad, y unos 140 quedaron muertos o prisioneros. La goleta Tigre, de la escuadra de Brion, enviada en persecución de los vencidos en Cabrián y casualmente en el puerto, desembarcó 120 infantes de su guarnición a cargo de Castelli, en apoyo de los de Mariño y por fortuna pudo salvar a unos pocos de ellos, después de la derrota. Con este suceso quedaba aniquilada la fuerza principal del jefe disidente, y muy mermada su influencia en la Provincia. Batida primero la columna de Jugo, luego el propio Mariño, y por último las fuerzas de Güiria, sólo quedaban al caudillo disidente los hombres refugiados en Cumanacoa y la guerrilla de Domingo Montes, sin contar partidas sueltas difíciles de reunir.

Después de separarse de Piar en Aragua de Maturín, el 20 de agosto, Mariño se había dirigido con pocos hombres hacia el río San Juan con ánimo de seguir a Güiria, ignorando la marcha simultánea del coronel Jiménez de Río Caribe a Yaguaraparo con igual destino. En el río detuvose algunos días mientras llegaban dos flecheras para trasportarse por el golfo a aquel puerto, pero antes de emprender su movimiento supo la toma de Yaguaraparo, y la marcha de Jiménez sobre Güiria; y cuando al fin pudo partir en sus flecheras recibió la noticia de la toma de Güiria y la muerte de Hermoso, su mejor teniente. Descorazonado y maltrecho, Ma-

(23) Montenegro Colón IV, p. 272.

riño apenas pudo reunir unos 180 dispersos de Güiria en la ensenada de Güinima; con parte de ellos regresó al río Guarapiche, y sin armas para rehacer sus fuerzas refugiose en la región montañosa de Punceres entre Maturín y Cumanacoa (24).

Las noticias de estos acontecimientos desalentaron a los disidentes de Cumanacoa y consumaron el fracaso de Piar. Sin elementos de guerra y sin ambiente favorable, este equivocado caudillo no pudo adelantar en sus proyectos. En tan triste situación, según informes enviados a Rojas, y trasmitidos por este al Gobierno, acudió al ridículo expediente de propalar que el Jefe Supremo se había declarado Rey en Angostura, y sea o no sea esto cierto, pues Piar lo negó en el proceso, sus gestiones subversivas fueron innegables, y sin obtener ninguna ventaja regresó desorientado al pueblecillo de Aragua de Maturín el 21 de setiembre con los pocos hombres que lo habían acompañado (25). Si los de Cumanacoa lo hubieran aceptado por jefe como alegaba en su defensa, no habría regresado al punto de partida en condiciones tan deplorables.

Uno de los hechos más sorprendentes de este apasionado drama consistió en su fácil e inesperado desenlace. No fué Bolívar quién apagó el incendio provocado por la disidencia de Mariño y la agitación de Piar. Fueron los españoles los autores del milagro, al batir en cuatro acciones sucesivas las fuerzas de los patriotas cumaneses. Mariño quedó aniquilado, y Piar se encontró en el vacío.

Captura y proceso de Piar.

¿Qué medidas tomó el Jefe Supremo contra el rebelde, durante todo este tiempo, es decir desde la fuga del caudillo el 26 de julio hasta el 17 de setiembre? Ninguna. Embargado por sus preparativos para la campaña contentose con lanzar un manifiesto, el 5 de agosto, dos días después de la toma de Guayana la Vieja, condenando los proyectos subversivos de Piar. Como todavía no había imprenta en Guayana, el documento manuscrito apenas fue leído por algunos, y permaneció durante más de un

(24) Véase la descripción de la toma de Güiria en el Boletín No. 112 de la Academia de la Historia, pág. 425.

(25) Nota de Andrés Rojas. O'Leary XV, 360.

siglo ignorado por la historia. Nosotros lo dimos al público en el Boletín No. 19 de la Academia de la Historia, el 7 de abril de 1922, y lo reprodujimos en el No. 82 de la misma publicación. Bolívar expone en él las inconsecuencias de Piar, denuncia su nefando proyecto de guerra de colores, suficiente para condenarlo ante los responsables de la revolución; y censura además al militar, con razón desde un punto de vista elevado, en cuanto a su relativa inacción enseguida de las más brillantes victorias, e injustamente cuando le niega pericia y valor en el campo de batalla.

Si se comparan la campaña de Bolívar en 1813 y las de Piar en Oriente, salta a la vista la diferencia de métodos respectivos de uno y otro caudillo. La comprensión psicológica de la guerra, en toda su extensión, ya lo hemos dicho pero debemos repetirlo, y la audacia necesaria a las operaciones en vasta escala, no las tuvo sino Bolívar, y sólo de su fértil imaginación brotaban, una tras otra, ideas creadoras: sólo él sabía obtener esfuerzos sobrehumanos y extender a inmensas distancias los resultados de una acción feliz. Era tan clara y definida su convicción respecto a cuanto se puede obtener del aturdimiento y desacomodo del vencido, que en la campaña admirable de 1813 expresaba a uno de sus tenientes, su concepto de las consecuencias de la victoria, en esta expresiva síntesis: "Las armas vencedoras triunfan por sí mismas" (26). Por tanto podemos admitir la censura a Piar desde este punto de vista. En cuanto a la crítica acerba del valor y habilidad innegables del rebelde en los combates, se explica por las circunstancias, la cólera producida por su injustificada rebelión y la propaganda criminal y anárquica en la República apenas naciente. Nuestra guerra de Independencia fue en los primeros años una guerra civil del partido independiente contra los criollos sublevados a favor de España y unos cuantos españoles, pero en esta época, ya formado el sentimiento de patria, la lucha sostenida contra un ejército español, tomaba el carácter de guerra internacional. Esta circunstancia, los hechos expuestos en el manifiesto y la situación todavía precaria del partido independiente, aumentaban la gravedad de los actos impremeditados de Piar, y justifican los cargos justos y explican los injustos del manifiesto.

(26) O'Leary XIII, 300.

Las comunicaciones de Andrés Rojas referentes a los manejos del rebelde en Cumanacoa, y el reclamo de fuerzas para cortar la sedición antes de propagarse el mal, determinaron el nombramiento de Sedeño el 17 de setiembre, para llevar algunas tropas a Maturín, imponer la autoridad del Gobierno y perseguir a los facciosos (27). ¿Por qué tardó tanto el Jefe Supremo en tomar esta medida? ¿Creyó posible el fracaso de Piar abandonado a sí mismo? ¿Pensó abrumar a sus enemigos con un triunfo en los llanos, antes de que pudieran hacer daños irreparables? Consagrado a la organización de los servicios públicos y a los preparativos de la próxima campaña, ideaba ponerse en marcha con todas las tropas hacia Calabozo y el Apure, sin ocuparse de Piar y de Mariño y aun después de haber despachado a Sedeño continuó tomando disposiciones para emprender la campaña al parecer sin esperar el resultado de la persecución a los rebeldes. Este hecho desapercibido por los historiadores da la medida de su fuerza moral.

En el primer momento dispuso enviar con Sedeño la brigada de infantería de P. L. Torres y un escuadrón de caballería, pero al saber la derrota de las fuerzas de Mariño en Yaguaraparo y Güiria, sólo dió a Sedeño un escuadrón de carabineros, mandado por el esforzado llanero Remigio Femayor, una de las lanzas más temidas de Oriente, juzgando suficiente este escuadrón y la pequeña columna de Rojas para pacificar el territorio conmovido (28).

Bermúdez pasó el Orinoco con su división el 22 de setiembre, rumbo a San Diego de Cabrutica y al campamento de Zaraza y

---

(27) Véase la nota de Rojas en el proceso de Piar. O'Leary XV, p. 360, y el nombramiento de Sedeño en la misma obra p. 298. Las instrucciones a Sedeño se han perdido.

(28) Femayor era hombre honrado y de juicio al estilo de Rojas. En Guayana tuvo a su cargo mucho tiempo el cuidado del ganado del Estado. En el Archivo de Soublette, Academia Nacional de la Historia, se encuentra su correspondencia con este general durante largos años.

Sedeño y Femayor dieron en la batalla de Maturín, el 12 de setiembre de 1814, la formidable carga que decidió la jornada a favor de los patriotas, carga que según el historiador Yanes "jamás tuvo semejante". Véase nuestro estudio La Guerra a Muerte, Boletín de la Academia Nacional de la Historia, No. 71, p. 502, y en el primer volúmen de esta obra el capítulo VI.

los preparativos de marcha del resto de las tropas continuaron haciéndose con gran actividad, mientras llegaban los elementos de guerra, especialmente pólvora, pedidos a las Antillas. Pocos días después Bolívar reiteró las instrucciones a Sedeño ordenándole perseguir sin descanso a Piar y sus secuaces, hasta aprehenderlos, cuya captura consideraba infalible por la situación creada a consecuencia de las derrotas de Güiria: siempre expresivo y enérgico, en uno de los oficios le dice a su fiel teniente: "La patria, y la felicidad general reclaman imperiosamente el castigo *y exterminio* del faccioso que las perturba, *y la patria verá siempre como a su bienhechor al que la liberte de este monstruo*". En la versión de esta nota, de 29 de setiembre, de la obra de Blanco y Azpúrua, están suprimidas estas palabras puestas por nosotros en bastardilla y como el editor de las Memorias de O'Leary no poseia los copiadores de la Secretaría del Libertador, correspondientes al período de 1814 a 1818, y tomó todos los oficios de Bolívar de la mencionada colección de Blanco y Azpurua, en su versión aparece también mutilada la nota en referencia (29).

El general Sedeño partió de Angostura el 18 o el 19 de setiembre y el 25 en la noche llegó a Maturín. Impuesto de hallarse Piar en Aragua de Maturín, de regreso de Cumanacoa, con 100 infantes, partió al día siguiente en su busca acompañado de 40 carabineros a caballo al mando de Femayor. El 27 a las cuatro de la madrugada entró en Aragua y fue derecho a la casa donde se hallaba Piar, y desde luego le manifestó el objeto de su comisión y le exigió se fuera con él a Angostura, naturalmente, sin persuadirlo. Piar se dispuso a resistir y ordenó al comandante de su guardia, el valiente teniente coronel Francisco Carmona, aprestarse a la lucha. Femayor permanecía a pocos pasos a la cabeza de sus hombres. Sedeño corrió a exhortar a los soldados de Piar y les intimó no hacer fuego alegando su propósito de conciliar y unir los jefes. En ese momento crítico Carmona decidió obedecer

(29) Véase la lista completa de las alteraciones introducidas por Azpurúa en los oficios de Bolívar, en nuestro trabajo publicado en la Gaceta de los Museos Nacionales de Christian F. Witzke Nos. 1, 2 y 3, tomo III, del 24 de setiembre de 1914. Las tales alteraciones no fueron debidas sino a escrúpulos tontos de Azpurúa; y lo mismo se hizo en Europa, en la segunda mitad del siglo XIX, en célebres publicaciones históricas, como lo hicimos notar en el referido trabajo. Era la moda.

las órdenes del Jefe Supremo, trasmitidas por Sedeño. Piar intentó arrastrar a su tropa, pero interpuesto Sedeño espada en mano, logró dominarlo, y lo llevó "como un reo a montarlo a caballo". Hecho esto y arrestados algunos oficiales, Sedeño se puso en marcha para Maturín con sus 40 jinetes, los 70 fusileros de Carmona, pues no eran 100 como le habían informado, y los presos (30).

Muchas causas influyeron en la relativa facilidad de la captura del caudillo rebelde: la opinión a que nos hemos referido varias veces en favor de un gobierno estable y eficaz, las derrotas de Mariño o de sus fuerzas en Cariaco, Lopez, Yaguaraparo y Güiria, la bravura, audacia y fuerza personal de Sedeño.

El coronel Sánchez con un piquete de carabineros condujo a Piar a Angostura; Sedeño permaneció en Maturín recogiendo algunos facciosos conocidos, luego volvió al norte, pero no llegó a Cumanacoa, detúvose en el tránsito y entabló comunicaciones con el coronel Rafael Guevara. De Maturín o del pueblecillo de Aragua le había dirigido su primera nota. Guevara en carta firmada por todos sus oficiales contestó el 29 de setiembre en sentido conciliador, pero con reservas, como dependientes que eran todos ellos de Mariño.

En oficio del 1º de Octubre, enviado con el capitán Vicente Villegas, Sedeño les intimó de nuevo obedecer la orden del Jefe Supremo de trasladarse a Maturín, y los jefes de Cumanacoa respondieron el 4 de octubre, por conducto del teniente coronel Calixto Basa, ratificando su declaración anterior y añadiendo que no marcharían a Maturín, sino mediante orden expresa del capitán general de ese ejército, general Santiago Mariño, declaración atemperada con promesas de sumisión de Guevara y el encargo dado a Basa de concertar con Sedeño lo más adaptable a las circunstancias.

En esos días o poco antes Mariño había reaparecido con una partida en Güinimita, adelante de Güiria y de allí se embarcó con algunos hombres, armas y pertrechos, atravesó el Golfo

(30) Oficio de Sedeño. Maturín 28 de setiembre. Para más detalles ocúrrase a la declaración del alférez Peralta, en el proceso de Piar. O'Leary XV. págs. 361 y 370.

Triste y desembarcó en el caño de San Juan algunas leguas al noreste de Maturín, reunió muchos partidarios, y permaneció en su misma actitud. Estos hechos probaban cuán grande era su prestigio, y la necesidad de un acto de rigor capaz de extinguir la anarquía, por no tener la República tropas para ahogarla.

Tales fueron las noticias enviadas a la capital y tales debieron ser las impresiones de los responsables de la seguridad pública.

El prisionero conducido por el coronel Sánchez llegó a Angostura en la noche del 2 de octubre. Para actuar en la causa que debía formársele el Jefe Supremo nombró el día 3 juez fiscal al general Soublette, como le correspondía por la ley de 7 de junio, en su carácter de jefe de estado mayor; y secretario al capitán José Ignacio Pulido. El 4 se abrió el sumario y se tomaron declaraciones a los testigos. El 8 participose al acusado la disposición de someterlo a un consejo de guerra, se le indicó que nombrara defensor y designó al teniente coronel Fernando Galindo; el mismo día se le tomó confesión, y continuaron los trámites de ley. El 14, sustanciado ya el proceso, el Jefe Supremo nombró el consejo de guerra, designando para presidirlo al almirante Brión, el hombre más caracterizado de la república, paisano de Piar, y jefe de la escuadra anclada en el puerto: y de vocales a los generales Torres y Anzoátegui, a los coroneles Ucrós y Carreño y a los tenientes coroneles Piñango y Conde, todos hombres de valer moral, probados en las más crudas campañas. Torres y Anzoátegui distinguíanse por su carácter independiente y firme. Elevados por Piar a generales de brigada, ambos murieron en la guerra cubiertos de honor y gloria. Ucrós, de honradez proverbial, cualidad distintiva de su familia, y Carreño, conservador inflexible, general eminente y magistrado íntegro, por su honorabilidad perfecta eran incapaces de actos serviles. Piñango y Conde vivieron largos años honrosamente. El primero murió en un campo de batalla mandando en jefe. El defensor Galindo, noble y generoso, hizo cuanto pudo. Rindió su vida en el combate del Rincón de los Toros, seis meses justos después de la muerte de Piar (31).

---

(31) Galindo, hermano de Rosa Galindo, la esposa de Martín Tovar Ponte, pertenecía a la sociedad distinguida de Caracas.

Medidas políticas.

Durante los días del proceso convenía orientar el espíritu público, levantar la moral de las tropas y tomar medidas de seguridad. Mientras el caudillo rebelde anduvo dando pasos inútiles entre Cumanacoa y Maturín sólo merecía censuras, pero encerrado en la cárcel (32) y expuesto a una sentencia cuyo alcance no dejaría de inquietar a muchos, despertaba compasión: se recordaban sus méritos, la pericia mostrada en las campañas, su valor y serenidad en los combates, sin parar mientes en la extravagante actitud tomada cuando entregó el mando al Jefe Supremo, ni en su absurda propaganda y el delito de alzarse contra el gobierno en plena guerra. Estos sentimientos podían inclinar la opinión a su favor, y crear un estado de cosas peligroso.

En circunstancias tan delicadas, el Jefe Supremo, se vió obligado a suspender los movimientos ya empezados de la campaña y tomó sin perder tiempo disposiciones oportunas para hacer frente a la situación moral y afirmar la seguridad del Gobierno.

La más importante de estas últimas fue la de trasladar al general Bermúdez del mando del ejército de los llanos, al de la provincia de Cumaná, donde era amado y temido, por su imponderable valor, carácter caballeresco y energía indomable. Sólo él podía equilibrar el prestigio de Mariño, reunir las partidas en una sola masa y opinión y obrar activamente contra los enemigos; y para aumentar la eficacia de su dirección le dió de jefe de estado mayor al coronel Antonio José de Sucre, quien había desempeñado el mismo puesto a las órdenes de Bermúdez y Mariño en 1814 y 1816 y primeros meses de 1817, pero en las dos campañas subsiguientes apenas se percibe la influencia de Sucre, porque ¿quién podía dirigir o aconsejar con éxito a aquel hombre incontrastable, de impulsos irresistibles e irreflexivo? (33).

---

(32) Estuvo preso en un cuarto de la casa No. 28 de la actual calle Bolívar, en donde vivía Brión y se instaló el consejo de guerra. Anales de Guayana, por B. Tavera Acosta. Ciudad Bolívar, 1905, I, p. 218.

(33) Bolívar a Bermúdez del 3 de octubre. O'Leary XV, 319. Juan Vicente González escribió en sus Páginas de la Historia de Colombia y Venezuela: "Bermúdez es un soldado entusiasmador y poético, más digno de figurar en verso que en las sobrias páginas de la historia. Sus campañas son aventuras, duelos personales sus combates". Número 1 de El Heraldo. Caracas, 1° de abril de 1859.

Secuestro y confiscación.

El secuestro y confiscación de los bienes de los españoles y realistas decretados el 3 de setiembre, debía tener por consecuencia su reparto. Las circunstancias no podían ser más propicias y la medida no se debía retardar: el 10 de octubre el Jefe Supremo dió el decreto de recompensas a los servidores de la República, razonable en todo tiempo, y oportuno en aquellos momentos en que se iba a dar al Gobierno la estabilidad que le era indispensable, y a echar las bases de la disciplina necesaria para triunfar. Por este decreto los bienes secuestrados y confiscados, que no se pudieran enagenar a favor del erario, serían repartidos y adjudicados a los generales, jefes, oficiales y soldados con arreglo a los grados de cada uno desde 25.000 pesos a los generales en jefe hasta 500 pesos a cada soldado y para dar más fuerza al Estado y estimular las acciones heroicas, el gobierno se reservaba el derecho de conceder recompensas extraordinarias, sin estar obligado a consultar la graduación del agraciado.

Al remitir el decreto a las distintas provincias y encargar su publicación, con la solemnidad de un bando nacional, en todo el territorio, en las tropas, partidas y destacamentos, y hacerlo penetrar hasta los enemigos, el Libertador se expresaba así: "Esta Ley, la más justa y la más útil, es el testimonio más auténtico de los principios eminentemente rectos y benéficos del Gobierno Supremo de Venezuela. Es el premio, es la recompensa de los que han derramado su sangre por romper las cadenas que esclavizan la patria, y es la que asegura a los servidores, después de tantos servicios, una subsistencia para ellos y sus familias. Ya, pues, no habrá mendigos en Venezuela: todos serán propietarios; todos tendrán un interés en la conservación, no solo de su existencia sino de su propiedad".

La distribución la haría una comisión de tres funcionarios, según el reglamento promulgado el 1º de noviembre. Fueron designados para formarla Sedeño, Zea y Peñalver (34).

No existiendo rentas el Estado se reservó el derecho de exportar los principales artículos comerciables, como mulas, caballos, ganados, cueros, algodón y tabaco, para adquirir armas y

(34) O'Leary XV, págs. 336 y 441.

municiones. Medida extraordinaria, inaudita si se quiere, como tantas otras de Bolívar, encaminadas a sacar la República del caos; según su declaración, los que se empleasen en el giro de esos artículos, sin permiso del gobierno, cometerían el doble crimen de desfraudadores de los derechos nacionales y de aniquiladores de los únicos objetos disponibles para adquirir elementos de guerra (35).

Como hemos dicho a Páez se pidieron 2.000 mulas cerreras de los bienes embargados o de los mismos patriotas, y poco después el 4 de octubre, se le dió orden de recoger en Apure cuantos artículos fuesen exportables, providencia considerada esencial para continuar las operaciones, una vez abierta la campaña, porque los recursos de Guayana apenas bastaban para los gastos de la expedición en proyecto y satisfacer siquiera en parte a los extranjeros acreedores de 300.000 a 400.000 pesos por diversas contratas desde la primera expedición de Los Cayos, y de cuyos adelantos no podía prescindir la República (36). Estos urgentes auxilios, no llegaron a Guayana sino cuando el Libertador fue al Apure (37).

Algún tiempo después el Jefe Supremo declaró libre la exportación de mulas, manteniendo al Estado el derecho exclusivo de exportar ganados, pero considerado mejor el interés público, el 18 de diciembre decretó libre la venta y exportación del ganado vacuno, y libre la venta del mular, dentro del territorio de la República, reservando al Gobierno el derecho de exportarlo (38).

Los habitantes de la Urbana, pueblecillo situado a orillas del Orinoco, en el camino de Apure, se habían retirado a los montes huyendo de tropelías y saqueos. El Libertador hizo que se les protegiese y volviesen a sus hogares a dedicarse de nuevo

(35) Nota de 23 de octubre. O'Leary XV, p. 432.

(36) Nota del 4 de octubre O'Leary XV, p. 325.

(37) En marcha, de Caicara a la Urbana, Bolívar encontró 1.000 mulas de varios particulares, en viaje de Apure a Guayana con destino a la exportación. Las embargó por cuenta del Gobierno mandándolas a pagar a razón de 20 pesos. Blanco & Azpurúa, VI, 249.

(38) O'Leary XV, 510.

a la pesca de la tortuga de la cual se hacía, y se hace, un comercio interesante.

Avaro del dinero público.

Generoso con su dinero propio, Bolívar, como buen gobernante, fue siempre avaro del perteneciente al estado, y en aquellos meses de pobreza y de creación extremó su sistema con inquebrantable energía. Citaremos algunos ejemplos: el 8 de octubre celebró un contrato con el oficial inglés James Rooke, célebre en las campañas subsiguientes, y héroe en Pantano de Vargas, para levantar un regimiento de voluntarios en las Antillas Inglesas, bajo el título de Húsares de Venezuela. Para los gastos le ofreció 50 mulas avaluadas en 2.500 pesos y aunque el oficial, de carácter noble y franco, inspiraba confianza, le exigió un fiador responsable no sólo de la suma expresada sino de sus intereses, en el caso de que por cualquier accidente dejasen de tener efecto las proposiciones del oficial, sin cuyo requisito no se le entregarían las mulas. El día 10 dispuso que solo los empleados civiles y militares pudieran habitar las casas declaradas propiedad del Estado sin pagar alquiler, pero debiendo reunirse en cada casa cuantos cupieran cómodamente, y todos los demás pagarían alquiler. Mas adelante el Consejo de Gobierno, en ausencia suya asignó algunos sueldos a los empleados de la maestranza de marina, y el intendente general dió orden de pagarlos, pero elevado el asunto al Libertador, por el intendente de la Provincia, desaprobó la medida en términos fuertes con el consiguiente regaño al señor Zea, por haber autorizado tales gastos, cuando ni el ejército ni ningún empleado público gozaba de sueldo alguno, y los escasos fondos de la República se dedicaban exclusivamente al pago de las contratas celebradas para la consecución de armas y municiones. Los funcionarios públicos, como los militares y los emigrados de ambos sexos, sólo recibieron por mucho tiempo una simple ración de soldado (39).

Para dirigir la administración de la capital, el Jefe Supremo instituyó una sala municipal, de elección popular, pero presidida

(39) O'Leary XV, págs. 507 y 508. Al principio la ración era de carne, después se le agregaron unas onzas de harina, pero no siempre se disponía de este último artículo.

por el gobernador político. La elección tuvo lugar el 8 de diciembre y el cuerpo se instaló el 1º de enero siguiente (40).

Régimen judicial.

El 6 de octubre fue creado el régimen judicial. Cada capital de provincia debía tener un gobernador político con el carácter de juez de primera instancia en asuntos civiles, autorizado para conocer de los criminales, sometiendo sus decisiones en estos últimos a la Alta Corte de Justicia, ante la cual los interesados podían apelar en las causas civiles. Este alto tribunal con residencia en la capital de la república, y mientras se libertara ésta, en la de Guayana, constaría de un presidente, dos ministros vocales, y un fiscal o acusador público, todos letrados y entre otras facultades se le dió la de proponer al gobierno los candidatos para gobernadores políticos de provincia. Estos decretos importantísimos, en preparación desde días atrás, promulgados en momentos del proceso de Piar produjeron efecto saludable (41).

Poco antes de la captura de Piar se publicaron boletines, manuscritos por no haber imprenta, sobre ventajas militares obtenidas en distintos puntos y noticias extranjeras muy favorables según expresa el Libertador en un oficio. Al enviarlos a las provincias fueron acompañados de notas a los distintos jefes diciéndoles la posibilidad de obtener pronto armas y municiones en grandes cantidades, y el reconocimiento y aún quizás el apoyo de naciones extranjeras, si "tuviéremos buena conducta", es decir siempre que el estado marchara con orden y regularidad (42). Los almirantes ingleses, decía en otra nota, han recibido orden de su gobierno de mantener comunicaciones con los independientes de Venezuela. "Nuestro pabellón es admitido en todas las islas inglesas. Todo nos hace creer que nos alargarán una mano liberal para franquearnos auxilios de todas clases" (43). El decreto de recompensas, y estas promesas lisonjeras, análogas a las propaladas por Madariaga meses antes, pero mejor fundadas,

(40) Tavera Acosta. Anales de Guayana. II, 111.
(41) O'Leary XV, páginas 328 y 330.
(42) Oficio a Páez. 15 de setiembre. O'Leary XV, pág. 295.
(43) Oficio a Sedeño, 22 de setiembre. O'Leary XV, pág. 301.

llegaron a las tropas, y a los escasos pueblos de la república, junto con la noticia de la catástrofe del jefe rebelde.

Sentencia y ejecución de Piar.

Días tremendos debieron ser los del proceso para los miembros del consejo de guerra, ¿les consultó acaso el Jefe Supremo antes de nombrarlos? Todos no se hallaban en Angostura el día del nombramiento: Torres, por ejemplo encontrábase en las Fortalezas, a las órdenes de Urdaneta. Los principales habían tenido estrecha amistad con el acusado y casi todos sirvieron a sus órdenes en Barcelona y Guayana. Formulados los cargos por el fiscal, Piar contestó exponiendo su conducta pacífica. No concurrió al llamado del Jefe Supremo por temor a las voces difundidas en perjuicio suyo. Negó la propaganda contra los mantuanos y los blancos formulada en la acusación así como sus actos de insurrección y rebeldía en Maturín y Cumanacoa, pero estos habían sido tan notorios, como su propaganda y actitud subversivas en Upata, el Palmar y Angostura, y las pruebas eran concluyentes. Sentado esto, y dados el engreimiento y testarudez del rebelde y la debilidad del Estado, el consejo no podía vacilar. Con el enemigo al frente era imposible la clemencia. Absuelto el reo volvería a la guerra civil, y los sobrevivientes tornarían a la esclavitud.

Después de otra serie de declaraciones de los testigos, y de careos de éstos con el acusado y oída la brillante defensa del coronel Galindo, el consejo de guerra condenó a Piar, por unanimidad, el 15 de octubre, a ser pasado por las armas, sin degradación, y confirmada la sentencia por el Libertador en la misma fecha, fué ejecutada en la plaza pública de Angostura, en presencia de las tropas, al día siguiente, 16 de octubre a las cinco de la tarde. El caudillo mostró en el momento supremo el mismo valor que siempre lo había distinguido (44).

---

(44) La exposición y observaciones de Baralt sobre estos acontecimientos de Piar son perfectos, pero incurre en errores importantes. Según él Piar empezó su propaganda después de obtener el pasaporte el 30 de junio, el consejo ordenó la degradación y Bermúdez se hallaba en Angostura el día del fusilamiento. Todo esto es inexacto.

El proceso está trascrito en la obra de O'Leary, tomo XV. páginas 351

El término de la vida de este hombre, de méritos militares innegables, es un ejemplo de los extremos a que puede conducir la ceguedad política, y el amor propio exagerado. No se dió cuenta de la multitud de factores favorables al gobierno en aquellos momentos y del ascendiente de Bolívar cada día mayor, por su extraordinaria consagración al servicio público, la multiplicidad de sus talentos, y el sello de grandeza de todos sus actos. Incapaz de apreciar la realidad no pudo acallar el despecho que lo devoraba. En los tres meses transcurridos desde su renuncia del mando de las tropas hasta el de su fuga, no oyó consejos de sus amigos, ni atendió a las exhortaciones del Libertador para que continuara en el servicio, cerró los ojos, y no pudo comprender sus verdaderos intereses. Una cabeza mejor organizada habría vislumbrado el inmenso campo de acción reservado en el porvenir a todas las actividades.

Al día siguiente el Libertador dirigió esta proclama al ejército: "Soldados! Ayer ha sido un día de dolor para mi corazón. El general Piar fue ejecutado por sus crímenes de lesa patria, conspiración y deserción. Un tribunal justo y legal ha pronunciado la sentencia contra aquel desgraciado ciudadano, que embriagado con los favores de la fortuna, y por saciar su ambición, pretendió sepultar la patria entre sus ruinas. El general Piar, a la verdad, había hecho servicios importantes a la República, y aunque el curso de su conducta había sido siempre la de un faccioso sus servicios fueron pródigamente recompensados por el Gobierno de Venezuela.

"Nada quedaba que desear a un jefe que había obtenido los grados más eminentes de la milicia. La segunda autoridad de la República que se hallaba vacante de hecho, por la disidencia del general Mariño iba a serle conferida antes de su rebelión; pero este general, que sólo aspiraba al mando supremo, formó el designio más atroz que puede concebir una alma perversa. No sólo la guerra civil, sino la anarquía y el sacrificio más inhumano de sus propios compañeros y hermanos se había propuesto Piar.

---

a 422, con exactitud, salvo pocos e insignificantes errores de imprenta. El original quedó en los archivos de Angostura; sustraído por un particular fue años después obsequiado al presidente Guzmán Blanco quien lo mandó a agregar al archivo de O'Leary y se conserva en la casa natal del Libertador.

"Soldados! Vosotros lo sabéis, La igualdad, la libertad, y la independencia son nuestra divisa. ¿La humanidad no ha recobrado sus derechos por nuestra leyes? Nuestras armas no han roto las cadenas de los esclavos? La odiosa diferencia de clases y colores no ha sido abolida para siempre? Los bienes nacionales no se han mandado repartir entre vosotros? La fortuna, el saber y la gloria no os esperan? Vuestros méritos no son recompensados con profusión, o por lo menos con justicia? Qué quería, pues, el general Piar para vosotros? No sois iguales, libres, independientes, felices y honrados? Podía Piar procuraros mayores bienes? ¡No, no no! El sepulcro de la República lo abría Piar con sus propias manos para enterrar en él la vida, los bienes y los honores de la inocencia, del bienestar y de la gloria de los bravos defensores de la libertad de Venezuela, de sus hijos, esposas y padres.

"El cielo ha visto con horror a este cruel parricida. El cielo lo entregó a la vindicta de las leyes. El cielo ha permitido que un hombre que ofendía a la divinidad y al linaje humano no profanase más tiempo la tierra que no debía sufrirlo un momento después de su nefando crimen.

"Soldados! El cielo vela por vuestra salud, y el Gobierno que es vuestro padre sólo se desvela por vosotros. Vuestro jefe, que es vuestro compañero de armas, y que siempre a vuestra cabeza ha participado de vuestros peligros y miserias, como también de vuestros triunfos, confía en vosotros. Confiad, pues, en él, seguros de que os ama más que si fuera vuestro padre, o vuestro hijo".

Término de la disidencia.

Los desacuerdos de Barcelona no fueron suficientes a provocar ningún acto del Libertador contra Mariño. Lejos de eso no profirió queja ni aun después de los lamentables sucesos de la Villa de Aragua, y Mariño conservó el nombramiento de Jefe de la Fuerza Armada de la República dado en aquella capital, pero su actitud subversiva en Cariaco produjo la disposición del Jefe Supremo de 17 de mayo, dirigida al general Andrés Rojas por la cual suprimió el destino de "Jefe de la Fuerza Armada" conferido a Mariño, y dispuso separar el Departamento de Maturín de la provincia de Cumaná. En consecuencia el Jefe Supremo asumía el mando militar en toda la extensión del país y el general Rojas, como comandante general de Maturín, sólo debía recibir órdenes suyas (45). Todavía Bolívar esperaba conciliar los intereses de Mariño, en su carácter de Comandante General de la Provincia de Cumaná, con los del Gobierno.

Pero un acto de mayor gravedad, la rebelión de Piar, ahondó el abismo que separaba al general disidente del Gobierno de Angostura: su reunión con el rebelde y las gestiones practicadas por ambos contra el Gobierno daban a la actitud de Mariño un carácter que hasta entonces no había tenido; y fué una fortuna para la causa general el escaso éxito de las operaciones intentadas por ambos caudillos. En ese estado se hallaban los facciosos cuando las victorias de los españoles en Yaguaraparo y Güiria vinieron a favorecer al Gobierno. Capturado Piar el Jefe Supremo esperaba la sumisión voluntaria de Mariño, pero previendo su resistencia dió orden el 2 de octubre a Sedeño de proceder contra él y conducirlo de grado o por fuerza a Angostura. "Es necesario aprehenderlo, escribía a Sedeño el día 6. Sin esto veremos nacer nuevas diferencias y pretensiones que destruirán lo que tanto nos ha costado" (46).

Lograrlo no era difícil pero mejor fuera llegar a un avenimiento, y comprendiéndolo así Bolívar al dia siguiente de la orden de persecución extractada del 6 de octubre, resolvió enviar a Sucre a Maturín con el doble objeto de servir a Bermúdez de jefe de estado mayor y procurar diplomáticamente el sometimiento de Mariño, al cual designaba oficialmente con el título de Comandante en Jefe de las Fuerzas de la Provincia de Cumaná; y el 19 de octubre al ampliar las instrucciones a Sucre, las sintetizó de esta manera: "La política más que la fuerza debe obrar en esa provincia, así pues encargo a Vd. mueva todos los resortes del corazón humano, para someter al gobierno los disidentes que el general Mariño ha extraviado" (47).

Sucre llegó a Maturín el 16 de octubre, el día de la ejecución de Piar, y aunque encontró una comunicación optimista del coro-

(45) Bolívar a Rojas, 17 de mayo. O'Leary XV, p. 259.

(46) O'Leary XV, p. 315 y 327. El editor de O'Leary se equivoca al suponer que el Palacios mencionado en este oficio era el coronel Silvestre Palacios. Bolívar se refería al alferez José Palacios, natural de Maturín.

(47) Lecuna. Cartas del Libertador. I, p. 316.

nel Carmona, enviado por Sedeño a Cumanacoa a exigir otra vez obediencia a las fuerzas de Guevara, dudaba de los ofrecimientos de éste y consideraba urgente la marcha de Bermúdez a encargarse del mando (48). En efecto, sólo la influencia avasalladora de este temido y popular caudillo, podía disipar todas las resistencias. Suponiendo a Mariño en Trinidad, Sucre se preparaba a dirigirse a dicha isla en una flechera, embarcándose en Barrancas, cuando supo que el caudillo partiendo de Güinimita, había desembarcado en el puerto de San Juan bien provisto de armas y puéstose en marcha a la cabeza de 300 hombres a los valles de Punceres, situados entre dos serranías montuosas al noreste de Aragua de Maturín.

Protegido por los bosques, Mariño podía sostenerse algún tiempo en aquellos u otros lugares semejantes, pero a la larga habría sucumbido. Allá fué Sucre, solo, y tuvieron una entrevista el 3 de noviembre, sin llegar a ningún acuerdo. Tal era la terquedad de Mariño que el mismo día escribió al Libertador protestando contra el nombramiento de Bermúdez. La contestación dada sin pérdida de tiempo el 11 de noviembre fue terminante. El Jefe Supremo no podía recordar los sucesos pasados sin sentimientos dolorosos que deseaba calmar. El nombramiento del general Bermúdez era legítimo, justo, útil e irrevocable. En cambio ofrecía a Mariño en nombre de la República un olvido absoluto por la disidencia pasada si entregaba a Bermúdez todas sus tropas y se sometía al gobierno. "Si V.E., le decía, contra toda probabilidad, resistiera a dar cumplimiento a esta disposición, V.E. no será mas tenido como ciudadano de Venezuela, y sí, como un enemigo público" (49).

Mientras tanto Bermúdez había logrado en Cumanacoa, el 31 de octubre la adhesión completa de las fuerzas existentes en esos valles, y esta decisión importante fue ratificada en una acta firmada por todos los jefes y oficiales. Inmediatamente Bermúdez y Sucre pusiéronse a trabajar y lograron aumentar sus tropas y algunas ventajas sobre los enemigos, como la recuperación de

(48) Carta a Bolívar. Maturín, 17 de octubre. Boletín No. 20 de la Academia Nacional de la Historia, p. 845. Reproducida en el Boletín de la misma, No. 82, pág. 214.

(49) Bolívar a Mariño, 11 de noviembre. O'Leary XV, p. 454.

Cariaco el 20 de noviembre, y de otros lugares, operaciones efectuadas por medio de partidas, bien dirigidas. De este modo ensancharon el territorio libre alrededor de Cumaná (50).

Según un cronista de la época, Mariño se adelantó a mediados de noviembre, de Punceres a Guanaguana, y luego a San Francisco, distante diez leguas de Cumanacoa, quizá esperanzado de que sus amigos de este lugar volvieran a reconocerlo, y estuvo a punto de irse a las manos con Bermúdez, pero afortunadamente desistió al informarse de la actitud de sus antiguos partidarios y regresó a Punceres (51).

Después de esto ofreció someterse pero dando largas al asunto, todavía el 26 de noviembre persistía en su rebeldía, y fue necesario que Bermúdez le hiciera conocer la resolución de marchar contra él, y le enviase otra vez a Sucre a tratar sobre la entrega de la fuerza, autorizado a concederle cuanto pidiera si quería salir del país, para que consintiera en ceder (52). En seguida volvió a San Francisco, entregó la fuerza y escribió al Libertador solicitando su permiso para trasladarse a Margarita. "Nada podía V.E. pedirme, le contesto Bolívar, que fuera más justo ni más conforme al bien general de la República y al particular de V.E.", y accediendo a su deseo le impuso la condición de no salir de la isla sin orden expresa suya (53). Mariño partió con una escolta al puerto de La Esmeralda y de allí una flechera lo condujo a Margarita.

---

(50) O'Leary XV, p. 469.

(51) La Guerra de Independencia en la Provincia de Cumaná. Boletín de la Academia Nacional de la Historia No. 65, p. 41. Véase también a Montenegro Colón IV, p. 274.

(52) Oficio de Bermúdez a Sucre. Cumanacoa, 26 de noviembre. Boletín No. 20 citado, p. 853. Reproducido en el Boletín No. 82 de la Academia de la Historia, pag. 225.

(53) O'Leary XV, p. 550. Azpurúa en la versión de la obra Blanco & Azpurúa VI, p. 257, a la frase del Libertador "para evitar un incendio", le añadió "de la patria"; y cuando dice: "nuestra amistad", Azpurúa le agregó "que venero", creyendo así aclarar o suavizar el lenguaje de Bolívar. El Editor de O'Leary, como hemos dicho copió los documentos del Libertador de 1814 a 1818 de Blanco y Azpurúa y reproduce la nota con las tontas alteraciones mencionadas.

Así terminó la absurda oposición de Mariño, causa de la inacción militar en Barcelona, de la pérdida de las tropas sin dar una batalla al brigadier Real como quería Bolívar, de la catástrofe de la Casa Fuerte, y por último de las intrigas y manejos del Congresillo de Cariaco y de la agitación de Piar.

Nobleza espiritual de Mariño.

Diez y siete años más tarde, en 1834, Mariño reprochaba a Páez, presidente de la República, su inconsecuencia con la memoria del Libertador y los fundadores de la patria. Verdades amargas, y alardes de democracia y de amor a la libertad, exhalaba su corazón resentido. "Nada merecí de Bolívar, decía, poco mal y ningún bien pudo hacerme. Tres veces marché a su socorro y tres veces me debió la vida ¿Creeis que yo conspiro? ¿será volviendo por la gloria del héroe afortunado, ante quien jamás humillé mi frente y a quien opuse en toda ocasión la firmeza de quien llevaba las insignias de general y cargaba el arca santa de nuestra libertad antes que él? Yo venero sus cenizas. Son muy grandes los servicios que aquel hombre prestó a la América y al género humano para que yo le vilipendie. Para ser hombre con el héroe no esperé que la inconstante fortuna le volviese las espaldas y le abandonase al furor de los enemigos". En estas significativas palabras, el caballero, irritado contra el poder, daba lecciones de moralidad al político inconsecuente y mezquino (54).

La Iglesia.

El fin trágico del vencedor en San Félix, la interrupción de las operaciones militares en los días precedentes a tan lamentable suceso, y la actitud todavía irreconciliable de Mariño, debían obrar sobre el público según las diversas tendencias y sentimientos que habían agitado los espíritus. En medio de tales impresio-

(54) Tenemos el borrador de esta carta de puño y letra de Mariño, sin fecha. Al parecer la escribió en los Valles de Aragua, con motivo de una publicación de Páez en la gaceta del gobierno. Era la época en que los amigos del Libertador pugnaban por honrar su memoria contra la voluntad de los hombres del poder. Mariño marchó a socorrer a Bolívar en 1814 y 1817. No acertamos cual fuera la tercera ocasión, para completar las tres a que se refiere.

nes se creyó conveniente fortificar la autoridad, a los ojos del pueblo, siguiendo las prácticas y tradiciones gubernamentales. El venerable párroco de la Iglesia Catedral convidó al Libertador a un Tedeum, el 28 de octubre, con motivo de su onomástico, y él invitó a los generales, jefes y oficiales de los cuerpos y a los jefes y oficiales sueltos, a acompañarlo a la Iglesia, partiendo todos en cuerpo desde su casa de habitación, y se elaboró un programa del cual el Libertador borró las salvas de artillería. Debemos atribuir este acto solemne a la situación del momento, pues aunque el día de San Simón se celebró en distintos puntos, en los años subsiguientes a la guerra, nunca lo fue con el carácter aparatoso y oficial de esta ocasión (55).

Acéfala la iglesia por muerte del obispo Cabello y disperso el escaso clero de la provincia, el Libertador le dirigió el 8 de noviembre una proclama, convocándolo, como Jefe Supremo, a reunirse en la capital, en el término de 50 días, a deliberar sobre las necesidades de la iglesia y muy particularmente a elegir un superior eclesiástico autorizado a administrarla. No había otro recurso, ha escrito nuestro eminente historiador Monseñor Nicolás E. Navarro, pues "ni hubo cabildo que nombrase Vicario Capitular, ni era posible, por la incomunicación de la guerra, acudir al Ordinario de Caracas, que en anteriores vacantes de la misma sede Guayanesa había provisto al canónico desempeño del cargo. La Junta del clero se efectuó en la Catedral de Guayana el 25 de enero de 1818, y en ella quedó nombrado Gobernador de la Diócesis el Pbro. D. Domingo Remigio Pérez Hurtado, pero con la condición de recurrir en cuanto fuere posible al Ordinario de Caracas para que ratificase lo hecho" (56).

Consejos de estado y de gobierno.

El 30 de octubre el Jefe Supremo decretó la creación de un Consejo de Estado, como cuerpo consultivo de todas las materias de administración y de gobierno, dividido en tres secciones: Estado y Hacienda, Marina y Guerra, Interior y Justicia. Forma-

(55) Véase la invitación, fechada el 27 de octubre, Boletín No. 82 de la Academia de la Historia pag. 219.

(56) La Política Religiosa del Libertador, por Monseñor N. E. Navarro. Boletín de la Academia Nacional de la Historia No. 62, pág. 399. Lecuna. Proclamas y Discursos del Libertador, pag. 178.

rían el consejo el almirante, el jefe de estado mayor, el intendente general de hacienda y del ejército, el comisario general del ejército, el presidente y ministros de la Alta Corte de Justicia, el presidente y ministros del Tribunal de Secuestros, los secretarios del despacho; y mientras residiera en Guayana, el gobernador comandante general, los generales y coroneles empleados en Angostura, el intendente de hacienda de la provincia, los ministros, contador y tesorero, de las cajas nacionales y el gobernador político de la provincia. Su objeto era proponer, discutir y acordar las leyes, reglamentos e instrucciones saludables necesarios a la administración y organización de las provincias libres o que se libertasen, reservándose el Jefe Supremo adoptar o no las decisiones tomadas. Aún con esta limitación, indispensable por el estado de guerra, la institución presentaba muchas ventajas. Establecía la cooperación de todos los funcionarios públicos. Cada uno de los miembros podía presentar en su sección los proyectos que considerase oportunos, y si eran aprobados se llevaban al consejo. Para asuntos reservados el Jefe Supremo podía reunir un consejo privado compuesto de los primeros funcionarios (57).

El 10 de noviembre constituyeron el consejo el almirante Brión, el intendente Zea, el mayor Soublette, el general Anzoátegui, comandante de la guardia de honor, el general Tomás Montilla, gobernador de la plaza, el intendente de la provincia Peñalver, los coroneles Antonio Díaz, comandante general de las fuerzas sutiles, Pedro Hernández, comandante general de la caballería de la provincia, los coroneles en servicio activo Mateo Salcedo, Juan Francisco Sánchez, José Ucrós, José Manuel Olivares, Fernando Galindo, y Francisco Conde, los ministros y fiscales del tribunal de secuestros José España, Fernando Serrano y Luis Peraza, el comisario del ejército Manuel Bremont, el administrador de la renta de tabaco Pedro Betancourt, y los ministros de las cajas nacionales José María Ossa y Vicente Lecuna, funcionarios principales. El Jefe Supremo hizo exposición de la marcha de la República, decretada una e indivisible por la asamblea de Margarita el 7 de mayo de 1816. Sintéticamente expuso los motivos que habían impuesto en la guerra la práctica de la dictadura, la creación de un poder ejecutivo bajo el título de Jefe Supremo, y la necesidad, en aquel momento tan favorable, de

(57) O'Leary, XV. Pág. 439.

establecer el poder judicial y un cuerpo que llenase siquiera en parte las funciones del poder legislativo. Esta era la misión del Consejo de Estado, con las limitaciones impuestas por las facultades reservadas al poder ejecutivo, sin las cuales este último no tendría la fuerza indispensable para libertar el territorio y crear el cuerpo entero de la República. La Alta Corte de Justicia no se instaló hasta poco después porque el Jefe Supremo quería consultar al Consejo de Estado sobre su forma y las personas que debían llenar tan altas dignidades.

Terminada la exposición, las secciones del consejo fueron organizadas en esta forma:

Estado y Hacienda: Zea, Peñalver, Ossa y Lecuna.

Marina y Guerra: Brión, Sedeño, Tomás Montilla, Hernández y Conde.

Interior y Justicia: Juan Martínez, Peraza, España y Betancourt.

El primero de los nombrados en cada sección debía presidirla. En seguida leyéronse los decretos dados por el jefe del estado, desde la ocupación de Guayana, y se distribuyeron en las secciones. El Libertador manifestó que, aunque el voto del consejo sólo era consultivo, deseaba reinase la más completa libertad en las discusiones y los pareceres, y esperaba le diesen pruebas de ella en el exámen de los decretos expedidos por él.

La designación de estos magistrados recayó en los hombres más aptos de los existentes en Guayana, exceptuando, de los militares, a algunos destinados a tomar parte en la campaña, como Urdaneta, Torres, Valdés y Santander. Los presidentes de las dos primeras secciones eran célebres por sus servicios y aptitudes eminentes. El de la tercera, o sea de Interior y Justicia, el cumanés Juan Martínez, jurisconsulto notable y probo, fue uno de los fundadores de la revolución y de sus más constantes adeptos.

Para desempeñar las funciones administrativas del gobierno, al ausentarse en campaña el Jefe Supremo, fue creado el 5 de noviembre un Consejo de Gobierno compuesto del almirante Brión, del comandante general Sedeño y del intendente general Zea, autorizándolo especialmente para recibir cónsules y enviados extranjeros, celebrar negociaciones de comercio, comprar y contratar armas y otros artículos de guerra. En caso de muerte del Jefe Supremo, o si cayere en poder del enemigo, el Consejo de Gobierno asumiría el Poder Supremo por disposiciones contenidas en un pliego cerrado y sellado del cual se depositaron tres copias una en el Consejo de Gobierno, otra en el Consejo de Estado y la otra en el Estado Mayor. En el caso previsto esta última se daría a conocer inmediatamente al ejército en campaña (58).

El 7 de noviembre creose el Tribunal del Consulado, institución similar a la que funcionaba en la capital de la colonia, con facultad de conocer los pleitos y diferencias entre los negociantes y de promover el fomento del comercio, de la agricultura y de las comunicaciones, elevando al Jefe Supremo sus memorias y reflexiones y cuanto estimara útil en beneficio de estos ramos. En el mismo acto fueron nombrados Prior el insigne patriota Martín Tovar Ponte, emigrado en la isla Tórtola, cónsules Pedro Eduardo y Félix Farreras, y tenientes Manuel Millán y José María Fortique (59).

Al coronel Antonio José de Sucre, lo reemplazó en el mando de las fortalezas de Guayana la Vieja y del departamento del Bajo Orinoco, su padre el coronel Vicente Sucre, oficial del régimen antiguo, principal animador de la revolución de Cumaná de 1810 a 1812, y célebre en la provincia por su probidad y eficacia (60).

Operaciones en los llanos de Caracas.

A la par de la organización del Estado avanzaban los preparativos militares y se daban los primeros pasos para la concentración proyectada en los llanos de Calabozo. Aun cuando el retardo de los patriotas diera tiempo a los españoles de reunir fuerzas importantes, el Jefe Supremo de todos modos debía tomar la ofensiva; sin esperanza de aumentar sus tropas, aplazando las operaciones, daba tiempo a los españoles, dueños de casi todo el país, de elevar las suyas. Agotada Guayana no podía dar un

(58) O'Leary XV, 447.
(59) O'Leary XV, 451.
(60) Antapodosis de Level de Goda. Boletín de la Academia de la Historia, N° 63-64, páginas 507 y 508.

hombre más ni mantener inactivos los 3500 del ejército, alimentados únicamente con carne, y en raras ocasiones con pan para los jefes. En cambio emprendiendo operaciones activas se podía extender el territorio, y aprovechar una oportunidad favorable de dar un golpe al enemigo, exaltar la moral del soldado y sobre todo impedir que los españoles oprimieran con todas sus fuerzas o a Guayana o al Apure. Por tales motivos el Jefe Supremo abrió la campaña sin más dilación, pero apenas comenzaron las operaciones fue necesario interrumpirlas por la inesperada derrota de Zaraza, batido por fuerzas inferiores a las suyas, y la excesiva tardanza de las municiones tantas veces pedidas a las Antillas. "Hasta la naturaleza, escribía Bolívar a Páez, poco después, parecía conspirada para impedir que nos proveyésemos de estos elementos. Porción de buques despachados en su solicitud, y otros que los traían o no han regresado, o han naufragado. Pero al fin la suerte varía y están tomadas todas las medidas para marchar en el acto que lleguen" (61).

La plaza de Angostura dista de San Diego de Cabrutica, cruce de caminos en los llanos del sur, 200 kilómetros y San Diego dista de Calabozo 400 kilómetros. El ejército de Guayana podía recorrer los primeros 120 kilómetros embarcado hasta el puerto de Cadenales, pero luego la mayor parte de él debía atravesar inmensas sabanas casi desiertas hasta llegar al alto llano. En la escuadrilla sutil sólo cabía una parte de las tropas. Durante el verano el Orinoco en su parte alta no dá calado suficiente a buques mayores. Por otra parte enviando al alto llano una división disciplinada, asegurábase la cooperación de la caballería de Zaraza, habituada a la guerra irregular de partidas y poco dispuesta a someterse a la disciplina del ejército de línea, y se tenía la creencia de sacar gran cantidad de reclutas de esa región más poblada que el Apure. Por estas, o quizás otras razones ignoradas por nosotros, el Jefe Supremo resolvió llevar a la concentración una parte de las tropas a través de los llanos de Caracas y el resto por el río.

El general Bermúdez destinado a mandar las tropas en los llanos de Caracas, partió de Angostura, el 23 de setiembre, con-

(61) O'Leary XV, p. 512.

duciendo 600 infantes, sus municiones y 300 fusiles sobrantes. Haciendo marchas cortas avanzaba lentamente hacia el campamento de Zaraza, sin fatigar a sus hombres. Poco después, como hemos dicho, aquel valiente jefe fue destinado a la provincia de Cumaná y Zaraza asumió el mando de toda la división. Por el retardo de las armas la segunda columna, de 500 infantes y 600 fusiles sobrantes, al mando de P. L. Torres, no partió de Angostura hasta el 20 de octubre. Compuesta en gran parte de indios de las misiones sufrió pérdidas sensibles por infestarse los reclutas del vómito negro en la navegación del Orinoco hasta el punto de Cadenales, y luego por la deserción en las marchas a San Diego. Reunida a los pocos días a Zaraza, el general Torres tomó el mando de toda la infantería (62). Juntáronse así 1.300 infantes con dos piezas de campaña y 1.000 jinetes, entre los cuales sobresalían los expertos jefes Infante, Urquiola y Rondón. Hacia fines de noviembre hallábanse todos establecidos en el hato de Belén, a 40 kilómetros al sur de Chaguaramas. Una leva general debía proporcionar hombres para doblar el efectivo de los batallones.

Pensaba el Jefe Supremo, y así lo manifestó en sus despachos del 22 de octubre, a distintos jefes, llevar personalmente al Apure los 1.500 infantes, disponibles en Guayana, y reunir en los llanos de Calabozo no ya 5.000 hombres sino 7.000 al mando de Urdaneta, Valdés, Zaraza, Páez y Anzoátegui, número efectivo en cuanto a las fuerzas puestas en marcha, pero del cual debían restarse las pérdidas excesivas de las tropas, en penosas marchas a través de sabanas desoladas.

Pocos días después, temeroso Bolívar de que las operaciones en los llanos no las efectuara Zaraza con la rapidez y eficacia necesarias, resolvió tomar personalmente el mando de estas tropas, y llevar consigo en la escuadrilla la mitad de la fuerza de Guayana hasta el puerto de Cadenales al Sur de San Diego, debiendo la escuadrilla devolverse a Angostura a buscar el resto de la fuerza y las municiones esperadas por momentos, y conducir todo esto hasta un puerto del Orinoco o hasta el Apure, según los distintos casos probables. Una nueva fuerza, la brigada de

(62) Véase carta de P. L. Torres de 26 de octubre. Boletín de la Academia de la Historia, No. 82, pág. 218.

Monagas, compuesta de un batallón de infantería y de tres o cuatro escuadrones, por todo unos 600 hombres, procedente de los llanos de Barcelona, se le uniría en San Diego de Cabrutica. Al mismo tiempo Urdaneta fue enviado al Apure a conducir al encuentro del ejército, por la izquierda del Orinoco, 500 jinetes de Apure, 1.000 caballos en pelo y 500 mulas destinadas a reemplazar los despeados del ejército. De Caicara se enviarían 700 caballos y yeguas con igual objeto. Los desiertos cubrirían estos movimientos, y aumentaba su seguridad lo distante de los enemigos.

Pero a los proyectos en la guerra es necesario variarlos, al cambiar la posición relativa de los contendientes. La situación militar en el Guárico no tardó en modificarse. El 27 de octubre, avisó Zaraza, desde el Terrón, punto situado en el centro del alto Llano, que Morillo se acercaba a San Sebastián, en las montañas al Sur de Caracas y a orillas del alto Guárico, con 700 infantes. La noticia no era exacta en cuanto a la persona del jefe español, pues él permaneció en Valencia hasta el 12 de noviembre, pero sí lo era respecto a las tropas; y reunidas estas a los destacamentos del Guárico y a posibles contingentes de Valencia y San Carlos, Morillo dispondría de 3.000 soldados; a los cuales Bolívar calculaba oponer 4.000 combatientes, trasladando a los llanos toda la fuerza de Guayana, y efectuado esto seguiría la escuadrilla al Apure a asediar a San Fernando. En el caso de aumentar Morillo todavía más sus fuerzas, Bolívar esquivaría el encuentro hasta reunirse con Páez. Como veremos adelante su apreciación de las fuerzas enemigas resultó exacta (63).

Primeras expediciones de Inglaterra.

El 11 de noviembre llegaron a Angostura las primeras noticias de las expediciones en preparación en Londres, en auxilio de los independientes de Venezuela. La corbeta Dos Amigos arribó a Margarita con algunas armas y pertrechos y unos cuantos oficiales ingleses. El agente de la república, López Méndez, anunciaba el proyecto de una casa, cuyos socios eran miembros del Parlamento, de enviar 200.000 pesos en armas y vestuarios y el enganche de un cuerpo de 700 hombres, pero estos auxilios tardarían algunos meses en llegar a nuestras costas.

(63) O'Leary XV, 460.

Arismendi se hallaba otra vez en Margarita y ya se observaba el resultado de su actividad en las operaciones de las fuerzas sutiles contra los enemigos y en algunas pequeñas contratas, de armas y municiones, que había logrado celebrar, pagaderas en ganados de Guayana.

Aparte de las tropas destinadas a la campaña, en esta provincia quedarían de guarnición y en defensa del territorio, el batallón Angostura, el del Bajo Orinoco, y la brigada de caballería del coronel Pedro Hernández por todo unos 600 a 700 hombres, y la escuadra del almirante en el Orinoco o en el mar. El 17 de noviembre el Libertador expuso al Consejo de Estado su plan de campaña y el de defensa de la provincia; ambos fueron aprobados y se insertaron en el acta de la sesión.

Bolívar se dirige a los Llanos.

Estando todo listo el Libertador partió de Angostura en la escuadrilla el 23 de noviembre, conduciendo 750 hombres. El 25 desembarcó en Cadenales, con parte del convoy y al día siguiente llegó el resto. El 26 adelantó al coronel Montesdeoca con un oficio para Zaraza en el cual fijaba el punto de reunión, y al efecto le ordenaba ejecutar un movimiento lateral hacia el sur de Belén por las márgenes del río Manapire, hasta el lugar de Santa Clara, en la confluencia de este río y el de la Pascua, en cuyas inmediaciones tendría lugar la reunión de ambas fuerzas, marchando Bolívar desde San Diego de Cabrutica al oeste, por el camino de Suata, San Fernando de Cachicamo y Espino, pobres caseríos de llaneros, a la razón incendiados y abandonados o poco menos, a consecuencia de los horrores de la guerra, pero con ganado en sus sabanas. "Este último pueblo, le decía Bolívar a Zaraza, será ocupado por mí, cuando sepa que V.S. se acerque a Santa Clara. Como el país que vaya V.S. dejando en esta marcha a su espalda queda expuesto a las incursiones del enemigo, hará V.S. reunir y traerá en su división cuantas mulas y caballos haya en él". . . . "Es preciso no separarnos por ahora de la ribera del Orinoco para poder recibir fácil y prontamente los socorros que necesitemos" (64). Para efectuar la reunión Zaraza

(64) O'Leary XV, p. 473. En las versiones de Blanco & Azpurúa y O'Leary se incurre en el error de escribir Ospino por Espino. En el copiador está en orden.

debía recorrer de 90 a 100 kilómetros de norte a sur y Bolívar 220 de este a oeste.

Al otro día, 27 de noviembre el Jefe Supremo recibió despachos de Zaraza fechados el 22 en Belén, diciéndole que La Torre se hallaba el 20 en el Calvario a 70 kilómetros adelante de Calabozo, con 600 infantes y 700 caballos, en marcha sobre Belén, y él contramarchaba hacia el Terrón, e inmediatamente Bolívar le contestó: "Sin embargo de que yo creo que la división de V.S. es suficiente para destruir ese miserable cuerpo, será muy conveniente que V.S. evite comprometer una batalla antes de reunirnos. Con este objeto hará V.S. uso de todas las estratagemas posibles, a fin de engañar al enemigo y atraerlo donde podamos, reunidos, dar sobre él, sin que sus movimientos destruyan o debiliten la moral de sus tropas" (65).

Estas instrucciones de fácil ejecución, las recibió Zaraza antes de presentarse La Torre, pero no se apresuró a cumplirlas, engañado por ulteriores noticias falsas sobre los enemigos, y trastornó la campaña. En unos apuntes suyos escritos para el Dr. Cristóbal Mendoza, dice textualmente: "Recibí un oficio del Libertador con el coronel Montesdeoca, para reunirme con él en Santa Clara, la idea era el río Claro, y esta equivocación fue causa de encontrarme, aun sin poderme preparar, con La Torre, y se perdió la acción por falta de combinación". El pretexto es inadmisible. Río Claro se encuentra entre San Diego de Cabrutica y el Orinoco y habría sido un absurdo obligar a Zaraza a retroceder 12 jornadas para desandarlas otra vez y volver hacia Calabozo o hacia el Apure, por tanto era imposible que Bolívar pensara en Río Claro como punto de reunión, y por lo mismo no puede ser cierta la versión de Baralt, quien atribuye el supuesto error de nombres al coronel Montesdeoca, encargado de dar explicaciones verbales a Zaraza. El oficio del Libertador del 26 de noviembre, entregado por aquel oficial a Zaraza en sus propias manos, no deja ninguna duda al fijar el punto de reunión en Santa Clara, sobre el Manapire, a inmediaciones de Espino (66).

(65) O'Leary XV, p. 477.

(66) O'Leary XV, p. 473. Baralt tuvo a su vista los apuntes de Zaraza y sin ver el mapa adoptó la inaceptable explicación de este jefe.

Páez en Casanare y Apure.

Mientras se hacían estas marchas no ocurrió ningun movimiento en el Apure. Después de su regreso de Barinas, Páez se mantuvo tranquilo en sus cuarteles. Los españoles, dueños de las plazas de Nutrias y San Fernando, y de la navegación del Apure, no se atrevían a desafiarlo en las sabanas despejadas, ni él podía expelerlos de sus posiciones. La autoridad de Páez se extendía hasta Casanare. Celoso de Nonato Pérez o descontento de su manera de hacer la guerra envió al coronel Guerrero a reemplazarlo pero este jefe por falta de cooperación en la provincia se devolvió desairado al Apure.

A principios de noviembre la columna de la izquierda al mando de Rangel batió por sorpresa un destacamento situado en Santo Domingo de Cotiza, cerca de Nutrias, y aunque luego replegó a Santa Catalina, ante fuerzas superiores de Aldama, y enseguida repasó el Apure, y retrocedió al Matiyure, hizo la retirada casi sin pérdidas. Mientras tanto Páez continuaba en Achaguas y sus partidas de la derecha hostilizaban a San Fernando. Los españoles seguían en posesión de todo el curso del Apure y sus diversos caños.

Batalla de la Hogaza.

Dejando seis flecheras en Cadenales al mando de Rodríguez, para guardar las comunicaciones, la escuadrilla sutil regida por Antonio Díaz, regresó a Angostura a buscar el resto de la infantería y las municiones en preparación con la pólvora esperada de las Antillas. Al remontar el río tocaría en Cadenales y en Cabruta, a dejar al ejército del llano el resto de la infantería, y seguiría al Apure al asedio de San Fernando.

El 29 de noviembre llegó el Libertador a San Diego e informado de no tener caballos la brigada Monagas, agotados en los llanos de Barcelona, envió orden a su jefe de apresurar la marcha sin ellos y esperar en dicho pueblo los que le enviaría del alto llano para montar sus jinetes. Según nuevos despachos de Zaraza fechados el 24 y el 25 en Apamate, La Torre se había detenido en el Sombrero, había pasado a Calabozo donde reunía los destacamentos de Orituco y del Guárico, y los enemigos estaban reclutando cuantos hombres podían y se les desertaban muchos. Por esta época, Morales, indultado por Morillo, había vuelto al servicio, y según decían en esos llanos, se ocupaba de formar nuevos cuerpos en Valencia (67).

Estas noticias indujeron al Libertador a calcular a los españoles en Calabozo 4.000 hombres, mientras sus fuerzas y las de Zaraza unidas, no habiéndose efectuado la leva ordenada en el alto llano, sólo alcanzarían a 2.200 infantes y 1.000 jinetes efectivos. En consecuencia ordenó a Zaraza hacer esfuerzos extraordinarios por aumentar su división, mandando comisiones a todas partes a recoger hombres, y por último le recomendó ocultar la marcha de las tropas de Guayana a fin de no alarmar a La Torre, cuya destrucción premeditaba (68). Convencido de la debilidad de este último en relación a las fuerzas de Zaraza, daba por segura la reunión dispuesta en Santa Clara, camino de Calabozo o en cualquier otro lugar inmediato.

Pero sucedió todo lo contrario, por desventura o descuido de Zaraza de explorar el terreno con la atención requerida. Caso curioso de errores frecuentes en la guerra: cuando Zaraza avisó el 22 de noviembre, la llegada de La Torre al Calvario el 20, en marcha sobre Belén, la noticia no era cierta, pues todavía no se habían reunido allí los enemigos, y cuando el jefe español concentró sus tropas efectivamente en ese pueblo el 27 con disposición de seguir sobre los patriotas, Zaraza dió parte de haberse detenido aquel en el Sombrero, muchas leguas al norte; en consecuencia de este error permaneció en La Hogaza libre de cuidados, y al amanecer del 2 de diciembre lo sorprendió el enemigo. En efecto el general La Torre emprendió su movimiento el 28 desde el Calvario con 900 infantes y 300 caballos y en cuatro marchas efectuadas de noche para no ser visto por los vigías de Zaraza recorrió los 90 kilómetros que lo separaban de los insurgentes, sin dejarles conocer la menor noticia de su avance. El 1º de diciembre supo La Torre en el hato de San Miguel el traslado de Zaraza con 1.000 jinetes y algo más de 1.000 fusileros del hato de Belén al hato inmediato de La Hogaza. No lo arredra la superioridad numérica del insurgente. Caminando toda la noche llega

(67) O'Leary XV, 481. Oficio de Bolívar al Consejo de Gobierno. San Diego, 2 de diciembre de 1817.

(68) O'Leary XV, p. 479.

al amanecer del 2 de diciembre al paso de Murianga, en el río Manapire, donde sorprendió una descubierta de 40 jinetes, puesta en fuga a los primeros disparos. El campamento de Zaraza distaba una legua o algo más y aunque La Torre siguió adelante arrollando dos guerrillas enemigas encontradas en el tránsito, todavía el jefe independiente podría retirarse si hubiera estado preparado para cumplir las instrucciones del Jefe Supremo, pero ¿cómo abandonar los fusiles y municiones almacenados en las dos casas del hato? En tal situación forzoso era empeñar el combate.

A las 8 de la mañana coronaba La Torre una altura en La Hogaza despreciando el fuego de los insurgentes desde las casas del hato. El jefe español trató de dar algún descanso a sus tropas fatigadas de nueve horas de marcha forzada y avanzó con dos compañías de cazadores y unas guerrillas de caballería a reconocer la posición y fuerza de los patriotas.

Situáronse éstos a la derecha de las casas, en una altura a un cuarto de legua de distancia. Tenían cuatro batallones desplegados en una sola línea, y en cada uno de sus flancos una pieza de artillería. En la derecha una columna de 200 jinetes y otra de 300 a retaguardia de la infantería.

La Torre formó sus tropas en otra altura enfrente de la de Zaraza: colocó en el centro los batallones 1º de Castilla y 2º de Navarra, en columnas a cierta distancia uno de otro, como para desplegar. Adelante dos compañías de Cazadores en batalla, en el claro entre los dos batallones. A derecha e izquierda los escuadrones 1º y 2º de Húsares de Fernando VII, y en reserva el escuadrón de Lanceros de Calabozo.

Viendo los patriotas la inferioridad de estas tropas a las suyas determinaron atacar: en el mismo orden en que se hallaban bajaron la suave pendiente de su colina, apareciendo al mismo tiempo a su izquierda varios escuadrones, hasta entonces ocultos, estimados por La Torre en 500 hombres. Fue una sorpresa para los españoles, pero no por esto vacilaron ni un momento en empeñar el combate. Los batallones de Castilla y Navarra con los cazadores en el centro avanzaron resueltamente desplegados en batalla, y a corta distancia de los enemigos rompieron el fuego sostenido con intensidad y firmeza por los insurgentes. Cuando la infantería española se hallaba a sesenta pasos de distancia de la enemiga, la caballería insurgente de la izquierda cargó al trote; el 1º de Húsares españoles, y los Lanceros de Calabozo, por todo 200 jinetes, sin esperar a los enemigos, se lanzaron sobre ellos y los pusieron en vergonzosa fuga. Otro tanto ocurrió a la derecha de los patriotas: el solo escuadrón 2º de Húsares de 100 jinetes, batió en tres cargas sucesivas los 200 llaneros de su frente y los 300 de la reserva enviados por Zaraza de refuerzo. La fuga de toda la caballería patriota consternó a la infantería, regida por Pedro Leon Torres y en este estado no pudiendo contener a la infantería española cedió el campo y huyó en desorden, siendo inútiles los esfuerzos de sus jefes y oficiales para detenerla. El jefe de estado mayor Miguel Martínez, el ayudante Guillermo Palacios Bolívar, joven de veinte años, en servicio desde la campaña de 1813, sobrino carnal del Libertador, y muchos otros oficiales quedaron muertos o heridos, entre estos los mayores Ambrosio Plaza y José Antonio Lecuna. En el mismo campo los Húsares de Fernando VII interceptaron y mataron gran número de infantes. La paja seca de las sabanas se incendió con los tacos de los fusiles, murieron quemados muchos heridos de uno y otro bando y quedaron destruídas por el fuego las armas abandonadas de los patriotas. La Torre y su segundo González Villa, heridos ambos de gravedad, fueron sacados en hamacas del campo de batalla. Los vencedores sin perseguir, regresaron al día siguiente hacia el Calvario, y luego a Calabozo. Según su parte publicado en la Gaceta de Caracas sólo tuvieron 11 muertos y 86 heridos, mientras las de los patriotas calculadas por La Torre en 1.200 muertos, fueron de 350 muertos y heridos y otros tantos prisioneros o dispersos. Se perdieron todos los fusiles de los soldados, los bagajes, útiles de campaña, y muchas bestias de trasporte; pero en pocos días Rondón, Urquiola e Infante reunieron gran parte de los jinetes dispersos y los dos primeros volvieron con Zaraza a ocupar la región del campo de batalla, mientras Torres se retiraba a San Diego con 500 infantes y recogía en los días sucesivos muchos dispersos (69).

El 4 de diciembre, preparándose el Libertador en San Diego

(69) Parte de La Torre. Boletín No. 82, Academia de la Historia p. 227.

a marchar hacia Espino y Santa Clara, llegó el teniente coronel Montes enviado por Zaraza a participarle el funesto suceso (70).

Cambio de Dirección. Preparativos de marcha al Apure.

La derrota de la división principal no permitía continuar la campaña, aún cuando los enemigos no persiguieron y dieron tiempo a recoger los dispersos. Debilitado el ejército, Bolívar no podría abrazar todo el país como había pensado. Era forzoso reparar las pérdidas de hombres, caballos y material de guerra y para esto requeríase su regreso a Angostura. Desmoralizada la caballería de Zaraza no se podía contar con ella en algún tiempo. Resuelto a poner en planta su primer proyecto, de llevar el ejército a Apure, el Libertador no quiso retirarse de San Diego hasta no regresar los vencidos (71).

Sin desanimarse dió órdenes a todas partes: a Páez le recomendó tomar las medidas necesarias indicadas antes. Nada debía faltar a su llegada al Apure. Coordinarían los movimientos de ambos para reunirse con seguridad y terminar la campaña (72).

A Zaraza lo reprendió en comunicación del 5, por el descuido en cumplir sus órdenes y le encargó reunir la caballería y esperar instrucciones. Monagas debía apresurar las marchas y Bermúdez llevar sus tropas desde Cumanacoa hasta el Orinoco, a fin de reunir entre todos 5.000 hombres. "Estoy resuelto, escribió a Zaraza, a emplear la espada y el fuego contra todos los que, directa, o indirectamente, no cooperen a la salvación de la república". En la misma nota le ordenó enviar espías hacia el enemigo, y trasmitir los partes en forma amplia como deben ser. En oficio posterior reanimó su espíritu lacerado por estas represiones, y aceptó las excusas por haber empeñado la batalla (73). Cualquiera que fuera su falta desaparecía ante sus nobles cualidades morales y los grandes servicios prestados por él en toda la

(70) Recorrió 250 kilómetros en 50 horas. Igual distancia en igual tiempo recorrió el posta que llevó a Calabozo la noticia del triunfo.

(71) O'Leary XV, p. 488.

(72) O'Leary XV, p. 489.

(73) O'Leary XV, p. 490.

guerra, y no se podía olvidar la hazaña extraordinaria de Urica, cuando en lucha al arma blanca postró a sus pies al terrible Boves.

Dejando a Torres en San Diego el encargo de reunir los dispersos y mejorar la infantería, el Libertador se dirigió a Angostura, donde la derrota debía causar tremenda impresión y era indispensable su presencia. En efecto la alarma llegó al extremo de cerrar los comerciantes sus tiendas y empaquetar sus cortos efectos, temiendo graves trastornos. A la llegada de Bolívar tranquilizóse la población, pero no cesaron del todo los temores hasta muchos días después, restableciéndose la confianza por su energía y la actividad extraordinaria impuesta a militares y civiles. El 11 de diciembre dió un decreto ordenando el levantamiento en masa, por espacio de dos meses. "Cuantos después de su promulgación, dice el artículo 3º, fueren aprehendidos sin estar alistados en algún cuerpo, serán irremisiblemente pasados por las armas". Angostura otra vez se convirtió en un taller para reparar las pérdidas del ejército. Ignorando la resolución de Mariño de someterse, envió de refuerzo a Bermúdez 200 infantes con el coronel Juan Francisco Sánchez, a fin de que apresurara su persecución y luego en conocimiento del término de la facción le encargó emplear el destacamento en ayudar a la recluta general dispuesta por la ley marcial del día 11. Dos días antes le había enviado ganados por la miseria del territorio de Cumaná, devastado por la guerra. Todavía en estos días pretendía invitar a Bermúdez a la próxima concentración, pero luego dispuso nombrarlo comandante general de todas las provincias de Oriente, encomendándole la defensa de Guayana, y establecer su cuartel general en Soledad, a orillas del Orinoco, frente a Angostura (74).

La detención del Jefe Supremo en la capital debía durar muchos días mientras se reparaban las pérdidas del ejército, llegaba la pólvora y recogíanse dispersos y reclutas. Urquiola y Zamora, dependientes de Zaraza, exploraron el territorio hacia adelante de La Hogaza y dieron informes de la retirada de La Torre a Calabozo. Los españoles como única ventaja local de su triunfo volvieron a establecerse en la línea de Orituco, mas para esto mismo el comandante Aboy tuvo que batir la tenaz guerrilla

(74) O'Leary XV, p. 524.

de los Argüelles (75). Infante reunía sus hombres frente al río Orituco. Torres organizaba la infantería en San Diego, y Monagas la suya en el Palmar del Orinoco. Bermúdez y Rojas aumentaron sus tropas, al punto de que los progresos del primero alarmaron a las autoridades de Cumaná y pidieron auxilios a Caracas. Zaraza tuvo orden de concentrar sus partidas. A todos dirigió Bolívar órdenes apremiantes y precisas. En sus notas de estos días, deliberadamente optimistas, oculta una parte de las pérdidas sufridas en La Hogaza, tolera las faltas, alienta y estimula.

Su afán era levantar un ejército de 7.000 a 8.000 hombres, buscar al enemigo donde lo encontrara, marchar sobre él, destruirlo y terminar para siempre la guerra que desolaba el país, tales eran sus palabras (76): y lo habría logrado, a pesar de la resistencia de gran parte de la población, si todos hubieran procedido con la actividad necesaria, pero no fue así. Por una parte a través de enormes distancias se debilitaba la acción del Gobierno, y por otra la miseria, y la carencia de medios para sostener mucho tiempo lo que se había creado, lo obligaban a no demorar la apertura de las operaciones, aun sin fortalecer el ejército como deseaba (77).

A Páez le recomendó vigilar y estar preparado, por considerar que los españoles ante las dificultades de una expedición a Guayana, preferirían dirigirse al Apure, como efectivamente lo hicieron, según vamos a exponer en seguida.

El general español en Apure y su violenta retirada.

Alarmado Morillo en Valencia con las primeras noticias del proyecto de Bolívar de reunirse a Páez en el Apure, partió vio-

(75) El jefe de esta guerrilla cayó prisionero y fue ahorcado en Maracay por orden de Morillo. Sufrió igual pena en Camatagua José Antonio García, antiguo realista y justicia mayor de dicho pueblo, incorporado recientemente a la patria y capturado en Taguay el 26 de diciembre.

(76) Nota a Páez; Angostura, 15 de diciembre de 1817. O'Leary XV, 499.

(77) El sesudo historiador Restrepo observa que el Libertador emprendía expediciones en este período sin tener todas las fuerzas que se requería. No podía hacer otra cosa, so pena de dejar morir o languidecer la revolución.

lentamente en la posta a Calabozo. Después de despachar a La Torre contra Zaraza, se dirigió el 20 a San Fernando con los regimientos de infantería de la Unión y de Lanceros del Rey a reforzar la división de Calzada, 5a del ejército, estacionada en San Fernando y Camaguán, y operar en combinación con la 4a división, situada en Nutrias al mando del coronel Aldama.

Pero informado en Camaguán de no iniciarse siquiera el anunciado movimiento de Bolívar, y aun hallándose cerca de San Fernando, dirigiose por la margen izquierda del Apure al pueblo de San Antonio a 80 kilómetros río arriba, y enseguida ocupó el de Apurito en la orilla opuesta con la idea de fortificarlos y asegurar la línea del río. Este movimiento prueba la falsedad de cuanto dice a este respecto en sus Memorias, pues en vez de tomar medidas al llegar a Apure para impedir la reunión de Bolívar y Páez, interceptando las avenidas de Guayana, se dirigió tranquilamente en sentido contrario a San Antonio y Apurito (78). Situado en estos pueblos se daba la mano con Aldama, quien después de la retirada de Rangel había llevado sus tropas al norte del camino de Santa Catalina a la Guadarrama, a remontar su caballería. Incluyendo esta división de Aldama y la de Calzada, y sin contar las guarniciones de Nutrias y San Fernando ni las guerrillas locales, Morillo disponía en aquel momento solamente de 3.200 a 3.300 combatientes.

En su obra "Campañas de Apure" el general Páez atribuye a Morillo 6.000 soldados, número equivocado sin duda. El adoptado por nosotros se encuentra en documentos de Bolívar y en oficios de Morillo. Entre los primeros citaremos los siguientes: el 19 de diciembre el Libertador escribió a Páez: "Ayer ha llegado a este cuartel general el teniente coronel Lamas que viene de su ejército y me ha informado la situación de Morillo en Apurito con 3.000 hombres, y la de V.S. a las orillas del Matiyure, en la Concepción con más de 2.000" (79). Y el 14 de enero siguiente Bolívar le dice al gobernador de Guayana: "El enemigo de Apure no tiene las fuerzas que se decía. Los últimos partes del señor general

(78) Oficio al Ministro de la Guerra. Calabozo, 11 de diciembre de 1817. Rodríguez Villa, III, pag. 465.

(79) O'Leary XV, 512.

Páez desde Payara, y los informes de multitud de pasajeros que han venido de allí convienen en que apenas hay entre San Fernando, el Jobo y Barinas 2.500, la enumeración que me hace el general Páez es bien exacta y detallada, y además nos confirma su debilidad, la operación que han ejecutado retirándose de Apurito sobre el Jobo para ponerse fuera de nuestro alcance y dar lugar a que Calzada en Barinas engruese su división con los reclutas que hace muy activamente" (80). Sumando estos 2.500 hombres con los 1.050 que llevó Morillo a Calabozo y restando los 400 de guarnición en San Fernando resultan 3.150, más o menos el número adoptado por nosotros. Los cuerpos de Morillo en ambas márgenes del Apure, del 28 de noviembre al 4 de diciembre eran estos:

Morillo:			
Batallón N° 1 de la Unión	480 hombres		
1 escuadrón de Lanceros del Rey	100		
3 " Lanceros de Venezuela	300		
4 " Guías del General	400	1.280 hombres	
Aldama:			
Batallón Victoria	450		
" 3° de Numancia	450		
2 escuadrones Dragones de la Unión	200		
2 " Guías del General	200		
2 " Lanceros de Venezuela	200	1.500	
Calzada:			
Batallón Barinas	500		
2 escuadrones Leales Dragones	200		
2 " Lanceros de Barinas	200	900	3.680 hombres

Si de este número se restan los 400 hombres de guarnición en San Fernando resulta el mismo número calculado por nosotros.

Los 1.050 hombres llevados por Morillo hacia Calabozo de la división Aldama consistían en el 3° de Numancia, 2 escuadrones de la Unión, 2 de Lanceros de Venezuela y uno de Guías del General (81).

(80) Blanco & Azpurúa, VI, 249.

(81) Rodríguez Villa, III, 465 y 537. Mémoires du General Morillo, 112 y 116.

Páez se salva en Achaguas.

Páez, enfermo en Achaguas, y con sus fuerzas en parte diseminadas, al saber la llegada de Morillo hizo evacuar el pueblo por los emigrados y escasos vecinos del lugar y retirose con una partida a un punto inmediato, mientras Rangel a la cabeza de 500 jinetes manteníase en el Matiyure a 30 kilómetros del cuartel general de los españoles, de donde salieron algunos destacamentos a observar los insurgentes, y el más numeroso, de 300 hombres, al mando de Antonio Ramos, entró de improviso a Achaguas, creyendo sorprender a Páez en su lecho de enfermo; pero, fracasado el intento, retrocedió perseguido por este jefe, quien ya restablecido había reunido algunos escuadrones. Morillo prosiguió sus trabajos de fortificación de campaña en Apurito, utilizando la iglesia, único edificio salvado del incendio del pueblo, y mandó su caballería a forrajear, a una legua de distancia, a tiempo que el célebre lancero Aramendi, enviado expresamente por Páez con 50 jinetes a reconocer el campo enemigo, sorprendió uno de los escuadrones realistas y le causó muchas pérdidas (82).

Retirada precipitada de Morillo.

Tal era el estado de la campaña cuando el general español supo por un despacho de La Torre, fechado el 28 de noviembre en el Calvario, precisamente cuando este último se disponía a marchar contra Zaraza, que el Jefe Supremo avanzaba por San Diego de Cabrutica con las tropas de Guayana. Era el 4 de diciembre y en el acto Morillo dejando en Apurito sus tropas, emprendió marcha precipitadamente a Calabozo, temiendo con razón por la suerte de su teniente; en el paso del río Guanaparo recogió casi todos los cuerpos de Aldama, y el tercer día de su marcha, al llegar a Guadarrama, tuvo la satisfacción de recibir la noticia de la derrota de Zaraza. Júzguese cual habría sido el estado de la campaña si el jefe del Alto Llano hubiera intentado internar a La Torre unas cuantas jornadas, o si empeñada la batalla con fuerzas dobles a las del enemigo, todas las tropas patriotas hubieran combatido con firmeza.

---

(82) Campañas de Apure. Boletín de la Academia Nacional de la Historia, Nº 21 Pág. 1.158.

Bajo tan favorables auspicios Morillo dió una proclama renovando el mezquino indulto promulgado en Caracas, envió a Calzada hacia Barinas a recoger reemplazos para su caballería y siguió a Calabozo, a donde llegó el 9 de diciembre. Del paso del Guanaparo había despachado a Aldama con el batallón Victoria y un escuadrón de Guías del General al pueblo de Apurito, y en la Guadarrama y el Baúl dejó descansando el batallón 3º de Numancia y los Dragones de la Unión (83).

Fracaso de Páez en San Fernando.

Restablecido Páez y reunida la mayor parte de su caballería y el batallón Bravos de Páez, el primer cuerpo de infantería, formado en Apure, con fusiles enviados de Guayana, se dirigió a sorprender a San Fernando, juzgando que podría tomarla por hallarse lejos de esa plaza las divisiones de Aldama y Calzada. El ataque al recinto y a los pequeños fuertes exteriores de campaña, denominados Castellano y San Casimiro, levantados por los españoles, tuvo lugar el 17 de diciembre en la noche, y fue rechazado con pérdida de muertos y heridos. En la noche del siguiente día Páez renovó el ataque sobre los dos fuertes, tratando de sorprenderlos, pero frustrada la empresa, fue de nuevo rechazado y dispersada su columna al amanecer por un violento ataque de flanco, de una compañía de la Unión y otra del batallón de Barinas, efectuado por sorpresa desde un bosque. Las pérdidas de Páez alcanzaron a 100 muertos y heridos. El 23 intentó desquitarse sorprendiendo a dos compañías del batallón de Barinas destacadas en Apurito al mando del capitán Juan Durán. Los realistas atrincherados en la iglesia resistieron victoriosamente y Páez suspendió el ataque (84). Para disimular el fracaso de San Fernando, Páez escribió al Libertador que había hecho un falso ataque con el objeto de atraer a la plaza a los enemigos estacionados en Apurito, y obligarlos a "reconcentrar todas sus fuerzas".

En su obra original "Campañas de Apure", y en la "Autobiografía" nos dá otra razón diferente, a saber "la de distraer a

---

(83) Morillo al Ministro de la Guerra. Rodríguez Villa. III, p. 465. Mémoires du Général Morillo. París 1826, págs. 116 a 118.

(84) Morillo al Ministro de la Guerra. Valencia 25 de enero de 1818. Rodríguez Villa III, 484.

Morillo de su primer plan de invasión del Apure, haciéndole preveer la posibilidad de una invasión sobre Calabozo", por los gritos dados en el ataque de "viva Bolívar, y vivan las tropas de Guayana" a fin de infundir al enemigo ideas falsas, y creyeran al Jefe Supremo en Apure; estratagema de mucho éxito, según dice Páez, porque Morillo inmediatamente repasó el Apure, y a marchas forzadas se fue a Calabozo, dejando a Aldama algunos días fortificado en Apurito, para cubrir su retirada" (85). Según añade Páez en su Autobiografía esos movimientos, al distraer a Morillo, permitieron la marcha de Bolívar al Apure sin encontrar oposición, pero este relato, escrito de memoria cuarenta años despues de los sucesos, y sin documentos a la vista, es todo falso y absurdo, al mismo tiempo. Basta considerar lo siguiente. El ataque de Páez a San Fernando, causa según él de la retirada de Morillo, tuvo efecto el 17 de diciembre, cuando el jefe español tenía ya 8 días en Calabozo, y Morillo lejos de esquivar a Bolívar había ido a Apure a hacerle frente; y así mismo corrió a Calabozo cuando creyó encontrarlo en las llanuras de esa villa (86).

Otra versión falsa de Páez.

En una tercera obra titulada "Notas del general Páez, a las Máximas de Napoleón", el caudillo de Apure nos presenta una segunda versión respecto a la retirada de Morillo, tan falsa como la ya analizada. Dice así: "En el mes de noviembre del mismo año el general Morillo con 7.000 hombres pasó el río de Apure por el pueblo de Apurito, para abrir campaña contra nosotros en el Apure. Inmediatamente que lo supimos y sin dejarle mover sobre nosotros, asechamos el lugar donde estaba apostada su caballería, la sorprendimos y logramos matarle y dispersarle mucha gente. Morillo que necesitaba indispensablemente de aquella arma para poder hacernos daño, contramarchó sobre Calabozo a rehacerse, y esto dió tiempo a que se reuniese Bolívar con el ejército de Apure, pues ya venía en marcha de la provincia de Guayana". Lo primero es incierto, pues la caballería de Morillo forrajeando a una legua de Apurito, en distintos puntos, solo per-

(85) El Libertador a Monagas. Angostura 28 de diciembre. O'Leary XV, 530. Campañas de Apure. Boletín de la Academia Nacional de la Historia N° 21, p. 1.158. Autobiografía I, 138.

(86) Morillo al Ministro de la Guerra. Rodríguez Villa III, p. 465.

dió algunos hombres de un escuadrón sorprendido por el coronel Aramendi, como lo hemos expuesto y lo narra el mismo Páez en sus "Campañas de Apure", al decir que envió a Aramendi con 50 hombres a descubrir la fuerza de caballería enemiga, y le dió orden de atacar si se le presentaba oportunidad, mientras él esperaba el resultado de la exploración en el Pozo del Burro. Y lo segundo también es inexacto porque en los días de la estada de Morillo en Apurito, 30 de noviembre a 4 de diciembre, el Libertador se hallaba en marcha, por los llanos de la provincia de Caracas a reunirse a Zaraza, y este movimiento fue la causa verdadera de la violenta retirada de Morillo a Calabozo. El Libertador no partió de Angostura hacia el Apure sino el 30 de diciembre (87).

Morillo cree que puede descansar.

Confiado Morillo de que los insurgentes no podían molestarlo durante algún tiempo autorizó a Aldama a dirigirse al norte, hacia el Jobo y Santa Cruz, a remontar su caballería mientras Calzada perseguía algunas guerrillas a inmediaciones de Barinas y recogía reemplazos para sus escuadrones, é informado en Calabozo del avance de algunas partidas de Zaraza destacó al teniente coronel Rafael López a Santa Rita con 300 jinetes, cuyo número fue sucesivamente elevado a 500, y le dió orden de limpiar de enemigos esos llanos del sureste de Calabozo, y dirigirse en seguida al noreste hacia Chaguaramas, en combinación con las tropas de Orituco. López observado de cerca por Rondón y otros jefes sostuvo varios choques con pérdida de muchos hombres por ambas partes sin resultado decisivo. A principios de febrero Aldama tuvo permiso de retirarse a restablecer su salud y Calzada encargado de todas las tropas del Apure estableció su cuartel general en Nutrias, después de haber reforzado a San Fernando.

Ultimas disposiciones para la marcha al Apure.

Impaciente el Libertador por unir sus tropas a las de Páez sólo esperaba la llegada de las municiones tantas veces pedidas a las Antillas. Por fin el Cóndor, al mando del capitán Felipe

(87) Máximas de Napoléon sobre el Arte de la Guerra. Traducidas y anotadas por el general José Antonio Páez. New York. Imprenta de S. Hallet, calle Fulton, N° 60. 1865, p. 261.

Esteves, ancló en Angostura el 21 de diciembre, conduciendo gran cantidad de pólvora, un poco de plomo y algunos fusiles. Pero todavía debe detenerse la expedición unos días mientras se elaboraban los cartuchos, tiempo empleado en dar la última mano a las tropas y a los trasportes.

El 22 partió Valdés con una división a desembarcar en las bocas del Pao. Torres permanecía en San Diego y Monagas acercábase al Palmar, después de haber obligado a retroceder a una columna realista procedente de Barcelona; temiendo el Libertador un nuevo contratiempo, al recibir los primeros avisos de esta operación de Monagas, envió a Sedeño a inspeccionar estas tropas y a llevar órdenes verbales. Suponiendo todavía a Morillo en el Apure, activaba cuanto podía los aprestos: "Volemos, decía a sus generales, en auxilio del ejército de Apure y nuestra victoria será cierta y segura" (88).

Del contexto de sus órdenes en estos días se desprende vacilaba sobre las ventajas de una y otra orilla del Orinoco para la marcha de las tropas que forzosamente debían ir por tierra. El 20 de diciembre parecía dispuesto a marchar por San Diego, es decir por la orilla izquierda, pero luego fué personalmente a las bocas del Pao, a 200 kilómetros de Angostura, revisó las divisiones de Torres, Valdés y Monagas, en dicho puerto y en el Palmar, y el 27 de diciembre regresó a Angostura resuelto a emprender la marcha por la orilla derecha: decisión feliz porque así, cubierto por el Orinoco, podía ocultar el movimiento a los españoles y asegurarlo de cualquiera intento de éstos.

El mismo día ratificó sus órdenes a Oriente: a Bermúdez de marchar cuanto antes a la Soledad a cubrir a Guayana, y a Sánchez la de apresurar las marchas e incorporar su columna al ejército. Al mismo tiempo previno a Páez escoger el punto de reunión sobre las bocas del Apure o las del Arauca, donde los enemigos no pudieran interponerse. En la expedición conduciría 3.000 infantes y 1.000 jinetes sin contar la caballería de Zaraza de 800 jinetes, a los cuales envió órdenes de incorporarse en Caicara (89).

(88) O'Leary XV, 522.
(89) O'Leary XV, págs. 524, 526 y 529.

Guayana queda desguarnecida.

Por estos números se comprende que la ley marcial sólo había dado los reclutas indispensables para cubrir las bajas naturales, grandes en aquellas circunstancias por las causas conocidas, y bien por este resultado mezquino, o porque así lo tuviera meditado, a última hora Bolívar resolvió llevar en el ejército cuantas tropas y elementos de guerra había en Guayana, dejando únicamente en las plazas pequeñas guarniciones, de manera que la provincia quedó casi sin tropas, sin armas, sin municiones, y sin marina sutil, pero tranquilizó a todos con la promesa de la llegada del general Bermúdez y de elementos de guerra esperados de las Antillas. Esta audaz medida necesaria para oponer a Morillo el mayor número de hombres requería un grande esfuerzo, en proporción a la responsabilidad en que incurría su autor. Bolívar con pleno conocimiento de los hechos, no vaciló asumirla como era su costumbre, y aunque a los españoles no le faltaban medios para disponer una irrupción en Guayana, no tuvo porque arrepentirse de haberla tomado.

Al despachar a Sánchez el 11 de diciembre, el Libertador envió con él a Bermúdez instrucciones verbales de marchar a Angostura con todas sus fuerzas, y el 30 le ordenó mandar cuanto antes 300 hombres a la Antigua Guayana a guarnecer los Castillos a la sazón con muy pocos soldados y expuestos a caer en manos de los enemigos si estos embarcaran en una escuadrilla la guarnición de Güiria. "Si el coronel Antonio José de Sucre, pudiera venir mandando aquella fuerza, le dice el Libertador, nada más tendría yo que desear para la seguridad de esta provincia". "Pero Bermúdez no podía desprenderse de su segundo. El bravo general tuvo que sofocar en Cumanacoa un movimiento de insubordinación provocado por el coronel Domingo Montes, el teniente coronel Carrera y otros revoltosos amigos de Mariño y sólo pudo traer 600 hombres a Angostura, adonde llegó el 20 de enero. La conducta de Montes, quien había quedado en aquel pueblo y sus montañas inmediatas, hacía temer que llamara al general Mariño a asumir el mando, al reunir una división fuerte (90).

(90) Nota a Bermúdez el 21 de enero de 1818, desde la Urbana. O'Leary XV, 547. Reproducida por Blanco y Azpurúa y O'Leary suprimiéndole por descuido unas líneas.

Antes de partir el Libertador tomó otras medidas importantes: escribió a los agentes de la República en Philadelphia y Londres, Lino de Clemente y Luis López Méndez, ratificándoles las credenciales dadas el 5 de enero, y autorizándolos a comprometer los fondos de la República, por armas, municiones y vestuarios. En las notas respectivas expone las ventajas adquiridas y exagera las fuerzas de la República (91).

Debiendo marchar Sedeño en el ejército nombró en su lugar individuo del Consejo de Gobierno al gobernador político general Tomás Montilla, y por último, en resolución especial declaró deuda pública las acreencias del Almirante, por suplementos a la República, previo examen y aprobación de la cuenta respectiva, por el intendente general y el de la provincia. De acuerdo con la organización dada al Gobierno, al ausentarse el Jefe Supremo, el Almirante se encargó del mando de la República, en su carácter de presidente del Consejo de Gobierno (92).

Error de Morillo.

Morillo incurrió en el error de suponer abatidos a los insurgentes, por la derrota de Zaraza, y creyó disponer de largo tiempo antes de que volvieran a tomar la ofensiva. Considerándose seguro concedió un descanso a sus tropas y dedicóse a la administración, y entre otros trabajos dispuso aumentar las obras de fortificación de Calabozo. El 22 de diciembre quejábase en una de sus notas a la corte de la falta de jefes disponibles. La Torre y González Villa se hallaban heridos de gravedad, el primero muy débil por la sangre perdida en el campo de la Hogaza; Aldama y Warleta enfermos de escorbuto y Urreiztieta inválido a consecuencia de heridas recibidas en Margarita. Calzada, valiente, práctico del país y hábil en el manejo de las tropas criollas, era menos propio para dirigir las europeas. El erario hallábase exhausto. El virrey de la Nueva Granada no quería dar ninguna clase de auxilios al ejército. Abandonado por la Corte el general en jefe sólo esperaba algunos socorros del capitán general de Cuba; en sus apuros deseoso de activar la administración, se

(91) Oficios de 30 de diciembre de 1817. O'Leary XV, 537.

(92) Notas a Bermúdez de 11 y 30 de diciembre y 21 de enero. O'Leary XV, 496, 534 y 547. A Montilla y Brión notas del 30 de diciembre de 1817. O'Leary XV, 536 y 538.

dirigió el 5 de enero de 1818 con sus edecanes a La Victoria, adonde concurrieron los principales funcionarios del Gobierno a recibir órdenes y luego pasó a inspeccionar y a tomar disposiciones a Valencia y a San Carlos (93). Mientras tanto Bolívar, venciendo toda clase de dificultades marchaba por el Orinoco sigilosamente a reunir en Apure las tropas de la República y a sorprender al diseminado ejército español.

(93) Morillo al Ministro de Guerra. Rodríguez Villa, III, 489.

CAPITULO XIII

CAMPAÑA DE 1818

Preliminares.

A través de la revolución, la influencia de Bolívar predominó sobre las fuerzas del trastorno general, y vencedor o vencido, mantuvo la iniciativa en sus empresas, hasta coronar la obra ideada desde sus primeras armas. Tal fue el resultado del ardimiento contínuo de su acción, de sus concepciones y su audacia. A la invasión fulgurante de 1813 sucedió la campaña defensiva de la guerra a muerte contra las turbas bárbaras enardecidas por hombres sanguinarios. Saciada el ansia de saqueos y de crímenes de los vencedores, los grupos escapados del degüello, iniciaron la reacción, mientras el héroe intentaba vigorizar la Confederación de las Provincias Unidas de la Nueva Granada, y emprender una nueva ofensiva.

Reunidas bajo su mando en Los Cayos de Haití, las reliquias de las dos repúblicas, comienza un nuevo período en el cual el partido de la independencia crece y se extiende, al calor de expediciones atrevidas y fecundas, a pesar de fracasos ruidosos. En el alma del caudillo la energía, la actividad y el arrojo aumentaban en proporción de las dificultades y del peligro. Sin opinión uniforme a su favor y con escasos medios, cada ventaja adquirida, requería nuevo e inmediato empuje para conservarla, y de aquí la necesidad de la acción continua aún cuando los medios no fueran suficientes. La magnitud de los esfuerzos realizados y la exaltación de los sentimientos más nobles extendieron las virtudes guerreras y el sentimiento de patria, creados en las primeras campañas. La nación independiente, destrozada en 1814, reapareció en 1817, con mayor arraigo en las clases populares.

A fines de este año, la república contaba con la despoblada provincia de Guayana, y la heroica y pobre de Margarita, libres y en paz; con parte de las de Cumaná, Barcelona y Casanare, y el Apure y Alto Llano de Caracas, devorados por la guerra.

Las fuerzas independientes de estas regiones apenas bastaban a su defensa, y solo de Guayana, de Barcelona y del Apure, se podían sacar algunas tropas para la ofensiva. Inferiores en número, disciplina, y armamento, los patriotas gozaban de la ventaja inestimable de encontrar caballos y ganados en casi todo su territorio, y de la facilidad de traer armas de las Antillas, gracias a la protección de sus valiosos aliados los corsarios.

En este estado de cosas sólo la concentración, la rapidez y la sorpresa, podían dar la superioridad a los rebeldes en un campo de batalla, y tal fue el propósito de Bolívar al abrir esta campaña. Para realizarlo debía luchar contra las resistencias locales, la escasez de medios, el estado informe de las tropas y las distancias.

Proyecto de Campaña.

Llevar al Apure las tropas de Guayana, de Barcelona y el Alto Llano, efectuar la reunión con las de Páez en lugar seguro y emprender enseguida grandes operaciones fue el plan dispuesto por el Libertador en diciembre de 1817. Efectuando la marcha desde Angostura por la derecha del Orinoco podía mantener oculto el movimiento a los enemigos por algún tiempo, y éstos no podrían estorbar la reunión con las de Páez en las bocas del Arauca, sitio cubierto por caños y tierras anegadizas. De acuerdo con este proyecto el 27 de dicho mes ordenó el jefe de Apure tener dispuestos los caballos y ganados necesarios en puntos convenientes.

En la ejecución el ejército debía recorrer, en el mayor sigilo, 700 kilómetros (1) de Angostura a San Fernando por la vía de la

(1) Distancias, por tierra: de Angostura a Maripa, sobre el Caura 236 kilómetros, de Maripa a Caicara 156 k., de Caicara a La Urbana 160 k, total 552 k.

Por el río: de Angostura a la boca del Caura 222 k., boca del Caura a Caicara 164 k., de Caicara a la Urbana 172 k., total 558 k. Datos recogidos de los prácticos de la tierra por el notable ingeniero Santiago Aguerrevere.

La distancia de la Urbana a San Fernando, pasando por Payara es de 150 k., y de aquella ciudad a Calabozo de 166 k.

Urbana, siguiendo caminos desiertos, intransitables en muchas partes, hasta llegar al frente de los españoles; marcha extraordinaria y penosa, por su extensión y la escasez de recursos, pero de grandes consecuencias, en favor de los independientes, como enseguida veremos. Para efectuarla tomáronse cuantas medidas fue posible. "Nada nos importa más que ocultar al enemigo mi marcha", había escrito el Libertador a Páez. Cubierto por el Orinoco y los desiertos de los llanos logró su objeto completamente, contribuyendo a engañar a los españoles las noticias anticipadas de una marcha semejante aplazada en el año anterior (2).

En las instrucciones no faltaba ninguna precaución esencial, ni aún aquellas que, por circunstancias especiales, no tuvieron lugar de realizarse. La retirada del general Páez del frente de los enemigos para acudir al punto de asamblea, debía ocultarse hasta el último momento, y al efecto entretener al adversario con partidas o de cualquier otro modo, y calcular exactamente las jornadas y el tiempo que gastaría el ejército de Guayana en pasar el Orinoco por la Urbana, para lo cual debían enviarse mutuamente avisos oportunos (3). Las marchas, decía Bolívar a Páez, para estimularlo, "serán tan rápidas que temo no encontrar listos en Apure, por falta de tiempo, todos los trasportes y caballos pedidos para conducir el parque y los bagajes, remontar la caballería, y montar los jinetes conducidos a pie o embarcados" (4).

A Zaraza, Urquiola e Infante, envió instrucciones precisas. A estos dos últimos les dijo, recordando el desastre de la Hogaza, "en la guerra no se cometen faltas impunemente, y la inexactitud en la ejecución de los planes o combinaciones, trae frecuentemente graves e irremediables males" (5). Zaraza debía concurrir a Cabruta el 12 de enero con aquellos jefes y la caballería del Alto Llano de Caracas.

---

(2) O'Leary XV, 526. Oficio a Páez, de 27 de diciembre.

(3) Oficio a Urdaneta, Angostura 27 de diciembre. O'Leary XV, 528.

(4) Oficio a Páez, Angostura 27 de diciembre. O'Leary XV, 529.

(5) Oficios del 28 de diciembre, O'Leary XV, 531 a 533.

Las partes utilizadas de estos tres últimos oficios son tomadas del Copiador de Ordenes existente en el Archivo. Blanco y Azpurúa y O'Leary no las reprodujeron por estar en parte deterioradas, pero se pueden leer perfectamente.

Marcha por el Orinoco.

El 31 de diciembre partió de Angostura el Libertador en la escuadrilla principal al mando del capitán Antonio Díaz, el vencedor de Pagallos, conduciendo el parque, las municiones, algunos fusiles sobrantes y la Guardia de Honor, a cargo esta última de Anzoátegui. Navegaron toda la tarde y la noche, y a las nueve de la mañana del día siguiente, 1° de enero, desembarcaron en la isla de Borbón. "S.E. en su lancha y una flechera hizo vela rumbo a las Bocas del Pao, frente al pueblo de Moitaco", a dirigir el pasage de las brigadas estacionadas en aquél punto. Durante los dias 2, 3, y 4 de enero las tropas, puestas todas a las órdenes de Monagas, cruzaron el Orinoco, en la escuadrilla, y el 5 emprendieron por tierra la marcha hacia el Apure. Iba adelante la Guardia de Honor, a la derecha, es decir del lado del río la brigada Torres, y a la izquierda la de Monagas, disposición calculada para impedir que los hombres de esta última desertasen al territorio de Barcelona. El mismo 5 de enero la escuadrilla con la brigada Valdés abordo partió de Pozote, puerto situado a una legua de las Bocas del Pao, y siguió río arriba. El 6 el convoy atracó en la orilla izquierda, frente a la isla del Infierno. Al otro día los buques doblaron la punta de esta última a fuerza de remos, a favor de la brisa pasaron el peligroso punto de la Boca del Infierno y atracaron en la margen izquierda frente al pueblo de la Piedra. El 8 fueron a la isla del Caura. Dos flecheras remontaron este río para efectuar el pasaje de las tropas guiadas por Monagas (6).

El 9 el convoy navegó hasta la isla de Sacubán; el 10 fue a la de Tucuragua, frente a la boca del río Suata, el 11 a la isla de Uyape, y el 12 a Caicara, centro importante de comunicaciones, frecuentado durante la colonia por contrabandistas de cueros robados en los llanos y de géneros del exterior. El pueblo incendiado por los realistas no existía. El Libertador pasó al otro día a Cabruta, a la izquierda del Orinoco, donde debía encontrar a Zaraza, y halló al pueblo desierto, sin un alma a quien pedir noticias del jefe del Alto Llano. De regreso a Caicara, empleó el día 14, de espera forzosa, en visitar, a algunas leguas de distancia, la curiosa piedra de la Encaramada, cubierta de inscripciones

(6) Diario de Operaciones. O'Leary XV, pág. 552 y siguientes.

indígenas. Al mismo tiempo practicaba con el coronel Encinoso un reconocimiento del terreno, a fin de elegir el punto de pasar el Orinoco. Debía detenerse en Caicara mientras llegaran las tropas, retrasadas por dificultades naturales del camino.

Sedeño había salido de Angostura el 2 de enero con una división de caballería, y unos días después partieron de la misma ciudad el coronel Sánchez y su columna de infantes, de vuelta de Cumanacoa, y el coronel Jesús Barreto conduciendo un destacamento de jinetes de Maturín. Ambas columnas seguían las huellas de Monagas, y al alcanzarlo, Sedeño, por su mayor graduación, debía tomar el mando de todas las tropas.

Los 39 buques de la expedición remontaban la corriente impulsados por los vientos aliseos, reinantes en esta zona casi todo el año. Generalmente navegaban en dos hileras, abandonando esta formación en ciertos pasos dificiles. Fuera de la descomposición de algún buque, y la distribución de sus tripulantes en los más inmediatos no hubo otros incidentes en el viaje. En ciertos puntos por las dificultades del trasporte las tropas estuvieron hasta dos días sin recibir bastimento. Por los bosques y otros accidentes del terreno, rara vez podian distinguir desde los buques las tropas de tierra.

No guiaba a los patriotas la codicia de un fabuloso Dorado, ni el encendido sentimiento religioso de los conquistadores y colonizadores, sino el anhelo de realizar sueños de grandeza, alimentados en el silencio del hogar por dos generaciones.

En las desiertas orillas del río apenas se encontraban, a grandes distancias unos de otros, miserables caseríos de indígenas azotados por las fiebres y los parásitos del trópico.

La escuadrilla estuvo anclada en el puerto de la Arenosa, inmediato a Caicara, hasta el 17 de enero, pues aunque desde el 15 se dió orden de marcha fue necesario suspenderla por el retardo de las tropas.

El Libertador impaciente retrocedió en una flechera y subió por el Cuchivero a apresurar el pasaje de este río. Luego alcanzó el convoy y con la brigada Valdés y el parque siguió hasta la Urbana.

El 17 llegó a Caicara el coronel Plaza, enviado desde las Bocas del Pao, el 2 de enero, a activar la marcha de Zaraza. Lo había encontrado en la Quebrada del Muerto, en el centro de los llanos, pero imposibilitado de emprender la marcha a Cabruta, porque aunque él y Rondón obtuvieron ventajas contra López, destacado por Morillo desde Calabozo; a última hora, una partida enemiga le había quitado sus caballos de remonta en los potreros de Santiago, 60 u 80 kilómetros al sureste del Calvario; y poco después del coronel Plaza se presentó en Cabruta con muy pocos hombres.

En vista de este contratiempo se le dió orden de obrar sobre Calabozo con el mayor número de jinetes posible, encargándole divertir al enemigo, molestarlo e interceptar sus comunicaciones, sin comprometer un choque desigual y decisivo. En un despacho de estos días el jefe del estado mayor le dice: "S.E. teme no sea esta la última vez que los españoles logren apoderarse de los caballos que V.S. tiene para su división, si V.S. los continúa haciendo cuidar en potreros expuestos a esas sorpresas" (7). Abierto ese territorio por todas partes los enemigos tenían muchas ventajas para una sorpresa, por esa circunstancia, y la opinión favorable de sus habitantes.

Como va expuesto Bolívar se había adelantado con la escuadrilla hasta la Urbana, adonde llegó el ejército en la mañana del 22 después de haber remontado Sedeño parte de su caballería en el hato del Tigre (8). El pueblo célebre por su situación en el camino principal del Apure a Guayana, y las ricas pesquerías de tortugas en sus playas había sido incendiado en la guerra como casi todos los pueblos ribereños del Orinoco y del Apure y muchos de los llanos. Solo quedaba en pie la iglesia, en muy mal estado. Al frente, en la otra orilla del caudaloso Orinoco, con algunas islas intermedias, se divisan las bocas del rio Arauca.

Paso del Orinoco y del Arauca.

En este día y el siguiente, 23 de enero, la infantería, dirigida en estas operaciones por el propio Bolívar, pasó en la escuadrilla

---

(7) O'Leary XV, 543.

(8) No se debe confundir este punto inmediato a Caicara, como le sucede a Baralt, con el Tigre de Maturín.

el Orinoco y luego el Arauca, y enseguida de caminar una legua por la margen izquierda de este último, lo repasó por un puente de barcas, construído expresamente con canoas pedidas a Páez, y a las tres de la tarde se estableció el campamento en la orilla derecha (9). Después de la infantería, la caballería efectuó sus pasajes y el 24 en la mañana quedó reunido todo el ejército. La escuadrilla retornó a la Urbana a trasportar el parque, y barcos pequeños condujeron en el curso de la tarde y al día siguiente una parte de las municiones, al puerto del Potrero de Araguaquén, donde se hallaban las tropas.

El 26 Monagas remontó su caballería y en este día y el siguiente las municiones fueron conducidas al paso de Caujaral, frente a Payara. En los días 28 y 29 el ejército atravesando el río Claro llegó en la primera de estas dos jornadas, a la Aguadita, y en la segunda por el río Clarito al hato de Burón (10). El 30 marchando desde la madrugada acampó a las once del día en el hato de Cañafistola, y se detuvo a pasar los calores del día.

El general Páez. Retrato del Libertador.

A poco rato presentóse el renombrado jefe de Apure con sus principales tenientes, y el Libertador, montando a caballo salió a su encuentro. Allí se vieron y abrazaron por primera vez los dos hombres de más influencia en el país, en aquellos momentos y durantes largos años. El valentón de Páez, como lo denominara Morillo en su despecho, fuerte como un atleta, señor absoluto de aquellos llanos, donde su valor y eximias dotes guerreras, habían salido triunfantes de todas las pruebas, solo tenía 27 años de edad. De regular estatura, blanco y rubio, de origen canario, ancho de espaldas, pecho abultado, tenia cuerpo de hércules, y facciones y cabeza de león, no conocía rival en la lucha personal, ni en el magistral manejo de la caballería.

Inculto, pero discreto y astuto político, reconoció al Libertador como Jefe Supremo, cuando otros le negaban la obediencia;

(9) Diario de Operaciones del ejército libertador. O'Leary XV, 555. En francés, llevado por Manfredo Berzolari, y traducido por el editor de O'Leary. Lo relativo a este día 23 de enero, no fue bien interpretado por el traductor, seguramente por lo difícil de la letra. Nosotros nos guiamos por el original, existente en el archivo del Libertador.

(10) El editor de O'Leary por error escribe hato de Buroz.

y en Cañafistola y Payara lo recibió con demostraciones de júbilo, justificadas en todo caso, por cuanto solo del Gobierno de Guayana podía recibir las armas necesarias para aumentar su hueste y salir de aquellas llanuras semi desiertas. En sus memorias, escritas cuarenta años después, nos ha dejado un retrato de Bolívar, sencillo y expresivo, reflejo de la impresión que le causara, en aquellos momentos, cuando los celos del poder y de la gloria, todavía no habían envenenado su corazón. "Hallábase entonces Bolívar —nos dice— en lo más florido de sus años y en la fuerza de la escasa robustez que suele dar la vida ciudadana. Su estatura, sin ser procerosa, era no obstante suficientemente elevada para que no la desdeñase el escultor que quisiera representar a un héroe; sus dos principales distintivos consistían en la excesiva movilidad del cuerpo y el brillo de los ojos, que eran negros, vivos, penetrantes e inquietos, con mirar de águila —circunstancias que suplían con ventaja lo que a la estatura faltaba para sobresalir entre sus acompañantes. Tenía el pelo negro y algo crespo, los pies y las manos tan pequeños como los de una mujer, la voz aguda y penetrante. La tez, tostada por el sol de los trópicos, conservaba no obstante la limpidez y lustre que no habían podido arrebatarle los rigores de la intemperie y los contínuos y violentos cambios de latitudes por los cuales había pasado en sus marchas. Para los que creen hallar las señales del hombre de armas en la robustez atlética, Bolívar hubiera perdido en ser conocido lo que había ganado con ser imaginado; pero el artista, con una sola ojeada y cualquier observador que en él se fijase, no podría menos de descubrir en Bolívar los signos externos que caracterizan al hombre tenaz en su propósito, y apto para llevar a cabo empresa que requiera gran inteligencia y la mayor constancia de ánimo.

"A pesar de la agitada vida que hasta entonces había llevado, capaz de desmedrar la más robusta constitución, se mantenía sano y lleno de vigor; el humor alegre y jovial, el carácter apacible en el trato familiar; impetuoso y dominador cuando se trataba de acometer empresa de importante resultado; hermanando así lo afable del cortesano con lo fogoso del guerrero.

"Era amigo de bailar, galante y sumamente adicto a las damas y diestro en el manejo del caballo: gustábale correr a todo escape por las llanuras del Apure, persiguiendo a los venados que allí abundan. En el campamento mantenía el buen humor con oportunos chistes; pero en las marchas se le veía siempre algo inquieto y procuraba distraer su impaciencia entonando canciones patrióticas. Amigo del combate, acaso lo prodigaba demasiado y mientras duraba, tenía la mayor serenidad. Para contener a los derrotados, no escaseaba ni el ejemplo, ni la voz, ni la espada.

"Formaba contraste, repito, la apariencia exterior de Bolívar, débil de complexión y acostumbrado desde sus primeros años a los regalos del hogar doméstico, con la de aquellos habitantes de los llanos, robustos atletas que no habían conocido jamás otro linaje de vida que la lucha contínua con los elementos y las fieras. Puede decirse que allí se vieron entonces reunidos los dos indispensables elementos para hacer la guerra: la fuerza intelectual que dirije y organiza los planes, y la material que los lleva a cumplido efecto, elementos ambos que se ayudan mutuamente y que nada pueden el uno sin el otro. Bolívar traía consigo la táctica que se aprende en los libros y que ya había puesto en práctica en los campos de batalla: nosotros por nuestra parte ibamos a prestarle la experiencia adquirida en lugares donde se hace necesario a cada paso variar los planes concebidos de antemano y obrar según las modificaciones del terreno en que se opera" (11).

El mismo día de la entrevista los dos caudillos se dirigieron con la caballería al Caujaral, atravesaron el Arauca y fueron a San Juan de Payara. Desde el Orinoco hasta aquél punto el ejército había marchado siguiendo la orilla derecha del Arauca, por terrenos altos y secos, distintos de los opuestos de la orilla izquierda, casi toda de tierra anegadiza y cruzada de caños. Los soldados de Páez recibieron en Payara con aclamaciones estrepitosas, y disparos de su escasa artillería, al hombre que ya en esa época representaba para todos los independientes la causa de la Patria, y al cual muchos de ellos en años anteriores, habían combatido encarnizadamente.

El Apure.

El territorio de este nombre presenta ventajas excepcionales para la guerra defensiva y sus habitantes tenían medios de sos-

(11) Autobiografía, I, 139.

tenerla. Limitado y cruzado por ríos navegables y caños caudalosos, de asombrosa fertilidad en sus partes bajas, y rico en caballos y ganados, las innundaciones durante seis meses del año oponían un obstáculo casi invencible a los invasores.

Las distancias al centro del gobierno del Rey y los desiertos del lado del sur aumentaban su seguridad. Estas ventajas naturales, y la extraordinaria capacidad de su caudillo explican la superioridad del ejército de Apure sobre los de Oriente y de la provincia de Caracas.

En marcha a sorprender a Morillo el Libertador no se detuvo en aquellas interminables llanuras, sino el tiempo necesario para incorporar la división de Páez, y dar las disposiciones más urgentes respecto a los equipajes y las tropas atrasadas en la marcha. El activo y enérgico capitán José Padilla, futuro vencedor en Maracaibo, encargado de una escuadrilla sutil, trasladó el parque y el hospital al paso real del Caujaral y regresó a las bocas del Arauca conduciendo marineros y víveres para la escuadrilla. Por la escasez de elementos y de hombres adiestrados en el servicio esta última no podía emprender operaciones activas hasta no completar su marinería y recibir abordo cierto número de expertos en viaje en la columna del coronel Sánchez, todavía distante algunas jornadas. Por este motivo el Jefe Supremo le ordenó remontar el Apure solamente hasta Arichuna, a una jornada de San Fernando, esperar allí los refuerzos y al recibirlos estrechar la plaza de acuerdo con el coronel Guerrero, encargado del sitio (12) hasta rendirla, mientras el ejército libertador seguía a marchas forzadas a sorprender al valiente y experto general en jefe español, adornado ya con el título de Conde de Cartagena.

Los Realistas.

Al comenzar este año la causa de España preponderaba en sus extensas posesiones. El inmenso y rico virreinato mexicano, en casi toda su extensión, los países de Centro América, la hermosa colonia de Nueva Granada, llave de las comunicaciones de los dos océanos y el extenso y opulento Perú, de recursos al parecer inagotables, se hallaban sometidos. En los años anteriores los

(12) Oficio al capitán Antonio Díaz. O'Leary XV, 557.

ejércitos del virrey de Lima habían batido a los rebeldes de Quito, de Chile y el Alto Perú, y arrojado a su territorio a las tropas argentinas de sus dos invasiones a este último. A la sazón unicamente daban cuidado a los realistas el ejército de San Martin y O'Higgins, vencedor en Chacabuco, y la reacción de los patriotas chilenos, contra los cuales había enviado el poderoso gobierno peruano un ejército a someterlos. Hasta enconces sólo habían luchado constantemente por la independencia, Chile con escasa fortuna, la Argentina, dividida en varios estados, y presa de las facciones, pero sin enemigos internos, y la infortunada Venezuela, victima de una guerra a muerte, y desgarrándose en lucha fratricida, hermanos contra hermanos, unos defendiendo la integridad del imperio español con tenacidad y lealtad nunca desmentidas, y otros combatiendo heroicamente, en medio de atroces privaciones, por su propia causa, y en cierto modo por la redención del continente hispano americano. La metrópoli, triunfante de una guerra heróica, y unida bajo el cetro del rey absoluto, dominaba los mares y podía facilmente enviar nuevas fuerzas a este extremo del continente suramericano, donde grupos relativamente débiles, mantenían en alto la bandera de la rebelión. Tenían pues Morillo y sus adeptos, razón sobrada de contar con la victoria aún cuando la lucha sería larga.

A pesar de las quejas del general español a la corona, su situación, si no desahogada, era segura: disponía pacíficamente de la mayor parte del país, y de sus principales recursos, y a la sazón animado, por el éxito de la jornada de la Hogaza, creía disponer de tiempo suficiente para aumentar sus tropas y fortificar su partido aprovechando la mejora de precios de los frutos de exportación, fuente principal de riqueza de la abatida colonia. En esta confianza el jefe español diseminó las tropas para facilitar su mantenimiento, remontar sus jinetes y efectuar con comodidad los reemplazos y la recolección de reclutas. Sólidamente establecidos sus principales batallones en la línea del Apure y en Calabozo, y protegidos por obras de campaña, considerábalos invulnerables.

En Oriente el gobernador Cires, de Cumaná, y los comandantes Jiménez y Arana, mantenían en jaque a los patriotas debilitados por los contingentes sacados por el Jefe Supremo para la campaña principal. La escuadra de Chacón hacía frente a los corsarios, fuertes individualmente, pero divididos y consagrados a sus empresas particulares.

La línea del Apure se mantenía intacta en poder de los españoles y Páez con sus lanceros no podía nada contra los puestos fortificados de aquellos. El coronel Aldama mandaba con la guarnición de San Fernando, fuertes columnas en Apurito y San Antonio, y la escuadrilla del capitán Comos; la infantería descansaba y la caballería se remontaba en el Jobo y Santa Cruz, al norte del río Apure.

Calzada desde Nutrias se había extendido hacia Barinas a pacificar su territorio. El capitán Lorenzo Morillo, del 3º de Numancia, destruyó varias partidas y la facción de los indios de Masparro; y al final de estas operaciones el jefe de escuadrón José Moles alcanzó el 4 de enero en las sabanas de Pagüey, al sur de la capital, al jefe de caballería Romero, quien desde Pedraza había avanzado con tres escuadrones, y lo batió y persiguió hasta el otro lado del Apure. El comandante Cuesta, envuelto en esta derrota, se vió obligado a repasar el río con los restos de su escuadrón. Simultáneamente con el avance de estos guerrilleros estalló en Mérida, el 22 de diciembre, un movimiento revolucionario acaudillado por Francisco Gámez. El 9 de enero encontrándose los insurrectos sin apoyo abandonaron la ciudad; guiados por Scarpeta marcharon hacia Barinitas, por el camino de los Callejones, y perseguidos por el enérgico coriano Nicolás López destacado de Barinas, por el capitán Faría, comandante de armas de Trujillo, y el coronel Reyes Vargas, fueron aniquilados.

Casi al mismo tiempo una columna de Carache, a cargo del comandante Curvelo y del teniente coronel venezolano Isidro Barradas, nacido en Canarias, célebre después por su expedicíon a México, aniquilaba la facción de Barroeta en el valle de Boconó; y más tarde, el 20 de marzo, habiendo vuelto a invadir el guerrillero Romero con 300 jinetes de Apure, lo batió el coronel Reyes Vargas en Santa Rita, al Sur de Barinas, causándole fuertes pérdidas.

El comandante Rafael López había recibido el encargo de limpiar de partidas rebeldes el territorio al este de Calabozo, y de recuperar el punto importante de Chaguaramas en combinación con las tropas de Orituco. Tal era el estado de los españoles en el momento de la irrupción del ejército libertador en el centro de su territorio.

Según noticias recibidas por Bolívar el jefe español disponía en Calabozo de fuerzas inferiores a las suyas: "Batidas las tropas de Morillo, escribía desde Payara el 5 de febrero al Presidente del Consejo de Gobierno, San Fernando, Barinas y toda la provincia de Caracas, caerán en nuestras manos, sin otra operación que marchar. Mi dirección es a buscarlo, y confío en que obtendremos la victoria, si logro la fortuna de encontrarlo. San Fernando quedará bloqueado por nuestras fuerzas sutiles y algunos campos volantes. Si el enemigo me espera dentro de ocho días se habrá dado la batalla que decidirá la suerte de la campaña; si se retira evitándola, el suceso es más cierto, por nuestra parte, porque será perseguido vivamente y perderá su ejército en la retirada. Yo espero tener dentro de poco la satisfacción de participar a V.E. una victoria completa y decisiva" (13).

Obsérvese que desde antes de llegar a San Fernando el Libertador, abarcando en su pensamiento todo el teatro de la guerra, tenía resuelto dejar bloqueada esta plaza y seguir marcha precipitada a Calabozo a realizar la gigantesca sorpresa estratégica a los españoles y arrancarles la victoria. Páez en cambio acostumbrado a proyectar sólo operaciones parciales creía necesario rendir la plaza antes de seguir adelante, sin cuidarse de dejar tiempo a los enemigos de reunir sus columnas. Esta diversidad de criterio en caracteres fuertes, apoyados por sus respectivos grupos, cuando todavía no se hallaba bien cimentada la autoridad suprema, debía producir consecuencias funestas en toda la campaña.

El Ejército Libertador.

Sin dinero y sin disponer de la buena voluntad de todos los habitantes, en territorios casi despoblados y pobres, no era posible levantar fuerzas numerosas (14). Sumando la división boli-

(13) Nota del 5 de febrero, en Payara. O'Leary XV, 558.

(14) "En estos países la falta de subsistencias y de población, no permiten ni el tránsito, ni la unión de una masa de gente algo considerable". Morillo al Ministro de la Guerra; Santa Fé, 30 de agosto de 1816. Rodríguez Villa, III, 188.

viana de Ocumare, la de Sedeño, y sus propias fuerzas, Piar había reunido en Guayana 1.500 hombres, sin contar los indios de las Misiones utilizados apenas unos días en las filas. Con la división de Bermudez y nuevos reclutas, después de la toma de las plazas, el ejército llegó a contar 2.400 infantes y 600 jinetes. Repetidas gestiones elevaron el número total a 4.000 hombres, y se hicieron constantes esfuerzos por mejorar la disciplina y adiestrar los reclutas. Las pérdidas sufridas en la campaña de la Hogaza se compensaron con la brigada de Monagas y los reclutas proporcionados por la ley marcial. Aún cuando al partir el Jefe Supremo no dejara en las dos plazas sino unos cuantos hombres para guardar el orden, y se llevó hasta las tropas destinadas a la guarnición, sólo pudo poner en marcha sin contar los marineros de la escuadrilla, 3.900 a 4.000 combatientes, distribuidos así:

		Batallones		Escuadrones	
Brigada Valdés	Barlovento Angostura	2	600 hs		
Brigada Torres	1° Barcelona Valerosos Cazadores	2	635		
Brigada Monagas	2° Barcelona	1	353	3	342 hs
Guardia de Honor	Cazadores Fusileros	2	726		
División Sedeño	Brigada Martín Brigada Lara			3 3	294 310
Columna Sánchez	Bajo Orinoco Guayana	2	632	1	87
		9	2.946 hs.	10	1.033 hs.

Total 9 batallones y 10 escuadrones con 3.979 hombres.

Rebajando de este número 300 a 400 entre desertores y enfermos, en las marchas hasta Payara, y el efectivo de la columna de Sánchez destinada a la escuadrilla y al sitio de San Fernando, sólo quedaron disponibles para invadir el Guárico 2.997 hombres de Guayana y 300 infantes y 1.000 jinetes de Páez, en junto 4.300 combatientes distribuídos en 8 batallones y 18 escuadrones.

El paso de Apure.

El 6 de febrero llegó el ejército al Paso del Diamante, en el río Apure, al este de la plaza. Esta tenía al sur un parapeto atenazado, de tierra y grandes estacas, con puerta en el medio, cubierta por un tamborete, y a derecha e izquierda parapetos rectos hasta el río, y entradas en medio resguardadas por pequeños fuertes abaluartados. Formaban la guarnición el batallón 3º de Numancia, casi todo de granadinos, una compañía de Barinas, un destacamento de caballería, unos cuantos marineros de las flecheras y algunos soldados europeos, por todo 650 hombres, al mando del valeroso comandante José María Quero, natural de Caracas (15). Rechazada la intimación de rendirse, se esperaban algunos buques de la escuadrilla para efectuar el paso del Apure, cuando observando el Libertador a una cañonera y unas flecheras de los enemigos distantes de los otros buques principales, arrimados a la plaza en la parte de arriba, exclamó, dirigiéndose a los jefes de la caballería: ¿"No hay aquí un guapo que se atreva a tomar a nado esas flecheras?" Si lo hay! contestó el general Páez, y organizando dos partidas de 25 hombres cada una, al mando de los tenientes coroneles Francisco Aramendi y José de la Cruz Paredes, las lanzó al río en dirección de las flecheras. Los llaneros nadando junto a los caballos se dirigían resueltamente hacia los buques y atemorizados sus tripulantes hicieron algunos disparos, los abandonaron y se arrojaron al agua para salvarse en la orilla opuesta (16). Inmediatamente se procedió al pasaje. El río tiene 700 metros de ancho en este punto.

Los primeros escuadrones que pasaron al otro lado, por instrucciones especiales del Jefe Supremo, corrieron a la Misión del

---

(15) Morillo al Ministro de la Guerra. Valencia, 10 de abril de 1818. Rodríguez Villa. III, 537.

(16) Asegura Páez, haber proyectado tomar los buques desde muchas leguas antes de llegar al río, y que Bolívar creía imposible realizarlo. Versión inverosímil: 1º porque él no podía adivinar que existieran unos buques casi desguarnecidos lejos de las fortificaciones. 2º porque estando tan cerca la escuadrilla, era de creer llegaran a tiempo los buques pedidos para efectuar el pasaje; y 3º, la hazaña no podía parecer irrealizable a Bolívar, puesto que Sedeño había ejecutado una semejante en el paso del Caura, a fines de 1816. Nosotros seguimos la versión del oficial inglés Wavell autor de "Campagnes et Croisieres". París, 1837; pág. 70.

Guayabal a rodear y sorprender al destacamento realista apostado allí, y lo lograron completamente, sin escapar quien pudiera llevar la noticia a Calabozo. Como se desprende de todos sus oficios la idea fundamental de Bolívar era sorprender a Morillo en sus cuarteles, aprovechando entre otros factores favorables, la confianza de los españoles por sus éxitos en la última campaña; por tanto debía seguir cuanto antes la marcha sobre Calabozo, y a este objeto lo dispuso todo, pues aunque hizo algunas demostraciones contra la plaza, y un reconocimiento completo de sus alrededores, no detuvo el pasaje, por esto, ni un momento (17).

El 7 ya estaba el ejército al otro lado. Al día siguiente escribía el Libertador a Brión; "El 6 me presenté al frente de San Fernando con todo el ejército, y después de haber reconocido la plaza, me dirigí sobre las bocas del Apurito por donde se ha ejecutado el pasaje del río en una cañonera y otros buques que se tomaron a nado al enemigo. La demora de nuestra escuadrilla, que aún no ha llegado, me hace perder la ocasión de tomar a San Fernando, a muy poca costa, estando sin otra defensa por parte del río que algunos buques de guerra mal tripulados. Hemos batido un escuadrón enemigo en Guayabal y le hemos tomado 400 caballos. Por los prisioneros sabemos que las fuerzas de Calabozo sólo alcanzan a 2.000 hombres de todas armas. Morillo está en Valencia activando la recluta de criollos. Los prisioneros aseguran que no han llegado fuerzas de España. La uniformidad de estas relaciones convence la falsedad de las noticias venidas de Margarita" (18). En la misma nota aprueba las medidas dictadas por Brión, encargado del Gobierno de la República, para crear nuevas fuerzas en Guayana y le participa haberle enviado 600 mulas destinadas a satisfacer parte de las contratas y compras de armas.

---

(17) Nota del Jefe de Estado Mayor al general Urdaneta, Paso del Diamante 7 de febrero de 1818. Boletín Nº 84 de la Academia de la Historia, pág. 412.

(18) O'Leary XV, 565.

En oficio de 24 de diciembre de 1817, dirigido al Jefe Supremo, Arismendi se queja del abandono en que se encuentra la isla de Margarita y remite carta de su esposa, fechada en Cádiz, en la cual anunciaba el embarco de 3.500 hombres para Costa Firme. Extractos de documentos tomados por Carlos Benito Figueredo en los archivos de España.

Toma de las flecheras
En la Galería.

La Sorpresa.

Las 33 leguas de San Fernando a Calabozo las recorrió el ejército en tres días, siguiendo en las dos últimas jornadas el desusado camino de la izquierda del río Guárico para no ser sentido por los enemigos. Adelante marchaba la caballería de Páez; después la infantería, la artillería, el parque y los equipajes, y enseguida la caballería de Monagas y la de Sedeño. El 9 la jornada fue hasta la laguna de los Zamuros; el 10 el ejército cruzó el río Guárico por el paso de Altagracia y acampó en el caño de Pavones; al otro día atravesó el río Orituco, sorprendió y capturó una descubierta de los españoles y fue a dormir a inmediaciones de la laguna de los Tres Moriches.

El 12 de febrero a las seis de la mañana el Libertador dió al general en jefe español la sorpresa más extraordinaria, cayendo sobre sus cuarteles descuidados, después de una marcha de 865 kilómetros efectuada en 43 días, y en momentos de estar diseminadas a larga distancia las fuerzas enemigas. La consecuencia debió ser la destrucción total del ejército español, batiéndolo en detal como en la campaña admirable de 1813, y los sucesos subsiguientes nos permiten creer que así habría sucedido, salvo incidentes imprevisibles, sin las voluntariedades y caprichos del jefe de Apure, expuestos adelante, voluntariedades y caprichos de consecuencias funestas, primero al estorbar, y luego al interrumpir la acción en los momentos más delicados de la campaña.

La marcha de Angostura hasta el Apure, cubierta por el Orinoco, y la sorpresa dada a los enemigos en Calabozo es una de las operaciones más bellas de la guerra de independencia, y ella sola bastaría para hacer la gloria de un guerrero (19).

Pocas veces desde un plano inferior se logran en la guerra sucesos tan extraordinarios y felices, y oportunidades tan espléndidas, de destruir a poca costa a un enemigo superior en número; pero no todos saben aprovecharlas.

---

(19) En la historia militar la marcha semejante —aparte número de combatientes y extensión del teatro— del gran principe Eugenio de Saboya, general del Austria, por la orilla derecha del Pó y la sorpresa dada al ejército francés el 7 de setiembre de 1706, en Turín, se cita como una de las más gloriosas en su género.

Batalla de Calabozo.

Antes de amanecer el 12 de febrero el ejército emprendió marcha sobre esta villa. El Libertador iba adelante con una avanzada de caballería, y luego seguía la caballería de Páez en dos columnas, y a corta distancia la infantería a la derecha y la caballería de Sedeño a la izquierda, e inmediatamente después el parque y los equipajes, y la caballería de Monagas cubriendo la retaguardia.

Como hemos dicho el general español se había trasladado sucesivamente a la Victoria, Valencia, y San Carlos a tomar medidas administrativas, sin temor a los rebeldes por considerarlos impotentes, a consecuencia del desastre de la Hogaza; y se hallaba en la última de dichas ciudades, cuando un soldado de caballería venezolano nombrado Telésforo Gutiérrez, escapado del Apure, donde se hallaba prisionero, voló primero a Calabozo, y luego a San Carlos, caminando noche y día, a llevar a Morillo la noticia de la presencia del Libertador en Apure. En el acto el general español partió con sus edecanes por el Pao y San José de Tiznados y casi sin detenerse llegó a Calabozo en la noche del 10 de febrero. Del camino dió órdenes a Calzada de pasar de Nutrias a la Guadarrama, cerca de Calabozo, movimiento que requería varios días (20); a los destacamentos del Sombrero y otros pueblos la de dirigirse a Calabozo y al coronel López de marchar con su columna a Guayabal. Creía Morillo tener tiempo de reunir sus destacamentos, incorporar a Calzada y socorrer a San Fernando.

El día 11 lo empleó en preparativos de marcha. A media noche supo la sorpresa dada por los insurgentes a la descubierta situada en el paso de Orituco, y era tal su engaño, que no creyó en la presencia de fuerzas importantes en aquél punto, sino de alguna de las tantas partidas alzadas en los llanos, de manera que cuando le avisaron poco antes de las seis de la mañana del 12 que los insurgentes en gran número avanzaban a la vista de la plaza, preguntó sobresaltado, y todavía incrédulo: ¿y por donde han venido? Sin pérdida de tiempo montó a caballo y corrió a reconocerlos.

---

(20) Guadarrama dista de Nutrias 240 kilómetros, lo que supone seis días de marcha y otros tantos para recibir la orden y preparar las tropas.

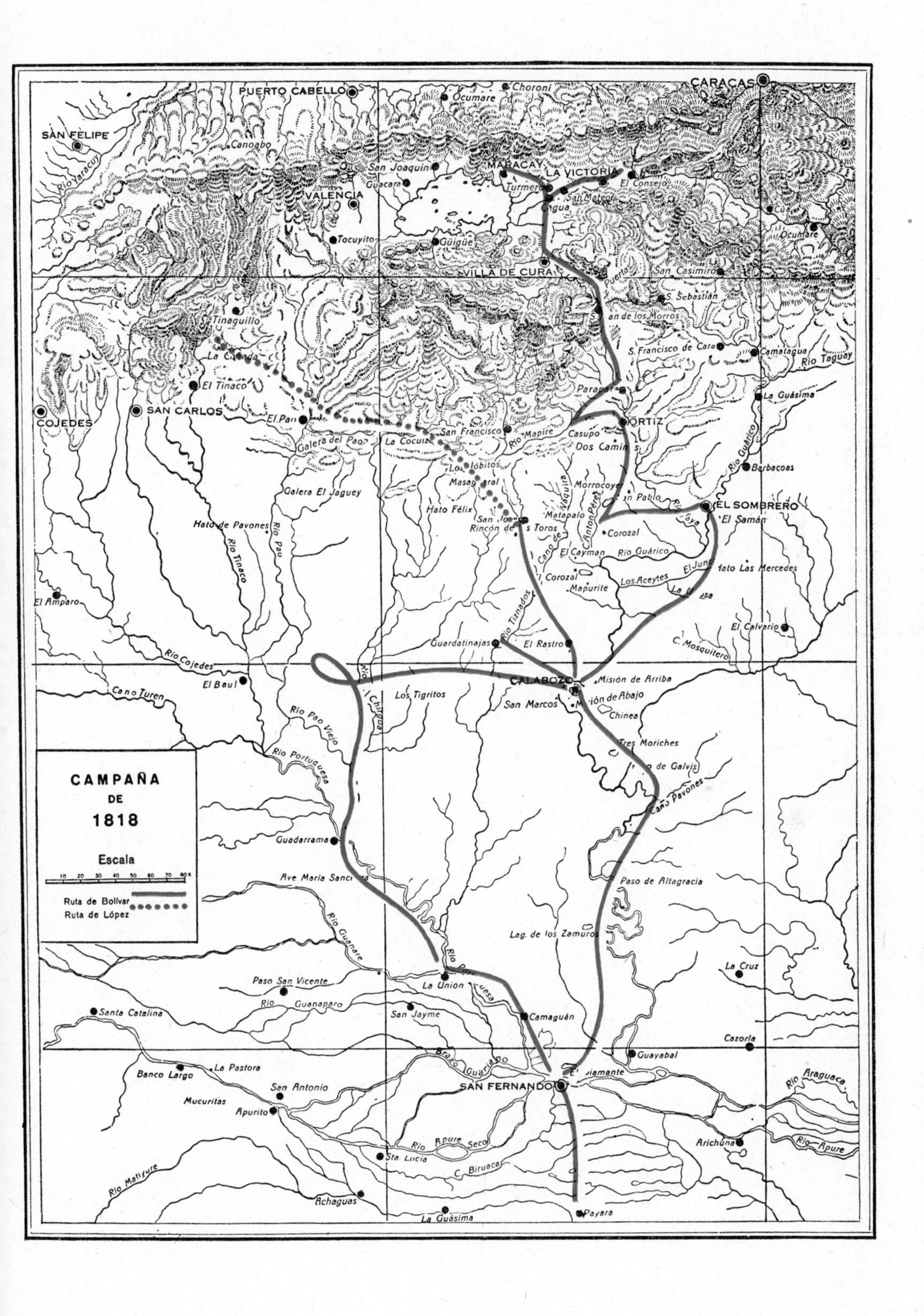
CAMPAÑA
DE
1818
Escala
10 20 30 40 50 60 70 80 K
Ruta de Bolívar
Ruta de López
CARACAS
PUERTO CABELLO
Ocumare
Choroní
SAN FELIPE
Canoabo
Río Yaracuy
San Joaquín
MARACAY
LA VICTORIA
Guacara
Turmero
El Consejo
VALENCIA
San Mateo
Cagua
Cúa
Ocumare
Tocuyito
Güigüe
VILLA DE CURA
San Casimiro
S. Sebastián
Tinaquillo
La Cañada
S. Francisco de Cara
Camatagua
Río Taguay
El Tinaco
Parapara
La Guásima
COJEDES
SAN CARLOS
El Pao
ORTIZ
San Francisco
Río Mapire
Casupo
Galera del Pao
La Cocuiza
Barbacoas
Río Guárico
Masaguaral
Morrocoyes
Galera El Jaguey
Hato Félix
Matapalo
EL SOMBRERO
El Samán
Hato de Pavones
Río Pao
Corozal
Río Tinaco
El Cayman
Río Guárico
Hato Las Mercedes
Corozal
Mapurite
Los Aceytes
El Amparo
Río Tiznados
El Calvario
Guardatinajas
El Rastro
C. Mosquitero
Río Cojedes
CALABOZO
Misión de Arriba
El Baul
San Marcos
Los Tigritos
Chinea
Caño Turen
Río Pao Viejo
Tres Moriches
Río Portuguesa
Caño Pavones
Guadarrama
Paso de Altagracia
Ave María Sanchez
Río Guanare
Lag. de los Zamuros
La Cruz
Paso San Vicente
La Unión
Río Guanaparo
San Jayme
Camaguán
Santa Catalina
Cazorla
Guayabal
Banco Largo
La Pastora
Brazo Guariapo
Río Araguaca
San Antonio
SAN FERNANDO
Mucuritas
Apurito
Río Apure Seco
Arichuna
Río Apure
Sta. Lucía
C. Biruaca
Río Matiyure
Achaguas
La Guásima
Payara

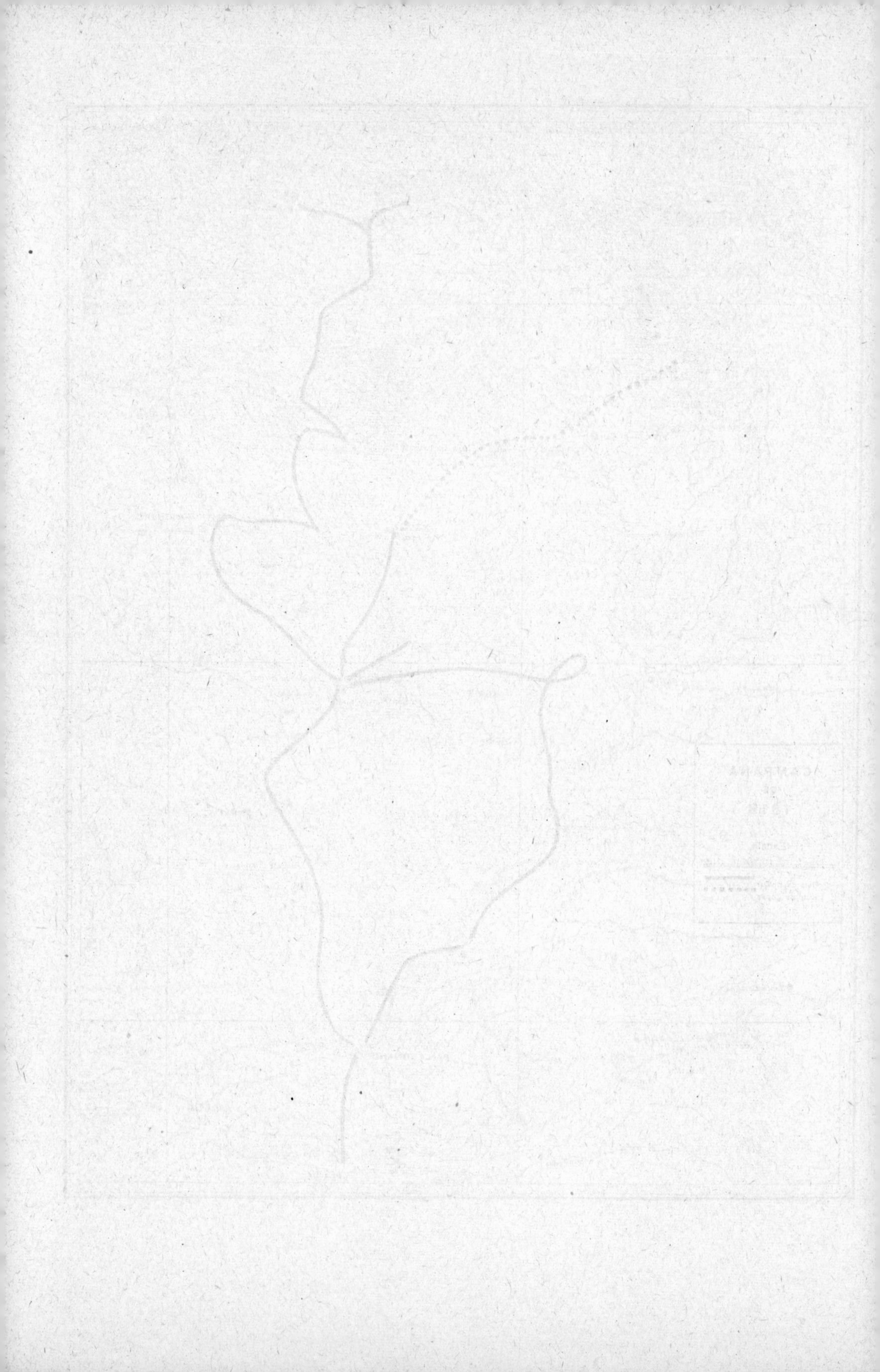

El río Guárico, vadeable en el verano, rodea a Calabozo por el norte, el oeste y el sur; deja por este rumbo amplio espacio de 10 kilómetros, en el cual existe, a 5 kilómetros al sur de la ciudad, la Misión de Abajo, o de la Trinidad, lugar cubierto de verdura, siempre fresco, en aquellas sabanas abrazadas por el sol todo el año, y secas en el verano. En ella se hallaban el batallón de Castilla, dos compañías de Navarra, y tres escuadrones de Húsares, mientras en la plaza y al este en la Misión de Arriba, o de los Angeles, estaban el batallón Nº 1 de Navarra, dos compañías del Nº 2 y los dos batallones del regimiento de la Unión. De la caballería del país los escuadrones de López andaban por el Calvario o hacia Chaguaramas, y los otros, remontábanse en los Tiznados, Guarda Tinajas, El Pao y el Baúl. En Calabozo sólo tenía Morillo 2.100 infantes y 300 jinetes, todos españoles, y 3 piezas de artillería con algunos sirvientes, fuera de los cañones apostados en los parapetos de tierra construídos alrededor de la plaza. Por todo 2.450 hombres contra 4.200 de los insurgentes.

Desde el amanecer el Libertador, apuró cuanto pudo la marcha de las tropas con el objeto de interceptar de la plaza a los españoles de la Misión de Abajo. La infantería en el centro en dos columnas, la caballería de Páez a la derecha, la de Sedeño a la izquierda, y la de Monagas a retaguardia avanzaban rápidamente sobre la ciudad. A distancia conveniente Páez recibió orden de precipitarse sobre la plaza con los escuadrones de adelante, mientras Sedeño con parte de su caballería y la brigada Valdés, corría a interceptar las tropas de la Misión de Abajo que ya venían a toda carrera hacia Calabozo, y Monagas se lanzaba en su alcance. Páez se apoderó en un corral cerca de la plaza del ganado de los enemigos, en momentos en que el general Morillo salía de aquella con su escolta y dos compañías de la Unión. El jefe rebelde lo dejó avanzar a cierta distancia y se fue aproximando con un grupo solamente para no inspirarle temor, y cuando el español prudentemente volvió riendas, lo cargó con tal ímpetu que ya Aramendi iba a atravesarlo de un lanzaso cuando un edecán se interpuso y recibió el golpe mortal por salvar a su general. Páez retrocedió a tomar parte en el combate principal, esquivando a las dos compañías de la Unión emboscadas en el camino.

De las tropas de la Misión de Abajo dos compañías de Castilla lograron pasar hacia Calabozo, pero las cuatro restantes del mismo batallón, las dos compañías de Navarra y los Húsares quedaron cortados, y completamente cercados no quedó más recurso a los infantes que formar cuadro para resistir, después que los húsares envueltos por su derecha fueron cargados y destrozados, y sus restos perseguidos fuera del campo de batalla. El Libertador lanzó de flanco contra los cuadros españoles la Guardia de Páez, mientras este general y Sedeño los acometían de frente y Monagas a retaguardia, pero ni aún así, sin esperanza de sostenerse, quisieron rendirse, y todos sucumbieron quedando la mayor parte muertos o heridos y pocos prisioneros. De los húsares se salvaron 40 a 50 con su coronel Juan Juez, y unos 20 con el segundo jefe Diego Aragonés, huyeron al otro lado del Guárico. Los primeros volvieron a la ciudad por un camino de travesía, los segundos siguieron a los Tiznados.

Los españoles perdieron 600 hombres de los cuales 320 muertos y el resto entre heridos, prisioneros y dispersos, y los patriotas por lo menos 100 de unos y otros aún cuando en el boletín indicaron un número mucho menor.

Mientras ocurría este combate parte de la caballería corrió a detener al regimiento de la Unión, situado en la Misión de Arriba, pero este cuerpo formado en columna cerrada, tuvo tiempo de refugiarse en la plaza sin sufrir otra pérdida fuera de sus equipajes.

El ejército libertador se formó en la llanura frente a la ciudad, y Morillo se encerró en sus fortificaciones. Le quedaban 1.700 a 1.800 infantes aguerridos, en aptitud de defenderse contra fuerzas superiores. Cubrían a la ciudad un parapeto de tierra, cuatro reductos y una casa fuerte. No pudiendo Bolívar forzar aquel campo atrincherado, ni convenirle dar tiempo a los adversarios de reunir sus tropas, resolvió maniobrar para inducir al enemigo a salir de la plaza y batirlo en campo raso. Antes de moverse dirigió una comunicación a Morillo proponiéndole la cesación de la guerra a muerte, y ofreciéndole un indulto a él y a los suyos, en términos depresivos e injuriosos: el español no le contestó.

La maniobra del Rastro.

El día 13 el ejército cruzó el Guárico cerca de medio día por el paso de San Marcos, y a las tres de la tarde se estableció en el Rastro pueblo situado en medio de inmensas llanuras, a tres leguas al Norte de Calabozo. Era evidente que Morillo, sin pérdida de tiempo intentaría retirarse hacia Caracas, a cubrir su base de operaciones y tratar de reunir algunas de sus columnas dispersas. Sin caballería y con fuerzas inferiores a los insurgentes no podría dirigirse al oeste en solicitud de Calzada situado a muchas jornadas de Calabozo, ni al este hacia donde encontraría la pequeña columna de López, ni mucho menos al sur, dejando enteramente descubierta la capital. En tan apurada situación sólo le era dado retirarse al norte por uno de los dos caminos de los Valles de Aragua y Caracas a saber, el del Rastro y Ortiz, ocupado por el ejército libertador, y el inmediato del Sombrero, en el cual los independientes, cruzando el Guárico podían interceptarlo o caerle encima mucho antes de que llegara a la serranía (21). En tan admirable situación el ejército libertador mantenía todas sus ventajas y procuraba una decisión inmediata. El coronel Iribarren, encargado de vigilar a Morillo, con un regimiento de Apure, innundó de partidas los alrededores de la plaza.

Ideas falsas atribuidas por Páez a Bolivar.

En la tarde del 13 y en el día 14 no ocurrió novedad, más a la caída de la noche Páez suscitó al Libertador una larga y acalorada discusión, con motivo de un proyecto que le atribuye en su Autobiografía, pero en realidad por el disgusto de no tener el mando superior, el consecuente estado de ánimo, propenso a la crítica de ideas y planes agenos y su injustificado desagrado porque antes de marchar a Calabozo no se procedió a tomar a San Fernando (22). Sólo tenemos de esta discusión los informes dados por el mismo Páez, pero el análisis de sus afirmaciones basta para desvirtuarlas por completo. Según él Bolívar pensaba marchar a Caracas a levantar 4.000 paisanos, desentendiéndose de Morillo, sin pensar que este general podía reunir sus columnas dispersas y caer sobre la espalda de los independientes con fuer-

---

(21) Estos dos caminos forman un ángulo agudo, con el vértice en Calabozo.

(22) En las "Campañas de Apure" dice que la discusión tuvo lugar en la noche del 14. Boletín de la Academia Nacional de la Historia N° 21, pág. 1164.

zas abrumadoras; y a tan peregrino proyecto Páez, naturalmente, opuso esta y otras razones fáciles de encontrar. No es posible arrojar sobre la memoria del guerrero acusación más injusta. En efecto todos los documentos y actos de la vida militar del Libertador prueban que su concepto del objeto de la guerra fue siempre la destrucción de las fuerzas enemigas, y no la ocupación de territorios, dando naturalmente a la posesión de las capitales todo su valor por el efecto moral y sus recursos materiales. ¿Como se atreve Páez a atribuir al Libertador idea tan extraña? ¿No recordaba su oficio de Angostura del 15 de diciembre en el cual le dice: "He concebido el proyecto de levantar un ejército de siete a ocho mil hombres de todas armas, buscar al enemigo donde quiera que se encuentre, marchar sobre él, destruirlo, y terminar para siempre la guerra que desola a Venezuela"? (23). Este concepto del objeto de las operaciones de la guerra sirvió de guía al Libertador en sus catorce campañas. El párrafo copiado por nosotros, páginas atrás, de la nota dirigida por Bolívar al Consejo de Gobierno, el 5 de febrero desde Payara, es también concluyente a este respecto. En admirable síntesis expone el programa de la campaña: "Morillo ha concentrado sus tropas en Calabozo. Batidas éstas, San Fernando, Barinas y toda la provincia de Caracas, caerán en nuestras manos, sin otra operación que marchar. Mi dirección pues es a buscarlo, y confío en que obtendremos la victoria, si logro la fortuna de encontrarlo" (24).

Páez dictó las Campañas de Apure, origen de su Autobiografía, después de muerto el héroe, en plena reacción antiboliviana, rodeado de antiguos partidarios y cortesanos de Boves y Morillo, y para ocultar las funestas voluntariedades y rebeldías que vamos a exponer enseguida, se apoderó de la falsa leyenda realista, explotada por José Domingo Díaz en sus cartas circulares y en la Gaceta de Caracas, durante la guerra, como arma de combate, basada en la supuesta obsesión del héroe por su ciudad natal, a la cual daban apariencia de verdad el desembarco de Ocumare, motivado por razones militares de primer orden, y la proclama fechada en el Unare, en enero de 1817, anunciando, para engañar

(23) O'Leary XV, 499.
(24) O'Leary XV, 558.

al enemigo una marcha sobre Caracas que no tuvo la intención de realizar (25).

La verdad histórica.

El juicio del Libertador respecto a la situación creada por la sorpresa de Calabozo y el éxito adverso de la campaña lo expresó al almirante Brión, el 15 de mayo siguiente, en esta síntesis perfecta: "Lo que más ha contribuído a prolongar esta campaña ha sido la temeraria resistencia de San Fernando, y el empeño del general Páez en tomar esta plaza, que siempre se habría rendido con el simple bloqueo que se le había puesto desde mi llegada aquí. Algunos otros por sus erradas opiniones no han dejado de contribuir al mal éxito que hemos experimentado. La acción del 12 de febrero nos entregó a Venezuela y al ejército español, más nosotros no hemos sabido aprovechar la fortuna, que de todos modos se nos ha presentado" (26). Concepción clara de la realidad, expresada con la prudencia propia del caso.

La discusión, según nos dice Páez, tomó tales proporciones "que llamó la atención a los que observaban de lejos, quienes tal vez se figuraron que estábamos empeñados en una reñida disputa". "Al amanecer del día siguiente —continúa el general en su narración— sin que Bolívar hubiese resuelto nada definitivamente, vino un parte de Iribarren en el cual participaba que Morillo a media noche había evacuado la ciudad, y que hasta aquella hora no sabía la dirección que había tomado". Informe bien raro, por cierto, pues aún en el supuesto de enviarlo Iribarren antes de entrar a la plaza, sus informantes debían saber la vía adoptada por los españoles, imposible de ocultar a los vecinos como veremos adelante al referirnos a la retirada de Morillo, por lo que dudamos de la veracidad de Páez al asentar esta segunda parte del informe

(25) Varios historiadores repiten la leyenda sin averiguar su origen y sin estudiar los casos. Los más antiguos, Montenegro Colón y Baralt, copiaron el manuscrito de Páez, y los otros han copiado a estos autores.

Recuérdese que apenas libertó Bolívar a Caracas en 1821, la abandonó por proseguir la campaña, pues aunque amaba a su ciudad natal, en la lucha sólo guiaban sus pasos los intereses superiores de la guerra.

(26) Lecuna. Cartas del Libertador. II, 8.

del oficial, y nos fundamos en la lógica de los hechos y en lo expuesto por Briceño Méndez, secretario de guerra, quien escribe en su relación histórica: "Morillo se dirigió hacia el Sombrero y el general Bolívar supo el movimiento al amanecer el día siguiente" (27).

Páez trastorna la campaña.

En el informe de Iribarren no era necesario expresar la dirección tomada por Morillo. No podía ser sino la del Sombrero: cualquiera otra lo alejaba de su base indispensable de Caracas y Valencia, y lo exponía al peligro de recorrer sin caballería inmensas llanuras. Por tanto los patriotas debieron, sin pérdida de tiempo cruzar el Guárico, vadeable por todas partes en aquella estación, y lanzarse al camino del Sombrero a interceptar a Morillo, como lo efectuó el Libertador en dos ocasiones solemnes, en situaciones análogas o casi idénticas a la del Rastro: en Boyacá al cortar el ejército de Barreiro, y en la pampa de Junín al caer de flanco sobre el de Canterac para detenerlo en su marcha retrógrada; pero desgraciadamente la autoridad del Libertador en 1818 no era efectiva sobre los hombres de Apure, y Páez levantando violentamente su división, se fue a toda carrera a Calabozo, sin atender a órdenes, prescindiendo de sus deberes y faltando a la disciplina escandalosamente. ¡Terrible situación la del Jefe Supremo! O realizaba su proyecto con las solas fuerzas de Guayana insuficientes para obtener una victoria completa, dejando consumar la rebelión, o seguía el movimiento de Páez a reducirlo, o por lo menos a salvar las apariencias. Sin vacilar tomó este partido.

El mismo Páez, sin quererlo, nos confirma su actitud al describir los episodios subsiguientes en Calabozo: "allí, escribe, un tal Pernalete me dijo que alguien había manifestado a Bolívar que yo había adelantado mis fuerzas con el objeto de saquear la ciudad. Lleno de indignación me presenté inmediatamente a Bolívar, que estaba en la plaza, y le dije que si se le había dicho

(27) Autobiografía de Páez, I, 154. Relación Histórica del general Briceño Méndez, pag. 50, Caracas, 1933.

A consecuencia de las invenciones de Páez, muchos historiadores censuran por estos hechos injustamente a Iribarren, oficial insigne y valeroso, licenciado en derecho, de familia distinguida de Barquisimeto.

semejante cosa, estaba resuelto a castigar con la espada que ceñía en defensa de la patria, al que hubiese tenido la vileza de inventar la pérfida calumnia. Bolívar irritado sobre manera al ver tal falsedad me contestó: "falta a la verdad quien tal haya dicho, deme Vd. el nombre de ese infame calumniador para hacerlo fusilar inmediatamente" (28).

Ahora bien, observamos nosotros, si Páez marchó a Calabozo de orden superior, como dice él en sus escritos, no había ningún motivo de atribuirle el propósito de saquear la plaza, ni tampoco para que él diera tanta importancia al chisme de Pernalete, y ambas cosas sólo se explican perfectamente, a nuestro entender, por la actitud de Páez en el Rastro, a la vista de muchos, dando lugar el inesperado escándalo de su desobediencia, a toda clase de suposiciones entre las cuales surgió la trasmitida por Pernalete. Casi a renglón seguido de las líneas copiadas, el general se refiere de nuevo al empeño de la gente de ver desacatos o desacuerdos, donde, según él, no los había y añade: "Es muy probable que algunos de los que presenciaron aquella escena la tradujeran como una falta de respecto al Jefe Supremo, y seguramente por tal motivo empezó a rugirse que nuestros ánimos estaban mutuamente mal dispuestos, y que tal iba a ser la causa de que suspendiéramos la persecución de Morillo" (29). Palabras comprometedoras, bastantes a sugerir cuanto sabemos por otros conductos, pues sin insubordinación de su parte no habrían ocurrido tan siniestros pronósticos. El empeño desatentado de irse a Apure trascendió al ejército, y su actitud dió margen a las suposiciones pesimistas respecto a sus relaciones con el Jefe Supremo. Sólo la entereza y ductilidad de Bolívar, y sus frases sinceras y oportunas, pudieron contener al indómito caudillo en aquél momento peligroso.

Por su parte el cura interino de Calabozo en una narración de estos sucesos confirma lo expuesto. Refiriendo su conversación con el Libertador al trasmitirle un recado de Morillo, respecto a la disposición del jefe español de suspender la guerra a muerte, dice lo siguiente: "En este estado, y en el mismo local en que estábamos, tuvo lugar un gran disgusto, parto del general Páez, que

(28) Autobiografía I, 155.
(29) Autobiografía I, 155.

movido de un chisme, según se averiguó, en el acto faltó el respeto al Jefe Supremo, marchándose aquel sin orden de Bolívar, con toda la caballería en persecución de los españoles, quedando la infantería en la plaza, donde se disponía a tomar alimento, según lo había dispuesto Bolívar. Este, alojado en una de las principales casas de la plaza, fue informado de la marcha de la caballería y al instante mandó con su edecán que marchara la infantería sin haberse aún alimentado" (30). Según esto el incidente fue una repetición de la escena del Rastro, al amanecer, cuando Páez, sin orden del Libertador, se fue a Calabozo con sus jinetes. Mas esta segunda parte de la narración del cura puede no ser del todo exacta, por información incompleta, pues según Briceño Méndez, como exponemos enseguida, "la horrible nube se disipó", es decir que el Libertador logró reducir o aplacar al voluntarioso caudillo en el propio Calabozo, antes de emprender la persecución; pero sea esto como lo dice el cura o como lo expresa Briceño Méndez, la actitud de Páez no fue en Calabozo, la de un subalterno en la guerra (31). En la Autobiografía nos dice que después de almorzar juntos, él y el Libertador, salieron a eso de las doce del día en persecución de Morillo.

Falso principio llanero.

Tales fueron los hechos según los datos conocidos, concordantes con los planes y conceptos del Libertador y aún con las mismas afirmaciones de Páez, interpretadas por nosotros. Veamos ahora como invirtiendo los sucesos el insubordinado caudillo pretende cohonestar sus actos censurables, engañando a la posteridad, como sabía engañar a sus contemporaneos. Así tergiversa la verdad con la mayor frescura. Según él al llegar al Rastro el aviso de Iribarren, el Libertador ordenó contramarchar a Calabozo, y "aunque los prácticos de aquellos lugares le dijeron que continuando la marcha hacia Caracas, podríamos repasar el río Guárico por el vado de las Palomas, y salir al enemigo inopinadamente por delante, él insistió en su resolución diciendo que al enemigo era siempre conveniente perseguirlo por la huella que dejaba en su marcha, y que era por lo tanto indispensable ir a Calabozo para informarse

(30) Blanco y Azpurua VI, 341.

(31) Relación Histórica del general Pedro Briceño Méndez. Caracas, 1933, pág. 51.

con exactitud de la vía que había tomado" (32). Falsedad completa, a todas luces: primero, porque el principio enunciado así es falso y por tanto impropio de Bolívar; y segundo porque las razones expuestas prueban superabundantemente la inutilidad de contramarchar a Calabozo a averiguar una cosa sabida de todo el mundo por inducción segura.

Observaciones.

A mayor abundamiento, si analizamos en conjunto las afirmaciones de Páez, encontramos otras contradicciones y actos inexplicables, pues si el Libertador creía necesario perseguir al enemigo por la huella, ¿para que se fue tan lejos de Calabozo?. En esa idea ha podido dejar el ejército al frente de la plaza y mandar por partidas a forrajear los caballos, y si avanzó al Rastro con ánimo de seguir a Caracas, desentendiéndose de Morillo, ¿por qué se detuvo allí la tarde del 13 y todo el día 14 en vez de continuar su marcha fulminante sobre la capital?. Y sobre todo ¿por qué al tener conocimiento de la evacuación de la plaza, olvida su obsesión respecto a Caracas y contramarcha a Calabozo?. ¡Pues una de dos, o Morillo se retiraba por el camino del Sombrero hacia Caracas, o se había ido llano abajo; y en ambos casos, Bolívar debía seguir hacia el norte, bien a caer sobre Morillo, según sus propias ideas, o bien a ocupar la capital, según las ideas que le atribuye Páez, y sin embargo no hace ni una ni otra cosa! Estas contradicciones y contrasentidos desaparecen al asignar al acuartelamiento en el Rastro su verdadero objeto, único propio y racional: el de provocar la salida de Morillo a campo raso para caerle encima en plena llanura; y nos convencen de la falsedad de Páez en estos asuntos, como lo hemos probado en muchos casos, y los probaremos en tantos otros de estas campañas de 1818 y 1819.

Bolívar conocía a fondo la situación militar y la juzgaba con perfecto acierto. El 13 de febrero exponía el aislamiento e impotencia de Morillo en estas precisas palabras: "Las únicas fuerzas

(32) Autobiografía I, 155. Campañas de Apure. Boletín de la Academia Nacional de la Historia N° 21, pág. 1165.

En el Boletín del día 17 de febrero no se hace mención de la marcha a Calabozo. O'Leary; XV, 580.

que pudieran venir en socorro de la plaza, se hallan en Nutrias y están en absoluta incomunicación con ella". Luego él sabía perfectamente que Morillo a la sazón sin caballería, no podría tomar otro camino sino el de las montañas, es decir el de Caracas, por no existir en los llanos inmediatos tropa alguna en aptitud de reforzarlo (33).

El concepto atribuido por Páez a Bolívar: "al enemigo es siempre conveniente perseguirlo por la huella de sus pasos" es falso porque no es general. Aunque corrientemente se persigue a los vencidos cargándolos a fondo, con la espada en los riñones, como decía Bonaparte, hasta aniquilarlos, también puede convenir perseguir al enemigo marchando paralelamente a él para cortarlo o anticipársele en una posición importante. La historia presenta muchos casos de esta clase.

Dicho principio es más propio de un beduino que del guerrero consciente de todos los recursos del arte. En su primera campaña en la Nueva Granada Bolívar persiguió a los enemigos anticipándoseles en Chiriguaná donde los hizo prisioneros: lo mismo en la persecución de Araure hasta cortarlos a las once de la noche en la Aparición de la Corteza. Enseguida de San Mateo persiguió a Boves, después de la batalla de Bocachica, lanzándose sobre el flanco derecho del español y lo destruyó en tres combates sucesivos. Concibió la maniobra de Barinas para aislar a Tiscar y caerle por donde no era esperado, y en la expedición de Los Cayos efectuó un gran rodeo hacia el Este con el objeto de evadir la marina española desprevenida cerca de Margarita. Muchas de sus operaciones están basadas en el principio de sorprender a los enemigos presentándose donde no era esperado como por ejemplo en el desembarco en Ocumare dejando burlados a los españoles en Oriente; en la maniobra de Clarines calculada para inducir al brigadier Real a retroceder a Caracas con su ejército y poder salvar el parque desembarcado en Barcelona (34). El claro concepto respecto a la manera de conquistar a Guayana, batiendo la

---

(33) Bolívar al Consejo de Gobierno. Calabozo, 13 de febrero de 1818. O'Leary XV, 571.

(34) Lecuna. Cartas del Libertador. Véase en el Indice Analítico lo relativo a "Guerra". Tomo X, pág. 160.

escuadrilla de los españoles primero, como único medio de rendir las dos plazas fuertes; la vuelta por el Orinoco y el Apure a sorprender a Morillo, y tantas otras de sus posteriores campañas, fecundas en combinaciones ingeniosas, calculadas para sorprender al enemigo, como lo premeditaba estacionándose en el Rastro. En la campaña de 1819 en Apure, veremos el proyecto de perseguir a Morillo, marchando paralelamente a él, en caso de realizarse la diversión de Urdaneta, dispuesta sobre Caracas.

La verdad en la versión de Briceño Méndez.

Todas estas observaciones nuestras concuerdan con la relación auténtica de los episodios del Rastro y Calabozo, del Secretario de la Guerra de Bolívar, escrita en 1833, bajo la presidencia de Páez, aún con los miramientos del caso, respecto al primer magistrado de la República, pues esta relación destinábase al proyecto del gobierno de ordenar la redacción de una historia de la Independencia. "El general Bolívar —dice Briceño Méndez, supo el movimiento al amanecer del día siguiente, e intentó una marcha recta y breve para interponerse entre el Sombrero y el Ejército español, pero algunos de sus generales se opusieron a esta operación, y aún rehusaron abiertamente ejecutarla, pretendiendo que debía ocuparse antes la plaza evacuada. Fue preciso condescender, y perder medio día en este movimiento falso e insignificante, que trajo muy desagradables consecuencias. El general Bolívar probó en esta ocasión cuanto puede el amor a la patria, y sólo este sublime sentimiento pudo inspirarle tanta prudencia como la que empleó para reducir a su deber a uno de sus generales, que halagado por algunos sediciosos intentó desconocer la autoridad del Jefe Supremo, e introducir la anarquía. Felizmente esta horrible nube se disipó, pero mientras se conseguía este efecto el enemigo ganaba terreno en su fuga y evitaba la ruina absoluta que habría sido inevitable si los patriotas lo hubieran alcanzado en la llanura descubierta de Calabozo" (35). Ante este testimonio de actor principal, ajustado a la lógica de los hechos, e irrecusable, desaparecerán por completo las dudas de algunos adeptos, respecto a las versiones incongruentes de Páez.

---

(35) Relación Histórica del General Pedro Briceño Méndez. Caracas, 1933, Tipografía Americana, pág. 50.

Otra conseja del jefe apureño.

Pero todavía debemos destacar otras inexactitudes de Páez. En las "Campañas de Apure" atribuye la demora en Calabozo al tiempo empleado en averiguar si Morillo se retiraba por la vía del Sombrero. De esta manera pretende Páez explicar el tiempo perdido en Calabozo con sus voluntariedades y conato de desconocimiento de la autoridad del Jefe del Estado, como si se necesitasen muchas horas para averiguar el camino tomado por Morillo, sabido por todos los vecinos desde el momento mismo de emprender la marcha, los españoles en la madrugada. En la Autobiografía no se atrevió a repetir la peregrina conseja.

No existe ninguna otra fuente fuera de las citadas sobre estos acontecimientos. Según el Diario de Operaciones del Estado Mayor "al saber S.E. la noticia de la salida de Morillo ordenó la marcha a Calabozo de todo el ejército a fin de asegurarse de la dirección tomada por el enemigo." En un documento oficial no se podía confesar el desacato cometido por el Jefe de Apure a la autoridad Suprema (36).

Los originales de la obra "Campañas de Apure" los perdió en París el aventurero polaco Rola Skiwiski, edecán de Páez, después de haber gastado en su vida disipada el dinero dado por el general para la publicación; el manuscrito original, conservado por Páez, sirvió de base, como ya lo hemos expresado, a nuestros primeros historiadores Montenegro Colón y Baralt y Díaz, y los otros autores han copiado a éstos, en lo referente a Calabozo, excepto Restrepo y Larrazabal, quienes adoptaron la relación de Briceño Méndez. Nosotros nos hemos detenido a analizar estos hechos porque debíamos exponer las causas del trastorno de la campaña, y pérdida del ascendiente logrado con la soberbia sorpresa dada al general español. En años sucesivos Páez, oprimido por el predominio alcanzado por el héroe después de la jornada de Boyacá, fue más prudente, y cuando Bolívar llegó a ser árbitro de estos países, lo denominaba su "maestro que en mil ocasiones le había señalado la senda de la victoria" (37).

---

(36) O'Leary XV, 611.

(37) Carta de Páez al Libertador de 28 de julio de 1824. El original se conserva en el archivo. O'Leary II, 53.

Retirada de Morillo. Combate de la Uriosa.

A la media noche del 14 de febrero abandonó Morillo la plaza dejando en ella el hospital, la artillería sin clavar, a pesar de decir lo contrario en sus Memorias, fusiles, municiones y equipajes. El ejército, seguido de muchos emigrados, marchó en tres columnas, a cortas distancias unas de otras. El movimiento no se podía ocultar, pues las tropas desde las 10 hasta las 12 de la noche traginaron toda la ciudad al evacuar los puestos, sacar heridos, enfermos, equipajes y parque; destruir parte de las fortificaciones como los dos tamboretes o reductos, frente a la plaza de la Merced, y disponerse a la emigración. Una explosión casual de unos cajones de pólvora aumentó la alarma. Los españoles sin caballos, debían recorrer 20 leguas de llanuras para llegar al Sombrero, pueblo de fácil defensa, situado donde empiezan los cerros, en la vía de los Valles de Aragua y de Caracas. Las tropas españolas marchaban paralelamente al río Guárico. Al día siguiente, bajo un sol abrazador y devorados por la sed no se detuvieron sino momentos para cobrar aliento. El esforzado general español dió el ejemplo cediendo su caballo por muchas horas a heridos o cansados.

La caballería de los patriotas emprendió la persecución entre once y doce de la mañana, seguida de la infantería, pero esta última, por un error de los guías, se extravió y tomó el camino del Calvario a poco de haber emprendido la marcha, y por el tiempo perdido aumentó su atraso respecto a la caballería; más no fue esta la causa de no llegar a tiempo cuando los generales Páez y Sedeño y el coronel Ortega alcanzaron con dos escuadrones la retaguardia de Morillo a las cinco de la tarde, en la sabana de la Uriosa, pues ni el resto de la caballería pudo llegar oportunamente. Los dos jefes patriotas con unos cuantos jinetes pusieron en derrota 30 a 40 húsares españoles y cuando se les incorporaron dos escuadrones cargaron a la infantería formada en cuadro, ya a la caída de la noche y lograron causarle algunas pérdidas. Facilitaron la carga unos cuantos soldados de infantería enviados por el Libertador a la grupa de algunos jinetes. En manos de los patriotas quedaron cerca de 200 prisioneros, cogidos casi todos en el camino, agobiados de cansancio. Los españoles adelantaron los equipajes, los emigrados y heridos a cargo del general Morales y continuaron la retirada toda la noche sin detenerse.

Los generales Páez y Sedeño permanecieron con sus hombres en la Uriosa, hasta la llegada del Libertador con un cuerpo de infantería y la caballería de Monagas, a las nueve de la noche. De alli siguieron la persecución sin descanso (38).

Combate del Sombrero.

Al día siguiente muy temprano Páez y Sedeño alcanzaron de nuevo a la retaguardia de Morillo en la quebrada del Juncal, pero sin fuerzas suficientes, después de algunos disparos, esperaron la infantería, y al aproximarse esta los españoles continuaron la retirada, y no se detuvieron hasta la entrada del pueblo del Sombrero, construído en un promontorio, con el río Guárico, por delante. La posición era muy fuerte por la barranca del río de difícil acceso. La infantería de los independientes llegó devorada por la sed, y el Jefe Supremo en persona la condujo al ataque contra los puestos avanzados de los enemigos. En un momento fueron estos arrojados al otro lado del río, sobre su cuerpo principal, y los soldados independientes pudieron beber agua.

El regimiento de Navarra, en batalla, defendía en el centro la orilla derecha del Guárico, cubriendo la entrada principal. A su derecha el batallón de Castilla, en columna, sostenía las compañías de Cazadores encargadas de cubrir los pasos más accesibles del río, vadeable en muchos puntos. Los Cazadores de la Unión defendían un paso a la izquierda de los españoles, y el batallón de este nombre y algunos húsares se hallaban de reserva en el pueblo.

A pesar de lo fuerte de la posición el Libertador sin vacilar empeñó el combate, creyendo seguramente forzar el puesto, sin mayores sacrificios, pero no lo logró. Los dos batallones de la Guardia de Honor entraron por el centro con audacia y denuedo y los de Apure y Barlovento a derecha e izquierda. Los otros batallones permanecieron en reserva. Tres veces avanzaron los independientes con resolución y otras tantas fueron rechazados.

(38) Oficio de 26 de febrero. Rodríguez Villa III, p. 504. Boletín del Ejército Libertador del 17 de febrero, O'Leary XV, 580.

Las tropas españolas, en las primeras horas, caminaron lentamente, puesto que las independientes las alcanzaron a las cinco o seis horas de marcha habiendo salido de Calabozo doce horas después de ellas.

Dos compañías de Castilla flanquearon en el último de éstos avances a una columna independiente al atravesar el paso de la izquierda de los republicanos, y los españoles, según el parte de Morillo, tomaron su bandera, pero al divisar uno de los batallones de reserva en marcha precipitada sobre ellos retrocedieron a su posición. En vista de la resistencia del enemigo y del cansancio de la tropa, el Libertador suspendió el combate, después de dos horas de brega, mientras la caballería efectuaba un movimiento de flanco, y atravesaba el río más abajo, para caer sobre la espalda de los españoles.

Más por el estropeo de los hombres, no fue posible renovarlo, ni llevar a cabo con la premura del caso el movimiento de flanco. La naturaleza violentada tantas horas recobraba sus derechos. Los soldados de Bolívar habían recorrido las 20 leguas de Calabozo al Sombrero en 18 horas, y estaban agotados. Los combatientes de uno y otro bando se echaron al suelo a descansar. Pasadas unas horas, y al sentir el movimiento de flanco, Morillo siguió la retirada y fue a dormir con todas sus tropas a Barbacoas, tres o cuatro leguas al norte del Sombrero, abandonando la mayor parte de sus heridos y 80 prisioneros en poder de los patriotas (39).

Sus pérdidas desde Calabozo incluyendo los dispersos y las bajas en los combates se estimaban en 300 a 400 hombres, al punto de solo tener al abandonar el pueblo de 1.400 a 1.500 combatientes, tal era el estado de debilidad de sus tropas. Los patriotas tuvieron en el combate 80 muertos y heridos. De los primeros el teniente coronel Passoni, italiano distinguido, ayudante del Estado Mayor; el experto capitán Arévalo y el valeroso teniente Luis Girardot, hermano del héroe de Bárbula, ambos de la Guardia de Honor; el capitán Urbina de Barlovento, y los capitanes Ramírez y Rosales del batallón Apure; y de los segundos, el general Anzoátegui, el teniente coronel Ponce, el mayor Gil, los capitanes

(39) Morillo al Ministro, Villa de Cura. 26 de febrero. Rodríguez Villa. III, 504. En el tomo I, p. 337 de dicha obra se inserta el mismo parte con la diferencia de asignar a los independientes en uno 400 muertos, y en el otro 40.

A Calabozo envió el Jefe Supremo 18 heridos del Ejército Español que podian montar a caballo. Nota del J. de E. M. al comandante de Calabozo. Sombrero, 18 de febrero.

Pulido y Mijares Tovar y ocho oficiales más, casi todos servidores de la república desde 1813 (40).

Los patriotas suspenden la persecución.

Los españoles prosiguieron la retirada sin ser perseguidos, porque los "generales de caballería, escribe Briceño Méndez, protestaron que sus caballos no podían resistir más fatiga. El general Bolívar se vió obligado a complacer a los mismos generales que insistieron en que el ejército contramarchase a tomar cuarteles en Calabozo, y tuvo el dolor de ver que el enemigo se salvaba cuando podía haber sido destruído enteramente" (41). Esta escena ocurrió al día siguiente en la mañana, 17 de febrero, estando todo el ejército reunido en el Sombrero. La oposición naturalmente partió de Páez y sus oficiales negados todos a proseguir la persecución. Aunque Monagas y Sedeño retrocedieron también con sus jinetes a Calabozo, ninguno de los dos tenía fuerza para imponerse, ni le hacían oposición a Bolívar. La campaña quedó trunca, y los españoles se salvaron.

Terror de los realistas.

El país quedó asombrado de la inesperada derrota del temido general español, considerado hasta entonces invencible, por su valor y entereza de carácter, y la superioridad de sus tropas. Las autoridades de los pueblos y cuantos se hallaban comprometidos en el bando real huyeron aterrados a Caracas, Valencia, La Guaira, y Puerto Cabello. "Tres días faltó sólo mi correspondencia, escribió Morillo a la Corte, que fue el tiempo que invertí en llegar al pueblo del Sombrero, y esta circunstancia bastó para que el Superintendente, abandonando los caudales, se embarcase en la Guaira, los ministros de la Audiencia hicieran lo mismo, y todos, todos cuantos servían a S.M. en la capital y los demás pueblos, faltando a sus deberes, huyeron sin saber de qué, con un terror y cobardía de que no hay ejemplo. El mismo capitán general interino quiso abandonar a Caracas, donde estaba con toda su fuerza el batallón Burgos, y fue menester el celo y serenidad del brigadier don Miguel de La Torre, que estaba allí curándose de sus heridas, y de otros oficiales del ejército, para que lo disuadiesen

(40) Boletín del ejército libertador. O'Leary XV. 580.
(41) Relación Histórica citada p. 51.

de esta idea" (42). Era el efecto moral de la inaudita sorpresa y de la derrota de Morillo, y el peligro inminente de su destrucción total, ocultados por el jefe español a la Corte atribuyendo el fenómeno a cobardía de los suyos; pero este desastroso estado moral, presentido solo por el genio del Libertador en el campo patriota, pasó pronto cuando los realistas se dieron cuenta de lo ocurrido; y el hecho funesto a los independientes, salvó a sus enemigos, y permitió a Morillo atribuirse la victoria del Sombrero, falseando la verdad. En la Gaceta de Caracas del 25 de febrero se publicaron extractos de los oficios del jefe español, disimulando en parte lo ocurrido para calmar al público. Estos escritos volvieron la confianza a los realistas (43).

Crítica a las versiones realistas.

Si los hechos hubieran ocurrido como decían los españoles la retirada natural de Morillo habría sido por el Valle de Paya a cubrir los Valles de Aragua y Caracas, abandonando por extraviado y extenso el camino del Valle del Guárico; es decir marchando directamente del Sombrero a Villa de Cura por Ortiz en lugar de dar el rodeo por San Sebastián, pero no se atrevió a tomar esa vía y huyó al norte, hacia Camatagua, para seguir a Caracas por Ocumare del Tuy o por San Casimiro y Tácata, resignado a abandonar a los patriotas casi todo el país y las fuerzas diseminadas en el Occidente. Este movimiento de Morillo es la prueba más elocuente de la terrible situación de su ejército después del combate del Sombrero. Júzguese cual sería su asombro y regocijo al sentirse en Camatagua libre de toda persecución. Inmediatamente cambió de rumbo y siguiendo el valle del Guárico marchó atrevidamente a Villa de Cura, y pidió víveres y refuerzos al gobierno. Con este sabio y atrevido movimiento cambiaba radicalmente su situación.

En aquél pueblo se le había incorporado el coronel Rafael López, con solos 200 a 300 hombres, por haberse dispersado los restantes, cuando supieron cerca del río Orituco la derrota de Morillo en Calabozo, así como se habían dispersado los escua-

(42) Oficio de Morillo. Villa de Cura, 26 de febrero de 1818. Rodríguez Villa, III, 510.

(43) Gaceta de Caracas, Nº 174. Restrepo II, 587 a 591, publica completas las notas de Morillo. En una de ellas dice que sus soldados siguen la marcha desfallecidos, de varios días sin comer.

drones realistas enviados antes de esta acción a Guarda Tinajas, Los Tiznados y el Baúl. Todos estos sucesos, presentidos por Bolívar, prueban cuan desacertado e inoportuno fue el sesgo dado por Páez a la campaña.

Concentración de los españoles.

En marcha a Villa de Cura, Morillo destacó de San Sebastián dos compañías de Navarra y una de Castilla, directamente al sur por las cabeceras del río Paya, a observar a Ortiz, temiendo con razón que Bolívar intentara penetrar a los Valles de Aragua por esa vía. El 21 dió un día de descanso a sus tropas en aquél pueblo, y en la noche se incorporó La Torre con cuatro compañías de Burgos, en junto 318 soldados, el batallón de Pardos de Caracas, de 200 milicianos y 20 húsares de los escapados de Calabozo, en junto 538 hombres; en la Villa de Cura recogió 90 reclutas del lugar y se le unió el brigadier Aldama con 150 milicianos de San Carlos, reuniendo por todo 2.500 combatientes, fuerza todavía inferior al ejército de los independientes, si éstos hubieran permanecido unidos. Una revista de aparato en Villa de Cura infundió aliento al partido del Rey. Morillo se había salvado de una catástrofe (44).

Retirada a Calabozo. Resistencia del Libertador.

A pesar de sus victorias el ejército libertador con sus 3.500 combatientes, 1.700 infantes y 1.800 jinetes, se retiraba tristemente a Calabozo como si hubiera sido vencido, cuando lanzándose del Sombrero por Ortiz a la Villa de Cura, podía dar una batalla con ventajas en las extensas llanuras de los Valles de Aragua. Páez alegaba el mal estado de sus caballos casi todos despeados, y la necesidad de tomar otros en aquella plaza, y fue tal su impaciencia que el mismo 17 de febrero, repasando el Guárico, se llevó del Sombrero toda la caballería a Calabozo, quedando en aquel pueblo sólo la infantería. Nuevo dolor y humillación del Jefe Supremo! ¿Como suspender la acción en momentos tan preciosos, cuando todas las ventajas morales y materiales estaban a favor de los independientes, y pasarían a los enemigos, dándoles tiempo de concentrarse? ¿Para que tantos esfuerzos, y marchas tan dilatadas, para sorprender a los enemigos si ahora

(44) Mémoires du Général Morillo, 139.

se les dejaba reunir sus tropas? ¿Por qué no lanzarse a los Valles de Aragua por el camino de Ortiz? Todos los argumentos y todas las reflexiones fueron inútiles y Páez y los suyos, y los otros jefes de caballería comprometieron a Bolívar a retirarse con la infantería al otro día, 18 de febrero; más apenas había dado la orden de marcha, la suspendió, resuelto a trasladarse sólo con los infantes a Ortiz, abundante en víveres y donde también había pastos, y situado a las puertas del territorio enemigo. De esta manera lejos de retirarse avanzaba algunas leguas, mantenía en parte la supremacía moral adquirida y daba tiempo a que sus generales remontasen la caballería y se le incorporaran (45).

Para convencernos de la sinrazón de Páez basta recordar los triunfos de Boves en 1814, obtenidos con sus caballos cansados después de efectuar marchas iguales a las realizadas por los patriotas en esta campaña; y sobre todo las marchas y contramarchas del mismo Páez, enseguida de estos sucesos antes de remontar sus jinetes en Apure, porque en Calabozo, él y los otros generales sólo encontraron muy pocos caballos. Pena dá el decirlo, por el renombre del eminente llanero: no era esa la razón de su empeño en la retirada, y quizá ni aún lo fue el proyecto de tomar a San Fernando, si consideramos las declaraciones de él mismo en su carta del 2 de marzo a que nos referimos adelante; además de estas razones ostensibles, creemos influyeran en su espíritu el orgullo de imponer su voluntad, y su ignorancia causa de no discernir las inmensas ventajas morales y materiales adquiridas por la sorpresa, y abandonadas al enemigo, en el momento más delicado de la campaña. ¿Qué habría sucedido, y que diría la crítica, preguntamos nosotros, si después del combate de Gámeza, y de la batalla del Pantano de Vargas, en la campaña de 1819, el ejército libertador suspende las operaciones y da tiempo a Barreiro de aumentar sus tropas?

En el propósito de conservar siquiera en parte, el ascendiente adquirido, el Libertador envió a Ortiz una partida de infantería, y caballería al mando del capitán Gómez, y en cuenta de la aproximación de Zaraza, ordenó a este jefe apresurar su marcha al Sombrero, donde creyó poder esperarlo; pero una partida desta-

(45) Notas a Páez y Sedeño, El Sombrero, 19 de febrero. O'Leary XV, 582 y 583.

cada desde el 17 a picar la retaguardia a Morillo, ante la embestida de algunas guerrillas realistas, se devolvió el 19 de la Guácima, con la noticia falsa de que los enemigos habían recibido grandes refuerzos y venían sobre los patriotas; y no siendo prudente quedarse en el pueblo del Sombrero sin la caballeria, Bolívar se trasladó el 20 al hato del Corozal, posición intermedia, en la llanura, y pidió a Calabozo la caballería de Sedeño, y el regimiento apureño de Rangel ofrecido por Páez, resuelto siempre a establecerse en Ortiz (46).

Los generales lo obligan a retirarse.

Pero ni aún esto le permitieron sus ofuscados tenientes. Al otro día en la mañana, 21 de febrero, Páez, Sedeño y Rangel, procedentes de Calabozo se presentaron en el cuartel general, dejaron sus respectivos escuadrones, a una legua de distancia, y a las cuatro de la tarde retrocedieron todos con el Libertador y la infantería hacia aquella villa, adonde llegaron al otro día a las diez de la mañana (47). ¿Que había ocurrido? En sus narraciones Páez guarda silencio sobre estas marchas y contramarchas inútiles. El diario de operaciones nos dá luz a este respecto. Pero de los oficios subsiguientes de Bolívar podemos inferir con seguridad que sus generales lo obligaron a prescindir de la actitud de vencedor. Resolución fatal, como la tomada en el Sombrero de interrumpir la ofensiva, causa de errores y derrotas porque en la guerra un error trae siempre otros errores. Nunca Bolívar recibió golpes morales tan rudos como en esta campaña.

Bajo tan deprimentes impresiones permaneció en Calabozo del 22 al 26 de febrero. En la primera de estas fechas, dió a Páez dos oficios, uno muy natural nombrándolo gobernador y comandante general de la Provincia de Barinas, de la cual formaba parte el territorio de Apure; y el otro, haciendo de la necesidad virtud, tenía por objeto encomendarle tomar a San Fernando, y luego emprender operaciones al Occidente de la provincia de Caracas, batir a Calzada, o avanzar por San Carlos hacia Valencia, si este último se retiraba, y enseguida buscar la unión con el ejército (48). Plan el menos conveniente en aquellas circunstancias, y

(46) O'Leary XV, 587 y 588.
(47) Diario de Operaciones. O'Leary XV, 613 y 614.
(48) O'Leary XV, 589.

sin duda concesión obligada a las ideas de Páez; y no aventuramos lo más mínimo al expresarnos así, porque interrumpir la ofensiva, abandonar la superioridad numérica y el ascendiente de la victoria, por el objeto secundario de rendir a San Fernando, estrechamente sitiado por tierra y por agua desde la llegada de la columna del coronel Sánchez; establecer dos líneas de operaciones con fuerzas inferiores, y dar tiempo a los enemigos para todo, eran ideas opuestas a las preconizadas con tanto ahinco, firmeza y lucidez por el Jefe Supremo, en todos sus despachos. Sin embargo en su política de equilibrio, no pudiendo confesar la verdad, y para mayor dolor suyo, expuso al Consejo de Gobierno, las ideas de Páez como si fueran propias (49). El jefe apureño se llevó no sólo su excelente caballería sino también el batallón de Apure.

Gestiones para aumentar el ejército.

En este estado de cosas lo prudente era seguir laborando cuanto se pudiera. Levantar tropas y atraer a los enemigos locales era lo principal por el momento. Por decreto de 12 de febrero dado frente a Calabozo, se había prorrogado la ley marcial, dada a raiz de la derrota de la Hogaza. Otro decreto promulgado el 18 de febrero en el Sombrero concedía una amnistía y olvido de lo pasado a los americanos realistas que abrazaran la causa de la patria, y les garantizaba la conservación de sus grados y empleos. Las misma gracias se ofrecían a los oficiales y soldados españoles. A muchos caudillos locales, influyentes desde las guerras de Boves, enviáronse notas individuales o comisionados convidándolos a adherirse a la república.

Diversos destacamentos partieron en todas direcciones a levantar tropas, los principales a cargo de Sedeño y de Riobueno a los Tiznados y Guarda Tinajas, abundantes en buenos jinetes. El coronel López o una partida de sus tropas destacada de la Villa de Cura, arrojó al capitán Gómez de Ortiz, pero el valiente coronel Jacinto Lara rápidamente recuperó el puesto. El coronel Vásquez debía sostenerlos con un escuadrón. Otros destacamentos cubrieron los caminos del Baúl y el Pao, por donde podía venir Calzada, y todos, primero a las órdenes de Sedeño, y luego a las de Monagas, ayudarían las levas ordenadas en esos territorios, y se concentrarían al primer aviso en caso de acercarse Calzada,

(49) O'Leary XV, 594.

para interceptarlo con todas las tropas si se arriesgaba a internarse por los Tiznados a Villa de Cura como informaban de los pueblos cercanos (50).

Estos trabajos eran útiles, sin duda, pero sus resultados no compensaban las pérdidas sufridas en la inacción, por la miseria del ejército, y los sentimientos hostiles de una gran parte de la población de esos llanos. El ejército libertador, escribía Sucre más adelante, "se componía en aquel año de cuerpos informes, y cada día estos se disminuían acosados por todas las privaciones de la vida" (51). Palpando las consecuencias de tan crítica situación, escribió el Libertador a Páez el 24 de febrero: "Con harto dolor mío he visto confirmados ya los temores que anuncié a V. S. para no contramarchar ni hacer alto en esta plaza. El ejército está casi disuelto: toda la brigada del coronel Genaro Vásquez ha desertado anoche, de modo que apenas le quedarán 100 hombres. La división del señor general Sedeño ha empezado también a desertar, y anoche mismo se han ido algunos de la del señor general Monagas" (52). Sin confianza en los demás no podía mandar a perseguir los desertores.

Por otra parte las noticias del territorio enemigo eran favorables para obrar, pero no pudiendo emprender operaciones sin un cuerpo respetable de caballería exigía a Páez los escuadrones ofrecidos, los de Guayabal y Camaguán, y sobre todo que una vez tomado San Fernando volara a reunírsele con todas sus tropas (53). Dos días después, el 26 de febrero, le comunica la anunciada marcha de Calzada hacia el Pao, con el objeto de reunirse a Morillo en Villa de Cura, y le ruega de nuevo volar a unírsele para obrar juntos contra los enemigos antes de su reunión. "Nada puedo hacer sin V. S., le añade, o sin las fuerzas que le he pedido, en mi comunicación del 24, y aún estas sólo servirán para que nuestros pasos sean un poco más seguros, no para que sean

(50) Nota del 24 de febrero a Sedeño. Boletín N° 84 de la Academia de la Historia; p. 473.

(51) Carta a Santander de 17 de enero de 1821. Archivo de Santander, VI, p. 21.

(52) O'Leary XV, 600. Por error de imprenta dice la versión publicada: "Con alto dolor mío. . . .

(53) El mismo oficio.

decisivos; ventajas que no obtendremos sino reunidos todos, obrando en un solo cuerpo. El enemigo concentra sus fuerzas de todas partes y las aumenta con la gente del país a quienes se ha hecho creer que fuimos batidos en la persecución. Nuestra contramarcha y suspensión de operaciones confirma el dicho del enemigo, y no es de extrañar que los pueblos se dejen engañar por las apariencias. Conviene pues que no perdamos un sólo momento: la rapidez de nuestros movimientos y reunión de nuestras fuerzas es lo único que puede darnos la victoria. El ejército ha disminuido lejos de aumentarse, como le he dicho a V. S. antes; así no hay que esperar en que la inacción nos produzca sino ruina y destrucción" (54).

Ante estas observaciones contundentes, Páez reconoció su exactitud, y el 2 de marzo le contestó desde su campamento de San Fernando, dándole la razón, en una carta que por sí sola prueba la falsedad de la mayor parte de sus afirmaciones en las "Campañas de Apure" y en la "Autobiografía" respecto a la suspensión de las hostilidades y el sitio de San Fernando: carta de la cual Páez no se acordaba cuando escribió sus narraciones históricas. De ella tomamos lo siguiente: "Cuando me llegaron los oficios de V. E. de 24 y 26 del próximo pasado febrero, estaba yo demasiado persuadido de la necesidad de reunirme al ejército para completar la destrucción de Morillo, y la posesión del resto de Venezuela. Ni el sitio de San Fernando era una circunstancia que disminuía en mi este concepto, pues para continuarlo son inútiles todas las tropas que actualmente obran contra ella: con dos escuadrones, la infantería, la artillería situada como está en tres baterías, y la marina respetable que ocupa el río, es bastante para lograr su rendición o perseguir a sus defensores, caso de que la evacuen. Con todo apuraré mis medidas en estos cuatro o seis días sucesivos a fin de ver si dejo libre esta plaza; pero si no lo pudiere conseguir, dentro de ellos, marcharé rápidamente a incorporarme a V. E. llenando de paso la comisión que me confió, y estando seguro de que cualquier fuerza que se me presente será batida

(54) O'Leary XV, 601 y 602. Repárese que todas las ideas de Bolívar están siempre ajustadas a los principios fundamentales del arte de la guerra. Las de este oficio confirman toda nuestra crítica acerca de la interrupción de la campaña.

en el momento, y que no tardaré mucho en estar al lado de V. E. Pasado mañana saldrán los escuadrones de Guayabal y Camaguán, cuya marcha se había dilatado por reunirlos mejor. Los dos escuadrones de mi división que dije a V. E. irán también, no lo hacen ahora, porque marcharán conmigo, y así se evitará su deserción" (55).

Sin embargo no vino en auxilio del Libertador, ni le mandó los escuadrones ofrecidos, ni los de Guayabal y Camaguán, y se fue a Achaguas dejando el sitio a cargo de los coroneles Guerrero y Sánchez; y cuando la guarnición al mando del valiente comandante Quero evacuó la plaza el 6 de marzo, por agotamiento de víveres, en vez de dejar a los referidos jefes la persecución emprendida por ellos con gran actividad, fue en persona a dirigirla hasta capturar el grupo principal de los fugitivos el día 8 a corta distancia de San Fernando, y regresó tranquilamente a Achaguas, sin ocuparse ni de enviar tropas al Libertador ni de emprender la persecución de Calzada, quien desde poco antes de la rendición de San Fernando, había partido de Barinas hacia el Baúl y San Carlos (56). Incomprensión de los verdaderos intereses de la lucha, tendencia a gozar del poder en la inacción, desobediencia e irrespeto al Jefe Supremo, tales fueron los motivos de la actitud de Páez en estos días infelices y de prueba para Bolívar.

Contribuyó poderosamente al buen éxito del sitio la escuadrilla regida por su célebre comandante, el capitán Antonio Díaz. A ella se debía la captura de todos los buques españoles.

---

(55) El original, existe en el archivo del Libertador, y el texto está reproducido en O'Leary, II, 7. Un duplicado cayó en manos de Morillo, con otros papeles, en la batalla de Semen, y los remitió a España, en oficio del 2 de abril de 1818. El Dr. Vetancourt Vigas encargado de copiar documentos en España, envió a la Academia de la Historia, una copia idéntica a la trascrita por O'Leary.

(56) No hemos encontrado documentos que fijen todos los detalles de las marchas de este general. Parece que al saber la sorpresa de Calabozo, en lugar de dirigirse a la Guadarrama, como lo ordenara Morillo, se retiró de Nutrias a Barinas, y al recibir los despachos de que damos cuenta más adelante, emprendió marcha al Baúl, adonde al parecer llegó el 27 de febrero y luego siguió a San Carlos. En esta ciudad recibió el 9 de marzo orden de seguir a Valencia.

Reunión de San Pablo. Retrato de Bolívar.

Del 26 al 28 de febrero el Libertador acompañado de Sedeño y Monagas recorrió los llanos de Guarda Tinajas y los Tiznados, hasta la mesa de Paya, es decir el territorio al noroeste de Calabozo, ocupado por diferentes destacamentos del ejército. El resultado nugatorio de la recolección de hombres, por la opinión hostil a los patriotas en todos esos lugares, y las pérdidas debidas a la miseria, las enfermedades y la deserción, determinaron al Libertador a reunir el ejército, y renovar las operaciones. El punto designado para la asamblea fue el hato de San Pablo, a mitad de camino de Calabozo a Ortiz. Zaraza llegó al Sombrero el 1º de marzo con su brigada de 700 a 800 hombres. Las de Sedeño y Monagas reducidas por la deserción a 300 y 200 jinetes respectivamente se hallaban en los Tiznados y Guarda Tinajas; Vásquez con la suya disminuida a 100 jinetes, como se ha visto, y los seis batallones de infantería estaban en Calabozo, adonde había venido el general Urdaneta, procedente de Guayana, acompañado de algunos oficiales ingleses, recien llegados al país. Todas estas tropas reunidas en el hato de San Pablo en la mañana del 5, sumaban 2.700 hombres, de los cuales 1.300 eran jinetes y 1.400 peones.

Allí conocieron los oficiales ingleses al Jefe del Estado: "Al pasar delante de nosotros, escribe uno de ellos, contestó a nuestro saludo, con la sonrisa melancólica que le era habitual. Cuando terminó de inspeccionar su campo envió a uno de sus oficiales a invitarnos adonde él se hallaba. Lo encontramos sentado en su hamaca, a la sombra de algunos árboles. Recibiónos con la cortesía de un hombre de mundo. Después de referirse ligeramente a las privaciones de la campaña por el estado del país, expresó su alegría al ver en el servicio a oficiales europeos que pudieran ayudar a los nativos, a disciplinar las tropas. Nos dirigió muchas preguntas, sobre diferentes asuntos, revelando pleno conocimiento de los negocios de la Europa; y al despedirnos nos recomendó individualmente a algunos oficiales de su estado mayor".

Bolívar, dice el mismo autor, "tenía 35 años de edad, pero representaba siete u ocho más. Su faz enflaquecida expresaba paciencia y resignación, virtudes de las que ha dado muchas pruebas durante su larga carrera política, y le hacen tanto más honor cuanto su carácter es naturalmente impetuoso. Rodeado de hombres de inferior nacimiento y educación a los suyos, sobresalía, sin ninguna afectación, por sus modales y maneras elegantes" (57).

En el mismo día celebrose un consejo de guerra para resolver sobre la campaña. Algunos como Urdaneta opinaron por mantenerse en los llanos, completar y asegurar la posesión de todos ellos y esperar a Morillo con tropas frescas y bien montadas (58). Otros encabezados por Sedeño, consideraban peligroso dar tiempo a Morillo de reunir fuerzas muy numerosas, y en una marcha seguida a San Fernando recuperar todos los llanos hasta la línea del Apure, mientras el ejército libertador, sin paga, desnudo y compuesto de hombres en su mayoría poco dispuestos a servir fuera de sus localidades, se disolvería en la inacción en poco tiempo. En consecuencia opinaron por penetrar a los Valles de Aragua y esta opinión prevaleció, comprometiéndose Sedeño a partir enseguida al Apure en busca de Páez o de sus tropas.

Sin duda a los realistas convenía aplazar las operaciones. Dueños de las provincias de Occidente podían sacar de ellas gran número de reemplazos: una gran parte de los llaneros seguía todavía sus banderas; nunca abandonaban la esperanza de recibir refuerzos de España, y sobre todo podían concentrar sus tropas hasta entonces diseminadas. A los patriotas en cambio les convenía la acción. Seguramente las ideas expresadas por Sedeño eran las del Libertador.

En la mañana del 6 de marzo partió aquel general hacia el Apure y llegó a San Fernando el 9 cuando terminaba la persecución de los fugitivos de la plaza. El debía imponer a Páez de la resolución de Bolívar y del Consejo de guerra de tomar la ofensiva enseguida, y entregarle un oficio del jefe del estado rogándole su cooperación, pues por su actitud no se le podían dar órdenes terminantes. "El oficio de V.S. de fecha 2 del presente, que he tenido la satisfacción de recibir hoy al amanecer, le decía Bolívar, ha confirmado la resolución que he concebido de enviar cerca de

(57) Campagnes et Croisières. París 1837, págs. 73 y 75. Publicada anónima. Su autor es el capitán Wavell.

(58) Memorias de Urdaneta. O'Leary VI, 347.

V.S. al señor general Sedeño, encargado de instruirle de nuestro estado y situación, de la del enemigo, del plan que me he propuesto en fuerza de las circunstancias, y de la urgente necesidad de reunirnos para evitar la disolución total del ejército. El señor general Sedeño, que conoce exactamente nuestra situación, informará a V.S. de todo. Persuádase V.S. que por exagerados que parezcan los peligros y temores que él le represente, apenas podrán ser tales como los que me obligan a destinarlo a esta comisión". Enseguida le manifesta la necesidad de reunir sus tropas a las del ejército libertador, para salvar la patria y le añade estas solemnes palabras: "Pero no sólo interesa que V.S. venga: la necesidad exige que sea luego, luego: que sus marchas sean muy rápidas, y que las dirija por el camino más breve al Pao, por donde probablemente me hallaré yo. No pierda V.S. un momento, General. Es más que precioso el tiempo que pasa. Sin reunirnos exponemos la suerte de la República, y despreciamos la más bella ocasión de fijar para siempre nuestros destinos" (59).

Sedeño alcanzó a Páez en San Fernando el 9 de marzo, pero este general se volvió a la capital de su imperio, como denominara Morillo al pueblo de Achaguas, y permaneció allí inactivo hasta el 19 de marzo en cuya fecha, según asegura, recibió un oficio de Bolívar fechado el 13 en la Victoria exigiéndole "volar a salvarlo" (60). Al decir de Páez esta fue su primera noticia de la marcha del Libertador, hacia Caracas. Escribiendo de memoria no recordaba la misión de Sedeño, encargado de instruirle del plan resuelto en San Pablo, ni el oficio apremiante del 6 de marzo, puesto en sus propias manos por este general.

Disposiciones de Morillo.

¿Que hacía y que pensaba el general español? Engañado una vez más respecto al carácter y espíritu de acometividad de su adversario, creyó tener tiempo de reforzar su ejército, antes de que se renovaran las operaciones, y el 24 de febrero dió orden a Calzada de "auxiliar a la Villa de San Fernando, y de apoderarse

(59) Bolívar a Páez. 6 de marzo. O'Leary XVI, 7.

(60) Campañas de Apure. Boletín de la Academia Nacional de la Historia N° 21, p. 1171. Suponemos que un posta no podía gastar menos de cinco días de la Victoria a Achaguas.

de las caballadas y ganados de los rebeldes, su única riqueza, mientras distraídos con todas sus fuerzas se han internado en el llano para acometernos" (61) Orden inaudita, en la situación de Morillo, inconveniente a sus armas, pues propendía a diseminar más sus tropas, y de cuya autenticidad dudáramos, si no la estampara el mismo general español en una de sus comunicaciones a la Corte. Al mismo tiempo ordenó a Calzada reunir cuantos caballos y mulas de carga pudiera recoger, para el ejército destinado a los llanos. Haciendo cuentas alegres creía tener tiempo para todo.

El brigadier Calzada, en virtud del permiso concedido en el mes de enero al brigadier Aldama, enfermo, se había encargado del mando de sus tropas, como ya lo hemos dicho, y reunió en aquel mes, bajo su mando en Nutrias la 4a. y 5a. divisiones del ejército expedicionario, reducidas en su efectivo por las marchas y enfermedades a poco más de 1.700 hombres, fuera de las guarniciones. Allí debió recibir la orden de Morillo dada dos días antes de la batalla de Calabozo, de dirigirse a la Guadarrama, pero recibiérala o nó, se replegó a Barinas al informarse del resultado de aquella jornada. El mismo día del combate del Sombrero, el 16 de febrero, el general en jefe suponiendo a Calzada en la Guadarrama, le ordenó replegar al Baúl y a San Carlos (62), pero desde la Villa de Cura, en vista de la retirada de los independientes, cambió totalmente las instrucciones, y con fecha 24 de febrero le envió la imprudente orden referida páginas atrás, de invadir el Apure.

La primera de estas disposiciones la recibió Calzada en Barinas el 22 de febrero. En cumplimiento de ella se puso en marcha y aunque a poco llegó a sus manos la orden de Morillo de 24 de dirigirse al Apure, se abstuvo de cumplirla, bien porque la considerase impracticable, o bien por estar ya impuesto de una comunicación del brigadier Pardo llamándolo a Valencia.

Deseando el general en jefe proceder lo más cómodamente al sostenimiento y aumento de sus tropas, las distribuyó de esta manera: los dos batallones de Navarra en Valencia, uno de la

(61) Morillo al Ministro de la Guerra. Villa de Cura, 26 de febrero. Rodríguez Villa, III, pág. 515.
(62) Mémoires du général Morillo, 137.

Unión en Turmero, el de Castilla en la Victoria, y unos pocos Húsares, únicos salvados del desastre de Calabozo, en la Quinta Plantación de Tabaco, en la orilla este de la Laguna de Valencia. Los Pardos de Caracas, los de Valencia y cuatro compañías de Burgos quedaron en Villa de Cura a cargo de La Torre; Morillo se fue a Valencia a activar las reclutas dispuestas en las provincias de Occidente.

En este estado de cosas el proyecto del Libertador y del consejo de guerra de San Pablo, era el más oportuno, pero el capitán general Pardo, en los días de terror, enseguida de la Junta de Guerra, celebrada en Caracas el 18 de febrero, había enviado a Calzada directamente con un posta ganando momentos, la orden de retirarse a Valencia, y esta oportuna disposición, tan amargamente censurada por Morillo en su oficio citado, del 26 de febrero, al Ministro de la Guerra, fue la salvación del ejército español y del partido realista, pues recibidos más tarde por el jefe divisionario los mencionados despachos de Morillo de 24 de febrero, con la orden de invadir el Apure, sólo cumplió la de Pardo, y por esto pudo auxiliar a Morillo y salvarlo de una derrota completa (63). Júzguese cuan mentiroso fue el general español, al explicar más tarde, su retirada de Calabozo como un plan para atraer a Bolívar a la serranía y batirlo con ventaja.

Invasión a los valles de Aragua.

El 6 de marzo en la mañana, poco después de la marcha de Sedeño al Apure, se procedió en el hato de San Pablo a remontar la caballería de Monagas, y en la tarde el ejército fue a vivaquear a dos leguas de distancia en los palmares de la mesa de Paya, mientras la caballería de Zaraza, pasando por Ortiz, acampaba en el lugar de Cañafístola, una legua adelante de dicha villa.

Resuelto el Libertador a emprender sobre los enemigos avanzó el 7 hasta Ortiz, adonde llegó al medio día, mientras Zaraza, adelantando todavía más en el camino de Villa de Cura fue a dormir a Juncalito a cinco leguas de Cañafístola. Hasta ese momento el ejército llevaba la dirección de los Valles de Aragua, pero después de un rato de descanso en Ortiz cruzó a la izquierda,

(63) Morillo al Ministro de la Guerra. Oficio citado, Villa de Cura, 26 de febrero de 1818. Rodríguez Villa III, 515.

camino de San Francisco de Tiznados y del Pao, y acampó en el valle de Casupo, habiendo recorrido diez leguas en la jornada. Al día siguiente el ejército continuó la marcha en dirección del Pao, pero apenas había andado una legua cuando el Jefe Supremo dió orden de suspender el movimiento, y al otro día retrocedió, y lo condujo otra vez al camino de la Villa de Cura, por la vía directa de Casupo a Parapara, mientras Zaraza avanzaba hasta Chaparral más adelante de San Juan de los Morros. ¿Que motivos indujeron al Libertador, primero a tomar el camino del Pao, donde quizás lo esperaba la victoria, y luego a abandonarlo, y volver al de la Villa de Cura?

Estos diversos movimientos sólo se explican por no tener el cuartel general informes precisos sino vagos o contradictorios de la marcha de Calzada. La noticia enviada por Sedeño, desde los Tiznados, el 24 de febrero, de la llegada de dicho jefe al Pao, se había desmentido, y el español cuando se desprendió de Barinas, probablemente tomó la vía directa de San Carlos sin entrar al Baúl, marchando varios días detrás de una cortina de guerrillas realistas. En estos casos la decisión de los pueblos es el mejor auxiliar, y toda esta parte de sotavento de los llanos de Caracas, y los de Barinas, eran en este tiempo realistas. En los primeros días de marzo Calzada se hallaba en San Carlos, y al parecer, en el cuartel general de los independientes, se ignoraba este hecho, de capital importancia en aquellos momentos.

El día 10 el Libertador con una escolta alcanzó a Zaraza, y ocupó con él a Villa de Cura, abandonada por La Torre; al mismo tiempo el ejército acampaba en San Juan, y al día siguiente a la una del día entraba a la Villa. Zaraza con su caballería siguió hacia Maracay, durmió el 11 en los Barrancones, al amanecer del 12 pasó por Cagua, y en el curso de la mañana ocupó aquel pueblo. Tenía el encargo de vigilar el camino de Valencia, por donde podía venir Morillo. Vásquez con sus jinetes picaba la retaguardia a La Torre en su retirada a la Victoria. El ejército libertador se había introducido entre las tropas de Morillo a la izquierda y las de La Torre a la derecha con la idea de batirlas separadamente, y ocupaba las extensas llanuras de Aragua, donde la caballería podía obrar con ventajas. El mismo día 11 Bolívar visitó a Cagua y Maracay.

¿Que lo indujo a una marcha tan atrevida sin esperar a

Páez? ¿Tendría motivos para dudar de la cooperación del jefe de Apure? ¿Pensó, quizás, que, aún en el mejor caso, la oposición sistemática de Páez anularía sus esfuerzos? O bien, ¿oprimido su espíritu imperioso, por las humillaciones sufridas desde el Rastro, se sublevó por una reacción irresistible, olvidando el principio preconizado por él mismo, con tanta fuerza, de la necesidad de la unión de todos para triunfar? Todavía podemos formular otra hipotesis, ¿creyó acaso que la caballería de Zaraza podría reemplazar a la de Páez? La miseria y el temor de la disolución de las tropas no eran causa bastante para precipitarlo sin esperar la información de Sedeño. Perdidos el copiador de órdenes de estos días y los partes llegados al cuartel general, no tenemos como aclarar este punto.

Los realistas aterrados de nuevo.

La sorpresa de los españoles fue otra vez completa. En Villa de Cura abandonaron almacenes de víveres, recién reunidos expresamente por Morillo, para seis meses de campaña en los llanos, y este hecho expuesto por el general español a la Corte, en una de sus notas, es otra prueba de que no esperaba la irrupción de los insurgentes. Las autoridades, y los realistas más odiados, enloquecidos por el pánico, volvieron a huir a Valencia y a Caracas, y de esta ciudad partió hacia La Guaira una numerosa emigración de hombres, mujeres y niños, a pie y a caballo. Juzgándolo todo perdido el Fiscal de la Real Audiencia, el célebre jurisconsulto Level de Goda, mandó a quemar las causas de infidencia de los rebeldes. En una de ellas el alto tribunal citaba a comparecer a Simón Bolívar y al presentarse el reo, escribió el fiscal donosamente al Rey, el tribunal huía a embarcarse en La Guaira, demostrando este hecho insólito el absurdo de aplicar el derecho común a los autores de una revolución de carácter general (64).

Perdida toda influencia por las autoridades, el populacho de la capital se amotinó y amenazaba saquear la ciudad.

Ocupación de los Valles de Aragua.

El 12 de marzo la caballería de Monagas y la infantería avanzaron a Cagua; Vásquez entró a la Victoria, y Zaraza destacó

(64) Memorias de Level de Goda. Boletín N° 59 de la Academia de la Historia, pág. 201.

de Maracay 200 carabineros a caballo a ocupar el desfiladero de la Cabrera paso muy estrecho entre los cerros cubiertos de bosques impenetrables y la laguna de Valencia, en cuyo punto existía un fuerte abandonado y ocupándolo se podía contener por muchas horas al ejército de Morillo, si intentaba venir en socorro de La Torre. El batallón Angostura partió oportunamente de Cagua a ocupar este puesto importante.

El 13 Monagas siguió a Maracay y el Libertador con la infantería y dos escuadrones se dirigió a la Victoria. Al pasar por el ingenio de San Mateo, hacienda patrimonial de sus mayores, y teatro de la gloriosa lucha de 1814, los antiguos esclavos de la familia, libertados por su amo, y vueltos a la esclavitud por el rematador de la finca, (65) lo recibieron con trasportes de alegría, y lo mismo los habitantes del pueblo inmediato y de todos los valles de Aragua (66). Urdaneta nombrado gobernador y comandante general de la provincia se dedicó a organizar voluntarios y a enviar reemplazos a la infantería. El mismo día el Libertador llegó al Consejo, dos leguas adelante de la Victoria resuelto a atacar a La Torre, en su posición de las Cocuizas, una de las primeras cuestas del camino de Caracas, al término de los Valles de Aragua.

En la mañana del 14 se reunieron las tropas y avanzaron sobre la posición enemiga, y cuando se tomaban las disposiciones para el combate, a las cuatro de la tarde, llegó un posta con la funesta noticia de haber tomado los españoles a la Cabrera y de estar combatiendo en Maracay. Inmediatamente Bolívar ordenó la retirada a la Victoria.

Descuido y sorpresa de los patriotas en la Cabrera.

Un descuido vergonzoso, propio de este año todavía de indisciplina, cambió por completo la situación militar. La división Calzada, con sólos unos 1.000 a 1.100 hombres había llegado a Valencia el 13 en la mañana, y en la tarde del mismo día Morillo puso en marcha sus tropas en tres divisiones, la primera denominada

(65) Un tal Cristóbal Ramírez.

(66) Cuando las tropas de Boves ocuparon a San Mateo después de la derrota de la Puerta, del 15 de junio de 1814, asesinaron a los antiguos esclavos que encontraron en la finca, hombres, mujeres y niños, y se salvaron solamente unos cuantos, hombres y mujeres, huyendo a los montes, y estos eran los existentes en la finca en 1818.

vanguardia a las órdenes de Morales, la segunda a las del coronel Luis Genaro de la Rocque, y la tercera encomendada a Calzada. Las dos primeras partieron el mismo día 13 al mando de Morales por el norte de la laguna sobre Maracay, fueron a dormir a San Joaquín, y al amanecer del 14 sorprendieron desprevenida a la guarnición de la Cabrera a cargo del teniente coronel Cova. Los carabineros de Zaraza y los hombres empleados en abrir fosos y levantar parapetos para establecer la defensa en combinación con el fuerte, opusieron escasa resistencia, y el batallón Angostura, inconsideradamente detenido en Maracay no había llegado. Perdida esa posición importante, única a propósito para detener al ejército español, los independientes no podían resistir. Morales siguió adelante sin pérdida de tiempo.

Combate en Maracay.

En Maracay encontró parte de la caballería de Zaraza en batalla en la llanada, y el resto, la de Monagas y el batallón Angostura en el pueblo. Los insurgentes disponían de 1.200 jinetes y 370 infantes. Morales cargó con dos escuadrones de Dragones de la Unión y uno de Guías del General, puso en derrota la línea republicana y penetró en el pueblo. El batallón de Angostura se mantuvo firme en los edificios alrededor de la plaza principal, mientras los escuadrones de Monagas envolvían a los de Morales en las amplias calles del pueblo, pero al llegar la columna de Cazadores del coronel Matías Escuté y el batallón Barinas al mando del coronel Juan Tello cedieron y el batallón Angostura, rebasado por ambos flancos, emprendió la retirada, cubriéndola Monagas con sus jinetes y los de Sedeño. Siguieron así toda la tarde y varias veces hicieron retroceder a los Dragones regidos por don Juan Solo y a los Lanceros al mando del venezolano Víctor Sierra, pero ante el avance de la infantería, Monagas tuvo que replegar a La Victoria. Algunos de sus hombres se dirigieron a Cagua huyendo en desorden con la caballería de Zaraza y siguieron a Villa de Cura. En estos funestos acontecimientos los patriotas perdieron 80 hombres, muertos y heridos, y 220 dispersos (67).

---

(67) Véase la carta de Morillo del 14. Exagera las pérdidas de los insurgentes, y reduce las suyas. Boletín N° 84 de la Academia de la Historia, p. 489.

Batalla de La Puerta.

En la tarde del 14 el ejército libertador, bajo un aguacero torrencial, se retiró a La Victoria, adonde llegó entrada ya la noche, y después de un corto descanso siguió la retirada; en la mañana del 15 entró a Villa de Cura y a las dos de la tarde continuó su movimiento y fue a dormir al campo de Bocachica, teatro de la gloriosa victoria de Mariño en 1814, situado en la amplia garganta de la Puerta, sembrada de mesetas y riachuelos, desfiladero de los Valles de Aragua a los llanos.

Azotados por las lluvias los españoles perdieron muchas horas en Maracay el 14, y no llegaron a Cagua sino el 15 en la mañana. En la tarde siguieron marcha; a las ocho de la noche tropezaron con la avanzada de los patriotas a cargo de Vásquez y a la una de la madrugada del 16 el cuerpo principal entró a Villa de Cura. El coronel Vásquez después de algunas descargas de sus carabineros siguió la retirada y entretuvo a los enemigos hasta el amanecer, apoyado en las últimas horas, por dos compañías del batallón Barcelona, dirigidas por el general Pedro León Torres.

El ejército libertador se retiraba en perfecto orden, la caballería y los equipajes adelante, como es de rigor en un desfiladero, y luego la infantería; y así podía continuar, entre colinas y galeras, hasta el llano, distante veinte leguas, pero temiendo el Libertador que alguna ventaja ocasional de los enemigos sobre la retaguardia, lo compeliera al combate, en lugar desventajoso, resolvió dar la batalla en el sitio de Semen, propio para desplegar.

El campo, entre los cerros al norte y el río Guárico al sur, es una meseta de 1.200 metros de ancho, partida en dos por el riachuelo o quebrada de Semen. El Libertador apoyó su izquierda a los barrancos profundos del Guárico y la derecha a las faldas del cerro del Caro. El ejército quedó a caballo sobre el camino real, dando frente al riachuelo. Los españoles al mando de Morales, del otro lado de la quebrada, ocuparon las casas de la Posada, a 150 metros de aquella, y se extendieron a derecha e izquierda. La lucha debía decidirse a la derecha de los republicanos o en el centro en el camino real, donde era fácil cruzar el riachuelo. El Libertador recorrió la línea dirigiendo ardientes palabras de aliento a los diferentes cuerpos. Animoso y resuelto, se había despojado, dice un oficial inglés, de la esclavina de uso en los llanos para resguardarse de los ardores del sol, y con ella de cierto aire de abatimiento aparente en los días anteriores a la invasión de los valles (68).

Los uniformes nuevos de los españoles contrastaban con los gastados de los rebeldes excepto los de la Guardia de Honor, traídos recientemente de Lóndres. Los jinetes armados de lanzas, no estaban mejor vestidos, y algunos casi desnudos se cubrían con sus cobijas. En las últimas filas de algunos batallones, se hallaban los voluntarios, recién incorporados, armados únicamente de picas o de fusiles descompuestos. Las carabinas de la caballería eran fusiles viejos recortados (69). La artillería, demasiado pesada, se había dejado en Calabozo.

Los batallones Cazadores y Fusileros de la Guardia de Honor, al mando de Anzoátegui se colocaron a la derecha en batalla, el de Valerosos Cazadores en columna en el centro, sobre el paso principal del riachuelo; Barlovento, en batalla, a la izquierda, a las órdenes de Torres, y Barcelona y Angostura en segunda línea, a las de Valdés. Urdaneta dirigía la infantería. La caballería formó en tres columnas a retaguardia, a cargo de sus respectivos jefes Zaraza, Monagas y Vásquez (70). Unos cuantos indios flecheros custodiaban los bagajes. El fuego se comprometió en toda la línea. Los españoles empeñados en tomar las alturas de la derecha de los independientes avanzaron con resolución, pero fueron rechazados por los Cazadores de la Guardia. Reforzados notablemente volvieron a cruzar el riachuelo en columna. Anzoátegui los contuvo con los Cazadores, mientras Torres con Barlovento y Monagas con sus jinetes, acudían en su auxilio. Ata-

(68) Campagnes et Croisieres, edición francesa. París 1837. págs. 93 y 95. El autor, el mayor Wavell, como tantos otros memorialistas, con hechos ciertos, bien observados, mezcla otros menos exactos.

(69) Wavell. Campagnes et Croisieres. Págs. 90 y 91.

(70) Muchos de los jinetes de Zaraza, en su fuga de Maracay, habían llegado hasta San Juan de los Morros, pero tuvieron tiempo de regresar y de asistir a la batalla.

En la extensión de la garganta de la Puerta, de Villa de Cura a San Juan de los Morros, se hallan en este orden los campos de batalla célebres, a cortas distancias unos de otros: Bocachica, Semen, el alto o meseta de la Puerta y la Quebrada de este nombre. En los dos últimos tuvieron lugar las batallas de 15 de junio y 3 de febrero de 1814.

cados de frente y de flanco, los desalojaron de la posición conquistada y los obligaron a repasar el riachuelo. Entonces Morales dirigió sus mayores esfuerzos al centro arrojando en tropel dos grandes columnas sobre Valerosos Cazadores y Fusileros de la Guardia. El combate se empeñó a quema-ropa; los españoles pasaron la quebrada y pretendieron apoderarse de la meseta. El Libertador en persona condujo las tropas de la reserva lanzándolas de flanco sobre la columna enemiga, pero rechazados los patriotas, al ordenar de nuevo la carga, Bolívar tomó una bandera y la arrojó a los enemigos para que sus soldados la rescatasen, y asi lo hicieron atacando impetuosamente apoyados por el escuadrón de Vásquez, el cual cargó pie a tierra y lanza en mano. La columna enemiga fue arrojada al barranco a bayonetazos y lanzasos, y perseguida del otro lado. Anzoátegui y Valdés con Valerosos Cazadores, y parte de otros cuerpos ocuparon la Posada, donde se hallaba el parque de los enemigos, pero enseguida éstos por un retorno ofensivo, apoyados en los Dragones de Don Juan Solo, desde el alto de Semen, pequeño repecho detrás de la Posada, cargaron a los patriotas y los hicieron retroceder hasta el riachuelo, en donde éstos dieron frente y rechazaron a los Dragones. En ese momento, el escuadrón de Riobueno, de la caballería de Sedeño, y los batallones Valerosos Cazadores, Barcelona y Fusileros de la Guardia, guiados personalmente por el general Bolívar, pasaron de nuevo el riachuelo y cargando simultáneamente, rompieron la columna enemiga formada a toda prisa, a corta distancia de la Posada, y la pusieron en derrota, mientras el bravo Torres hacía otro tanto con el batallón Barlovento y los jinetes de Monagas sobre la izquierda de los enemigos. Las armas, municiones y cuanto tenían los españoles quedó en el campo. En la persecución los fugitivos caían a los golpes de los patriotas. Al llegar a otro riachuelo, media legua adelante de Semen, los realistas se arrojaron al estrecho paso, con tal precipitación, que lo dejaron obstruido con sus caballos. Un poco más adelante, confundidos unos cuerpos con otros, los patriotas tropezaron con tropas frescas que venían a arrebatarles el triunfo.

Eran las asignadas a Calzada conducidas por Morillo en persona. De Valencia partieron muchas horas después de Morales y de la Rocque: habían dado la vuelta por Maracay y Cagua mientras tres escuadrones de Barinas y una compañía de infantería marchaban por el sur de la laguna. En el momento del encuentro el Libertador formó las suyas, como lo permitía el terreno, en el camino real y sobre las faldas del cerro, muy cerca del río Guárico en aquel punto, y por tanto favorable a la defensa. Los jinetes republicanos quedaron atrás, sobre el camino sin poder desplegar. El batallón español de la Unión al mando del comandante Bausá cargó de frente, y los Pardos de Valencia al de Pereira, subiendo a la falda, atacaron a la derecha de los republicanos. La explosión de unos cajones de pólvora, abandonados por los españoles, según el parte oficial, desordenó la caballería de los patriotas, y la puso en fuga, suceso tan funesto y vergonzoso como los de la Hogaza y Maracay. La infantería se sostenía vigorosamente, y temiendo Morillo, en vista de la dispersión total de las tropas de Morales, la derrota de sus propios cuerpos, se lanzó en la lucha a la cabeza del Sexto Escuadrón de Artillería; y cargando con él y el batallón de la Unión con el mayor ímpetu, logró forzar la posición, pero en el momento del choque recibió un lanzaso, y de el salvó la vida milagrosamente. "Estoy seguro, escribió al Rey, que sin haberme puesto al frente de los expresados cuerpos no se hubiera batido a los rebeldes. . . . Mi herida es sumamente considerable por el estrago espantoso que causó la lanza en las dos bocas que abrió al entrar y salir, y por el sitio en que la recibí en el costado izquierdo entre la cadera y el ombligo, saliendo por la espalda" (71).

Los infantes patriotas apesar de los esfuerzos del Libertador, y de sus jefes inmediatos Torres, Plaza y Lecuna, atemorizados por la fuga de la caballería, huyeron en desorden. Urdaneta y Valdés se habían retirado heridos (72). En San Juan de los

(71) Al Ministro de la guerra; Valencia, 18 de marzo. Rodríquez Villa III, p. 523. Los españoles para dar al hecho aspecto de una celada y quitarle importancia militar a la acción de los patriotas, publicaron que el soldado que hirió a Morillo estaba escondido detrás de un árbol. Páez por su parte, pretende que fue un soldado de Vásquez. Puras leyendas. El heridor de Morillo pudo ser lo mismo de Vásquez, que del escuadrón de Riobueno, o de cualquiera de los de Zaraza o Monagas.

(72) Por esta circunstancia Urdaneta no asistió a la segunda parte de la batalla, y en su narración supone sucediera en el mismo campo. O'Leary VI, 350.

Morros reunió Bolívar gran parte de los fugitivos y siguieron a dormir pasada la media noche a Mal Paso, a siete leguas del campo de batalla. El día 17 atravesaron por Ortiz, Paya y Morrocoyes y llegaron hasta el Caymán, a 14 leguas del punto de partida. Sus pérdidas se estimaron en cerca de 1.200 hombres, a saber: 300 muertos, 400 heridos, de los cuales muchos fueron rematados por los vencedores, 100 prisioneros y 350 dispersos. Realistas y demagogos calumniaban a Bolívar incesantemente. En uno de sus despachos a la corte Morillo le atribuía el proyecto de coronarse al llegar a Caracas, bajo el título de Simón I, rey de las Américas (73).

Si la batalla se hubiera dado en los Valles de Aragua, con todo el ejército reunido, como quería Bolívar, enseguida del combate del Sombrero, con tan valientes soldados, el triunfo de los independientes habría sido seguro. En todo el curso de la batalla el Libertador prodigó su persona para alcanzar la victoria. Con ímpetu y coraje, constantemente desafió la muerte, decía el coronel Rooke, herido dos veces a su lado.

Morillo, tendido en el suelo, y casi desangrado dió orden de salvar los prisioneros, sentimiento generoso olvidado poco después, cuando sanó de la herida. De allí lo llevaron a Villa de Cura y a la orilla de la laguna, en camilla conducida por 30 soldados de los Pardos de Valencia; embarcado en una lancha lo trasportaron al otro extremo de la laguna, y luego a Valencia (74).

El ejército español tuvo 500 muertos y heridos y otros tantos dispersos, pero recuperó los prisioneros tomados por los insurgentes en la lucha con Morales y en los días precedentes, y permaneció en el campo de batalla recogiendo y matando heridos y prisioneros por orden de Morales (75).

---

(73) Nota del 11 de marzo. Rodríguez Villa III, 522.
Véase Torrente. Historia de la Revolución Hispano Americana. Madrid. 1830. II, 449.

(74) Recuerdos de la Revolución de Caracas. J. D. Díaz. Madrid, 1829. p. 222. La herida de adelante tenía dos pulgadas y siete líneas de diámetro. Gaceta de Caracas, número 183, del 15 de abril de 1818.

(75) Una de tantas mentiras de los partes españoles es la de que fueron a dormir a San Juan de los Morros. Rodríguez Villa I, 347. Véase obra citada de Wavell, Campagnes et Croisieres pág. 97.

El día siguiente La Torre se incorporó en San Juan de los Morros con los batallones Castilla y Pardos de Caracas, y 200 milicianos de Aragua, y tomó el mando por disposición de Morillo, dada en Villa de Cura, cuando aquél todavía no había llegado.

Concentración en el Rastro.

A pesar de tan gran derrota Bolívar no se dió por vencido. Contaba reunir otro ejército mientras los enemigos reemplazaran sus grandes pérdidas y restablecieran su ejército. Además ¿como abandonar la partida si en aquella lucha tenía empeñada su vida, la de sus compañeros de armas, la existencia de la patria, y en cierto modo el porvenir de la causa americana?.

Al día siguiente de la batalla, como hemos dicho, los patriotas marcharon todo el día y se detuvieron en el Caymán a la caída de la tarde. Los cuerpos llegaban en esqueleto, propiamente en grupos informes. Comisiones dejadas por Bolívar en el tránsito recogieron bastantes dispersos. Al término de la jornada los hombres se arrojaban al suelo a descansar. Hasta el otro día, 18 de marzo, por la desorganización, no pudo el general Bolívar destacar el escuadrón del comandante Juan Antonio Blancas, de la caballería de Monagas, a explorar el terreno hacia el hato de San Pablo y la Mesa de Paya, observar los enemigos y recoger dispersos. Al mismo tiempo dispuso reunir toda la infantería en el Rastro y mantener la caballería en las Lajas y el Caymán, pero la aproximación de una columna enemiga a los Tiznados lo obligó a continuar la retirada; el 19 todos los cuerpos fueron al Rastro y el 20 a Calabozo (76). Allí Bolívar encomendó a Anzoátegui reorganizar la infantería, a Santander reparar las fortificaciones de la plaza y a Zaraza reunir la caballería a inmediaciones de la laguna de Chinea, a legua y media de Calabozo, mientras él acompañado de Monagas y de una escolta se dirigía al Oeste en solicitud de Sedeño y de Páez.

---

(76) Lo relativo al día 19, en el Diario de Operaciones, no está bien transcrito en la obra de O'Leary (XVI, pág. 23). El original dice así:

19. Le troupe continuat sa marche pour le Rastro, ou elle prit quartíers.

On recu rapport que le genl Sedeño se trouvait dans la Guadarrama avec 600 hom. d'infanteríe et . . . de caballerie et que . . . de dist, se trouvait le Gl. . . . z avec . . . Ces deux genereaux marcheront a se reunir avec ce corp.

El primero de estos generales avisó el 18 de la Guadarrama su aproximación con 600 infantes de la columna de Sánchez y 100 jinetes del coronel Barreto, y la próxima marcha del general Páez, con su división de caballería, y del coronel Rangel a la cabeza de dos escuadrones.

Por otra parte del norte recibiéronse funestas noticias. El coronel López desde San José de Tiznados se había lanzado sobre el comandante Blancas, y aunque este astuto jefe pudo evitar el combate en Antón Pérez, fue alcanzado y dispersado en el Caymán a la caída de la noche y acababa de llegar al Rastro con pocos hombres. En manos de los enemigos habían quedado los dispersos recogidos en el día. Estos infelices y muchos otros fueron degollados de orden de López para borrar cualquiera sospecha de los jefes españoles respecto a sus tratos en los días precedentes para pasarse a los patriotas (77).

Cumpliendo las disposiciones del Libertador procedióse en Calabozo rápidamente a la reorganización de las tropas. De los batallones Primero de Barcelona y Cazadores de la Guardia llegaron bastantes peones y pudieron conservarse los cuerpos; de los demás sólo se mantuvieron bajo las banderas los oficiales y pocos soldados. De todos estos se compuso el batallón Sagrado. En la Chinea Zaraza formó pequeños escuadrones con los jinetes salvados de las tres brigadas.

Según va expuesto Páez, de vuelta a San Fernando, con los prisioneros de la guarnición, remontó su caballería, y en lugar de marchar en auxilio del ejército principal como había ofrecido, se fue a Achaguas, dos jornadas atrás, y allí permaneció varios días. Sedeño lo instruyó el 9 o el 10 del acuerdo tomado en San Pablo, le entregó el oficio de Bolívar del 6 y el 14 o el 15 a más tardar, emprendió marcha hacia el norte con los 600 infantes de Sánchez y los 100 jinetes de Maturín, alcanzó y batió una partida de fugitivos de San Fernando al mando del capitán Chamorro, mató a este jefe y el 18 se hallaba en la Guadarrama, mientras Páez se disponía a partir de Achaguas, por haber recibido el oficio de Bo-

(77) Montenegro Colón, por error dá por muerto al coronel Blancas en el combate del 19. Respecto a los tratos de López véase Memorias de Urdaneta. O'Leary VI, 352, y las Memorias de un Joven Caraqueño. Boletín de la Academia de la Historia. Nº 15, Pág. 363.

lívar, fechado el 13 en la Victoria, rogándole su auxilio (78). Las fechas de estos actos, tomadas del Diario de Operaciones, y de las mismas obras de Páez, prueban la inexactitud del relato de este caudillo, respecto a la marcha de Sedeño, y la persecusión de Chamorro, operaciones, según dice dispuestas por él, para luego seguir hacia el norte, cuando Sedeño partió de San Fernando en cumplimiento de las disposiciones de Bolívar; y enseguida de la destrucción de Chamorro, continuó por el hato de los Tigritos, en dirección de los Tiznados, en busca del ejército libertador. En Apure se ignoraba naturalmente el resultado de la batalla del 16, y en San Fernando corría la noticia falsa de un triunfo de los patriotas (79).

En su afanosa marcha nocturna de Calabozo al Oeste el Libertador tuvo la fortuna de encontrar a Sedeño en Guarda Tinajas, en la madrugada del 21; en el mismo acto le ordenó dirigir su división al Rastro, y envió comisionados a Páez y a Rangel, estimulándolos a apurar las marchas y a dirigirse hacia ese mismo lugar, adonde él en persona conduciría las tropas de Calabozo, proponiéndose, una vez reconstituido así el ejército, tomar de nuevo la ofensiva. Juzgando racionalmente, contaba que las fuerzas de ambos bandos estarían más o menos equilibradas por las grandes pérdidas del ejército español en la jornada del 16, y en los días anteriores.

El mismo 21, a pesar de las marchas incesantes, de los días precedentes, regresó a Calabozo, y el 22 puso en movimiento hacia el Rastro la infantería en un sólo cuerpo denominado Batallón Sagrado, dos grandes piezas de artillería, devueltas por demasiado pesadas cuando siguieron adelante y la caballería de Monagas y Zaraza: por todo 460 infantes y 400 jinetes. A pesar de haber apresurado la salida cuanto se pudo llegaron tarde de la noche y acamparon en el Caño del Rastro, al pie del pueblo, donde se hallaba Sedeño desde la víspera con sus 600 infantes y 100 jinetes.

En la mañana de ese mismo día había llegado Páez al propio pueblo del Rastro a la cabeza de 900 jinetes, a tiempo que el ejér-

(78) Campañas de Apure. Boletín de la Academia Nacional de la Historia N° 21, p. 1171.

(79) Carta de Antonio Díaz. Boletín N° 84. Academia de la Historia, p. 427.

cito español, al mando de La Torre, procedente de Ortiz, venía por el caño del Caymán avanzando hacia el Banco del Rastro, extensa sabana situada a dos leguas al norte del pueblo de este nombre. Sin contar los dos escuadrones de Rangel, todavía en marcha, los patriotas tenían 2.460 hombres de los cuales 1.060 eran fusileros, y aunque los españoles disponían de fuerzas mayores, al saber La Torre, por uno de sus parciales de Calabozo, en la tarde del 22, la concentración en planta de los patriotas, retrocedió esa misma noche, a marcha redoblada hacia Ortiz, sin detenerse en el camino (80).

El ejército libertador permaneció todo el día 23 en su campamento del Caño del Rastro, esperando la brigada de caballería del coronel Rangel, y en la noche se dirigió al pueblo (81). A las diez de la mañana del día siguiente, a poco de haber llegado el coronel Rangel, el ejército siguió sobre los enemigos y acampó en el Caymán.

De esta sencilla relación, ajustada al diario de operaciones y a las notas inéditas, dadas al público por nosotros en el Boletín Nº 84 de la Academia de la Historia, se desprende que la concentración en el Rastro fue obra del Libertador, quien en los días 19 al 22 marchando casi incesantemente de día y de noche, llevó sus tropas de las Lajas a Calabozo, puso esta ciudad en estado de defensa, fue hasta Guarda Tinajas al encuentro de Sedeño, envió órdenes a Páez y Rangel llamándolos al Rastro, volvió a Calabozo, recogió la caballería y la infantería, y las llevó al Rastro sin perder un momento; y si el ejército se detuvo en dicho pueblo todo el día 23 fue esperando a Rangel, atrasado todavía en su marcha; sin embargo Páez en sus escritos se atribuye estas operaciones, y afirma haber mandado a "alcanzar a Bolívar que se ha-

(80) Las tropas del ejército libertador eran éstas: Batallón Sagrado 360 hombres, Barcelona 100, brigada de Sánchez 600, total 1.060 infantes. Siete escuadrones de Páez 900 hombres, dos de Rangel 200, uno de Zaraza 120, dos Monagas 180, dos de Sedeño 200, total 1.600 jinetes. De los 2.660 hombres pertenecían a Páez solamente 1.100, es decir menos de la mitad.

(81) En el diario de operaciones publicado en O'Leary tomo XVI, por error se omitieron en la página 24, línea 15, la fecha del 22, y esta frase final del párrafo correspondiente al día 23: "Cette demeure etait pour attendre le colonel Rangel avec sa brigade de cavallerie". Como hemos dicho el diario lo llevaba el coronel Manfredo Berzolari.

llaba en la laguna de la Chinea". Y más todavía al referirse a las tropas de Sedeño y Sánchez, las menciona como si fueran tropas suyas, y deja entender que por el retardo de las tropas de Calabozo no pudo atacar a La Torre. Falsedades todas debidas al afán de atribuirse glorias y trabajos ajenos, como si no bastaran a su ambición sus propias y renombradas hazañas. En más de veinte años de predominio político, los cortesanos fomentaron en su espíritu débil, estas consejas de la ingratitud y de la envidia.

Batalla de Ortiz.

El ejército avanzó el 25 al hato de San Pablo, dejando a Zaraza en el Rastro con un escuadrón para guardar las comunicaciones, medida necesaria porque los elementos realistas en esos llanos, inclinados a reconocer la República, después de las batallas de Calabozo y el Sombrero, comenzaban a hostilizar de nuevo a los patriotas, vencidos en La Puerta. El 26 éstos últimos continuaron su marcha sobre Ortiz y a las once de la mañana encontraron a los españoles apostados en la cuesta de este nombre, en la áspera serranía de escasa altura, denominada la Galera, extendida al sur de dicha villa.

Engañado La Torre respecto a la entereza del Jefe Supremo después de la tremenda derrota de La Puerta, juzgábalo incapaz de tomar de nuevo la ofensiva. Este error le hubiera costado caro sin la protección constante de la fortuna a los españoles en esta campaña. El 23 al llegar a Ortiz deseoso de restablecer y dar reemplazos a sus tropas, destacó a descansar y reponerse el regimiento de Navarra y las milicias de Aragua a la Villa de Cura; todos los cuerpos de caballería de Barinas, de la división Calzada, a distintos pueblos de la laguna de Valencia; y varias partidas a San Sebastián y otros lugares, a recorrer el país y recoger dispersos. A su llegada a Ortiz disponía de 2.500 hombres y se quedó con 950 infantes de los batallones de la Unión y Castilla, a las órdenes de los tenientes coroneles Manuel Bausá y Tomás García, parte de los Pardos de Valencia al mando del comandante José Pereira y un destacamento de 60 jinetes del escuadrón de milicias del Infante Don Carlos, por todo 1.010 hombres (82). Tal era su fuerza cuando el 26 de marzo en la mañana se presentaron los patriotas con sus 2.660 combatientes.

(82) La Torre a Morillo, Semen 31 de marzo. Rodríguez Villa, III, 533.

Ortiz está en una llanada árida y pedregosa rodeada al este y al sur por la Galera y al norte y al este por el río Paya. Los españoles ocuparon la entrada principal en la Cuesta, a la cual se asciende viniendo del sur por un camino en caracol, entre peñazcos. La vía de Calabozo, por donde avanzaban los independientes y la del Sombrero se unen en los Dos Caminos antes de llegar a la Cuesta, y más adelante en el sitio denominado Veladero o Paradero, cerca de aquella, se detuvo el ejército, mientras se reconocía el terreno. De no atacar por la Cuesta era necesario buscar un sendero por el terreno pedregoso y cubierto de bosques hacia la derecha, que permitiera flanquear la posición, por las vegas del río Paya, pero como no se hallara en las primeras exploraciones, por las dificultades del terreno, Páez al cabo de rato, según sus propias palabras, "fastidiado de estar aguantando fuego y en inacción, ya que el general Bolívar no hacía atacar a la infantería, dispuso que el bravo coronel Genaro Vásquez con 200 carabineros y una compañía de lanceros atacase pie a tierra por el camino real" (83). Así se expresa en las "Campañas de Apure", y sin embargo, como los historiadores que escribieron bajo su gobierno, teniendo a la vista su manuscrito, por consideraciones políticas, no mencionaron el incidente, en la "Autobiografía" con la mayor frescura atribuye al Libertador la imprudencia de empeñar el combate en aquél punto desventajoso (84).

Vásquez se fue a las manos con la 3a compañía de la Unión y la primera de Castilla, situadas en la Cuesta, y sostenido inmediatamente a su derecha por parte de la Guardia de Honor del Jefe Supremo, al mando de Ambrosio Plaza, sus tropas cargaron a los enemigos y estuvieron a punto de arrebatarles la posición, cuando llegaron de Ortiz los Pardos de Valencia, al mando de Pereira, y sucesivamente las otras compañías de los batallones Unión y Castilla, regidas por sus renombrados comandantes y arrojaron de la cumbre a los independientes. Dos veces más subió la Infantería de la Guardia de Honor dirigida por Anzoátegui; rechazada en la derecha logró sostener en la izquierda la posición conquistada. Por la derecha de los patriotas los realistas bajaron hasta el camino real, pero fueron destrozados

(83) Boletín de la Academia Nacional de la Historia, Nº 21, p. 1172.
(84) Autobiografía I, 161.

cargándolos de frente, por orden de Páez, el coronel Iribarren con dos escuadrones y de flanco la infantería de Anzoátegui dirigida por Bolívar en persona. Recogidos todos los españoles a la cumbre la izquierda de los patriotas se vió obligada a retroceder, trayendo los soldados en brazos al coronel Vásquez, gravemente herido. Ambos bandos suspendieron el combate. El ejército libertador acosado por la sed se retiró a las cinco de la tarde al hato de San Pablo, y el de los españoles, temeroso de un nuevo ataque de los rebeldes, se fue a la Villa de Cura, llevándose 50 heridos, entre ellos el coronel Pereira. En el campo quedaron 37 muertos de los realistas, españoles y venezolanos. Según el parte oficial los patriotas tuvieron 12 muertos y 30 heridos, pero sus pérdidas seguramente fueron mayores (85).

Las afirmaciones de Páez en sus "Campañas de Apure" de negarse el Libertador a toda actividad bajo el fuego son inadmisibles, dadas las circunstancias y el carácter del hombre. En la Autobiografía no se atrevió a repetirlas. Flanquear al enemigo por el camino del Sombrero habría requerido un rodeo demasiado extenso. Bolívar buscaba un paso por los intrincados montes del río Paya, cuando Páez imprudentemente provocó el ataque a la Galera.

Buenas razones tuvieron los independientes para tomar de nuevo la ofensiva: Morillo entre la vida y la muerte, y su ejército debilitado. Un triunfo en aquellas circunstancias habría tenido consecuencias enormes. La inesperada desmembración del ejército español por la Torre presentaba una ocasión admirable. Por las voluntariedades de Páez no pudo aprovecharse.

Estado moral de las poblaciones.

Desde el comienzo de la guerra toda esta región del Guárico se había mostrado realista, pero los progresos de la opinión en favor de los independientes, y los primeros triunfos de éstos en la campaña inclinaron a algunos caudillos a pasarse a la patria. El célebre Rafael López entabló negociaciones (86) y junto con él

(85) Informe de Justo Briceño. Boletín Nº 84, Academia de la Historia, pág. 433.
(86) Apuntamientos del general Urdaneta. O'Leary VI, 352.

Juan José Rojas, comandante de la Misión de Arriba, ofreció servir a los patriotas. Los capitanes Volcán y Salinas, el primero antiguo oficial de Boves, entraron el servicio de la patria, y se encargaron de levantar escuadrones en Guarda Tinajas y los Tiznados, más sus servicios y los de otros muchos fueron muy poco activos después de la derrota de La Puerta. En cambio Juan José Cruces en el Pao, Manuel de Jesús Mata, en el Calvario, Julián Nieves y Francisco Polanco, en los Tiznados, Francisco Núñez, en el Sombrero, y Francisco Tazón, en Camatagua, antiguos tenientes o auxiliares de Boves, de nuevo empuñaron las armas en favor del Rey y levantaron partidas reuniéndose los tres últimos en Barbacoas y el Sombrero. El antiguo realista Bartolomé Martínez, jefe de Orituco y de Lezama, y el guerrillero Manuel Ramírez caudillo de los Güires, notables por su actividad y constancia, aumentaron sus fuerzas, y libres de la presión de las partidas de Zaraza, vinieron hacia el Sombrero a fomentar la insurrección y a hostilizar al ejército libertador. De estos jefes el rey concedió la nobleza personal a los pardos Nieves, Polanco, Nuñez y Tasón (87). Los otros ya la tenían o eran blancos, o tenidos por tales.

Su fidelidad a España, la justificaba la opinión de los pueblos. A la entrada de los patriotas en estos, muchas familias, si no todas, se iban a los montes. Al despachar el Libertador al coronel Lara en comisión al Calvario le recomendó "invitar a los vecinos a gozar en sus casas los bienes que ellas les ofrecen"; y al nombrar un Teniente Justicia Mayor del Sombrero le prescribió excitar a los habitantes a regresar a sus hogares (88). Mientras los patriotas estuvieron en el Rastro los de este pueblo se mantuvieron en los campos. Muchos, es verdad, huían de los robos y atropellos, pero influía en su actitud la enemistad política.

El Libertador luchaba por introducir el orden. Al coronel Rangel le prescribía, el 17 de febrero, prohibir "los robos, violencias, vejaciones y todo exceso que pueda concitarnos el odio de los pueblos", y le encargaba suspender la guerra a muerte y respetar a los prisioneros fueran criollos o españoles; y lo mismo ordenaba frecuentemente a otros capitanes. Esfuerzos repetidos y el ejemplo

(87) Gaceta de Caracas, Nº 183, del 15 de abril de 1818.
(88) O'Leary XV, 575 y 576, 582.

produjeron algún efecto, pero la guerra a muerte con todos sus horrores seguía devastando el país (89).

Desde la Colonia numerosos bandidos y cuatreros pululaban por los llanos. Para Morillo todos los rebeldes pertenecían a esta clase de hombres. "Aún en los tiempos de paz, escribía al Ministro de la Guerra, han errado en caravanas por la inmensa extensión de las llanuras, robando y saqueando los hatos, y las poblaciones inmediatas, y en la guerra han encontrado la ocasión favorable para vivir conforme a sus deseos e inclinaciones. Hubo un hombre, el difunto Boves, que supo conocerlos, reunirlos y hacerlos pelear por la causa del Rey, con la esperanza del saqueo y del pillaje, que es el móvil que los anima" (90). El mismo Morillo en otros documentos, al referirse naturalmente a los suyos, elogia el valor y la fidelidad de los llaneros.

Sorpresa del Rincón de los Toros.

A pesar de los pasos en falso dados en las operaciones precedentes, la campaña no estaba perdida. El ejército libertador, dueño de gran parte de los llanos podía maniobrar sobre el territorio enemigo desde Ortiz, hasta San Carlos, aprovechando la inacción del ejército principal de los españoles, debida al estado de gravedad del general Morillo, y a los descalabros del gobierno y pérdidas sufridas por el ejército, pero nuevos errores de los independientes trajeron otros desastres, y al término de la estación seca los realistas recuperaron los territorios conquistados por los patriotas en los primeros meses del año.

Al otro día de su llegada al hato de San Pablo el general Bolívar tomó varias disposiciones importantes: el jefe de estado mayor Soublette fue enviado a Angostura a apresurar el envío al ejército de armas y pertrechos, y a recibir una expedición inglesa esperada por momentos en Margarita: según el número de estos auxiliares debía organizar con ellos, la división de Bermúdez, y la escuadra del Almirante, una diversión sobre las costas de Caracas, pero esta operación no pudo efectuarse por deficiencias de la expedición inglesa, estar algunos buques de la escuadra en cru-

(89) O'Leary XV, 575.

(90) Morillo al Ministro de la Guerra. 26 de febrero. Rodríguez Villa. III, 511.

ceros y otros con Brión gestionando activamente la consecusión de armamentos en San Thomas (91). En Angostura encontró Soublette muchísimos oficiales escapados del ejército.

Monagas tuvo orden de partir con un grupo de oficiales por el camino directo del Calvario a levantar tropas en los llanos de Barcelona. Sedeño fue a Calabozo con igual objeto, y se ordenó a Torres apresurar el regreso a esta villa de los 200 fusileros recogidos en Apure y en el tránsito, dispersos de las primeras operaciones y unos cuantos reclutados por Guerrero. Justo Briceño partió a Ortiz con un destacamento de 160 hombres entre fusileros y jinetes y Juan Francisco Sánchez avanzó hasta el Sombrero con otros tantos. Ambos debían recoger hombres y observar a los enemigos.

Resuelto el Libertador a renovar la ofensiva, después de dos días de descanso a las tropas, se dirigió el 20 de marzo al Oeste, hacia donde se había retirado el coronel Rafael López, y se decía venir Morales en su auxilio. El ejército acampó en el caño de Váquira, al día siguiente en la mañana entró al pueblo de San José de Tiznados, y se detuvo allí el resto del día, mientras el coronel Plaza se adelantaba a reconocer el terreno al norte en dirección de San Francisco. Todo indicaba en el Jefe Supremo el propósito de continuar a la cabeza de las tropas, cuando en la tarde regresó a Calabozo acompañado solamente por el sub-jefe de estado mayor, coronel Santander, el Secretario Briceño Méndez y sus edecanes y asistentes.

Quería Bolívar abrir la campaña en los llanos de Cojedes, más para asegurar el éxito debía recoger los dispersos de La Puerta, reunidos durante los últimos días por diferentes oficiales enviados al efecto. Seguramente de la correspondencia dedujo en aquél punto la necesidad de su infuencia personal para llevar pronto al ejército los grupos de vencidos todavía impresionados por la tremenda derrota. Por este motivo, sin pérdida de tiempo dejó el ejército a Páez, con el encargo de continuar la campaña, y velozmente se dirige a Calabozo con su estado mayor. Para disculparse de errores posteriores Páez atribuye al Libertador haber llevado consigo parte de las tropas, pero esto no es cierto. Habría sido absurdo llevarlas para volverlas a traer enseguida. Tanto el

(91) O'Leary XVI, 30 y 31.

EL RINCON DE LOS TOROS

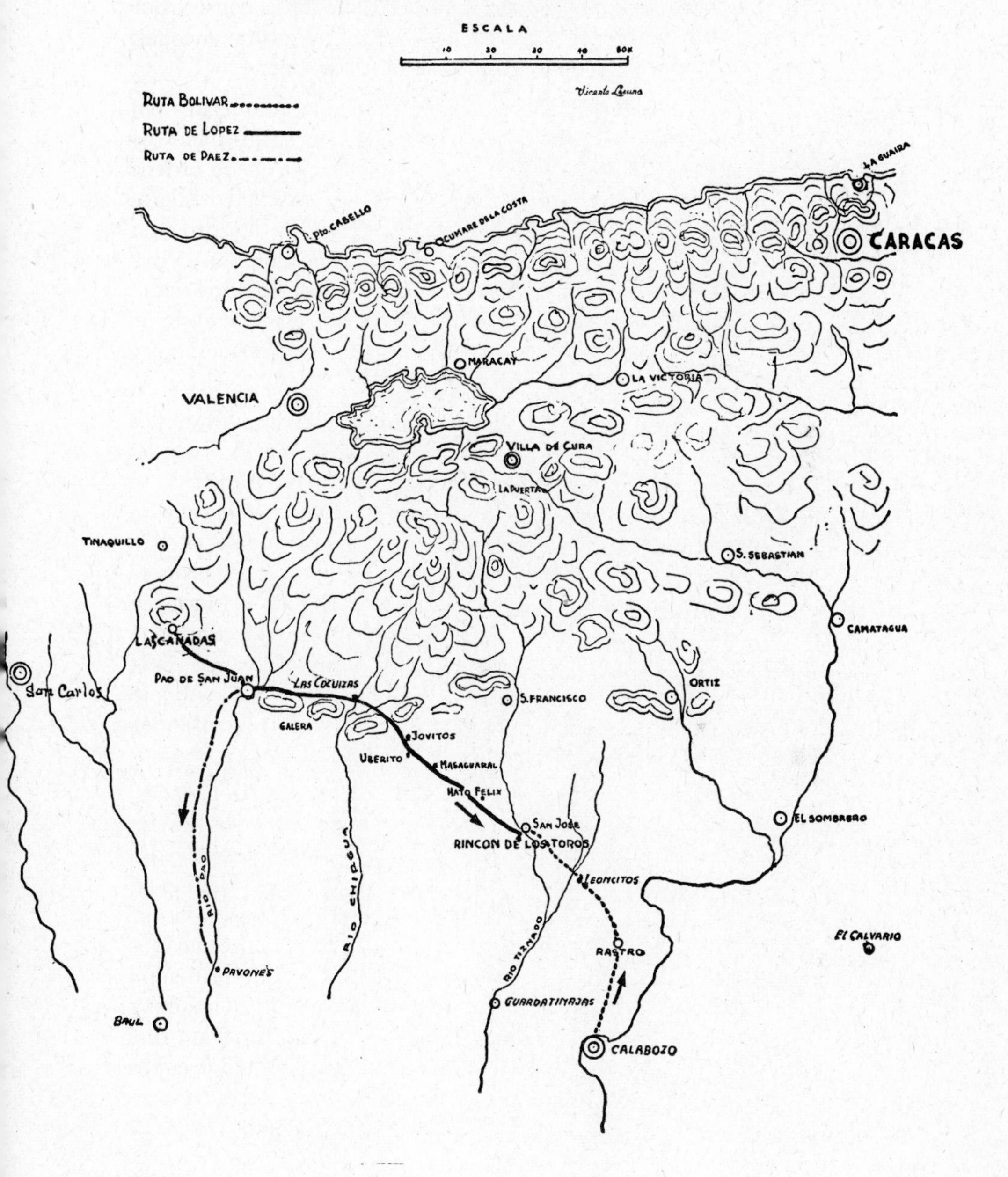

diario de operaciones del ejército como el coronel Santander en un diario suyo, y el ayudante Buroz en su narración lo afirman expresamente (92). Bolívar le dejó a Páez todo el ejército. Páez partió en dirección del Pao donde suponíase a Morales y a López.

A reunir dispersos habían ido, por un lado, Torres y Sedeño a Guayabal y al Apure y Lara a Guardatinajas: y por otro Zaraza al Calvario, Mellado al Sombrero, Sánchez y Briceño a Ortiz, Plaza a San Francisco.

Bajo el sol abrasador de verano, en plena sequía, los llaneros luchaban arrastrados por viejos rencores o la necesidad de salvarse. En los combates ni unos ni otros daban cuartel. Cuando la victoria de Calabozo permitió creer en el triunfo de los independientes, muchos jefes godos intentaron pasarse a la patria, pero la derrota de La Puerta los detuvo. Para borrar cualquiera impresión a este respecto, se ponen en armas, reunen tropas, atacan u hostilizan a los patriotas. En Barbacoas los capitanes Tasón, Nuñez, Hernández y Mata juntan sus fuerzas, unos 300 hombres, y otro tanto hacen en la Galera de los Tiznados, Polanco y Nieves, antiguos tenientes de Boves. Ramírez bate y mata en lucha singular cerca de Camoruco a su pariente el patriota Ledezma y bate a Oropeza y a Hipólito Rondón en Chocolate, mientras Tasón dispersa el 4 de abril a Mellado y Sarmiento en el Sombrero. Sus partidas cuentan 50, 100, 200 hombres. En estos llanos, semillero de soldados realistas en tiempo de Boves, las familias huyen a los montes al aproximarse los patriotas: despues de tantos años parece revivir el ardor guerrero y el fanatismo realista de 1814.

El vasto escenario de los llanos de Cojedes, al Sur de la serranía de Valencia, escogido por Bolívar para la campaña, tiene dos entradas principales por donde podían llegar los enemigos, la del Pao y la de San Carlos. Páez debía vigilarlas.

Con este objeto el jefe llanero parte de San José con el ejército el 1º de abril: el 3 se hallaba en Uverito, el 4 escribió a Bolívar de la Galera del Pao de San Juan, y el 5 llegó a una laguna al Sur y muy cerca de la villa de este nombre.

(92) Diario de Operaciones del Ejército. O'Leary XVI, 19. Archivo de Santander, III, 32. Boletín Nº 84 de la Academia de la Historia 457. Narración de Páez, Boletín 21 de la Academia, 1173. Autobiografía, I, 167.

Aunque a la división de López se había unido a la de Real, sucesor de Morales, éstos jefes al sentir la aproximación de Páez, evadiendo el encuentro, se retiraron al sitio de las Cañadas, punto alto en unas lomas de donde se vigilan las dos vías del Pao y San Carlos. Procedían prudentemente porque Páez llevaba 1.930 soldados excelentes, la flor del ejército libertador (93).

¿Qué debió hacer el jefe llanero, encargado del mando? Obrar activamente contra los dos jefes realistas o maniobrar de manera de cubrir al Libertador en su regreso con los refuerzos; pero no hizo ni una ni otra cosa. No le importaba la suerte de Bolívar, ni le interesaba reunirse a él. Por sus métodos favoritos prefería las operaciones parciales y obrar sólo. Así se deduce de sus actos, de sus escritos, de sus movimientos militares, de su conducta política.

El 6 de abril el comandante Lara en San José abrió un pliego de Páez del día 4 para el Jefe Supremo avisándole la posibilidad de que los enemigos bajaran a los llanos, pero como él se desvió hacia el Sur perdió el contacto con los jefes españoles y no supo más de sus movimientos (94). Cubierto el territorio de partidarios realistas, el referido despacho no llegó a su destino.

El 7 de abril el jefe de Apure atraviesa el río Pao y doblando a la izquierda se dirige al hato de Pavones, 14 leguas al Sur, camino del Baúl, a remontar sus jinetes. En vez de cubrir a Bolívar mientras se incorpora se aleja de él y le abre ancho campo a los enemigos para que hagan lo que quieran.

En Pavones permaneció desde el 9 al 21 de abril recogiendo caballos, operación propia de cualquiera de sus jefes de escuadrón. Se aleja de Bolívar y no toma ninguna medida para conservar contacto con él. Dueños los realistas del campo y en cuenta del movimiento retrógrado de Páez, maniobran tranquilamente sin plan determinado, con entera libertad. El 13 se separaron en las

---

(93) Campañas de Apure. Boletín N° 21 de la Academia de la Historia, 1173. Autobiografía, I, 162. Archivo Santander, III, 32.

Perdidos los copiadores de Ordenes del Libertador de marzo y abril, carecemos de datos para precisar todos los proyectos y operaciones de estos días.

(94) Véase oficio de Lara, San José de Tiznados, 6 de abril a las 5 de la tarde. Boletín N° 84 de la Academia de la Historia, 449.

Cañadas. Real se dirigió a la derecha hacia San Carlos y López tomó a la izquierda la vía del Pao y las Galeras hacia Ortiz en cumplimiento de orden de Morillo, dada a fines de marzo y ratificada el 11 de abril de marchar al Sombrero y Barbacoas, a cubrir las avenidas de los Valles de Aragua, y sin pensar en sorprender al Libertador, como erroneamente dicen Páez y algunos historiadores, pues en esa fecha ignoraba su marcha a los Tiznados.

Bolívar partió de Calabozo el 8 de abril con el batallón de Palacios denominado de Cazadores Nº I, formado de unos 300 soldados dispersos, recogidos por Torres en Apure, y poco menos de 400 jinetes de Zaraza. En el Rastro se detuvo hasta el 11 esperando la caballería de Sedeño, procedente de Guayabal de análogo número de caballos, y con unos 300 infantes y 700 jinetes acampó en los Leoncitos el 13, y el 14 al medio día se detuvo en San José a esperar los destacamentos enviados a la Serranía, y seguir luego con todos éstos refuerzos a unirse al ejército. De paso sus jinetes dispersaron las facciones del Caymán y Antón Pérez. En cuenta al día siguiente 15 por un oficio de Páez del 7 de la reunión de López y Real en las Cañadas, mandó avanzar a Sedeño con sus jinetes, en dirección del Pao a explorar el terreno y esperar la columna de Plaza en el extenso hato de Felix. El 16 se incorporaron a la división en San José el comandante Leonardo Infante, con su escuadrón, de vuelta del Sombrero, y el coronel Justo Briceño con una columna, de regreso de Ortiz a tiempo que Sánchez entraba en esta villa después de su correría al Sombrero. En la tarde de ese mismo día Bolívar trasladó la división del pueblo de San José a la sabana del Rincón de los Toros, al otro lado del río, media legua al suroeste del pueblo, pensando marchar de madrugada, alcanzar a Sedeño y seguir a unirse al ejército.

La comarca toda es de llanuras áridas, de trecho en trecho cubiertas de pequeños bosques denominados matas o de palmares y cujíales. Los ríos tienen monte alto en sus márgenes y aunque se secan en verano, les quedan grandes pozos de agua estancada. En estas sabanas denominadas del Totumo, el coronel Juan Vicente Bolívar y Ponte, padre del héroe, fomentaba crías de caballos.

El Jefe Supremo se situó en un bosquecillo un poco hacia adelante del campamento: a su derecha quedó el batallón en terreno despejado, a su izquierda en plena sabana la caballería de Zaraza, hacia atrás el parque, a la orilla de una montañuela; a distancias convenientes las guardias y avanzadas.

Explorando el terreno en el camino de Ortiz Infante y Briceño, el de San Francisco el coronel Plaza, hacia Guardatinajas el coronel Lara, donde había batido la facción del lugar, y en dirección del Pao el general Sedeño, y cambiado el sitio del campamento, en la tarde del 16, parecían tomadas todas las precauciones para evitar una sorpresa; sin embargo ésta tuvo efecto en el curso de la noche en la forma más terrible para Bolívar y sus compañeros. Veamos su preparación y desarrollo.

El 13 salió López de las Cañadas a cumplir la orden citada de Morillo, el 14 sin apresurarse partió del Pao por el camino al norte de las galeras y el 15 al medio día se hallaba en el paso de las Cocuizas del río Chirgua, donde recibió, por un propio, aviso de un don Francisco Figueredo, de la llegada del Jefe Supremo el 14 a San José con pocas tropas. Animado López de los viejos odios realistas contra el jefe de los independientes, e ignorando todos los refuerzos reunidos por Bolívar, resolvió aprovechar la ocasión de sorprenderlo, y al efecto marchó por los Jobitos y el Masaguaral en línea recta hacia San José. En el trayecto desde las Cocuizas hasta muy cerca de este pueblo, es decir en un espacio de 40 a 45 kilómetros, gracias al decidido realismo de los vecinos, logró obtener informes de los patriotas, con la fortuna de pasar desapercibido de Sedeño y de Plaza (95).

Pero la fortuna lo favoreció todavía más, pues apenas tenía un rato acampado, pensando como disponer el ataque, cuando sus tropas cogieron a un sargente desertor, y extraviado en la llanura a un criado del Padre Prado, capellán del ejército independiente, quienes le informaron, el primero el santo y seña del campamento y el segundo, el sitio donde el Libertador y sus ayudantes tenían colgadas sus hamacas.

Hasta entonces López sólo pensaba realizar una sorpresa corriente, pero en posesión de tan importantes datos proyectó dar un golpe magistral, de inmensas consecuencias.

(95) El jefe español Plá dice en el parte que marcharon 26 horas consecutivas y sitúa la muerte de López al comienzo de la acción. Ambas afirmaciones son inexactas. Boletín Nº 84 de la Academia de la Historia, 466.

Desde luego se propuso matar al héroe en medio de sus tropas y confió la empresa a otro venezolano de renombre en el bando real, el joven y bizarro capitán Tomás de Renovales, natural de Calabozo, y jefe de estado mayor de la columna realista. Este oficial a quien algunos atribuyen la idea del golpe, futuro funcionario en Puerto Rico, adonde se trasladó con su familia después de la guerra, tomó una partida de 32 soldados del batallón Navarra, y guiado por el sargento desertor y el criado prisionero, poco después de la ocultación de la luna, entre la una y las dos de la madrugada, se acercó a las tropas patriotas y contestó en regla a la guardia avanzada; a mitad del campo dejó parte de su escolta y conduciendo sólo 8 hombres, siguió hacia adentro, encontró al sub-jefe de estado mayor coronel Santander, haciendo la ronda, le dió la consigna, contestó a sus preguntas satisfactoriamente y libre con esto de pasar adelante siguió al lugar en donde Bolívar y otros tenían colgadas sus hamacas. Tomadas con exactitud sus medidas, Renovales avanzó con serenidad y resolución, no encontró ningún tropiezo y al llegar al punto designado, divididos los hombres de dos en dos, dispararon a quemaropa sobre las hamacas, y se retiraron veloz y felizmente satisfechos con la idea de haber dado muerte a Bolívar (96).

Pero la fortuna favoreció un instante a los patriotas. El Libertador había enviado un edecán a Zaraza a encarecerle la vigilancia y dado igual recomendación al coronel Santander, luego se había dormido, pero despertó al sentir ruido, por instinto se tiró de la hamaca y se lanzó hacia su caballo mantenido ensillado muy cerca. De los cuatro ocupantes de las hamacas el padre Prado y el valeroso coronel Mateo Salcedo denominado "el sastre" por su profesión antes de la guerra quedaron muertos; Fernando Galindo, el noble y generoso defensor de Piar, gravemente herido y el Jefe Supremo milagrosamente salvo. Las balas atravesaron su hamaca e hirieron al caballo cuando iba a montarse. Tal fue el suceso según las versiones más seguras (97).

(96) Baralt y Díaz, Tomo I, 417. Edición de Brujas.

(97) Difieren mucho las narraciones de estos sucesos. Hemos seguido en lo principal a Baralt, Páez, O'Leary y Buroz, corrigiendo errores. Páez, por ejemplo, en "Las Campañas de Apure", incurre en el de suponer que Francisco Figueredo le avisó a López anticipadamente la aproximación de Bolívar: y en la Autobiografía, el de decir que el jefe realista estaba en San José cuando el Libertador acampó en el Rincón de los Toros. Lo primero no podía

Perú de La Croix, autor del Diario de Bucaramanga, pone en boca del Libertador otra versión, diferente en detalles importantes. Después de haber dormido dos horas se presentó un llanero a decirle que los españoles habían llegado a su casa distante dos leguas, y los había dejado descansando. Tomados con el llanero los informes del caso, juzgó Bolívar se trataba de una división superior a la suya, e inmediatamente dió orden de cargar el parque y levantar el campo para trasladarlo a otra sabana y despistar al enemigo. Pasados algunos momentos empleados en ejecutar las órdenes del movimiento, el Libertador sentado en la hamaca hablaba con Santander y Briceño Méndez, e Ibarra se acostaba en el suelo, cuando sonó la descarga y las balas silvaron a su alrededor. La obscuridad apenas permitía distinguir a pocos pasos. Todos corrieron hacia el lugar donde se hallaba la infantería, abandonando los caballos y cuanto tenían en la mata. La hamaca del Libertador recibió dos o tres balazos, los españoles la mostraban en los pueblos con su chaqueta, en los días subsiguientes, para hacer creer que había muerto (98). Esta versión es verosimil, y si tuviere en su integridad el origen asignado por el autor del Diario, se podría aceptar como verdadera, pero las narraciones de Perú de La Croix, no siempre son exactas, bien por errores de percepción, fenómeno frecuentísimo en casos análogos, o por añadiduras posteriores para completar sus apuntes primitivos.

Inmediatamente después de sonar las descargas en medio de espantosa confusión, se oían las voces de Palacios: "Batallón firme", repetidas en medio del desorden y desaliento general. Todos esperaban una catástrofe. Bolívar no aparecía. Palacios mandó a buscarlo, y sólo pudo saber la muerte de sus campañeros

---

adivinarlo Figueredo, lo segundo lo destruye el parte oficial del coronel Plá, reproducido en el Boletín N° 84 de la Academia de la Historia, página 466. También se equivoca Páez al decir que Bolívar envió con Sedeño la orden de detenerse, pues él iba marchando a reunírsele. Es de suponer se la enviara con un propio. Véase la obra "Memoires du General Morillo". París 1826, p. 157 y siguientes y las Memorias de O'Leary. Narración, I, p. 465. Según este autor el sargento desertor dió el santo y seña y el asistente del padre Prado enseñó el lugar de las hamacas.

(98) Diario de Bucaramanga. Edición de Machado. Caracas 1931, pags. 21 y 22.

el padre Prado y el coronel Salcedo y las graves heridas de Galindo.

Mientras tanto Palacios con grandes esfuerzos mantenía la formación: Buroz y Briceño Méndez se le incorporaron sin dificultad y lo mismo Manrique quien venía de San José donde había pasado la prima noche. Bolívar no pudo lograrlo por haber tropezado con un obstáculo insuperable, posiblemente la escolta de 36 fusileros de Renovales; al alejarse se extravió en la sabana y no consiguió reunirse a los suyos, sino cuando se consumaba la derrota. A este respecto el general Páez escribe en su "Autobiografía", "No debe sorprender que el Libertador no atinase con el campamento, pues el mejor llanero cuando se extravía en la obscuridad, en aquellos puntos, se halla en el mismo caso que el navegante, que, en medio del océano pierde su brújula en noche tenebrosa. A mi me ha sucedido creerme desorientado en los llanos durante una noche, y sin embargo al amanecer he descubierto que había estado muchas veces al pie de una misma mata". (99).

Los realistas no pasaron por el pueblo, en el cual se hallaba el comandante general de esos llanos, coronel Fernando Figueredo, con una partida y otros patriotas sino al oeste, por la sabana desierta, y la escolta de Renovales entró al campamento de noroeste a sureste, de manera que para mayor desgracia de los patriotas, ella pudo interceptar a Bolívar de la infantería, un momento después de la descarga (100).

Al amanecer los españoles avanzaron en orden de batalla sobre los patriotas: dos compañías de Navarra, españolas, y una de Honor compuesta de oficiales venezolanos voluntarios, en el centro, en columnas cerradas, a cargo del capitán Medina, precedidas de otra compañía de Flanqueadores, desplegada en guerrillas, todas al mando directo de López. A la izquierda dos escuadrones de Lanceros del Rey, del coronel Pla, a la derecha el célebre

(99) Autobiografía, I, 163 y 164. ¡Gracias a Dios que podemos hacer una cita de Páez, favorable al Libertador!

(100) Véase la descripción de Buroz, Boletín Nº 84 de la Academia de la Historia, 457. El valeroso coronel Galindo, herido por la descarga, fue atravesado de un bayonetazo cuando se dirigía de la hamaca hacia el batallón.

escuadrón de San Francisco de Tiznados, al mando del capitán Julián Nieves; de reserva otros dos escuadrones de Lanceros del Rey, a cargo del comandante venezolano Ramón García (101), en todo unos 360 infantes mitad españoles y mitad venezolanos, y 500 jinetes todos venezolanos. Los patriotas tenían desplegado su batallón de 300 hombres en el centro, en segunda línea el destacamento de Briceño, de algo más de 100 hombres y dos escuadrones de Zaraza a cada lado, sumando éstos 400 jinetes. La pequeña superioridad en número del enemigo, si la hubo, no habría bastado a provocar la derrota sin el desorden moral de los patriotas, causado por la noticia difundida en todo el campo de haber muerto al general Bolívar. A pesar de esta situación deplorable la infantería sostúvose un rato e hizo estragos con su fuego cerrado sobre los enemigos, pero la caballería de la derecha, al avanzar contra ella el coronel Pla, huyó cobardemente, y aunque Zaraza con la izquierda cargó por su lado y llegó hasta la retaguardia del enemigo, fue rechazado por López y sus escuadrones de reserva, y la infantería, abandonada y cercada, pereció casi toda. Palacios murió combatiendo espada en mano, y como él luchó hasta morir el valeroso y constante Mariano Plaza, hermano del célebre Ambrosio Plaza. Morales, Portero, Berzolari y Florencio Tovar, cautivos de renombre por sus servicios eminentes, y circunstancias, tuvieron el privilegio de conservar sus vidas, en medio de la matanza general de prisioneros, y enviados a Morillo fueron fusilados o ahorcados en distintas ciudades, para escarmiento de de sus adeptos (102).

(101) En los primeros días después de la batalla de Calabozo un jefe llanero de este nombre se prestó a servir a la patria. Ignoramos si es el mismo.

(102) Florencio Tovar, joven de bellas prendas, educado en los Estados Unidos, hijo del célebre Martín Tovar Ponte, en San Carlos; Berzolari en Valencia, después de haberle hecho firmar cartas indignas; Portero en Caracas y Morales en La Guaira, todos murieron valerosamente. Los dos últimos se habían batido en cien combates desde 1813. Morillo se empeñó en que Portero fuera ahorcado, desdeñando las súplicas de las Monjas Concepciones en su favor, en nombre de una de ellas hermana de Portero; y reprendió acerbamente a Pardo por haber dado asenso a estos empeños de las Monjas y cambiado el género de muerte dispuesto por el Consejo de Guerra. Portero murió el 17 de julio en la plaza de la Trinidad, fusilado por la espalda. José Antonio Lecuna, mayor del batallón Valerosos Cazadores herido y prisionero en La Puerta, herido años atrás en Cerritos Blancos y el año anterior en la Hogaza, fue fusilado en Ortiz en estos mismos días.

Perdido el Libertador en la Llanura no pudo incorporarse a las tropas durante el combate. Cuando oyó los tiros al amanecer hallábase lejos de los suyos. En la retirada los jinetes de Zaraza, fuera del alcance de los fuegos de la infantería, reaccionan, vuelven caras contra sus perseguidores y los baten. En uno de estos encuentros el asistente de Leonardo Infante derribó de un tiro al vencedor, el famoso llanero Rafael López, apodado "el Segundo", por haberlo sido de Boves o de Morales. A corta distancia del lugar de este incidente hallábase el Libertador a la orilla de un bosque, y en vano pedía un caballo a cuantos pasaban huyendo. El comandante Serrano desdeñó socorrerlo, pero un sargento Martinez (103) le dió su caballo, y poco después ¡Oh sorpresas de la guerra! el bravo Leonardo Infante, victorioso en éstos encuentros singulares, le presentó el caballo del vencedor con sus arneses de plata. En él entró Bolívar a Calabozo, y aunque al parecer pudiera sentir alguna satisfacción por tan raro suceso, éste no era un desquite. Ya en esa época, López valía poco, y su pérdida no se podía comparar con la sufrida por los patriotas. Con Bolívar se salvaron Briceño Méndez, Manrique, Salom, Ibarra y Santander. Este último dice en sus Apuntamientos para la Historia, haber hecho vivos esfuerzos por salvar al general Bolívar, cuando se hallaba a pie y expuesto a ser muerto o tomado prisionero; éstos esfuerzos acabaron de ganarle el afecto del Jefe Supremo, en término de tratarlo desde entonces con más confianza

---

(103) El generoso sargento Martínez, ascendido más adelante a jefe de escuadrón, murió partido por un rayo, marchando con Sucre de Pasto a Quito, a principios de 1823. O'Leary Narración, I, 466.

Sobre esta segunda parte del suceso, Perú de La Croix se expresa así: "S. E. continuó diciéndonos que en aquella misma noche tuvo que andar a pie hasta que José, su mayordomo, le consiguió una mala mula, que después la cambió con el caballo del general Ibarra había logrado ponerse en él (así está); que por la mañana fueron atacados por los españoles y derrotados porque la caballería suya no quiso batirse y huyó cobardemente; que perseguido se quitó la chaqueta militar que llevaba y la tiró al suelo para no ser el blanco único de los enemigos". Diario de Bucaramanga, Edición de Machado 1924, pág. 23.

Restrepo dá otra versión sobre todo el suceso. Según este autor Bolívar asistió al combate, en la derrota tuvo que abandonar el caballo al atravesar un bosque, y al salir de nuevo a la sabana, con los enemigos cerca, lo salvó un soldado de caballería dándole el suyo. II, 458.

y distinguirlo en público y en privado (104); y de estas sinceras relaciones surgió el feliz nombramiento de Santander de comandante general de Casanare, cuando poco después el general Bolívar pudo disponer de elementos necesarios para armar a los patriotas de dicha provincia.

Tales incidentes ocurrieron a una legua más o menos del lugar del combate. El coronel español Pla, en el parte oficial, para disimular el rechazo de sus jinetes, dice que éstos tuvieron que devolverse, con las sillas en la cabeza, por el mal estado de sus caballos, y deseoso de atribuirse la victoria supone la muerte de López al principio de la acción. Bien por timidez o por cumplir al pie de la letra las órdenes de Morillo, el coronel Pla, lejos de perseguir a los patriotas, retrocedió de San José a Mapire, hacia el Norte, cerca de San Francisco, y de este punto pasó a Ortiz, de allí expulsó al coronel Sánchez y siguió a San Francisco de Cara y Camatagua, a ponerse a las órdenes del general Morales.

¿Como pudo deslizarse el jefe realista entre las columnas patriotas, sin revelar su marcha? Sin duda la opinión favorable de los habitantes, y la rapidez del movimiento, casi sin detenerse, fueron las causas principales del éxito. Al emprender López su marcha, Páez, situado con el ejército en Pavones, distante 16 a 18 leguas, no podía sentirlo; luego siguiendo el realista por la vía directa de las Cocuizas, Hato Viejo y la Galera, bajó a los llanos, y pasando probablemente por los Jobitos y el Masaguaral desfiló, ya entrada la noche a larga distancia de Sedeño, dejándolo a su derecha, con la fortuna de no haber tropezado con el coronel Plaza, quien debía estar en marcha transversal de San Francisco al hato de Félix, donde se hallaba Sedeño, a dos o cinco leguas de San José, según las diversas versiones, pues ha de saberse que el hato Félix era muy extenso.

En el combate los españoles tuvieron 8 muertos y 26 heridos, si son exactos los datos del parte oficial, y los patriotas 200 muertos y heridos y 150 prisioneros, de los cuales muchos fueron sacrificados; los realistas recogieron en el campo 250 fusiles y 25.000 cartuchos.

Impuesto Sedeño de la sorpresa por unos derrotados, envió

(104) Archivo de Santander, XXIV, 199.

dos escuadrones a Páez con el comandante Rafael Ramos, contramarchó al lugar del desastre con otros dos, y siguió rapidamente al Rastro en solicitud del Libertador; y Páez, al recibir el aviso y los escuadrones de Sedeño en el hato de Pavones, "como el Libertador no le envió ninguna contra orden", son sus propias palabras, se quedó uno o dos días en aquellas sabanas, y luego emprendió marcha a San Carlos, ciudad reforzada desde el día 16 por la división de Real y desde el 22 por La Torre con la suya (105).

Operaciones de Páez en San Carlos.
Su derrota en Cogedes. Derrota de Rangel en Nutrias.

Muy cerca de la plaza, por su orden, el comandante Muñoz con la Guardia de Honor, cargó una partida de Húsares situada en observación, la persiguió hasta las primeras calles de la ciudad y retrocedió ante el fuego de la fusilería española. La Torre salió a las afueras de la ciudad con todas sus tropas a ofrecer batalla a los insurgentes, y tomó posición un poco al norte en los cerritos de San Juan mientras Páez acampaba enfrente en una sabana a larga distancia. Así permanecieron cinco días, pero sospechando el jefe rebelde, por la actitud de los enemigos al parecer esperando refuerzos, creyó prudente retirarse al oeste al pueblo de Cogedes, y llamar a Rangel, quien se había dirigido al pueblo de Sarare, camino de Barquisimeto. Páez cruzó el río Cogedes, el 25 o el 26 de abril y siguió al pueblo de este nombre, distante once leguas de San Carlos. Allí se le unió su teniente pero sólo con 200 hombres por habérsele desertado los restantes.

Poco antes de estas operaciones Morillo había dispuesto la marcha del brigadier Correa con tres batallones por Villa de Cura hacia Calabozo, en combinación con Morales, quien debía partir del Sombrero en la misma dirección con la columna de López, el escuadrón del Sombrero, las guerrillas locales y una compañía del batallón de la Corona; pero impuesto el general en jefe del movimiento de Páez sobre San Carlos, ordenó a Correa, marchar precipitadamente en socorro de La Torre, y en su cumplimiento el disciplinado brigadier partió de Ortiz el 25 de abril, pasó por el Pao el 27 y el 30 entró a San Carlos (106).

(105) "Autobiografía" I, 164. Mémoires du général Morillo 157.
(106) Mémoires du Général Morillo, 160 y 167.

Los españoles con este refuerzo reunieron 2.280 infantes y 800 jinetes, fuerza importante, en aquellas circunstancias estando los cuerpos de uno y otro bando en esqueleto o semi destruídos a consecuencia de los descalabros de la campaña (107). Deseosos de dar un golpe a los rebeldes y quizás juzgando fácil batir a Páez, fuera del territorio de Apure, en lugares donde este caudillo no tenía la facilidad de dispersar sus hombres cuando no le convenía combatir y volverlos a reunir sin dificultad, partieron en la madrugada del 2 de mayo en su busca. En la Seyba detuviéronse a pasar los calores del día. A poco rato se presentó la vanguardia de caballería de Páez y habiendo salido a reconocerla tres escuadrones realistas fueron cargados y derrotados por la Guardia de Honor dirigida por el jefe apureño. Aunque este venía a provocar al enemigo, se retiró en orden hasta la extensa sabana de Cogedes buscando un campo propicio a la caballería. Los españoles marcharon todo el día sin encontrar una gota de agua y, fatigadísimos de once leguas de marcha, formaron en batalla a las cuatro de la tarde, frente a los patriotas. La infantería en dos líneas, en el centro; la primera a cargo de Real y la segunda al de Correa. En cada flanco tres escuadrones, y dos en reserva, éstos últimos al mando de Aldama.

Los patriotas contaban 1.900 combatientes. A su espalda tenían el pueblo de Cogedes y un bosque. Páez formó en el centro, en una línea de tres de fondo, los 700 infantes, regidos por Anzoátegui, y distribuídos en los dos batallones de la Guardia de Honor del Jefe Supremo y el batallón Barcelona; a la derecha los

---

(107) Las fuerzas españolas eran éstas:

Batallón N° 1 de la Unión	370
" N° 2 de Castilla	320
" Barinas	350
" Burgos	380
" del Infante	380
2 Compañías de la Victoria	150
3 " Pardos de Valencia	225
2 " Milicias de Aragua	105
8 escuadrones de caballería	800
Total 3.080 combatientes.	

Montenegro Colón, funcionario del gobierno español, las calcula en 1.900 infantes y 600 jinetes. Páez exagerando las eleva a 4.500.

dos escuadrones de su Guardia de Honor al mando de Muñoz, y a la izquierda, dos de carabineros al de Iribarren. Atrás en segunda línea, puso otros dos de lanceros a cada lado y en el centro los dos de Rangel (108).

Según dice en sus obras se propuso batir la caballería enemiga y luego salvar la infantería en el bosque, pero sus disposiciones no fueron felices. El plan consistía "En esperar al enemigo, escribe en la Autobiografía, sin disparar un tiro hasta que lo tuviésemos muy cerca, y entonces romper nosotros el fuego, cargar a la vez la Guardia (Muñoz) y el escuadrón de Iribarren sobre la caballería enemiga, y luego que esta fuera derrotada, lo cual tenía yo por casi seguro, hacer un movimiento de flanco, sin perder la formación que teníamos, y colocarnos al flanco izquierdo del enemigo, a tiro de fusil, con la mira de evitar que éste obligado a hacer un esfuerzo nos arrollara para ir a ampararse en el bosque, y en el pueblo, que nos quedaba a la espalda, cuando se viera sin caballería". Pero, observamos nosotros, ¿cómo podía la infantería, aún cuando se trataba de un cuerpo pequeño, ejecutar ese movimiento de flanco con el enemigo encima, a menos de tiro de pistola, como se verá enseguida? La contradicción es evidente, y el plan, sin duda irrealizable, da la impresión de una leyenda forjada a posteriori (109).

Los españoles avanzaron en orden impecable, lentamente y en silencio. Páez no quiso romper el fuego cuando estaban a tiro de fusil, ni aún más cerca, y por fin a tiro de pistola, los españoles saludaron a sus adversarios con una descarga cerrada. "Páez mandó hincar rodilla en tierra, y contestar, prevenidos sus soldados de hacer puntería baja a fin de acertar el golpe, y mandó

(108) "Campañas de Apure". Boletín N° 21, 1.176.

(109) "Autobiografía" I, 166. Téngase presente que según Páez sus infantes sólo eran 300, e hincados de rodilla debían resistir el fuego por lo menos de 3.000, puesto que supone 4.500 hombres a La Torre y a éste, exagerando, no se le podían asignar más de 1.500 jinetes. Con estos números aparece todavía más grande el absurdo de su maniobra. Al arma blanca como lo probó Páez tantas veces brillantemente, un grupo por su destreza puede triunfar de otro mayor, cuando los hombres de este no tengan espacio para obrar todos a un tiempo, contra los adversarios, pero no sucede lo mismo con la fusilería. En esta arma en igualdad de circunstancias el mayor número destruye el menor. Véanse las observaciones de Bonaparte en su Précis des Guerres de César. París. 1836. Páginas 153 y 175.

también que la caballería de los flancos, avanzara después de la descarga, y así lo ejecutaron" (110). El acto fue sin duda hermoso, pero de un heroismo inútil.

Puesto el jefe a la cabeza de su guardia, en una soberbia carga, como él sólo sabía darlas, batió a los jinetes de la izquierda de La Torre, salvándose muchos de éstos entre las dos líneas de su infantería, pero en cambio los dos escuadrones de Iribarren fueron rechazados, y los de reserva no los sostuvieron. El general apureño en la persecución se fue hasta la retaguardia de los enemigos, se apoderó de los equipajes de éstos abandonados por los jinetes de Aldama y olvidándose del resto de sus tropas, se entretuvo demasiado tiempo en estas operaciones secundarias.

La infantería de Anzoátegui causaba estragos en las filas compactas de los enemigos, pero sufrió también grandes pérdidas y reducida notablemente en su efectivo, cedió el campo, abrumada por el número. Acerca de la actitud heroica de estas tropas, el general La Torre, dice en su parte: "los rebeldes nos esperaron con serenidad que jamás se ha visto, hasta cuarenta pasos de su línea antes de hacer fuego" (111). En poco rato este general y el comandante Bausá cayeron heridos y el coronel González Villa muerto. Bajo el fuego nutrido el general español, con un pie destrozado, se hizo conducir por dos hombres y continuó a la cabeza de los suyos. La caballería de la derecha, después de batir a los jinetes de Iribarren cargó de flanco sobre los infantes de Anzoátegui, cuando éstos empezaron a ceder, y acabó su destrucción. Arrastrado el jefe apureño desde la primera carga, por su pasión a los combates singulares dejó sólo a Anzoátegui en la línea de batalla, y desde la retaguardia de los enemigos pudo ver la destrucción de los suyos. Caída la noche permaneció arrogantemente con los dos escuadrones de su Guardia en la sabana hasta el día siguiente por la mañana. En poder de los españoles quedaron todos los fusiles de los patriotas, abandonados en el campo, 1.500 bestias, 12 cargas de municiones, 4 banderas y todos los equipajes; y conduciendo a su jefe en hamaca entraron triunfantes al pueblo de Cogedes. Las pérdidas de los patriotas se estimaron en 300 muertos, 400 heridos, y 700 dispersos, y sus contrarios tuvieron

(110) "Campañas de Apure". Boletín N° 21. 1.177.

(111) Rodríguez Villa. III, 570.

91 muertos, 130 heridos, 15 contusos y 76 extraviados (112). A pesar de la ventaja parcial de Páez sobre una parte de los jinetes enemigos, la batalla fue tan funesta a los independientes como La Puerta.

Páez se ha atribuído la victoria por haber permanecido algunas horas en la sabana con los dos escuadrones de su Guardia de Honor, cuando los españoles se habían ido, pero en cambio toda su infantería, la caballería de la derecha y la de reserva, fueron destruídas, y sus restos arrojados del campo de batalla, y él mismo tuvo que abandonarlo enseguida. Invencible en las luchas parciales al arma blanca, por su extraordinaria bravura y habilidad, y el entrenamiento de sus hombres, los lanceros de La Torre no se atrevieron a perseguirlo en la sabana despejada, pero se vió obligado a retirarse precipitadamente al avanzar contra él la infantería de Correa. El día 3 descansó el ejército español, el 4 envió sus heridos a San Carlos, y el 5 siguió tras las huellas de los fugitivos. Páez había recogido unos 100 dispersos de la infantería y más adelante de Araure encontró parte de los escuadrones derrotados en el campo. Puso en arresto 46 jefes y oficiales, para someterlos a juicio, pero a los pocos días los soltó y debiendo tomar la dirección de San Fernando, destacó a Rangel con 200 jinetes a reforzar la guarnición de Nutrias y defender el Alto Apure.

El ejército español llegó el 11 de mayo a Guanarito. Las tropas de la 1ª. división fueron enviadas a Barinas a las órdenes de Calzada, destinándolas a reconquistar la línea de Apure y el resto se dirigió al Baúl a proteger las operaciones de Morales sobre Calabozo. Reyes Vargas, destacado de Barinas con 400 hombres cayó el 15 de mayo sobre Nutrias, derrotó la guarnición y la columna de Rangel, causándoles grandes pérdidas, y quedó dueño de la línea del Alto Apure. Casi al mismo tiempo Calzada batía en Obispos al comandante Gómez encargado por Páez de molestar a los enemigos, y todo el territorio de Barinas, al norte del Apure, volvió a poder de los españoles. En Guanare se situó el batallón peninsular del Infante como reserva.

---

(112) Rodríguez Villa, III, 572. Páez dice que los patriotas sólo tuvieron 36 muertos. La Torre los hace subir a 1.000. Los españoles no dieron cuartel.

Trabajos de Bolívar en el Guárico.

El Libertador regresó a Calabozo del desastre de los Toros, acompañado de unos 200 hombres de todas armas. Al otro día llevó a la laguna de la Chinea los jinetes recogidos en la retirada y siguió al paso de Orituco con sus edecanes a buscar la columna de Aramendi, de tres escuadrones, acampada allí desde hacía algunos días. Retrocedió el 19 con ella y los jinetes que había dejado en la Chinea, hasta el Rastro donde se encontraban Sedeño y el coronel Plaza, reuniéndose así 180 infantes y 600 jinetes; y reorganizados los dispersos, toda la fuerza fue puesta a las órdenes de Sedeño, encomendándole la defensa de los llanos de Calabozo.

Despachos de Páez fechados en el hato de Pavones a mediados de abril, anunciaban el proyecto de este general de dirigirse al Baúl. Juzgándolo por ese lado, Bolívar partió el 20 de abril con una escolta en su busca, hacia el hato de los Tigritos; atravesó el río Chirgua y el 22 siguió por aquellas llanuras sin encontrar noticias de Páez. Suponiéndolo en otra dirección, y hallándose el país infestado de facciones retrocedió el 23 a los Tigritos y el 24 a Guadarrama, donde al fin supo la marcha de Páez hacia San Carlos emprendida desde el hato de Pavones, como sabemos situado sobre el camino del Baúl. Quedó así frustrado el empeño del Libertador de reunir de nuevo las tropas de Páez y las de Sedeño en un sólo cuerpo.

Incansable en su propósito de reconstruír la fuerza se detuvo en la Guadarrama dos días recogiendo hombres; el 27 marchó a Camaguán y el 29 fue a San Fernando. De esta ciudad envió a Calabozo con destino a reforzar a Sedeño una columna de infantería y caballería de 270 hombres, formada con cuadros de los dispersos refugiados en aquella plaza. También le había mandado pequeñas partidas recogidas en los días precedentes. Trabajos oscuros, si se quiere, pero honrosos, a causa de las dificultades del momento. Relajada la moral por las derrotas, Bolívar no podía encargar estos trabajos a otros so pena de quedar sus órdenes sin efecto. El 30 retrocedió a Camaguán para seguir a Calabozo y tomar el mando de las fuerzas reunidas en esta villa, pero habiéndose enfermado se vió obligado a detenerse dos días, el 1º y 2 de mayo, y sobreviniéndole una extrema debilidad con fiebre, según dice O'Leary, suspendió sus trabajos personales, regresó a San Fernando el 3 de mayo, y allí permaneció hasta su partida a Guayana a fines de este mes. Unos carbuncos en los muslos no le permitieron en esos días montar a caballo.

A fines del mes de abril había dado orden a Sedeño de ocupar el país hasta el Sombrero y enviar partidas a Santa Rita, a Cabruta y otros puntos en dirección del sureste de Calabozo a recoger hombres y con este motivo le dijo: "así como los soldados no se cansan de desertar, nosotros no nos debemos cansar de buscarlos". Debiendo naturalmente avanzar los españoles encomendó a Sedeño salir a su encuentro si fueren inferiores en número, y retirarse ante fuerzas superiores, y a Zaraza operar sobre la espalda de los enemigos, hacia el Sombrero, para estorbarles la marcha a Calabozo. Poco después informado de la destrucción del ejército a las órdenes de Páez en Cogedes envió orden a Sedeño con el comandante Aldao de retirarse, sin empeñar combate, en caso de que los enemigos avanzaran sobre él.

Derrota de Sedeño en Los Patos.

Informado Sedeño, en la sabana de Mosquitero, de la marcha de Morales reforzado por Plà, sobre Calabozo, evacuó esta plaza, pero impuesto luego de la fuerza de los realistas inferior a la suya, resolvió esperarlos en los Cerritos de la Laguna de los Patos, o sea en la Chinea. El contaba 1.200 jinetes y 300 peones, y Morales unos 250 y 800 de unos y otros, pero con mas cohesión y disciplina (113).

El 19 de mayo tuvo lugar el encuentro. Torres con los 300 fusileros se situó en el centro. Aramendi a la derecha, al frente de tres escuadrones: Apure, Guayabal y Camaguán; y Lara a la izquierda con otros tres: Calabozo, Rastro y Tiznados. El valeroso Juan Antonio Mina, el célebre edecán de Piar, en segunda línea con dos escuadrones y el comandante Ramos, devuelto por Paéz, después de la acción de Cogedes, con otros dos destinados a la reserva. Pero ninguno de estos hombres estuvo a la altura de su

(113) Sus tropas, según Montenegro Colón, consistían en 250 infantes, de destacamentos de Navarra, La Corona y Milicias de Aragua, y 650 jinetes de Lanceros del Rey, de los escuadrones del Sombrero, Tiznados y el Calvario. IV, pág. 296.

fama. Aramendi no quiso obedecer cuando se le dió la orden de cargar y abandonó el campo. La caballería de Lara sin opinión y sin moral, no opuso resistencia, y como en tantos otros combates, la infantería abandonada por la mayor parte de la caballería sucumbió, escapándose apenas la tercera parte de sus hombres. Sedeño acompañado de diversos grupos de jinetes contuvo a los enemigos largo trecho y pudo salvar 500 hombres, entre infantes y jinetes, en la retirada a Guayabal. Cuando el Libertador se embarcó rumbo a Guayana, puso estas tropas y otras partidas del ejército de Guayana reunidas en el Apure, a las órdenes de Páez.

Ficción de una victoria en Guayabal.

La división Morales, denominada desde entonces de Vanguardia, tomó cuarteles de invierno en actitud defensiva: la infantería en Calabozo y Guardatinajas, y la caballería en los Tiznados, el Sombrero y Guayabal. A este último punto marchó un sólo escuadrón al mando de Antonio Ramos. Páez mandó contra él 50 hombres de su guardia, y tuvieron la fortuna de sorprender y dispersar el 28 de mayo a los jinetes de Ramos. Así describe Páez, en su primera obra histórica este combate parcial (114), pero fue el caso que dada la gravedad de la situación política de la República, al dictar el Libertador en Angostura el boletín de 16 de junio de 1818, destinado a circular en las Antillas, para disimular las derrotas de la campaña, convirtió ese secundario combate del Guayabal en una importante victoria, en estas palabras: "El brigadier Morales había tomado el mando de la división del teniente coronel López, y aumentada con las fuerzas que cubrían la Villa de Cura, invadió los llanos de Calabozo, y penetró hasta el Guayabal. El 27 la Guardia de Honor del general Páez, tuvo orden de atacarlo, y lo ejecutó con el mayor suceso al amanecer del 28, sorprendiéndolo en su campo. Más de 300 muertos, multitud de prisioneros, sus armas y caballos, todo quedó en nuestro poder, y Morales con los pocos que se pudieron salvar, fue obligado a retirarse hasta el Sombrero, por no poderse detener en Calabozo" (115). Más no fue esto todo. Nuestro historiador Montenegro Colón, el primero en escribir la historia de la guerra

(114) Campañas de Apure. Boletín de la Academia de la Historia, Número 21, 1.179 y 1.180.

(115) O'Leary XVI, 53.

(116), juzgando verídica la descripción del boletín la completa añadiendo que el propio Páez dirigió la acción, más pareciéndole exagerado el número de muertos realistas los reduce a 200, y Baralt sin estudiar los hechos, dá todo esto por cierto, y añade que Páez cogió muchos prisioneros, armas y caballos y obligó a Morales a retirarse al Sombrero (117), todo ficción de Bolívar para producir un efecto en las Antillas y en Lóndres.

Restrepo, más prudente, reduce las proporciones del combate pero también erróneamente le atribuye influencia en la conducta de Morales, cuando no tuvo ninguna (118).

Equilibrio entre los dos partidos.

Aclarar este punto es de la mayor importancia para formar concepto preciso del estado moral de los patriotas al término de la campaña y del efecto causado por los sucesos desgraciados en el prestigio de los caudillos. Páez pretende atribuir el restablecimiento de la tranquilidad en Apure al triunfo insignificante y momentáneo referido, cuando la causa verdadera fue el equilibrio de los dos partidos a causa de haber sido casi iguales las pérdidas de uno y otro en la campaña, favorable primero a los patriotas y luego a los realistas (119). Parte del ejército por lo menos se dió cuenta de las dificultades opuestas al Jefe Supremo, y Páez no mostró dotes superiores en la dirección de la campaña. A pesar de los desastres, cada uno conservó su prestigio, y por esto, entre otros motivos, fracasó el proyecto de rebelión fraguado por el pérfido e intrigante inglés H. G. Wilson, según veremos en el próximo capítulo, con el objeto de elevar a Páez al mando supremo.

Los 50 jinetes de Páez, amenazados por los realistas, evacuaron a Guayabal y los de Ramos volvieron a ocuparlo. Después de esto, considerando asegurado el sur del Guárico, Morales se dirigió

(116) Montenegro Colón IV, 297. El boletín guarda silencio respecto a la derrota de Sedeño, convierte en triunfo la derrota de Rangel en Nutrias e incurre de exprofeso, como medida política, en otras inexactitudes.

(117) Resumen de la Historia de Venezuela, Tomo I, pág. 420. Edición de Brujas, 1939.

(118) Historia de Colombia, II, 463.

(119) Autobiografía de Páez I, 168.

rápidamente al Alto Llano contra las partidas de Zaraza, dirigidas por sus comandantes, pues este general se había retirado al sureste al pueblo de Altamira. Ante el avance de Morales los patriotas se disolvieron para reaparecer a su retaguardia. El 11 de junio el jefe español sostuvo un empeñado combate en el sitio de Ramírez con Infante, y poco después atacó al comandante Belisario en Cujicito, obligándolo a retirarse. El 20 se hallaba en el hato de Palacios, y Zaraza de regreso al centro del llano, se corrió hacia el sur, aproximándose a Rondón destacado por él a fines de abril a reunir hombres y caballos en Espino y Santa Rita. Sin poder dominar estos llanos, pobres y extensos, Morales retrocedió a Calabozo, y de aquí fue rápidamente a Camaguán y el 4 de julio dió una sorpresa nocturna al comandante Juan Gómez quien, con dos escuadrones de Apure, había invadido esta región y se retiraba con una madrina de caballos, después de haber batido la víspera en el hato del Muerto y en Mocumo a dos destacamentos realistas (120). El 11 de julio el comandante José Jimenez, de la guerrilla de Guayabal, batió a un grupo de realistas del lugar, en ausencia de Ramos y los persiguió hasta el Cambao, cerca de Santa Rita. Al regreso de aquél jefe todo el territorio de la Misión del Guayabal quedó de nuevo sometido.

Por el lado de Barinas las guerrillas insurgentes volvieron a molestar a los españoles. Rafael de la Cuesta sorprendió e hizo prisionero al comandante Villalta y a sus hombres en Guanare, y destruyó una partida del comandante Faría en la Cruz. Calzada corrió de Barinas a perseguirlo, a tiempo que el comandante José Cornelio Muñoz se presentaba al sur de esta ciudad con 200 hombres de la Guardia de Páez, y sorprendía una partida en Torunos; le mató o hirió 40 hombres, ocupó a Barinas, y a poco la abandonó al regresar Calzada de Guanare. Retirándose al Apure, por Pagüey, Muñoz tomó prisionero al realista Teodoro Garrido y a su hueste. Los españoles continuaron dominando los llanos al norte de Apure. (121).

Mientras tanto en el alto llano se renovaban los combates, Zaraza destruyó, a principios de agosto un fuerte destacamento en-

(120) Correo del Orinoco N° 6, Carta de Páez. Campañas de Apure. Boletín de la Academia Nacional de la Historia N° 21, p. 1180 y 1181.

(121) Campañas de Apure, Boletín de la Academia de la Historia N° 21, pág. 1180.

viado por Morales en auxilio de Orituco, y el 18 del mismo mes el comandante Leonardo Infante batió en Beatriz, entre Chaguaramas y Orituco, a los capitanes Oramas y Machuca, jefes de campos volantes, les mató o hirió varios oficiales y soldados y les quitó 30 caballos con sus monturas (122).

Al final de su narración de la campaña Páez estampa en la Autobiografía esta salvedad: "Muy justo me parece la observación del historiador Restrepo de que debimos Sedeño y yo reconcentrar nuestras fuerzas en Apure, supuesto que la campaña no presentaba ventajas para aquellos restos del ejército. Asi hubiera convenido que se hiciese, pero semejante orden debió partir del Jefe Supremo, y no de ninguno de nosotros dos que, por orden suya, estábamos obrando en combinación". Pero esa supuesta orden de obrar en combinación no existió, y lejos de eso, el empeño constante del Libertador fue reunir las tropas y maniobrar en una sola línea de operaciones, más como hemos visto, contrariado en toda la campaña, no lo pudo realizar, aún cuando invocara constantemente el principio salvador de la unión en estas claras y precisas palabras: "Sin reunirnos, exponemos la suerte de la República y despreciamos la más bella ocasión de fijar para siempre nuestros destinos".

Juicio sobre el resultado de la campaña.

Para formar concepto de las causas del mal éxito de esta campaña, basta recordar las voluntariedades de Páez en el Rastro, su oposición en el Sombrero a continuar la ofensiva, y la indiferencia en el hato de Pavones respecto a la suerte del Libertador. Por su parte Bolívar cometió el grave error de lanzarse a los Valles de Aragua, antes de incorporar a Páez, cuando Morillo podía reunir todas sus tropas. Más este error no fue de entendimiento, o hijo del orgullo, sino obra de la desesperación, a causa de las humillaciones impuestas por Páez y en la esperanza de librarse de su ominosa tutela.

El 19 de diciembre a raíz de la derrota de la Hogaza, Bolívar escribió a Monagas, y a Zaraza, recomendándoles toda clase de precauciones y la mayor vigilancia, para no ser sorprendidos, y entre otras cosas les decía: "El Segundo López, quien segura-

(122) Montenegro Colón, IV, 300.

mente reemplazará a La Torre en el mando, es intrépido y emprendedor, conoce exactamente el país, tiene algún partido, y no es de extrañar intente sorpresas u operaciones atrevidas" (123). No sospechaba Bolívar, que por una serie de sucesos adversos, cuatro meses después, él sería la víctima del temido llanero.

En resumen, se perdió el fruto de la soberbia sorpresa de Calabozo, por los errores de ambos caudillos, el estado informe de las tropas, la indisciplina, por decir lo menos, de una parte de la caballería, y también por la decisión de la mayoría de los llaneros, y del país en general por la causa del Rey, y este fue sin duda uno de los factores más importantes. Es tan grande en la guerra la influencia de las poblaciones, que al referir el Libertador la campaña de Boyacá al Congreso de Angostura, el 14 de diciembre de 1819, expresándose no sólo por política, sino con perfecta justicia, dijo estas solemnes palabras: "Pero no es sólo al ejército libertador a quien debemos las ventajas adquiridas. El pueblo de la Nueva Granada se ha mostrado digno de ser libre. Su eficaz cooperación reparó nuestras pérdidas y aumentó nuestras fuerzas" (124). En aquél país, añadimos nosotros, también había realistas, y en gran número en ciertas regiones, pero los principales actos de la campaña, por fortuna, se desarrollaron en territorios amigos.

Los patriotas perdieron casi toda su infantería y parte de la caballería, pero conservaron los cuadros de estas tropas, y su territorio primitivo; e infligieron a los realistas enormes pérdidas hasta el punto de que en los seis meses subsiguientes, durante la estación lluviosa, el ejército del Rey permaneció inactivo reponiéndose. El continuo batallar y los progresos logrados por los independientes en su organización política, atrajeron la atención de muchas personas en Inglaterra y empezaron a organizarse expediciones de auxiliares. El renombre adquirido por los independientes y el cumplimiento de sus compromisos hasta donde se lo permitían sus recursos, proporcionaron al Gobierno de Angostura la manera de adquirir nuevas cantidades de fusiles y municiones para armar otra vez sus tropas.

(123) Copiador de Ordenes, publicado en el número 82, p. 189, Boletín de la Academia de la Historia. Se le denominaba "El Segundo López" por haber sido Segundo de Morales en la campaña de 1814.

(124) Correo del Orinoco Nº 47, 18 de diciembre de 1819.

CAPITULO XIV

LOS LEGIONARIOS INGLESES.

Concentracion en Apure

Trabajos de Organización.

El 5 de junio llegó el Libertador a Angostura, de regreso de la campaña del Guárico, acompañado de los cuadros de la infantería y de su estado mayor. Los infantes y jinetes de Guayana y de Oriente salvados de las derrotas, quedaron incorporados a las reliquias de la división de Páez. Después de tan grandes pérdidas era necesario rehacer con actividad el ejército y no dejarse ganar de mano por los españoles.

Procediendo en este sentido dispuso una recluta general en Guayana y en los llanos de Maturín, Barcelona y Llano Arriba de Caracas y ascendió a oficiales distinguidos, destinados a formar los cuerpos nuevos. Anzoátegui marchó a las Misiones a levantar dos batallones de Cazadores, uno de Zapadores y un escuadrón de Carabineros para la Guardia. Mauricio Encinoso tuvo el encargo de formar dos batallones denominados 1º y 2º de Angostura, en el partido de esa capital. Páez en Apure, Rojas en Maturín, Monagas en los llanos de Barcelona y Zaraza en los de Caracas recibieron encargos semejantes. La tarea era difícil: en las Misiones los indios se iban a los montes: los pueblos de Guayana estaban casi desiertos, los de Cumaná, Barcelona y Caracas dominados en gran parte por los españoles, y Apure solo daba jinetes. Además ¿cómo levantar tropas si en los almacenes de Guayana no había ni un cartucho ni un fusil? Todas las esperanzas se fundaban en contratas celebradas anteriormente con negociantes extranjeros por el Jefe Supremo o de su orden por el Consejo de Gobierno, en las armas de venta de la expedición inglesa recién llegada a las Antillas, y en las gestiones al respecto del almirante Brión, como veremos adelante. Por el momento los jefes divisionarios debían reunir hombres y adiestrarlos con las escasas armas disponibles. En estas circunstancias un golpe atrevido de los españoles habría tenido consecuencias funestas, pero ellos casi tan destruídos como los independientes, no estaban en capacidad de intentar ninguna empresa.

El impulso dado por el Jefe Supremo desde su llegada puso en movimiento al escaso tren oficial. En Caicara se estableció un apostadero, de una cañonera y una flechera, bien guarnecidas, para asegurar la navegación al Apure. A los talleres volvió la actividad febril desplegada el año anterior. Sin pérdida de tiempo aumentose el personal y se renovaron las reparaciones y construcciones de flecheras y cañoneras, de montajes para la artillería, la reparación de fusiles, elaboración de cartuchos y confección de vestuarios. El bergantín Conquistador, inútil desde algún tiempo, en pocos días fue puesto en estado de navegar; y enseguida los carpinteros y calafates procedieron a reparar la escuadrilla sutil, tan necesaria como la mayor, al dominio y seguridad del río. "El trabajo, decía el Libertador, debe ser de tal modo activo e incesante, que no haya un momento de pérdida, y casi ni de reposo. Siendo esta capital el depósito de nuestros recursos, todo debe estar de antemano listo y corriente para el momento que se necesite". Tal actividad sólo se veía donde él mandaba. Los hospitales, llenos de heridos de la última campaña, recibieron varios cirujanos, ropas y muchas mejoras, entre otras, nuevos locales y una botica destinada a su servicio.

Creación de Patriotismo.

Formaban la República un grupo de patricios de todas las provincias, unos cuantos partidarios en los pueblos que se decían patriotas, y algunos centenares de hombres de diversas clases y razas militarizados en la guerra. Los pueblos en general indiferentes y rutinarios vivían en la ignorancia, y un gran número de ellos era realista. Excepto en Margarita los independientes no contaban en ninguna región con el apoyo vigoroso de la opinión pública. Para suplir la falta de esta fuerza no había otro medio sino el de fomentar las virtudes guerreras, y para esto requeríase la acción constante aun cuando no se dispusiera de medios suficientes, arrostrando por consiguiente toda clase de peligros. Este fue el motivo de las expediciones arriesgadas de Bolívar en estos años de inseguridad y de creación. Cuando el general Soublette, jefe del estado mayor, llegó a Guayana en el mes de abril, en comisión del Jefe Supremo, encontró en la capital multitud de oficiales nuevos, como expusimos en capítulo anterior, rezagados o escapados de la campaña, con diversos pretextos, signo inequívoco de su escasa moral, y una de las causas de las derrotas de aquel año. En las campañas subsiguientes desarrollados ya el sentimiento de patria y el del honor militar, las tropas bajo una dirección eficaz adquirieron consistencia, y los pueblos poco a poco despertaron y cambiaron de opinión en favor de la República.

Para asegurar el éxito de la recluta, se dió a los comandantes generales de provincia, las atribuciones políticas de los gobernadores, dejando a éstos las de jueces de primera instancia, y reconociéndoles la de tenientes de los comandantes generales (1).

Medidas de administración.

Con estas primeras medidas militares el Jefe Supremo tomó otras de administración: una ley contra el contrabando el 2 de julio; decreto prohibiendo, fuera del Apure, el uso de la moneda desvalorizada de Apure inferior a la corriente en "la ley, el peso y la perfección del signo", y otro mandando recoger progresivamente las monedas febles creadas en Maturín para lo cual se recibirían en un cincuenta por ciento solamente en pagos de derechos de aduana. Fomentó el corso, distribuyendo nemerosas patentes, sin exigir mayores requisitos, y dispuso que cuando el Gobierno tomara un corsario a su servicio, le cubriría su valor en caso de pérdida, pero no le pagaría flete. La marina de los corsarios por el incentivo de las presas, agrupaba hombres intrépidos, y era una de las columnas del Estado. No costaba dinero, mantenía las comunicaciones marítimas, y proporcionaba rentas con sus presas.

A fin de facilitar las operaciones de los extranjeros, únicos proveedores de material de guerra, el Libertador los eximió del servicio militar y del pago de contribuciones extraordinarias. En

(1) O'Leary XVI, 65.

otro decreto redujo a cinco por ciento los derechos del Fisco en la venta de buques extranjeros.

La marina de los Independientes.

La defensa de Guayana dependía de la escuadra. Dominado el río la provincia tenía que rendirse, como se vió el año anterior, y se ha comprobado en las guerras civiles. La anchura del cauce, la escasez de artillería, y la necesidad de abastecer por agua las dos únicas plazas fuertes del territorio, determinaban este hecho importante. Además requeríase asegurar las vías marítimas a Margarita y las Colonias. "Es tan indispensable ocurrir a los gastos de la escuadra de alta mar, y fuerzas sutiles, escribía el Libertador, como que sin ellas se cerraría el único puerto que tenemos, el Orinoco; y es de suma importancia precaver por su medio los perjuicios, que de lo contrario nos irrogarían los españoles, y así deben seguir aumentándose cuanto sea dable, para tener no solo expedito y defendido el río, sino también para ocurrir a otra multitud de atenciones que son de la primera importancia" (2). Morillo, sin escuadra suficientemente fuerte, no se atrevía a invadir la Guayana.

El Almirantazgo, el Arsenal y la Maestranza, fueron dotados de nuevos oficiales y artesanos hasta elevar su número a 144 individuos. Para asegurar el servicio de prácticos en las bocas del Orinoco, se les independizó del Almirantazgo, pagando los sueldos las cajas nacionales, a las cuales debía ingresar el derecho de toneladas, cobrado hasta entonces por aquel.

La Miseria de los ejércitos.

Sin caja militar y sin almacenes, las tropas de uno y otro bando vivían de los ganados tomados a su paso, alimentándose frecuentemente con carne sin sal y sin pan. En el territorio de los independientes, mucho más pobre que el de los realistas, la administración severa y económica de Bolívar, destinaba sus escasos recursos en dinero, ganados, mulas y frutos, al pago de armamentos y vestuarios, sosteniendo solo a los funcionarios públicos y sus familias, como se practicaba desde el año anterior, con raciones de soldado. Todos vivían como en campaña. No era lo mismo en el bando real. El gobierno disponía de mayores re-

(2) O'Leary XVI, página 106.

cursos, y aunque con atrasos y sueldos reducidos pagaba el tren oficial como en tiempos normales. Mantenía la marina y para el ejército hacía importantes gastos, pero las rentas no alcanzaban a pagar raciones a las tropas en actividad. "Se acerca el momento de emprender nuevamente las operaciones —escribía Morillo al Ministro de la Guerra el 20 de noviembre— y no contamos con ningún recurso para vivir en campaña, ni será posible que el soldado continúe en ella en el estado de desnudez en que se encuentra" (3). La corona después de enviar tan hermoso ejército a someter la América lo abandonaba a su suerte, en paises arruinados por la revolución y la guerra.

Los auxiliares ingleses.

Terminadas las guerras del Imperio, la Inglaterra sufrió una crisis aguda. En vez de los beneficios de la paz sobrevino una verdadera catástrofe económica. Carga exagerada de impuestos, exceso de producción debido al maquinismo y competencia de la industria extranjera desarrollada durante el sistema proteccionista napoléonico, fueron las causas principales de este fenómeno (4).

Disminuyó el comercio. Los fabricantes se vieron obligados a vender muchos artículos a menos del costo. Redujéronse los jornales, y se produjeron huelgas y motines. En Irlanda especialmente, la miseria alcanzó proporciones alarmantes. De todo el reino aumentó la emigración a la América del Norte.

La reducción del personal del ejército y la marina devolvió al país gran número de oficiales y soldados acostumbrados a las privaciones del servicio. Entre ellos no era difícil encontrar muchos deseosos de emplear su actividad en empresas que les proporcionaran gloria y provecho, y la revolución hispano americana, al decir de sus agentes y propagandistas, les presentaba la ocasión más propicia de alcanzar uno y otro objeto (5). A esto se añadía la facilidad de obtener a crédito material de guerra sobrante.

(3) Rodríguez Villa. III, 626.

(4) La Restauración y la Revolución, por Teodoro Flathe, de la Historia Universal de Oncken. Barcelona 1921. Tomo XXXV, p. 118.

(5) Hasbrouck. Foreign Legionaries In The Liberation of Spanish South America. New York. 1928. Capítulo III, p. 46.

Por otra parte Inglaterra necesitaba nuevos mercados para su industria, y como lo había previsto Bolívar en sus artículos "Reflexiones sobre el estado actual de la Europa y de la América", publicados en la Gaceta de Caracas en 28 de abril y 9 de junio de 1814, y en la célebre carta de Jamaica de 6 de setiembre de 1815, esta nación industriosa tenía que abandonar la alianza de España y favorecer a los pueblos insurreccionados de América como el mercado más útil a su comercio (6).

Expedición de la Bretaña.

Tales fueron las causas del cambio de la opinión pública en la Gran Bretaña a favor de los independientes, pudiéndose añadir el sentimiento romántico de luchar por los oprimidos. A los grupos de voluntarios que habían venido por su cuenta a servir la República, sucedió una expedición importante, organizada en Londres por el Agente de Venezuela Luis López Méndez, a fines de 1817, según autorización dada por Bolívar el 5 de enero de dicho año. (7) Componíase en su origen de cinco bergantines y fragatas, La Bretaña, La Esmeralda, el Dawson, el Príncipe y el Indian y de cinco cuadros de oficiales y soldados para formar otros tantos regimientos a cargo de los oficiales Gillmore, Hippisley, Wilson, Campbell y Skeene, en junto unos 800 hombres de desembarco; y un cargamento de armas y municiones enviado para negociarlo por una sociedad de comerciantes de Londres. Desde el comienzo de la navegación la empresa corrió con mala fortuna. Azotados los buques por la tempestad naufragó el Indian, perecieron casi todos sus tripulantes, y el coronel Skeene y sus voluntarios, salvándose sólo cinco hombres. Al llegar los otros buques a las Antillas en enero y febrero de 1818, estallaron motines y se provocaron deserciones en masa, cuando se informaron los expedicionarios del estado de la revolución y la miseria y trabajos que los esperaban. Muchos de ellos se habían enganchado creyendo asistir a una guerra fácil, con todas las comodidades de Europa y pagados con

(6) Boletín de la Academia Nacional de la Historia, Nº 70 pag. 350 Lecuna, Cartas del Libertador I, 181.

(7) Oficio a Lino de Clemente y Pedro Gual. Barcelona, 5 de enero de 1817. Igual autorización fue enviada a Luis López Méndez y Andrés Bello a Londres. Boletín de la Academia de la Historia número 78 página 227. Lecuna. Cartas del Libertador, XI, 85.

regularidad. Grupos celosos unos de otros, privados de un jefe común estaban condenados al fracaso.

Los buques arribaron el 16 de enero y en los días subsiguientes a Gustavia, puerto del islote de San Bartolomé, fijado como punto de asamblea, y el 27 de febrero, después de diversas aventuras se hallaban todos en Georgetown en Granada, pero en vez de seguir inmediatamente a Margarita, se quedaron en estas Antillas extranjeras por dudas sobre el éxito de la revolución y temor exagerado a la marina española; y los desórdenes y la deserción fueron cada día mayores. En Granada se les había tolerado por concesión especial de las autoridades, pues los reglamentos prohibían admitir buques sospechosos o de países no reconocidos.

El teniente Hippisley, gracias a gestiones del patriota Martín Tovar Ponte, residente en Cariobacú, se trasbordó en alta mar, el 12 de marzo con algunos de sus hombres, al bergantin El Tigre perteneciente a Venezuela y se vino a Guayana. Otro tanto hicieron más adelante, en otras ocasiones, los oficiales Wilson, Campbell y Gillmore, con pocos voluntarios y por esto sólo llegaron a Angostura algo más de ciento cincuenta ingleses en distintas partidas (8).

La mayor parte de estos auxiliares no prestaron por el momento servicios útiles. En vez de formar un solo cuerpo cada jefe de grupo quería constituir el suyo y permanecieron agregados a los independientes sin destino adecuado y fijo. "Después de las armas, municiones y vestuarios, escribía el Libertador a López Méndez, nos serían muy útiles algunos buenos oficiales, cabos y sargentos españoles, de los muchos adictos a nuestra causa que residen en Inglaterra y Francia prefiriendo la proscripción a la

(8) Véanse detalles en las siguientes obras: James Hackett, Relatión de L'Expéditión Partie D'Engleterre en 1817. París. 1819. El autor fue de los que se devolvieron de las Antillas, sin venir a Venezuela, y acoge cuantas leyendas falsas circulaban en las islas para justificar su conducta.

Histoire de L'Expéditión aux rivieres D'Orenoque et D'Apuré, par le colonel Hippisley. Este oficial por impertinente se vió obligado a abandonar el servicio. Como el anterior emite juicios arbitrarios y falsos. Sólo el infortunado Skeene tuvo en el ejército inglés título de teniente coronel. Campbell y Gillmore fueron capitanes, y Hippisley y Wilson simples tenientes. El general Soublette decía que a estos oficiales el grado les crecía en el viaje.

esclavitud. Estos son infinitamente más útiles que los extranjeros que ignoran el idioma, y necesitan de mucho tiempo para aprenderlo, en cuyo intervalo no pueden servir. No sucedería esto viniendo cuerpos completos y organizados que entonces obrarían desde el mismo día de su llegada. Oficiales sueltos de distinto idioma, o pequeños cuadros como los que han llegado hasta hoy, son más gravosos que útiles. Repito, pues, a V.S. que en caso de venir extranjeros sean en cuerpos que pasen siquiera de tres a cuatrocientos hombres con armas y equipamento" (9). Pero esta incongruente expedición, a pesar del fracaso de los voluntarios salvó a la república, gracias al material de guerra que trajo, no sólo por su utilidad inmediata, sino por el efecto moral, de extraordinario valor en aquellos momentos de desaliento, debido a las últimas derrotas. Su adquisición fue un inaudito golpe de fortuna.

La Bretaña, el Príncipe y el Dawson, regresaron a San Bartolomé el 10 de marzo, donde se les unió hacia el 20 La Esmeralda, después de haber trasbordado a Hippisley al Tigre. Algunos de estos buques todavía conservaban a su bordo las armas y equipos que traían de Londres, y buscaban la manera de deshacerse de ellos (10).

Impuesto el Jefe Supremo de la llegada de esta expedición concibió el proyecto de una diversión sobre las costas de Caracas por las tropas inglesas de desembarco acompañadas de un cuerpo criollo. Era la manera de ponerlas pronto en acción, por lo dilatado del viaje de las Antillas a Guayana, al Apure y el Guárico. A disponer esta empresa con el almirante Brión y el general Bermúdez partió del cuartel general de San Pablo el 28 de marzo el jefe de estado mayor Soublette (11). Pero no llegó a organizarse por la anarquía de los expedicionarios.

---

(9) Oficio de 12 de junio de 1818. Boletín N° 88 Academia de la Historia, página 737.

(10) Hackett, obra citada, página 109. Este oficial niega que Brión comprara o contratara los armamentos, como lo publicara con razón la prensa de Londres. Pág. 126. Entonces ¿de donde sacaría el Almirante los miles de fusiles que llevó a Angostura, como veremos adelante? Así escribieron estos extranjeros.

(11) Diario de Operaciones del Ejército. O'Leary XVI, 25.

Sucesos de Oriente. Mariño en armas.

Entre tanto adelantaban las obras de reconstrucción y la organización del ejército, se podía emplear el tiempo en operaciones importantes, pero antes de describir los proyectos concebidos, con este objeto, por el general Bolívar, debemos exponer lo ocurrido en Oriente mientras se desarrollaba en los llanos de Caracas y en los Valles de Aragua la apasionada y sangrienta lucha de los primeros meses del año, entre el general español y el jefe de la independencia.

En las provincias de Cumaná y Barcelona los españoles permanecieron a la defensiva: Arana después de batir a Montes en Dos Ríos, el 8 de enero, en lugar de perseguirlo replegó a Cumaná, abandonándole otra vez el fértil valle de Cumanacoa, a donde volvió el rebelde con unos 200 hombres: y como otros partidarios de Mariño no habían estado ociosos y disponían de algunas guerrillas en la península de Paria, el antiguo jefe de Oriente, quebrantando la disposición del Jefe Supremo, se vino de Margarita, reunió 400 hombres y ocupó a Cariaco, cruce de importantes comunicaciones, en el fondo del Golfo del mismo nombre. Informado de estos movimientos el bravo comandante Jiménez corrió de Güiria, reunió algunas tropas en Carúpano y cayó sobre Mariño, en el pueblo mencionado. Ambos se batieron desesperadamente como para triunfar. Mariño con soldados inferiores en disciplina a los del adversario se vió obligado a abandonar el pueblo, dejando en sus calles 96 muertos y muchos heridos, mientras los españoles tuvieron pérdidas menos numerosas, pero igualmente sensibles por las heridas de sus mejores jefes: el heroico Jiménez de muerte y su segundo el venezolano Juan Hernández de Armas, de gravedad. Este sangriento combate tuvo lugar el 14 de marzo de 1818, dos días antes de la batalla de La Puerta entre el Libertador y Morillo, ganada por el español a costa de su propia sangre. El capitán José Guerrero había distraido a los insurgentes con su escuadrilla en la ensenada de la Esmeralda.

Mariño efectuó estas operaciones durante la ausencia de Bermúdez, encargado por el Jefe Supremo de defender a Guayana desde el punto central de Soledad, en cooperación con el Almirante, cuyos buques custodiaban el Orinoco.

Bermúdez cubre la Guayana.

Desguarnecida esta provincia por haber marchado con Bolívar cuantos soldados había en ella, Brión, encargado del mando superior como presidente del Consejo de Gobierno, y Bermúdez en su carácter de Comandante general, se consagraron a levantar tropas para reponer las guarniciones; y apenas lo lograron, deseosos de secundar al Jefe Supremo, se pusieron en movimiento: el Almirante partió hacia las Antillas el 3 de abril a salvar los elementos de guerra enviados de Londres como luego diremos; y Bermúdez se dirigió al norte a imponer la autoridad del gobierno en toda la provincia de Cumaná: el 18 de abril abandonó el Orinoco; el 26 se estableció en Maturín y a fines del mes emprendió marcha hacia Cumanacoa en cuyas cercanías se hallaba Mariño; pero éste se negó a reconocerlo como comandante general de Oriente, y le anunció resistir con la fuerza si daba un paso más hacia Cumanacoa. No obstante, Bermúdez siguió de Aragua de Maturín a Guanaguana el 2 de mayo y el 3 a San Francisco, de donde envió al coronel Sucre a tratar con su antiguo general, basado en las declaraciones recientes de Mariño de reconocer al Jefe Supremo; a pesar de sus observaciones oportunas Sucre sólo pudo lograr el permiso para Bermúdez de pasar a Cumanacoa a operar contra Cumaná, mientras Mariño sin quererlo secundar, regresaría a Cariaco, con ánimo de apoderarse de la península de Paria. Convenio mezquino, por parte del jefe disidente, del cual no tardaría en sufrir él mismo las más funestas consecuencias. El 7 abandonó a Cumanacoa y el 8 la ocupó Bermúdez (12).

Impuesto Soublette en Angostura de la disolución de los expedicionarios ingleses, y de la imposibilidad de efectuar el proyecto de Bolívar aprobó el combinado por Bermúdez y Brion de atacar a Cumaná por mar y tierra, y una vez tomada esta plaza, llevar en la escuadra la división de Bermúdez reforzada convenientemente, a efectuar un desembarco en las costas de Caracas para cooperar con el ejército principal (13).

Adoptado el proyecto del Jefe Supremo, el Almirante de-

---

(12) Informes de Sucre al Jefe de Estado Mayor. 1º y 11 de mayo de 1818. O'Leary XVI, páginas 32 y 34.

(13) Soublette al Jefe Supremo. Angostura, 18 de abril. O'Leary XVI, 30.

legó la presidencia del Consejo de Gobierno, y en consecuencia el mando de la República, en el consejero doctor Francisco Antonio Zea.

Crucero de Brión.

Al salir del Orinoco el Almirante llevaba el propósito de salvar los restos de la expedición inglesa y su armamento y proceder luego, de acuerdo con Bermúdez, al bloqueo de Cumaná y a hostilizar los enemigos en las costas de Caracas. En Guayana la Vieja se había impuesto menudamente por los voluntarios de Hippisley de los desórdenes de los expedicionarios y situación de los buques ingleses.

En la travesía Brión no encontró enemigos, porque el jefe de la marina española, capitán Chacón, había partido de Cumaná el 4 de abril con su escuadra, y desde el 16 se hallaba tranquilamente en Granada, en el puerto de Georgetown, reparando sus buques, a tiempo que el insurgente se dirigía hacia el norte. Pocos días después de la llegada del marino español a Granada se le incorporaron el capitán Gabasso con la goleta de guerra la Ferrolana, uno de los buques españoles mejor tripulados, y el bergantín La Industria procedente de Puerto Cabello, y adquirió con estos refuerzos una superioridad notable sobre la escuadra de los rebeldes. Fuera por esto o por órdenes del Gobierno, al llegar este último buque, el 2 de mayo, interrumpiendo algunas de las reparaciones empezadas, Chacón levó anclas precipitadamente con rumbo al norte.

Pero como sucedía frecuentemente a la marina real en estas luchas, el movimiento fue tardío. Brión se hallaba ya muy lejos. Luego que salió al mar navegó directamente a San Bartolomé, e impuesto en el tránsito de haberse dirigido a Haití la Bretaña el 21 de marzo, a cuyo bordo se hallaba la mayor parte del armamento, a venderlo al gobierno de dicha república, se fue tras ella y logró que el sobrecargo M. Ritchie, resolviera regresar a San Bartolomé a negociar las armas con él. Otra ventaja adquirió nuestro Almirante y fue la de atraer al servicio de Venezuela e incorporar a su escuadra al valiente corsario Joly, con su propio buque el Brutus y el Sans Souci del atrevido capitán Bernard, a quienes encontró en los primeros días de mayo, en compañía del pirata Aury, cerca del islote de la Mona, entre Puerto Rico y Santo Domingo; refuerzo inapreciable en aquellos momentos por la inferioridad de su escuadra respecto a la española. Puesto luego Brión en San Bartolomé en contacto con los otros buques de la expedición inglesa consiguió inspirar confianza a los responsables del armamento, mostrando la autorización del Gobierno de hipotecar los bienes de la República para cubrir el valor de los armamentos enviados de Londres, y pudo trasladar una parte de ellos a sus buques. Allí mismo la corbeta La Esmeralda, negociada al efecto por López Méndez, y el coronel Campbell y sus hombres, se pusieron a sus órdenes. El 11 de mayo montando nuestro almirante la corbeta, llamada desde esa fecha La Victoria, y acompañado de cinco bergantines y tres goletas, cruzaba frente a San Bartolomé, y el 17 estaba tranquilamente anclado en el puerto Gustavia de la misma isla cuando se presentó el capitán Chacón con sus ocho buques de guerra guarnecidos de 90 a 100 cañones y 1.400 tripulantes entre marineros y soldados. Teniendo Brión parte del armamento a bordo no quiso aventurar un combate, y con tiempo se salió al mar, e hizo rumbo al suroeste a la isla de Saba, donde se le separaron para irse a Margarita los dos buques de Joly y Bernard, antes parte del escuadron de Aury. Respetando el español la escuadra del insurgente, al cual se había unido, además de Joly y Bernard, un corsario de Buenos Aires, de 22 cañones, se mantuvo frente a Gustavia sin provocar combate (14). Huyendo de los españoles la Bretaña y el Dawson se refugiaron en San Martín, bajo la protección del pabellón holandés, y más tarde depositaron en San Bartolomé, parte de sus cargamentos de armas, encomendándolos a negociantes del lugar para su mejor venta (15). Estos movimientos prueban cuan fácil habría sido a los españoles capturar los buques ingleses y destruir al almirante Brión si su escuadra hubiera estado bien abastecida y equipada para la lucha.

Durante la estadía de los españoles en Granada no había podido salir la goleta particular la Libertad, de Tomás Sedeño, con 30 oficiales ingleses de la reciente expedición, deseosos de dirigirse a Guayana, y sorprendidos por los españoles en el momento de darse a la vela, pero seguros, porqué en el puerto inglés

---

(14) Diario Anónimo de Marina. Boletín de la Academia de la Historia N° 88, página 714. Según este diario Gabasso llegó a Granada en el Pelícano. Véase también en el mismo boletín página 783 una carta de Joly.

(15) Hackett. Obra citada, página 123.

estos últimos no podían intentar nada contra ellos; retirada luego la escuadra española, la Libertad logró escapar, el 18 de mayo, a pesar de la dramática persecución de la Ferrolana, apostada en las inmediaciones para vigilarla, y al día siguiente, cuando este buque español pretendió estacionarse en el puerto de Granada, las autoridades inglesas lo obligaron a retirarse, disparándole para decidirlo un cañonazo con bala. Esto dió motivo más tarde a un sentido y justo reclamo del Gabinete de Madrid al de Londres.

A los insurgentes y a los buques ingleses sus amigos, no se les permitía arribar sino en las pequeñas islas de San Bartolomé, San Martín, Saba y algunos otros islotes semejantes casi sostenidos por las presas de los corsarios. Desde esta última Brión había continuado sus negociaciones y convino en enviar uno o dos buques a San Martín a recoger los elementos de guerra todavía a bordo del Dawson y la Bretaña.

La irrupción de la escuadra española fue causa de no poder Brion regresar a Margarita hacia el 23 de mayo, como había ofrecido a Bermúdez por conducto de Arismendi, y no surgió en Juan Griego sino el 8 de junio, cuando ya el primero de estos jefes, como veremos enseguida, había abandonado las costas de Cumaná (16).

Después de proveer a la isla de algunos elementos militares el Almirante hizo rumbo al Orinoco, dejó anclados en las Bocas los buques mayores, y entró a Angostura el 12 de julio, entre vítores y aclamaciones, por el éxito de su crucero y los fusiles y otros elementos adquiridos en este fecundo período (17).

Acción de la Madera.

De acuerdo con el plan convenido con Sucre, Mariño avanzó a Cariaco, adonde llegó el 18 de mayo después de haber batido el

(16) Oficio del Libertador a Brión de 8 de junio. O'Leary XVI, 50.

(17) Según Montenegro Colón y Baralt, que lo copia, el Almirante efectuó este crucero de orden de Zea, pero no fue así. El era quien mandaba en Angostura, como presidente del Consejo de Gobierno, y su determinación debiose a sugestiones del Libertador y a su propia voluntad. Al separarse de la capital, como va expuesto páginas atrás, dejó a Zea encargado interinamente del mando, por su carácter de miembro principal del Consejo de Gobierno. Fue la primera vez que Zea ejerció el poder.

coronel Montes la guarnición de 180 hombres existente en el pueblo. Mientras tanto Bermúdez seguía el 14 de Cumanacoa sobre Cumaná, y el 16 estaba ya establecido a la orilla de la ciudad. Sólo llevaba 500 infantes, 2 piezas de campaña y 200 jinetes. En las noches del 19 y 20 alarmó a los enemigos con ataques violentos y en la del 21 embistió en firme la cabeza del puente en la entrada principal y fue rechazado.

Entre tanto Mariño con una fuerza igual a la de su antiguo teniente, en lugar de aproximarse a Cumaná a sostenerlo, se fue al sur a Santa Cruz, mientras el coronel Lorenzo, con la guarnición de Güiria, marchaba de este a oeste a socorrer a Cumaná. El español creyó fácil batir a Mariño y al efecto atacó su vanguardia establecida en Catuaro, mas le cayó por la espalda el coronel Montes, avanzado con otro objeto el día anterior, y se vió obligado a huir en dispersión. Era la más brillante oportunidad de seguir en auxilio de Bermúdez, pero Mariño no se movió en su favor, ni persiguió a los vencidos, ni avanzó hacia Carúpano, como pensaba. Esta conducta egoista tuvo funestas consecuencias.

El Gobernador Cires salió de Cumaná el 30 de mayo con 700 hombres de los batallones Granada, Barbastro y La Reina y atacó las posiciones fortificadas de Bermúdez en el Puerto de la Madera, a una legua de la ciudad, adonde este se había establecido a esperar la escuadra de Brion y un auxilio de Margarita. Empeñada la lucha Cires lo desalojó después de repetidos ataques, y lo arrojó hacia el sur con grandes pérdidas de los patriotas.

El jefe insurgente replegó a Maturín y Mariño desde San Francisco donde se hallaba el 7 de junio se vió obligado a retirarse en la misma dirección. Los españoles habían aumentado notablemente las obras de defensa de Cumaná y para batir a Bermúdez llevaron todas las tropas veteranas, dejando la plaza a cargo de las milicias urbanas, formadas de particulares, comerciantes y empleados civiles y de hacienda.

Impuesto el Jefe Supremo al llegar a Guayana de la actitud de Mariño se propuso celebrar una entrevista con los dos caudillos orientales para transigir de una vez sus diferencias, pero en el momento de marchar, el 14 de junio, ya en conocimiento de la derrota de la Madera, graves rumores sobre trastornos en Apure lo retuvieron en Guayana (18).

Intrigas de Wilson.

Estos se referían a una agitación producida en Apure, apenas se había separado Bolívar de su territorio, por el titulado coronel inglés Henry Wilson, con el objeto de proclamar a Páez, capitán general y jefe supremo de la República. Aprovechábanse este extranjero intrigante y otros ingleses beodos y arbitrarios, del descontento general a consecuencia de la última campaña desgraciada, y de la natural inclinación de hombres incultos a elevar al primer puesto a uno de los suyos. Muchos jefes de Apure, y pocos extraños al territorio, como el venezolano Justo Briceño y el granadino José Concha, entraron en el plan; se firmó una acta, se leyó por bando a las tropas en gran parada, y Páez y Wilson se dieron recíprocas comidas (19). Creyéndolo todo bien encaminado Wilson se dirigió a Angostura a ganar prosélitos, llegó a la capital el 22 de junio, más al día siguiente, antes de empezar sus gestiones, fue reducido a prisión. Había causa bastante para juzgarlo, y condenarlo a la última pena, pero probablemente el temor al efecto de tal castigo, entre los partidarios de Londres, detuvo a los patriotas. Después de abierto el proceso el reo fue conducido a la antigua Guayana, y el Libertador se contentó con arrojarlo del país (20).

Esta actitud del Jefe Supremo y el oficio dirigido por él a Páez el 25 de junio, en el cual, desentendiéndose de la parte que pudiera tener el caudillo en el complot, le pide la acta firmada por "algunos de los principales jefes del ejército de Apure" y todos los demás documentos útiles al consejo de guerra designado para juzgar al criminal, hicieron comprender al jefe de Apure, que en aquellas circunstancias no podía disputarle el primer puesto,

---

(18) Oficio del Libertador a Bermúdez, Angostura 8 de junio. O'Leary XVI, 48.

(19) Apuntaciones de Urdaneta. Nº 115. Memorias de O'Leary, VI, 355 y 356.

(20) El intrigante se dedicó en Inglaterra a denigrar de la revolución y de sus hombres. Demandó a López Méndez, y éste lo acusó de espía de los españoles. Véase el Correo del Orinoco, número 29.

y buen político, en lugar de mandar el acta, la rompió y se manifestó ageno y opuesto al proyecto (21).

Sin poder abandonar el Apure ni aumentar su hueste por falta de armas, a Páez le era imposible prescindir del gobierno establecido en Guayana, reconocido en los llanos de Caracas y en Oriente, dueño de una escuadra y en posesión ya de un armamento (22).

Celebración del 5 de julio.

La ocasión era propicia para una manifestación republicana de carácter civil, y con este objeto se celebró pomposamente en Angostura el septimo aniversario de la declaración de independencia, con misa cantada, salvas de artillería y bailes. El Jefe Supremo, las autoridades civiles y militares y el clero asistieron a la fiesta en la Catedral y dieron el mayor realce a todos los actos, como medida política de importancia (23).

El agente de los Estados Unidos.

Junto con el Almirante había llegado a Angostura un comisionado de los Estados Unidos del Norte, el señor Juan Bautista Irvine, y aunque al decir de los documentos oficiales, se mostró franco y habló con amistad y sinceridad y aseguró las buenas disposiciones del Gobierno de su país hacia los patriotas de Venezuela, su misión no tuvo ningún carácter politico ni resultado práctico, y sólo dejó el amargo recuerdo de una agria discusión epistolar con el Jefe Supremo, con motivo de dudosas reclamaciones mercantiles de algunos americanos. Exigía el agente indemnización por la captura de las goletas americanas Tigre y Libertad, sorprendidas por los independientes el año anterior a la entrada del Orinoco, conduciendo armas y víveres para los

(21) Oficio del Libertador a Páez. O'Leary XVI, 58.

Páez nos dá en su Autobiografía otra versión de este episodio, según la cual no se trataba de desconocer la autoridad del Libertador sino de nombrarlo a él general en jefe, pero esto en el fondo era lo mismo. Se equivoca en la fecha del suceso al fijarla en agosto cuando fue en junio. Tomo I, página 169.

(22) Su conducta altanera hasta la época de la batalla de Boyacá, no deja duda a ese respecto. El se sometió espontáneamente al poderío adquirido por el Libertador con la liberación de la Nueva Granada.

(23) Diario de Operaciones del Ejército. O'Leary XVI, 74.

españoles sitiados en Angostura y la Antigua Guayana, contra las prescripciones del bloqueo, decretado el 6 de enero de 1817, dado a conocer en los periódicos de los Estados Unidos antes de la partida de las expresadas goletas, y sostenido por los independientes con fuerzas suficientes, cuya eficacia ponía en duda el señor Irvine.

"Desde el momento que un buque introduce elementos militares a nuestros enemigos, para hacernos la guerra, aducía el Libertador, viola la neutralidad, y pasa de este estado al beligerante". A la insistencia del Agente en sus reclamos Bolívar le replicaba: "La doctrina citada de Vatell, que es sin duda la más liberal para los neutros, no solamente sostiene poderosamente el derecho con que Venezuela ha procedido en la condena de las goltas Tigre y Libertad, sino que dá lugar a que recuerde hechos que desearía ignorar para no verme forzado a lamentarlos. Hablo de la conducta de los Estados Unidos del Norte con respecto a los independientes del Sur, y de las rigurosas leyes promulgadas con el objeto de impedir toda especie de auxilios que pudiéramos procurarnos allí. Contra la lenidad de las leyes americanas se ha visto imponer una pena de diez años de prisión y diez mil pesos de multa, que equivale a la de muerte, contra los virtuosos ciudadanos que quisiesen proteger nuestra causa, la causa de la justicia y de la libertad, la causa de la América". A pesar de las razones del Jefe Supremo expuestas en once comunicaciones, en el espacio de tres meses, y de la situación angustiosa de la República, el señor Irvine insistió con tenacidad en sus reclamos: no quiso someter la cuestión a arbitraje, y replicando sus expresiones el Libertador se vió obligado a decirle: "Parece que el intento de V.S. es forzarme a que recíproque los insultos: no lo haré; pero si protesto a V.S. que no permitiré que se ultraje ni desprecie al Gobierno y los derechos de Venezuela. Defendiéndolos contra la España ha desaparecido una gran parte de nuestra populación y el resto que queda ansía por merecer igual suerte. Lo mismo es para Venezuela combatir contra España que contra el mundo entero, si todo el mundo la ofende". Y por último dió por terminada la discusión, en vísperas de partir a la campaña, con estas palabras: "No creo que haya ningún argumento bastante fuerte para que pueda contraponerse o balancear siquiera la autoridad de las Leyes que se han aplicado. Así tengo derecho para esperar que cese la correspondencia de que han sido objeto". Algún tiempo después el señor Irvine se fue a su país.

Imprudencia de nuestro Agente en los Estados Unidos.

Días antes de comenzar esta desagradable discusión Bolívar exponía la presencia de este agente como un gran acto en favor de la Independencia, y al comunicarle a Páez la noticia le informaba de la gran cantidad de armas y elementos de todo género recibidos de Londres, como incentivos para inducirlo a la obediencia. "Un solo paso nos falta —le decía— para ser felices, apresurémonos a darlo!" (24). Animado por las palabras lisonjeras de Irvine, antes de presentar su reclamo envió el 12 de julio al general Lino de Clemente, agente de la República en los Estados Unidos, desde el año anterior, las credenciales de Enviado Extraordinario y Ministro Plenipotenciario, y el encargo de solicitar el reconocimiento de la República de Venezuela, como estado libre e independiente, y de establecer las "relaciones de amistad y fraternidad, que deben existir entre los gobiernos libres de la América, para proveer a su mutua defensa y a la prosperidad de sus pueblos". Ideas, tal como, después de un siglo, las anhelan y practican hoy todos los pueblos americanos. El enviado tenía facultades para celebrar tratados e implorar auxilios para la guerra (25), pero desgraciadamente por su inoportuna participación en los asuntos de la isla Amelia, en la costa de la Florida, no fue recibido.

Los armamentos de Londres.

Por los bajíos en las Bocas del Orinoco los buques de Brión, cargados de armas y pertrechos no podían pasarlos y remontar, aunque el río estaba lleno, y fue necesario enviar la escuadrilla sutil para trasportar el armamento. Se esperaban 7.000 fusiles, 500 quintales de pólvora, gran cantidad de plomo y vestuarios, entre los trasportados por Brión y la parte depositada en las Antillas. También llegaron a Angostura en esos días las partidas,

(24) Oficio de Bolívar. Angostura 1º de julio. O'Leary XVI, 63. Véanse las cartas de Bolívar a Irvine, publicadas por nosotros, en el boletín Nº 62 de la Academia Nacional de la Historia 190 a 215. El Señor Lewis Hanke nos envió copias fotostáticas de ellas. Lecuna. Cartas del Libertador, XI, 125 a 159.

(25) Credenciales del general Lino de Clemente, Angostura 22 de julio de 1818. Boletín Nº 88 de la Academia de la Historia. pag. 744.

de muy pocos hombres, de los coroneles Campbell y Gillmore, y en viaje directo de Londres, surgieron en la capital, a mediados de agosto el bergantín Sarah, conduciendo vestuarios, sillas y otros artículos de guerra, y en octubre el de guerra Imogen de 18 cañones, el cual traía 3.500 fusiles, pólvora, plomo y otros efectos de valor, avaluados por los empresarios en £34.000 o sean 170.000 pesos fuertes, pagaderos en tabaco de Barinas y otros frutos, parte al contado y parte a plazos, pero el sobrecargo, como habían hecho sus colegas de los buques de la expedición, dejó los fusiles en las Antillas por temor de perderlos, a causa de las noticias desfavorables a las finanzas de los patriotas publicadas en las islas.

Júzguese en cuantos apuros se vería el Gobierno para cubrir el valor de estos cargamentos, los gastos ordinarios y los de reconstitución del ejército, casi sin rentas y con las cajas vacías. Sólo la energía sobrehumana de Bolívar podía hacer frente con éxito a tales empeños. El 15 de julio, por ejemplo, debía estar cargado en Angostura el bergantín Hunter hasta completar el valor de 3.000 fusiles dejados también por precaución en las Antillas con otros artículos que debía traer en breve plazo el bergantín Colombia, perteneciente al Estado. Para cubrir este crédito se pidieron a Páez tabaco de Barinas, mulas y cueros, y a las Misiones otros artículos semejantes. De Apure se recibieron pequeñas cantidades.

La posesión de tan importantes armamentos, aunque todavía no había llegado a Angostura sino una parte, consolidó y dió nueva fuerza al Gobierno. Sin pérdida de tiempo se procedió a su distribución. Como primeras remesas se enviaron 600 fusiles a Páez, 500 a Monagas, 600 a Mariño a Maturín, 600 a Anzoátegui a las Misiones y 400 a Bermúdez a la Antigua Guayana, con abundantes municiones. A todos se remitieron cantidades de vestuarios, tan importantes como los fusiles, porque las tropas estaban desnudas. Las escuadrillas sutiles de Antonio Díaz y José Padilla fueron provistas de cañones, fusiles, municiones y vestuarios.

Rentas. Cuentas de las Cajas Nacionales.

En el Boletín de la Academia de la Historia Nº 88 página 786. publicamos la entrada, salida y existencia de los libros de las Cajas Nacionales de Angostura, en el curso del año de 1818. Rentas embrionarias y suplementos con calidad de reintegros, produjeron en el año $287.247,50; suma debida en gran parte a la protección oficial concedida a las exportaciones de ganados, y al régimen severo establecido por el Jefe Supremo; pues sólo contribuyeron a formarla la despoblada Guayana, asolada por la guerra y las emigraciones, y algunas secciones semidesiertas de los llanos, cuya única riqueza consistía, en la parte oriental del país, en mulas cerriles y ganados flacos y montaraces, difíciles de recoger (26). Presenta las cuentas el ministro tesorero Vicente Lecuna, comisario del ejército desde 1813.

Los principales ramos de rentas fueron derechos de la nación (aduanas?) $88.050,50; hacienda en común $12.085,37 y bienes del Estado $38.680,94. La mayor entrada, montante a $129.536, por suplementos con calidad de reintegros, creemos se refiere a adelantos al Estado, por comerciantes y exportadores, pagaderos en derechos fiscales de exportación de ganados y mulas, el negocio más productivo en aquella época. Los ramos de alcabala de tierra $1.197,37 —composición de pulperías $821,87— papel sellado $250,87— regalía de sal $2.034,62 y otros semejantes dieron muy poco. La cuenta completa se halla en la página 786 del Boletín número 88 de la Academia de la Historia.

Para apreciar este resultado debe considerarse que las rentas totales de Venezuela en tiempos de paz apenas pasaban de dos millones de pesos y el territorio ocupado por los patriotas sólo contenía poco más de la décima parte de la población.

El Corso. Margarita.

La república obtuvo en este año, y en los posteriores, importantes recursos del corso, cuyos ingresos se administraban en

(26) Se ha ponderado la riqueza de las Misiones. Juzgamos exageradas las estadísticas que corren sobre ellas. Véase el cuadro del Presbítero coronel José Félix Blanco, sobre los productos en los primeros tiempos de la ocupación, publicado por nosotros en el boletín Nº 82, página 217 de la Academia Nacional de la Historia. A fines de 1818 las existencias habían disminuido considerablemente.

Los llanos de Maturín, los más fértiles de Oriente, estaban en 1818 sin caballos y sin ganados, agotados por la guerra; en los de Barcelona quedaban pocos, y la región de Caicara, antes rica en ganados caballar y vacuno, había sido devastada durante las campañas de Sedeño, y el paso del ejército libertador a principios del año.

Margarita. Según el Reglamento de 4 de marzo de 1817, dado por el Jefe Supremo en Barcelona, el Estado cobraba del valor de las presas, 10% para las Cajas Nacionales, 2½% para el Almirantazgo y 2½% para el hospital de marina. En la opinión del comandante de marina Felipe Esteves, con los productos del corso se hizo la expedición a Angostura en 1817, y se mantuvo en gran parte la marina de la República hasta el término de la guerra, y por esto "puede decirse, expresa el comandante Esteves, que con los corsarios se pusieron los primeros fundamentos de la República". Así fue la verdad, y con sus productos se sostuvieron el tren militar de Margarita, los voluntarios ingleses llegados a la isla, y se hicieron posteriormente las expediciones a Barcelona, Santa Marta y Cartagena (27).

Relaciones con las Provincias Unidas del Río de la Plata.

En estos días llegó a manos de Bolívar la nota fraternal del Supremo Director de las Provincias Unidas del Río de la Plata, don Juan Martín de Pueyrredón, fechada el 19 de noviembre de 1816, en la que este insigne magistrado expresaba sus sentimientos y los de sus compatriotas de amistad y admiración por "la invicta Venezuela, sembrada de escombros y cadáveres y cubierta de laureles, como monumento solitario que recordará a la América el precio de la Libertad", y auguraba su triunfo final bajo el mando del "genio que el Eterno había destinado para vengar las injurias de los inocentes, para dar nueva vida a su Patria y para ofrecer a todas las Naciones el inagotable poder de una alma grande, consagrada al bien de sus semejantes". Una proclama del mismo funcionario a los venezolanos, en nombre de los argentinos, abunda en idénticos sentimientos. Este acto generoso, el primero de solidaridad americana de los pueblos en lucha, es uno de los más nobles y gloriosos de la revolución americana.

Con extraordinario júbilo contestóle el Jefe Supremo de Venezuela el 12 de junio de 1818, al ver iniciadas las relaciones deseadas desde mucho antes. "V.E. —le dice— ha adelantado un paso que da nueva vida a ambos Gobiernos" . . . "Cuando el

(27) Informe de Felipe Esteves. Caracas, 20 de octubre de 1826. Boletín de la Academia Nacional de la Historia de 30 de abril de 1917. Nº 13, pag. 203. Véase el Reglamento en el número 80 página 477 del mismo boletín.

triunfo de las armas de Venezuela complete la obra de su independencia, nosotros nos apresuraremos con el más vivo interés a entablar por nuestra parte el pacto americano, que formando de todas nuestras repúblicas un cuerpo político presente la América al mundo con un aspecto de majestad y grandeza sin ejemplo en las Naciones Antiguas"; y en su proclama a los habitantes del Río de la Plata, les manifiesta que Venezuela, aunque cubierta de luto, les ofrece su hermandad, y cuando logre el triunfo los convidará a una sola sociedad, para que nuestra divisa sea Unidad en la América Meridional. Los dos pueblos que iniciaron la independencia y extendieron sus armas hasta encontrarse en el centro del continente fueron los primeros en promover ideas políticas continentales. Ningún otro acto americano ha superado, por la nobleza de los sentimientos y penetración del porvenir, al de estos dos hombres superiores que abrieron el camino hacia un sistema de igualdad y de unión, aspiración constante de todos los americanos.

El Correo del Orinoco.

Estos despachos vieron la luz en el primer número del Correo del Orinoco, vocero de la revolución, establecido en Guayana el 27 de junio de este año, bajo la dirección de Zea, Roscio y José Luis Ramos, para contrarrestar la propaganda de la Gaceta de Caracas y servir de órgano al Gobierno.

Combates y toma de Güiria.

Como medida preliminar de otras operaciones en Oriente era indispensable arrojar a los españoles de Güiria, de donde dominaban el Golfo Triste, interceptaban las comunicaciones con Trinidad y Margarita y enviaban frecuentemente sus flecheras a los caños del Orinoco. A este efecto el Jefe Supremo despachó con anticipación a Antonio Díaz a limpiar de enemigos el Delta del Orinoco y, una vez logrado esto, regresar a Barrancas a recoger a Bermúdez y su columna de 400 hombres, para llevarlos con el Almirante a embestir a Güiria. Este último daría la vela de Angostura con sus buques aparejados de un todo, en disposición de efectuar otras operaciones importantes.

La primera parte fue realizada tal como se había dispuesto, las flecheras enemigas batidas y perseguidas abandonaron los

Caños y Díaz retrocedió a Barrancas. Por un retardo de sus subalternos, Bermúdez sólo tenía allí 100 fusileros, pero siempre intrépido y resuelto partió con ellos solamente por no faltar a la combinación. El ataque a la plaza tuvo lugar el 23 de agosto. Los españoles disponían de un pequeño fuerte y una batería desde los cuales protegían sus flecheras. En el primer choque, cuando todavía no habían llegado las flecheras patriotas, las españolas apresaron el bergantín Colombia a consecuencia de una falsa maniobra del capitán inglés Hill, refugiándose este y sus hombres en la goleta Favorita. Al día siguiente al amanecer desembarcaron Bermúdez y Sucre en Cauranta, avanzaron al pueblo para sorprenderlo, pero descubiertos se hicieron fuertes en la Quebrada de Chachá y rechazaron un fiero ataque de la guarnición (28). Al mismo tiempo Antonio Díaz con su habitual audacia avanzó de frente, represó al bergantín Colombia y tomó al abordaje las flecheras protegido por el Almirante, quien retuvo la atención de los españoles cañoneando el fuerte y la batería. Aprovechando la confusión de los enemigos Bermúdez con inaudita bravura se precipitó sobre la plaza y la tomó al paso de carga. La guarnición muy superior en número huyó en parte hacia Rio Caribe. Unos cuantos hombres se sostuvieron en el fuerte hasta la madrugada del 25.

Logrado esto, debía efectuarse el 15 de setiembre en la costa del norte una concentración de fuerzas, reuniendo 500 margariteños conducidos por el Almirante, la división de Mariño y las columnas de Bermúdez y Monagas, con el objeto de dar un golpe a Cumaná bajo la dirección del Jefe Supremo: pero retardos inevitables hicieron aplazar el proyecto, y mientras tanto Brión partió a las Antillas menores a recoger los artículos de guerra todavía existentes allí con orden de regresar lo más pronto a hacer frente a la escuadra del capitán Chacón a la sazón abasteciéndose en Cumaná, o bien a venirse detrás de ella, con sus buques y los de Antonio Díaz para encerrarla y batirla en el Orinoco, si se dirigía a Guayana, como se rumoraba entre los realistas (29).

---

(28) Véanse la relación de Hill en la obra de Hippisley. París 1819, páginas 152; y el Boletín del Ejército Libertador. Correo del Orinoco Nº 12. La fragata inglesa de guerra el Scamander presenció el combate a corta distancia.

(29) Oficio del Libertador a Brión. Angostura 27 de agosto. O'Leary XVI, 89.

Preliminares de la campaña de Nueva Granada.

Durante las luchas difíciles de los últimos años Bolívar no había cesado de pensar en el país que en 1813 le había dado los medios de libertar a Venezuela y ahora se hallaba sojuzgado. "La sangre de los hijos de Santa Fé, hizo escribir en el reglamento para la convocación del Congreso, se ha derramado por la salud de nuestro país: nada, pues, es más justo que derramar la nuestra por la salud del suyo. Nosotros no podemos dejar de recordar con sentimientos de gratitud y admiración a los Girardot, Ricaurte y D'Elhuyar que corrieron desde Bogotá en nuestro auxilio" y dejaron de existir por dar vida a Venezuela.

Sus títulos de Jefe Supremo de la República, y Capitán General de los Ejércitos de Venezuela y la Nueva Granada, dejaban ver sus miras políticas encaminadas a la unión de ambos pueblos. Intereses comunes, recuerdos de gloria y el deseo ardiente de fundar una gran república, aguijoneaban su espíritu. Aunque reconocido en Casanare como Jefe Supremo desde el año anterior, no había podido socorrer la provincia, ni llenar los deseos de esta de emanciparse de la tutela de Páez (30). Los armamentos recibidos de Inglaterra la actitud pasiva del gobierno español y el aumento de fuerza de la República, le permitían por fin enviar elementos de guerra a Casanare y poner las bases de un gran designio premeditado por él sobre la Nueva Granada.

En la reciente campaña había distinguido a un hombre entendido en asuntos de guerra y de gran capacidad política, el coronel Francisco de Paula Santander, el mas a propósito por su origen y servicios en su patria nativa, para colaborar en la empresa, y conocido en Venezuela por sus servicios en Apure y Guayana, y el desempeño del elevado cargo de jefe de estado mayor en la última campaña. Con aquella mira y en justo galardón por sus meritos le concedió el grado de general de brigada, y lo nombró comandante general de Casanare, con la misión de formar la división de vanguardia del ejército libertador de la Nueva Granada. De acuerdo con los medios y trasportes disponibles le entregó 1.000 fusiles, municiones y vestuarios, y una proclama anunciando la

(30) Representación de Fray Ignacio Mariño, Antonio Arredondo y Agustín R. Rodríguez, de 17 de diciembre de 1817. Boletín de la Academia Nacional de la Historia, N° 82, página 231.

gran campaña proyectada. "Venezuela, decía en ella a los granadinos, conmigo marcha a libertaros, como vosotros conmigo, en los años pasados, libertásteis a Venezuela . . . El Sol no terminará el curso de su actual período sin ver en todo vuestro territorio altares levantados a la libertad". En su espíritu guerrero se aunaban el idealismo del patriota y el sentido de la realidad, al medir con exactitud matemática el tiempo requerido para la ejecución. La proclama fue dada el 15 de agosto de 1818 y el 7 de agosto del año siguiente quedó asegurada la libertad del Nuevo Reino. Convencido de que los enemigos no darían crédito a sus palabras, no tuvo reparo en anunciar solemnemente la empresa (31). Ni los desastres pasados, ni las dificultades lo arredraban; apreciando de una ojeada el inmenso teatro de las operaciones futuras tenía ya fijado en su mente el carácter de la campaña proyectada, y así dijo al atrabiliario comandante francés Persat constante divulgador de las glorias de Napoleón: "en la última campaña tuvimos nuestro Novi, pero en la próxima tendremos un Marengo" (32).

En un oficio a Páez del 19 de agosto, le informa el nombramiento de Santander, el proyecto ideado y las circunstancias favorables por la opinión decidida en favor de la independencia en gran parte de la Nueva Granada, la escasez de tropas españolas en su territorio, y el disgusto de las criollas encargadas de las guarniciones, así como las noticias favorables del Perú y del Alto Perú, según se aseguraba, independizados a consecuencia de la batalla ganada por el general San Martín el 5 de abril cerca de Santiago; noticias en parte inexactas, pero las daba por ciertas para evitar críticas y censuras. Por todas estas razones —dice— "he determinado aprovechar la más bella ocasión, para emprender con buen suceso la libertad de la Nueva Granada. Con este

(31) No debe sorprender la divulgación del proyecto, necesaria para animar a los patriotas de uno y otro país. Bonaparte hizo publicar en el diario oficial El Monitor su proyecto de reunir un ejército en Dijon, cruzar los Alpes y caer en Italia a retaguardia de los austriacos en la campaña de Marengo. Los ingleses y los austriacos se burlaron del proyecto por considerarlo irrealizable. Mémoires de Napoleón. París 1862. p. 104. De la Bibliotheque Militaire.

(32) Mémoires du Commandant Persat. París. 1910. p. 41. El autor, oficial distinguido del Imperio, condecorado personalmente por Napoleón estuvo de paso en Angostura a mediados de 1818.

objeto marcha el señor general Santander a Casanare, con cuantos elementos de guerra son necesarios, a tomar el mando de la fuerza armada que hay en ella, y a levantar, organizar y disciplinar una división que moverá y dirigirá según las instrucciones que ha recibido de mí" (33). La Provincia de Casanare quedaba segregada del mando de Páez.

"La operación que intento sobre la Nueva Granada —continúa en el mismo oficio— debe necesariamente producir tanto a aquella, como a Venezuela, incalculables ventajas. Invadido el Reino puede darnos un ejército tan respetable que destruya a sus enemigos, intimide a Morillo en Venezuela, y lo reduzca a evacuar esta, para volar a contener la Nueva Granada, o lo obligue cuando más a refugiarse a las plazas fuertes de la Costa". Y en otro pasaje resume su concepto en estas frases: "Logramos poner a Morillo en la alternativa o de evacuar a Venezuela, para marchar al Reino, o de verse perdido enteramente este" (34). Clara visión de cuanto iba a realizar al término de un año, a consecuencia del gigantesco cambio del teatro de la guerra, y la consiguiente sorpresa estratégica de los enemigos, fecunda por su naturaleza en grandes resultados.

En el diario de operaciones del ejército se hicieron constar el día 21 de agosto, los medios dados al general Santander para armar, vestir, organizar, disciplinar y aumentar su división, e instrucciones para facilitar la correspondencia (35). El apuesto general, de 27 años de edad, partió de Angostura el 27 de agosto conduciendo en cuatro flecheras su parque, y acompañado de los oficiales Jacinto Lara, Joaquín París, Vicente González y Antonio Obando (36).

Trabajos de los Realistas. Medidas de los Patriotas.

Por la magnitud de sus pérdidas, en la campaña de este año, a los españoles les fue necesario conceder a las tropas un largo

(33) O'Leary XVI, 85. Oficio del 19 de agosto al general Páez.

(34) O'Leary XVI, 86. Oficio del 19 de agosto, citado.

(35) O'Leary XVI, 90 y 91. Sólo el olvido de todos estos documentos citados puede explicar la pretensión de Páez, cuando escribió su Autobiografía, de atribuirse la concepción de esta campaña.

(36) Diario del General Santander. Archivo de Santander, III, 35.

reposo para reponerlas y aumentarlas. A esto se añadía la noticia de la expedición inglesa y de su armamento destinado a los patriotas. En vista de este hecho nuevo ningún esfuerzo parecía superfluo a Morillo para la próxima campaña. Sin amilanarse tomó enérgicas medidas para engrosar sus batallones, formar otros nuevos y recolectar caballos. El batallón Valencey y el 2º del Rey creados sobre la base de las milicias de Valencia, se incorporaron a la 1º División. El 1º del Rey al cual se habían dado 1.000 reclutas de la Nueva Granada, vino a Venezuela a refundirse en los cuerpos europeos. Con sus cuadros se rehizo el batallón y se destinó a la división de Vanguardia. Las divisiones se repartieron en lugares adecuados para recibir reemplazos (37).

Al dar Bolívar instrucciones a sus generales y avisarles los trabajos de los enemigos, les decía: "Excedámosles en actividad" A Páez le ordenó engrosar las partidas en correrías al norte del Apure, a fin de apoderarse del mayor número de caballos, ganados y mulas, para privar de ellos a los españoles, e impedirles reunir con tranquilidad sus reclutas (38). "Todo anuncia, le añadía algunos días después, un movimiento general de los enemigos, o una concentración de sus fuerzas. Haga V.S. penetrar sus guerrillas en todas direcciones para imponerse de su dirección e intenciones" (39). Zaraza, cuyas partidas habían obtenido importantes ventajas en los meses de junio y julio, recibió instrucciones análogas.

Anzoátegui volvió a las Misiones con nuevos oficiales y los coroneles Pigott y Piñango, a dar la última mano a las tropas preparadas en aquella región (40). Al mismo tiempo se abastecían y reforzaban las fortalezas de Guayana, en previsión de un movimiento de los enemigos sobre el Orinoco (41).

Sedeño recibió encargo, el 20 de agosto, de formar una división en los llanos de Caracas y destruir las fuerzas realistas de Quebrada Honda encargadas de proveer de carnes a los valles del Tuy y Barcelona. Llevaba el batallón Angostura Nº 1, fusiles

(37) Mémoires du general Morillo. París, 1826. 173.
(38) Oficio del 10 de agosto. O'Leary XVI. 83.
(39) Oficio del 21 de agosto. O'Leary XVI, 88.
(40) Diario de operaciones. O'Leary XVI, 90.
(41) Diario de operaciones. O'Leary XVI, 92.

sobrantes para levantar otro batallón, y una orden al general Zaraza de proporcionarle parte de su caballería (42). Con anticipación se le prepararon medios de trasporte en las Bocas del Pao.

Proyectos sobre Cumaná y la Costa.

Inconvenientes en casi todas las fuerzas hicieron aplazar las operaciones sobre Cumaná para el 15 de octubre: en esta fecha, según nuevas instrucciones, de 22 de setiembre, Brión y Mariño debían ponerse en contacto en la costa al este de dicha plaza, mientras se aproximaban Bermúdez por Río Caribe y Carúpano, y Monagas desde el sur de Barcelona: el primero llevaría de Margarita piezas de artillería de grueso calibre y 500 margariteños, y en el bergantín Apure, desde Angostura, el cuerpo de artillería de Gillmore con 4 piezas de batir. Apoderadas todas esas fuerzas de la costa, y tomada Cumaná, el Jefe Supremo pensaba obrar por mar sobre la costa a Barlovento de La Guaira, o a Sotavento de esta plaza, desde Ocumare hasta Coro. Este plan se efectuaría con el menor gasto posible de hombres, y no fue adoptado —escribía Bolívar a Páez— por elección sino por necesidad, para no perder las tropas en marchas tan largas si fijaba un punto de asamblea general hacia el centro del país (43). Los tres batallones de La Guardia, Granaderos, Rifles y Zapadores, y el escuadrón Dragones de Honor, por todo 1.000 hombres, al mando de Anzoátegui, estaban navegando hacia el Apure a reforzar a Páez, a fin de que este jefe pudiera observar de cerca a Morillo, seguirlo o destruirlo, según las circunstancias, y si fuera posible reunirse al Jefe Supremo en los Valles de Aragua o en otro punto conveniente (44).

Convocación del Congreso.

Antes de partir a la campaña quiso Bolívar dar un paso de trascendencia para la estabilidad del Gobierno convocando el Congreso de la República, medida política aconsejada en esta ocasión por el virtuoso Peñalver. El 1º de octubre reunió el Con-

(42) Diario de operaciones. O'Leary XVI, 91.

(43) Lecuna. Cartas del Libertador. Angostura, 29 de setiembre. II, 70.

(44) Oficios a Brión y Páez, 22, 28 y 29 de setiembre y 5 de octubre. O'Leary XVI, 99, 100, 101 y 104.

sejo de Estado, sometió a su estudio los decretos recientes del Gobierno, expuso la situación política y militar y su proyecto relativo al congreso general. El Consejo debía deliberar sobre si convenía o nó la convocación immediata y nombrar una comisión especial encargada de formular la manera de llevar a efecto las elecciones populares. Adoptada la idea, el 17 quedó aprobado el plan de la comisión, presidida por el general Urdaneta, el 22 el Libertador convocó al pueblo a elecciones, el 24 se publicó el Reglamento, casi todo obra suya; y más adelante en el mes de noviembre, en los días pasados en Angostura, entre dos campañas, redactó buena parte de un proyecto de constitución para la República; después de discutir la materia con sus principales colaboradores, estableció en él algunos de sus conceptos sobre la forma del Gobierno, temperados por las ideas reinantes, de las cuales no podía prescindir (45).

Marcha hacia Cumaná.

En aquel mismo día partía el libertador hacia Maturín a donde llegó el 31 bajo la impresión recibida en el camino de una derrota sufrida por Bermúdez. Al día siguiente continuó su viaje en dirección del cuartel de Mariño, y al otro día recibió en la marcha la nueva de que la división de este general, sin combatir sino una parte había sido totalmente dispersada el 31 de octubre en Cariaco, en circunstancias tan vergonzosas y de consecuencias tan funestas como las de la Hogaza el año anterior, resultado del descuido de los jefes y del espíritu anárquico e indisciplina reinante todavía en las tropas, como resabios del hábito de obrar cada uno por su cuenta. Veamos como ocurrieron estos funestos descalabros.

Derrota de Bermúdez en Río Caribe.

De acuerdo con instrucciones del Jefe Supremo, Bermúdez debía embarcarse en Güiria en la escuadrilla, tomar la costa de Carúpano si fuere posible, o bien seguir por el mar a desembarcar en la Esmeralda y dirigirse luego al lugar de la reunión. Al efecto sorprendió a Carúpano, pero no pudo tomarlo, retrocedió a Río Caribe y ocupó el puerto por sorpresa después de un combate

(45) Mensaje al Consejo de Gobierno. Reglas para la convocación del Congreso, 22 de octubre. Bases para una constitución. O'Leary XVI, 102, 115, 129.

el 13 de octubre: más en lugar de perseguir a los enemigos se detuvo y el 15 fue sorprendido y derrotado por una columna de refuerzo al mando del comandante Ramón Añés. Arrojándose al mar para tomar las flecheras se salvaron Bermúdez, Sucre, Isava, Fouchet, Machado y Quintero y las dos terceras partes de los soldados, y de allí siguieron a Margarita. En la playa y el pueblo dejaron 60 muertos y heridos. Los esfuerzos de Sucre para inducir a Bermúdez a evitar el combate, reembarcándose con la columna, a la aproximación del refuerzo, fueron inútiles.

Derrota de Mariño en Cariaco.

Según lo convenido Mariño avanzó hacia el Norte, pero antes de aproximarse a Cumaná quiso tomar a Cariaco defendida por 400 hombres del comandante Agustín Nogueras y una columna de 500 combatientes del coronel Manuel Lorenzo formada de las tropas batidas en Güiria, de las que acababan de derrotar a Bermúdez, y de algunas guerrillas locales. El jefe patriota disponía de 1.140 infantes, 340 caballos y 40 artilleros con 2 piezas, tropas suficientes para vencer, pero el 31 de octubre se precipitó al ataque con solo la vanguardia al mando del coronel Montes cuando el resto de sus tropas no había llegado. Recibidos los patriotas con un fuego nutrido fueron definitivamente rechazados después de renovar el ataque con gran valor, y perseguidos con energía se desbandaron e introdujeron el pánico en las restantes. Mariño se retiró a la sabana de Catuaro, luego siguió al sur en dirección de Santa María, y se detuvo en este punto, donde solo pudo reunir la cuarta parte de sus hombres. En el combate y la persecución, perdió 400 entre muertos y heridos. El vencedor Nogueras tuvo la feroz y desdichada idea, en la guerra carlista, de fusilar por represalias a la madre del célebre general Cabrera, y con este hecho atroz cortó su brillante carrera en la madre patria.

Imposibilitado de emprender en Oriente, Bolívar cambió de proyectos; en una conferencia en Maturín, el 5 de noviembre con Mariño logró que este jefe le ofreciera su concurso para la próxima campaña en el Apure y al efecto se comprometió a llevar sus tropas a Soledad. El Jefe Supremo después de dar diversas disposiciones a Rojas para levantar fuerzas en aquellos lugares, regresó a Angostura.

Sedeño triunfa en Quebrada Honda.

Pocos días antes, el 1º de noviembre, Sedeño atacó por sorpresa las posiciones fortificadas de Torralba, en las Trincheras de Quebrada Honda, las tomó, persiguió a los enemigos en la montaña por espacio de tres leguas, hasta aniquilarlos, destruyó las rancherías, refugio de este antiguo teniente de Boves y se apoderó del ganado empotrerado por él para abastecer a Caracas por Altagracia y el Tuy y a Barcelona por Onoto (46).

Brión, por su parte, después de la toma de Güiria, partió en comisión a las Antillas; de paso persiguió sin éxito al bergantín Colombia alzado contra el Gobierno por las intrigas del inepto Hill. El 1º de octubre se hallaba frente a la isla de Granada y el 4 en las Granadillas. De aquí se dirigió a Margarita y Joly siguió a cruzar frente a La Guaira (47).

Sobre la Mediación de las Potencias.

El 10 de enero de 1817 el Secretario de Estado, José Pizarro, manifestó oficialmente al Ministro de Inglaterra en Madrid, el deseo de la corte, de que el gobierno inglés se encargara de la mediación entre las provincias americanas sublevadas y la madre patria, bajo las bases de una amnistia general, principios liberales de comercio hacia los extranjeros y americanos nativos, y consideraciones especiales a éstos en la provisión de empleos y privilegios civiles. La misma idea fue presentada meses después por el embajador duque de Fernán Núñez, en un memorandum, con motivo de la revolución de Pernambuco, a la conferencia o comisión permanente de las potencias de la Santa Alianza, representadas por sus embajadores en la Corte de París. El Czar al tener conocimiento del proyecto se alegró creyendo que Inglaterra se prestaría a desempeñar el papel de ejecutor de la Santa Alianza en la América Española, pero el duque de Wellington lo desengañó pronto, declarando a los embajadores en París, que su país no se sometería a los acuerdos de otras potencias en esta cuestión (48).

---

(46) Véase el parte de Sedeño de 3 de noviembre, Boletín de la Academia Nacional de la Historia, Nº 88; Página, 761.

(47) Oficio de Bolívar a Brión del 16 de diciembre. O'Leary XVI, 183.

(48) Restauración y Revolución, por Teodoro Flathe. De la Historia Universal de Oncken. Tomo XXXV, p. 27. Barcelona 1921.

El gabinete inglés manifestó el 20 de agosto al embajador español, duque de San Carlos, su disposición favorable a la mediación, sin intervención militar, entre España y Portugal y sus colonias americanas. Según su opinión sería necesario abandonar la antigua política colonial de monopolios comerciales y establecer un régimen de libertad de comercio favorable a los intereses de los nativos de dichas provincias, indispensable en cuanto a España, pues en el Brasil se habían suprimido los monopolios, y como resultado se logró la pacificación de Pernambuco.

En consecuencia Inglaterra proponía a España una amnistía general, un armisticio con los rebeldes durante el tiempo de la mediación, igualdad de derechos de hispano americanos y españoles peninsulares, libertad de comercio con todas las naciones, dando una preferencia equitativa a la Madre Patria, y supresión de la trata negrera. Tales eran las bases sabias sobre las cuales Inglaterra se comprometía a ofrecer su mediación, limitando su acción a los buenos oficios de un mediador, sin acudir a las armas en ningún caso (49).

Creyendo el gobierno español inclinar a Inglaterra a sus ideas convino en firmar el 17 de setiembre de 1817, con esta potencia, un convenio abriendo sus colonias al comercio inglés y prometiendo abolir desde el 30 de mayo de 1820 la trata negrera, a cambio de una indemnización de 400.000 libras esterlinas. Contando con esta suma el gobierno contrató una escuadra rusa, para destinarla a la sumisión de las colonias sublevadas; negocio tratado con tan poco cuidado y honradez que cuando los buques llegaron a Cádiz por podridos estaban inservibles. Ante la Europa entera se exhibieron la incapacidad, por decir lo menos, de los funcionarios españoles y la inmoralidad de los ministros del Czar.

Mientras tanto el Rey de España había rechazado las ideas de Inglaterra en cuanto a armisticio y cambio de sistema político, conviniendo solamente en adoptar algunas reformas liberales, pero recalcando que el esfuerzo de los aliados debía dirigirse, no a

(49) F. O. 72/204. Spain. Mem. Spanish America. 28 august, 1817. Véanse este y otros oficios importantes, sobre estas negociaciones, copiados en Londres por el Dr. Carlos Urdaneta Carrillo. Boletín de la Academia de la Historia, N° 88, páginas 845 a 882.

obligar a España a cambiar de método, sino a incitar a los gobiernos revolucionarios de la América Meridional a acceder al sistema político que adoptasen los aliados de acuerdo con España, sin precisar cual fuera ese sistema, el cual debía formularse en Madrid, donde se hallaban los medios de ilustrar a los ministros Españoles y aliados (50).

Las bases presentadas por España apenas eran un reflejo de las propuestas al Rey en 1815, para pacificar las provincias americanas, por el Presbítero Ambrosio Llamozas, Vicario General del Ejército de Boves, sin ningún efecto, porqué el Gobierno de aquel año no le prestó atención, y los posteriores no se atrevieron a tomar ninguna medida en ese sentido. No se hizo caso de aquel sacerdote venezolano, conocedor a fondo de su pueblo, por haber tomado parte en sus ardientes luchas, y con visión de hombre de estado, y se fundaban esperanzas en mediaciones fantásticas, desde el momento que Inglaterra visiblemente no le prestaría su apoyo.

Política española.

En esta cuestión americana, tan importante para el pueblo español, la aptitud y conducta del gobierno fueron deplorables desde todo punto de vista. En vez de solicitar mediaciones extranjeras en notas humillantes, ha debido ofrecer con anticipación a sus provincias americanas la igualdad de derechos y el comercio libre que le aconsejaba Inglaterra, atender con eficacia los servicios públicos, reforzar los ejércitos defensores de la integridad del imperio español y mantener una marina que asegurara las comunicaciones, para lo cual bastaban sus propios recursos bien administrados; pero sin sistema político adecuado y sin administración abandonó a sus numerosos y heroicos partidarios criollos a su propia suerte, como si a la España no le importara el vasto dominio descubierto, conquistado y colonizado por ella con tanta gloria.

Desde mucho antes de iniciar la mediación, el Gobierno español reclamaba frecuentemente al de Londres, sin ningún

(50) Madrid, 4 de octubre de 1817. F. O. 72/204. Spain Domestic. Duke of San Carlos. Sept. to Dec. 1817. En los documentos copiados por Carlos Urdaneta y Elena Lecuna de Urdaneta. Boletín N° 88, de la Academia de la Historia, páginas 845 a 882.

resultado, contra la lenidad y a veces la complicidad de las autoridades inglesas, respecto a las expediciones de voluntarios y embarques de armas despachadas de Inglaterra a los insurgentes. Baste decir que el 27 de noviembre de 1817 el Gobierno inglés dió un decreto prohibiendo las expediciones bajo severas penas, y a los pocos días salió de Londres, a vista de todo el mundo, la organizada por López Méndez poco después de aquella fecha.

Declaración de la República de Venezuela.

Las gestiones en favor de la mediación se repitieron el año de 1818, y divulgadas en Londres, llegaron las noticias a las Antillas y a Angostura, no de las gestiones pacíficas recomendadas por Inglaterra, sino de una intervención armada en toda forma, creando en los dos bandos existentes en el país, esperanzas y temores con gran ventaja de los realistas. Los recelos de los independientes no eran vanos: la reacción política dominante en Europa podía hacer un esfuerzo en favor de la legalidad quizas sin oponerse Inglaterra, cuyas miras tal como las hemos expuesto, no eran del todo conocidas del público. En agosto circulaban en Angostura noticias cada vez mas persistentes de que el gabinete español, incapaz de sostener la lid empeñada con el nuevo mundo, negociaba con éxito la mediación de las Altas Potencias. Con motivo de la alarma consiguiente en Guayana se resolvió levantar una protesta como lo explica el Jefe Supremo a López Méndez en estas palabras: "Sin embargo, de que V.S. me dice de un modo positivo que la mediación no puede tener lugar, algunos papeles públicos de Europa que han llegado, las noticias que me ha adelantado el ciudadano Palacio, acerca de la circular del Gobierno español a todas las potencias Aliadas, y los últimos decretos de ese Gabinete sobre piratas &., me han movido a convocar una junta nacional compuesta de todas las autoridades de la República, para que haga una manifestación de nuestros verdaderos sentimientos y resolución. La Junta se celebró el 20 del corriente y en ella se sancionó que yo, a nombre de la República, publicase una declaración protestando contra toda mediación que no se dirija a reconocernos como nación libre e independiente, y jurando que preferirá Venezuela verse exterminar sosteniendo sus derechos contra todo el mundo antes que someterse a su feroz e implacable enemigo la España, cualesquiera que sean las condiciones de la reconciliación. Esta declaración está precedida de una breve exposición de nuestros justos motivos de odio y de indignación por la conducta pérfida y atroz de los españoles. Me lisonjeo con la esperanza de que pueda influir en la resolución del congreso europeo si es que se someten a él los negocios de América, y aun me prometo que pueda apresurar el término de nuestros males anticipándonos la paz y el reconocimiento de nuestra independencia". (51) Aludía el Libertador al congreso de Aquisgran celebrado del 30 de setiembre al 21 de noviembre de 1818. El documento enérgico y valiente fue promulgado el 20 de noviembre, casualmente la víspera de cerrarse aquel. Después de un recuento de las gestiones conciliadoras efectuadas en diferentes épocas, y de las incomprensiones e intransigencias del gobierno real, el Libertador declaraba, en nombre de la República, que Venezuela no había solicitado la mediación de las Potencias para reconciliarse con España, que no trataría con ella sino de igual a igual, y por último que estaba dispuesta a sepultarse en medio de sus ruinas, si la España, la Europa, y el mundo entero se empeñaban en encorvarla bajo el yugo español. Traducido este documento en tres idiomas se difundió en Europa.

A renglón seguido de esta declaración el Correo del Orinoco reprodujo, como voz de aliento en favor de los patriotas, la acta noble y generosa de la Asamblea del Kentucky, en los Estados Unidos, proponiendo al Gobierno General el reconocimiento de los pueblos independientes de la América Española, como Estados Soberanos.

Concentración en Apure.

Triunfantes los enemigos en Cumaná y sin fuerzas los patriotas para emprender en Oriente, el Jefe Supremo volvió su atención al Apure, adonde debía reunir las disponibles para obrar en Occidente. El 4 de noviembre encomendó a Bermúdez molestar mientras tanto a los enemigos con desembarcos en las Costas, y recoger en estas cuantos hombres pudiera. Para llenar su comisión debía embarcar en los buques de Brión y la escuadrilla sutil, los restos de su columna, los artilleros del coronel Gillmore y un contingente de Margarita, muchas veces pedido y siempre negado; y de-

(51) Andrés Eloy de la Rosa. Firmas del Ciclo Heroico. Angostura, 24 de noviembre, Página 30.

Véase el número 15 del Correo del Orinoco, 21 de noviembre de 1818.

sembarcar en las costas de Cumaná, Barcelona o Caracas, según los casos; y si no pudiera reunir fuerzas suficientes, para tanto, después de guarnecer a Güiria, y dejar en ella la escuadrilla sutil, debía ir a Maturín a tomar el mando de las tropas organizadas por Rojas, y obrar con ellas como pudiera (52).

Páez, Monagas, Zaraza y Sedeño habían recibido nuevas órdenes de hostilizar a los enemigos, mientras terminaba el invierno, con incursiones parciales. El territorio de Barinas se vió invadido en varias direcciones. Una columna de Páez batió una realista en Santa Bárbara, le mató o hirió muchos hombres y le hizo 69 prisioneros; otra al mando de Peña batió y capturó al comandante Torrealva del Baúl en el hato de Altagracia, cerca de San Carlos, y favoreció la defección del comandante Rocha con su escuadrón. Los jefes realistas Perera, Loyola y Palmero, todos venezolanos, cubrían los acantonamientos de la quinta división española. El coronel Angulo batió al último en el pueblo del Jobo, y sorprendido el 15 de diciembre frente al paso de Setenta por el teniente coronel Antonio Gómez, jefe de la caballería de Calzada, fue batido, recibió dos heridas graves, cayó prisionero en la persecución y murió a poco.

En los llanos de Barcelona, Monagas enseguida de su triunfo en Chamariapa, avanzó al norte y batió en Güere, a principios de noviembre la guerrilla de ese lugar, dependiente del Torrealva oriental. El jefe español Arana aunque debilitado por la derrota de este último, detuvo el avance de Monagas desde San Andrés de Onoto.

Zaraza en el Alto Llano logró destruir las guerrillas de Bachaco, Lugo, Rufino y Carreño, y tomó muchos prisioneros. Sedeño después de su triunfo en Quebrada Honda, se dedicó a reforzar sus tropas.

En Cumaná además de escaramuzas de guerrillas con varia fortuna ocurrió un triunfo inesperado de la marina española: el capitán Guerrero, oficial de gran valor y pericia, nativo de Santo Domingo, célebre por sus hazañas en estos mares, sorprendió y batió en las costas de Araya, en dos acciones sucesivas, el 20 y 21

(52) Instrucciones, 4 de noviembre. O'Leary XVI, 168.

de noviembre, con su escuadrilla reforzada con tropas del batallón Granada, a la de Margarita, al mando del comandante Gutierrez y le arrebató cinco cañoneras y flecheras. Poco antes se dió otro combate desgraciado: Mariño no quiso separarse de Oriente sin dar un tiento a la fortuna. Mandó una de sus columnas hacia Cumanacoa y fue batida el 11 de noviembre. Montes recogió los dispersos y tomó el desquite batiendo a los vencedores, mes y medio después, el 28 de diciembre.

Marcha al Apure.

Terminados los preparativos en Angostura, el Jefe Supremo dió órdenes de marcha. Sedeño debía ir por tierra a largas jornadas desde el Alto Llano hacia el Apure, y atravesar el Orinoco por Cabruta y luego por la Urbana. Así lo hizo, con la mayor puntualidad. De paso por Cabruta batió el 5 de diciembre el cuerpo franco de los Lamuños destacado en observación por Morales, les mató 11 hombres y les hizo 40 prisioneros. Su división constaba de los batallones Angostura y Barlovento y cinco escuadrones.

Monagas y Mariño recibieron ordenes de concurrir con sus tropas a las Bocas del Pao a embarcarse para el Apure. Como va expuesto la Guardia de Honor al mando de Anzoátegui, se había dirigido a San Fernando, donde se hallaba desde el 23 de noviembre.

Los españoles no habían estado ociosos en todo este tiempo. Desde el mes de junio sus divisiones tomaron cuarteles para reponerse, recibir reemplazos, recoger caballos y esperar que transcurriera el invierno. La primera división al mando de La Torre, se estableció en Valencia y Nirgua, la segunda y la caballería europea al de Real en San Carlos; y la quinta a cargo de Calzada en Barinas y Pedraza con puestos avanzados en Obispos y Nutrias. A pesar de sus victorias los realistas solo conservaban este último punto en la importante línea del Apure. Una división nueva denominada de Vanguardia, se reformaba en Calabozo, con cuadros y soldados viejos de caballería e infantería a las órdenes de Morales. Al término de las lluvias esta última constaba de numerosos escuadrones y dos batallones.

La tercera división del ejército se hallaba en la Nueva Granada y la cuarta en Cumaná y Barcelona.

A principios de agosto los españoles retiraron fuerzas importantes del Alto Llano de Caracas. Por este hecho y la distribución de sus principales fuerzas, Bolívar previó la próxima concentración de los enemigos, como hemos expuesto en una de las páginas precedentes, y encargó a Páez, el 21 de agosto, explorar por sus guerrillas el territorio al norte del Apure, y comunicarle con celeridad las noticias que adquiriera. Perdidos para la historia los primeros informes de Páez, solo conocemos el de 28 de diciembre, en el cual expresa su opinión, fundada en los movimientos de Morales y Calzada, de que los enemigos se concentraban para atacar con más respeto al Apure, incitados por él mismo, al abandonarles como lo había efectuado recientemente, todo el territorio al norte del río, por considerar más fácil vencerlos en el del sur (53).

Bolívar proyectaba reunir las tropas mencionadas de Oriente a la división Páez anticiparse a la concentración de los españoles y batirlos en detal, "si tenía la fortuna de prevenirlos con una marcha rápida" (54); y en caso contrario maniobrar contra los enemigos con el ejército reunido.

Concentración de los españoles.

A su vez el general español había dispuesto concentrar en el Chorrerón, en la confluencia de los ríos Portuguesa y Tiznados, cerca de San Jaime y la Unión, las cuatro divisiones nombradas, de su mando inmediato, y marchar sobre el Apure. Aunque detenido muchos días en Caracas por una caída del caballo, la concentración se efectuó bajo la direción de La Torre, y Bolívar no pudo anticiparse por innúmeras dificultades y retardos debidos al estado embrionario de sus tropas. Los españoles reunieron en aquel punto 2 batallones del regimiento de la Unión, 2 de Barinas y 1 de cada uno de los regimientos del Infante, Hostalrich, Navarra y Burgos, o sean 10 batallones con 4.600 combatientes, mitad españoles y mitad venezolanos y granadinos. La caballería se componía de 2 escuadrones de Húsares, 6 del Rey, 4 de Dragones y 2 de Guías, por todo 14 escuadrones con 1.500 jinetes, venezolanos todos menos los oficiales y algunos soldados de los Húsares. La

(53) Oficio al Jefe Supremo. Payara, 28 de diciembre de 1818. O'Leary II, página 14.
(54) Oficio a Mariño, de 26 de diciembre. O'Leary XVI, 189.

artillería disponía de cuatro piezas servidas por 100 hombres. Total 6.200 soldados.

Bolívar parte en la flotilla.

El 21 de diciembre partió el Libertador en la flotilla de 20 buques entre los de guerra y de trasporte al mando del capitán Felipe Esteves. Llevaba la artillería a cargo de Salom, las maestranzas, armas y vestuarios. El 22 llegó al puerto de El Palmar, y el 23 a Borbón donde se detuvo varios días y empleó esta parada forzosa en adiestrar los buques de guerra y reorganizar los de trasporte. El 26 regresó al Palmar a apresurar el embarco de las tropas de Barcelona. El 27 se incorporó en este puerto la brigada Monagas de 437 combatientes y el 28 en la Boca del Pao el coronel Rooke con su escuadrón de 140 hombres, entre llaneros e ingleses. Con Mariño no se pudo contar porque a consecuencia de su reciente derrota, o bien porque se le desertaron sus hombres por no ir al Apure, se presentó en las Bocas del Pao con solo 40 entre oficiales y peones. En tal emergencia el Jefe Supremo, disimulando la mala impresión que le causara esta actitud dudosa del jefe oriental, y deseando utilizar su prestigio y habilidad para reunir hombres, le encomendó levantar un nuevo ejército en Oriente y Guayana, dándole el mando militar en todas las provincias, sin intervenir en lo político y económico, pero pudiendo expedir órdenes para su comisión a los comandantes generales (55).

El 31 arribó el convoy a la isla de Caño Derecho después de pasar con trabajo la vuelta del Torno. El 8 de enero se hallaba en Caicara y el 9 en la boca del río Cabuyare, uno de tantos de Apure tributarios del Orinoco, y de allí el Libertador pidió a Páez situara en Araguaquén caballos para mover las tropas. El 11 se le unió Sedeño en la Boca del Arauca. De aquí siguieron por tierra al potrero de Araguaquén y la flotilla, siempre al mando de Felipe Esteves, se devolvió para remontar el Apure hasta Arichuna. El 17 entró S.E. a San Juan de Payara y pasó revista a las tropas de Páez, y al otro día llegaron al cuartel general las de Oriente. Componíase el ejército de 7 batallones a saber: Rifles (Pigott), Barcelona (Lugo), Barlovento (Macero), Angostura (Hernández), Zapadores (Piñango), Apure (Carrillo) y Gra-

(55) Instrucciones a S.E. el general Mariño. El Palmar 27 de diciembre de 1818. O'Leary XVI. 190.

naderos (Plaza); de una compañía de artillería (Salom), y de 25 escuadrones de Páez y Sedeño. Allí se reunieron 88 artilleros, 2.400 fusileros y 2.600 jinetes, por todo 5.088 hombres, sin contar los enfermos en los hospitales, ni varias partidas a la sazón en comisiones. Nonato Pérez, apostado en Guasdualito tenía 300 a 400 jinetes.

El Libertador regresa a instalar el Congreso.

Con todo listo, a punto de comenzar las hostilidades recibió Bolívar el 21 de enero la noticia de la llegada a Angostura de contingentes numerosos de voluntarios ingleses, enganchados en Londres por English y Elsom y ante la posibilidad de incorporar al ejército un refuerzo tan importante y deseoso además de instalar personalmente a los representantes del pueblo, dejó el mando de las tropas al general Páez y regresó a Angostura. En el camino debía dar la última mano a su célebre discurso inaugural del Congreso.

CAPITULO XV

CAMPAÑA DE 1819 EN VENEZUELA

I

EL CONGRESO DE ANGOSTURA

Situación de la República.

Bajo buenos auspicios comenzaba el año de 1819 para la causa de los independientes. Aún cuando en el anterior habían sido derrotados todos sus caudillos, en Oriente y en Occidente, la República se hallaba más fuerte. Mayor cohesión en el organismo político, la difusión de las ideas liberales, los auxilios de los ingleses y la inquebrantable constancia de los patriotas fueron las causas del milagro. La marina se había aumentado con buques propios y de los corsarios; el ejército antes casi desnudo y escaso de armas comenzaba a vestirse y disponía de abundante cantidad de fusiles; la experiencia había demostrado a las claras las consecuencias funestas de la desobediencia e inclinado a la mayoría a someterse al gobierno, y aunque la mayor parte de las tropas carecían todavía de la disciplina necesaria para asegurar la victoria, estaban en camino de adquirirla. El ejemplo y la acción constante de Bolívar y de sus principales compañeros de armas contribuyeron poderosamente a obtener estas ventajas y lograron comunicar a los elementos díscolos del ejército un espíritu más civilizado y humano.

El Libertador en la Capital. Negocios de Oriente.

Anticipándose en una flechera al convoy de Apure el Jefe Supremo desembarcó la noche del 29 de enero en Angostura. Las cajas públicas y los almacenes estaban vacíos, pero afortunadamente había llegado a la Antigua Guayana el bergantín Apure con parte de los elementos de guerra traídos de Lóndres en el bergantín Imogen. El estado no tenía más ganados que los de cría en las Misiones y carecía de caballos y mulas. Las primeras órdenes de Bolívar fueron para Bermúdez encargándole tomar en la Antigua Guayana 500 fusiles y las municiones correspondientes y seguir a Maturín sin demora a levantar tropas activamente (1); y a Zaraza ordenándole enviar a Soledad cuantos ganados pudiera conseguir para abastecer a Angostura y a Maturín (2).

La provincia de Cumaná había caído en el más triste abandono después de las derrotas de sus caudillos. Solo se veía disolución, miseria y desaliento. Careciendo de ganados, caballos y armas no se la había provisto de estos elementos indispensables en la ausencia de Bolívar. El pueblo importante de Güiria, evacuado por los patriotas, e incendiado por los negros, volvió a poder de los realistas. Fuera de guerrillas locales, en Santa Fe, en la península de Paria, cerca de Güiria y en Caris, sólo existían en armas 400 patriotas en Cumanacoa y San Francisco y 100 en Maturín. Bermúdez debía rehacer su división rápidamente.

En los llanos de Barcelona, a consecuencia de la partida de la infantería patriota hacia el Apure, el jefe de batallón Arana, se extendió de nuevo al Sur hasta los pueblos de Chamariapa y San Joaquín, sin obtener resultados decisivos, por escasez de caballería. Monagas y Parejo lo contenían con sus jinetes y levantaban dos batallones. Agotados los caballos y ganados los patriotas se proveían escasamente en el Alto Llano de Caracas. Mariño daba los primeros pasos para cumplir el encargo del Jefe Supremo de formar un cuerpo de reserva.

Margarita.

La abundante cosecha de maíz del último año y las presas de los corsarios abastecieron a la isla de mantenimientos, algunas manufacturas y de un poco de dinero; situación relativamente próspera, desconocida por los isleños en el curso de la guerra.

Además de antemural de los independientes por la bravura y

(1) Oficio del 30 de enero. O'Leary XVI, 206.

(2) Oficio del 1º de febrero. O'Leary XVI, 213. Disposiciones de Zea. Blanco & Azpurua, VI, 574.

solidaridad de sus hijos, Margarita servía de base de los corsarios y de la escuadra. Brión se estableció en ella a dirigir los trasportes de armas y a recibir a los ingleses. Ya había trasladado las armas, municiones y vestuarios de la primera expedición inglesa, depositados en San Bartolomé. Desde esta época, gracias a los recursos mencionados, Margarita pudo sostener tropas regladas y facilitar expediciones a la costa.

La Marina.

Con la mira de obtener resultados más rápidos Brión quería aumentar la escuadra comprando algunos buques a un extranjero nombrado el barón Von Alten. El Libertador, sin rechazar la idea del todo, prefería fomentar el corso."No se cómo, le decía, piensa V.E. comprar nuevos buques, cuando no tenemos como tripular y mantener los pocos de que consta nuestra escuadra. Sólo en el caso de que se los ofrezcan a V.E. a precios muy cómodos, y a plazos muy dilatados, podrá entrar en negociación, y aún en este caso el contrato no tendrá fuerza hasta que el gobierno no lo apruebe".

"La experiencia nos ha probado la utilidad de los corsarios, particularmente en nuestra lucha con la España. El gobierno de Buenos Aires, el que más los ha multiplicado, es también el más conocido, respetado y temido. Si nosotros hubiéramos adoptado su conducta nuestra marina estaría cubierta de buques que nos servirían en ocasiones urgentes: que enriquecerían nuestros puertos con sus presas, destruirían el comercio español y le impedirían los socorros que se prestan los puertos enemigos mutuamente. Tantas ventajas habríamos obtenido sin costo alguno por parte del gobierno, en lugar de que por habernos opuesto a este sistema, y adoptado el de los buques de guerra, no tenemos escuadra por falta de medios, ni molestamos el comercio. Lejos, pues, de recoger las patentes que se han expedido, estoy bien determinado a librar todas las que pueda" (3). Era verdad lo referente a la escuadra y los corsarios, pero la nombradía de Buenos Aires debíase a las ventajas de que ya gozaba por hallarse en la zona templada.

En asuntos de administración, como en los de política y de guerra, la razón casi siempre asistía a Bolívar, porque en su idealismo no olvidaba la realidad. Años más tarde, el gobierno de

(3) Oficio del 22 de febrero, O'Leary XVI, 253.

Colombia quiso tener escuadra, y los buques adquiridos con grandes sacrificios, se pudrieron en los puertos sin prestar servicio alguno, por carecer de personal adecuado, y la miseria consecuencia de la guerra.

Al mismo tiempo Bolívar procuraba introducir en el corso regularidad y orden. En este período dos goletas nuestras apresaron a dos fragatas portuguesas capturadas por corsarios de la bandera uruguaya del general Artigas, bajo el pretexto de practicar la piratería. El Libertador las mandó a devolver y ordenó terminantemente no molestar a los corsarios de las naciones amigas (4).

Mientras Brión permanecía en la isla, Joly con cinco buques salió a navegar hasta San Bartolomé, con orden de recoger un bergantín contratado recientemente y una goleta corsaria a la sazón navegando en aquellos mares. A su regreso la escuadra debía cruzar frente a La Guaira y Puerto Cabello, e impedir la emigración de Caracas cuando el ejército libertador se aproximara a la capital (5).

El discurso de Angostura.

El 15 de febrero de 1819 se reunió el Congreso y el Libertador leyó el discurso inaugural, célebre por la grandeza y profundidad de sus miras. En él resalta el pensamiento de que nuestras leyes y constituciones sean originales, basadas en nuestra propia naturaleza, en vez de copiar la de otros pueblos como ha sido y es todavía tendencia general en toda la América Española. República central, ejecutivo fuerte, y la división clásica de poderes fue la forma aconsejada para el Gobierno. El poder moral concebido con el objeto de establecer el reinado de la virtud, y el senado hereditario por el cual debía perpetuarse la influencia de los libertadores, y aprovecharla el Estado como regulador entre los partidos, no fueron aceptados. Eran delirios políticos de un espíritu superior. Por su probidad intransigente y natural tendencia a la severidad, aún cuando de corazón generoso, el Libertador creyó posible aplicar el primero de estos institutos y el segundo se explica por el deseo de encontrar un sistema de seguridad que garantizara todos los derechos. Esfuerzos vanos en una sociedad heterogenea y embrionaria; origen de sospechas y recelos acerca

(4) Oficio a Brión, 22 de febrero. O'Leary XVI, 253.
(5) Nota de Joly de 25 de enero. O'Leary XVI, 203.

de la pureza de sus propósitos, en cuantos creían en la rápida perfectibilidad de los seres humanos, o consideraban posible el ejercicio cabal de los derechos y deberes ciudadanos por pueblos en su mayoría de instintos y sentimientos primitivos.

Como ejemplo de su ideología y perfecta moral política, reproducimos el párrafo referente al Poder Moral:

"La educación popular debe ser el cuidado primogénito del amor paternal del Congreso. Moral y luces son los polos de una República, moral y luces son nuestras primeras necesidades. Tomemos de Atenas su Areópago, y los guardianes de las costumbres y de las Leyes; tomemos de Roma sus censores y sus tribunales domésticos; y haciendo una Santa Alianza de estas instituciones morales, renovemos en el mundo la idea de un Pueblo que no se contenta con ser libre y fuerte, sino que quiere ser virtuoso. Tomemos de Esparta sus austeros establecimientos, y formando de estos tres manantiales una fuente de virtud, demos a nuestra República una cuarta potestad cuyo dominio sea la infancia y el corazón de los hombres, el espíritu público, las buenas costumbres, y la moral Repúblicana. Constituyamos este Areópago para que vele sobre la educación de los niños, sobre la instrucción nacional; para que purifique lo que se haya corrompido en la República; que acuse la ingratitud, el egoismo, la frialdad del amor a la Patria, el ocio, la negligencia de los Ciudadanos: que juzgue de los principios de corrupción, de los ejemplos perniciosos; debiendo corregir las costumbres con penas morales, como las Leyes castigan los delitos con penas aflictivas, y no solamente lo que choca contra ellas, sino lo que las burla; no solamente lo que las ataca, sino lo que las debilita; no solamente lo que viola la Constitución, sino lo que viola el respeto público. La jurisdicción de este Tribunal verdaderamente Santo, deberá ser efectiva con respecto a la educación y a la instrucción, y de opinión solamente, en las penas y castigos. Pero sus anales, o registros donde se consignen sus actas y deliberaciones; los principios morales y las acciones de los Ciudadanos, serán los libros de la virtud y del vicio. Libros que consultará el pueblo para sus elecciones, los Magistrados para sus resoluciones, y los Jueces para sus juicios. Una institución semejante por más que parezca quimérica, es infinitamente más realizable que otras que algunos Legisladores antiguos y modernos han establecido con menos utilidad del género humano".

En cuanto al Senado Hereditario, imposible según las ideas modernas, lo había concebido para temperar la democracia, es decir para evitar que degenerara en tiranía, porque en su concepto "tan tirano es el gobierno democrático absoluto como un déspota". En su delirio procuraba asegurar la estabilidad social, pues sin estabilidad todo principio político se corrompe y termina siempre por destruirse.

El nuevo gobierno.

El ilustre doctor Zea, presidente del Congreso, contestó al Jefe Supremo en frases inolvidables y elocuentes. "Todas las naciones y todos los imperios, —dijo entre otras cosas apropiadas al acto— fueron en su infancia débiles y pequeños, como el hombre mismo a quien deben su institución. . . . No es por el aparato ni por la magnificencia de nuestra instalación, sino por los inmensos medios que la naturaleza nos ha proporcionado. . . que deberá calcularse la grandeza y el poder futuro de nuestra República. . . . Cuando nuestras instituciones hayan recibido la sanción del tiempo, cuando todo lo débil y todo lo pequeño de nuestra edad, las pasiones, los intereses y las vanidades hayan desaparecido, y sólo queden los grandes hechos y los grandes hombres. . . . el nombre de Bolívar se pronunciará con orgullo en Venezuela y en el mundo con veneración" (6). El Libertador fue nombrado Presidente de la República y Zea Vice-Presidente. Tres Secretarías de Estado completaban el poder ejecutivo: Estado y Hacienda a cargo de Manuel Palacio Fajardo, conocido por sus obras políticas y gestiones en Europa en favor de la Revolución: Marina y Guerra encomendada al experto y honrado secretario Briceño Méndez, e Interior y Justicia dada a Urbaneja, político hábil y patriota constante.

El Congreso decretó el 18 de febrero un reglamento para la presidencia de la República, el 25 otro para el poder judicial y un indulto en favor de desertores, emigrados, renegados políticos, y aún de españoles combatientes contra la causa americana; el 26 creó dos cortes de Almirantazgo, una en Angostura y otra en Margarita y concedió al Presidente autoridad absoluta e ilimitada en las provincias teatro de sus operaciones militares, y en las de los

(6) Correo del Orinoco, Nº 19, 20 de febrero de 1819.

otros generales, y la facultad de conceder ascensos y promociones en toda la República. En su ausencia gobernaría el Vice-Presidente con las mismas facultades (7).

La instalación del cuerpo legislativo fue de grande efecto entre amigos y enemigos. Los españoles para contrarrestarlo publicaron el 6 de abril en manifiesto trilingüe, dirigido a todas las naciones, dado por los ayuntamientos, diputaciones municipales y cabildos indios, mezcla de los insultos de los partidos en lucha, de fervorosos sentimientos monárquicos y de fidelidad a la madre patria, sinceros en gran número de venezolanos (8). El primer firmante fue don Feliciano Palacios Blanco, alférez real, fervoroso partidario de la conservación del imperio español, tío carnal de Bolívar.

Expedición de Elsom y English.

Después del fracaso de Hippisley y de Wilson, Bolívar encargó al oficial English recoger en las Antillas los voluntarios dispersos, más por desgracia malogrose el intento, por un naufragio del comisionado. En esos mismos días, otro expedicionario, el capitán Elsom, presentó en Angostura varios compañeros reunidos en Trinidad. El interés mostrado por estos oficiales indujo al Jefe Supremo a enviarlos a Lóndres a contratar cuerpos completos de oficiales y soldados, que pudieran prestar servicios desde su llegada, y no de oficiales solos como los venidos anteriormente. Enseguida partieron a Inglaterra y tuvieron la suerte de encontrar en las ciudades inglesas muchos oficiales y soldados licenciados de los ejércitos de ocupación de Francia y Bélgica después de Waterloo, y empresarios generosos o atrevidos que adelantaran los gastos (9). Tratados sus enganches, ofrecieron traer 4.000 hombres, pero solo pudieron reunir 2.200, y estos no vinieron juntos, sino en varios embarques.

Diversión sobre Caracas.

La llegada del primer contingente de voluntarios a Angostura, como lo hemos expresado, anteriormente, indujo al Jefe Supremo,

(7) Correo del Orinoco, números 21 y 26.
(8) Blanco y Azpurúa. VI, 648.
(9) Hasbrouck. Cap. V. p. 105.

el 21 de enero, a suspender las operaciones próximas a empezar contra Morillo, mientras llevaba personalmente los auxiliares ingleses al Apure, más quiso la suerte que no pudiera llenar este objeto sino en parte. A su arribo a la capital el 30 de enero, sólo encontró 300 hombres de Elsom, desembarcados de los trasportes Terror y Perseverante: muchos días después llegaron 150 en el George Canning, y los restantes de Elsom venían navegando; seis trasportes del coronel English con 570 hombres (10) tocaron en Trinidad y desgraciadamente en lugar de seguir al Orinoco se fueron a Margarita. Como al desembarcar los hombres, los buques regresaban enseguida y se hubiera empleado por lo menos dos meses en buscar trasportes y conducirlos a Angostura, y un mes en llevarlos al ejército, Bolívar envió al Apure con el coronel Manrique los existentes en la capital, y envió al general Urdaneta a tomar el mando de los desembarcados en Margarita, los próximos a llegar, 500 naturales de la isla y 500 soldados de Bermúdez, y a efectuar con estos contingentes una diversión en las costas de Caracas. Atacando un punto débil, de gran importancia para el enemigo, se empleaban con eficacia fuerzas de otro modo inútiles en un extremo del país. Urdaneta debía conducir a bordo un cuadro de oficiales y 1.500 fusiles para formar cuerpos en el lugar del desembarco. Por esta diversión obligábase al general español a retirarse ante el ejército independiente o a dividir el suyo para salvar su base indispensable de Caracas.

No era esta la operación preferida de Bolívar: él había querido reunir en Angostura los próximos destacamentos de English y Elsom, como lo dispuso en circular del 3 de febrero (11), para reforzar el ejército principal, pero no pudo lograrlo. Más todavía. La diversión encomendada a Urdaneta también encontró inconvenientes por dificultades naturales, y la resistencia del general Arismendi, gobernador de Margarita, ofendido por considerarse pospuesto en el mando de la expedición (12).

(10) Oficios a Páez, 21 de febrero y a Brión de 24 de febrero. O'Leary XVI, 250 y 255. Carta de Peñalver, Angostura, 13 de abril. O'Leary VIII, 345.

(11) Oficios a Páez y a Brión, 21 y 24 de febrero. O'Leary XVI, 250 y 257. Boletín Nº 89 de la Academia de la Historia, pág. 150.

(12) Carta de Urdaneta a Bermúdez, de 24 de marzo. En el Boletín Nº 89 de la Academia de la Historia, página 113. Oficios de Urdaneta al Libertador, 8 y 17 de marzo. O'Leary XVI, 263 y 276.

En Margarita la fiebre amarilla azotó a los ingleses: el 26 de marzo habían muerto los tres médicos de los expedicionarios, y 70 soldados y oficiales y otros tantos estaban enfermos. Por esto Urdaneta sólo encontró 400 hombres disponibles. Arismendi negaba el contingente pedido por el gobierno alegando haber facilitado 400 hombres a la escuadra y necesitar los restantes para defender la isla, pretexto infundado pues retenidos los españoles en Apure y en la costa de Caracas no tendrían fuerzas para amenazar a Margarita. El 31 de marzo fondearon en Trinidad 300 hombres de English y se dirigieron a la isla. Con ellos reunió Urdaneta 700 más no pudo completar la división, por haberse negado los de Bermúdez a embarcarse cuando supieron el destino de la expedición (13). Todo esto eran resabios de la época anárquica de la revolución, por fortuna próxima a extinguirse.

Maniobras de Brión contra la escuadra española.

Un escuadrón de la marina española compuesto de la corbeta Ninfa, recien llegada de la Habana, 1 bergantín, 2 goletas de guerra y 14 flecheras se presentó en los primeros días de marzo al sur y al este de Margarita. Creíasele destinado a invadir el Orinoco o a sorprender los esperados trasportes de English. Brión aparejó sus 9 buques, de los cuales sólo 2 eran del Estado y los restantes corsarios por cuenta del mismo Brión, de Joly y de Arismendi, y montando la corbeta Victoria salió el 11 de marzo en persecución de los españoles. Llevaba 1.300 tripulantes contando 233 ingleses, dados por el general Urdaneta. Los españoles retrocedieron a la isla de Cubagua, luego siguieron a Cumaná el 12, y se acorderaron contra la tierra, muy inmediato al bajo, protegidos por el castillo o sea fuerte San Antonio y unas baterías de costa, y de allí hicieron fuego a los buques de Brión sin causarles daño. Los mares de Margarita quedaron libres, sin peligro para los trasportes de English. Brión se dirigió luego al golfo de Santa Fe, tomó a bordo el 14 la guerrilla de Castillo, perteneciente a Bermúdez, y sin comunicarse con este general todavía lejos, divulgó el proyecto de embarcar toda su división con el resultado referido.

Luego se dirigió a cruzar frente a La Guaira, Puerto Cabello

(13) Oficio de Bermúdez de 20 de marzo. O'Leary XVI, 280. Oficios de Urdaneta de 16 y 17 de marzo. Id. páginas 273 y 276.

y Curazao, tanto para hostilizar a los buques españoles como para satisfacer los intereses de sus corsarios, mientras se completaba la división de Urdaneta. A principios de abril estaba de regreso en Margarita con muchas presas (14).

A fines del año anterior había llegado a Juan Griego el corsario americano John Daniel Danells, de la bandera de Artigas. Aceptado por Arismendi al servicio de la isla salió a cruzar, echó a pique al bergantín Perignon, de regreso de Curazao a Puerto Cabello y luego saliendo al Atlántico, tras reñido combate, capturó al bergantín Nereida de 22 cañones, en la ruta de Cádiz a Rio Janeiro. Brión se opuso a incorporarlo a la escuadra venezolana, porque en 11 de marzo había estado en Margarita la corbeta inglesa La Lee, su capitán Stewart Blacker, en persecución de corsarios de Artigas, para castigar sus piraterías y nuestro almirante no quería exponer la bandera de Venezuela a conflictos de esta naturaleza (15). Beluche y Lominé, los principales marinos de la expedición de los Cayos, después de larga ausencia en sus cruceros particulares, ofrecían volver al servicio de Venezuela.

En defensa de Guayana.

Alarmado el gobierno por rumores de expediciones marítimas de los españoles y una reciente y numerosa reunión de tropas en Barcelona, dispuso aumentar la escuadrilla sutil, encomendó su dirección al coronel Guerrero, miembro del Congreso, e instó a Mariño a separarse también del Congreso y marchar al Pao donde debía formar por orden de Bolívar un cuerpo destinado a cubrir a Guayana y a emprender contra Barcelona. Gracias a la cooperación de Monagas y Sedeño a principios de mayo el jefe oriental pudo reunir 1.400 combatientes. Con esta columna, sus milicias, y la escuadra de Brión, Guayana podía considerarse segura (16).

---

(14) Oficios de Brión, de 14 de marzo y 14 de abril. Cartas de Arismendi y Urdaneta de 14 y 24 de marzo. Boletín de la Academia de la Historia; Nº 89, páginas 104 y 124—102 y 112.

(15) Cartas de Brión y de Arismendi, de 11 y 17 de marzo. Boletín citado, páginas 99 y 107. Más adelante Danells fue aceptado al servicio de Colombia.

(16) Oficio de Zea, del 8 de junio. O'Leary XVI, 397.

II

CAMPAÑA DE APURE

Regreso de Bolívar.

Poco más de un mes estuvo el Jefe Supremo en la capital esperando a los ingleses. Noticias al parecer bien fundadas desmintiéndose unas después de otras, lo detuvieron tanto tiempo. Resuelto por fin a marchar se embarcó el 2 de marzo en una flechera. Las cartas de Apure recibidas en la Piedra el día 4 manifestaban el espíritu del ejército de dar una batalla; él también la deseaba, pero prefería esperar el resultado de la diversión de Urdaneta (17). De Caicara renovó a Mariño el 8 el encargo de formar el cuerpo de reserva, y al Vice-Presidente Zea el de comunicar a Urdaneta las noticias de Apure, e instarle por la celeridad de sus operaciones, indispensables para obrar con seguridad, pues solo en el caso de una ocasión muy favorable, se resolvería a dar una batalla sin esperar el resultado de la diversión proyectada (18). Debe tenerse presente esta declaración para juzgar los sucesos desarrollados a su llegada al Apure. El 10 penetró por la boca del Arauca, y el 11 desembarcó en Araguaquén.

Operaciones en Casanare.

Desde este punto el Jefe Supremo escribió a Santander dándole las gracias por el celo, actividad y prudencia mostrados al restablecer el orden en la provincia, y formar la división que le había encomendado. Anunciándose de la Cordillera la próxima bajada de dos columnas enemigas le insinuaba, para este caso, reunir rápidamente sus tropas, avanzar sucesivamente a su encuentro y batirlas en detal, si las circunstancias lo permitían sin mayores riesgos; pues por la naturaleza de la campaña debía proceder con prudencia y circunspección, mientras se lograba batir o alejar a Morillo (19). Tal fue la conducta de Santander.

Los españoles pasan el Apure.

Con una herida abierta, a consecuencia de la caída del caballo, se dirigió Morillo el 1º de enero hacia el Apure. El 9 se ha-

(17) Oficio a Zea, 4 de marzo. O'Leary XVI, 259.
(18) Oficios a Mariño y a Zea, 8 de marzo. O'Leary XVI, 264 y 265.
(19) Oficio de 12 de marzo a Santander. O'Leary XVI, 267.

llaba en Ortiz. El 27 partió de Calabozo acompañado por un batallón de la Unión. Pocos días antes el ejército al mando de la Torre marchaba del Chorrerón hacia el Apure; el 26 cruzó el caudaloso río por San Fernando, sin encontrar resistencia y fue a acampar en una sabana inmediata. Páez y los vecinos habían incendiado el pueblo casi a la vista de La Torre, para que los españoles no encontraran abrigo. Acto tan heroico justamente celebrado por Páez en sus memorias era un mal presagio para los enemigos.

El coronel Aramendi sorprendió con su escuadrón en la tarde del 26 de enero las avanzadas establecidas por los españoles y les quitó algunas armas, caballos y prisioneros. Al mismo tiempo el comandante Ichazu en el Alto Apure, batió por completo, cerca de Nutrias la columna de exploración encargada de invadir por aquel lado, y mató en el combate al comandante Abreu jefe de ella. A pesar de tan brillante triunfo el vencedor repasó el Apure, en virtud de órdenes anteriores de Páez y se mantuvo en la orilla derecha, en donde mandó a fusilar varios prisioneros.

Todavía en este año se practicaba en todo el país la guerra a muerte con rigor, a pesar de los esfuerzos de Bolívar desde 1816 para extinguirla. En los fusilamientos o degüellos ordenados por retaliación o venganza no se hacía distinción de españoles o criollos. Ya no se trataba de crear el sentimiento nacional, como fue el objeto del terrible decreto de Trujillo de 15 de junio de 1813, ni de contrarrestar el efecto de las matanzas ordenadas por Boves y sus secuaces en 1814, sino de asegurarse los caudillos locales eliminando a adversarios tenaces o crueles, fuertemente arraigados en sus lugares (20).

Morillo pasó revista el 30 de enero en plena sabana a sus 6.200 combatientes, de los cuales 4.700 eran infantes y 1.500 jinetes. En la noche Páez se acercó con la partida de Aramendi, lanzó contra el campamento real unos caballos cerriles con cueros secos atados a las colas y le disparó unos tiros: los españoles rompieron los fuegos creyendo los atacaba toda la caballería, cundió el desorden en el campamento y pasaron gran parte de la noche en vela. El día siguiente lo emplearon en reorganizar sus columnas y en

(20) Véanse en el Boletín Nº 89, Academia de la Historia, p. 90 y 94, dos oficios de Ichazu de 26 de febrero y 6 de marzo. Lo mismo procedían casi todos los caudillos.

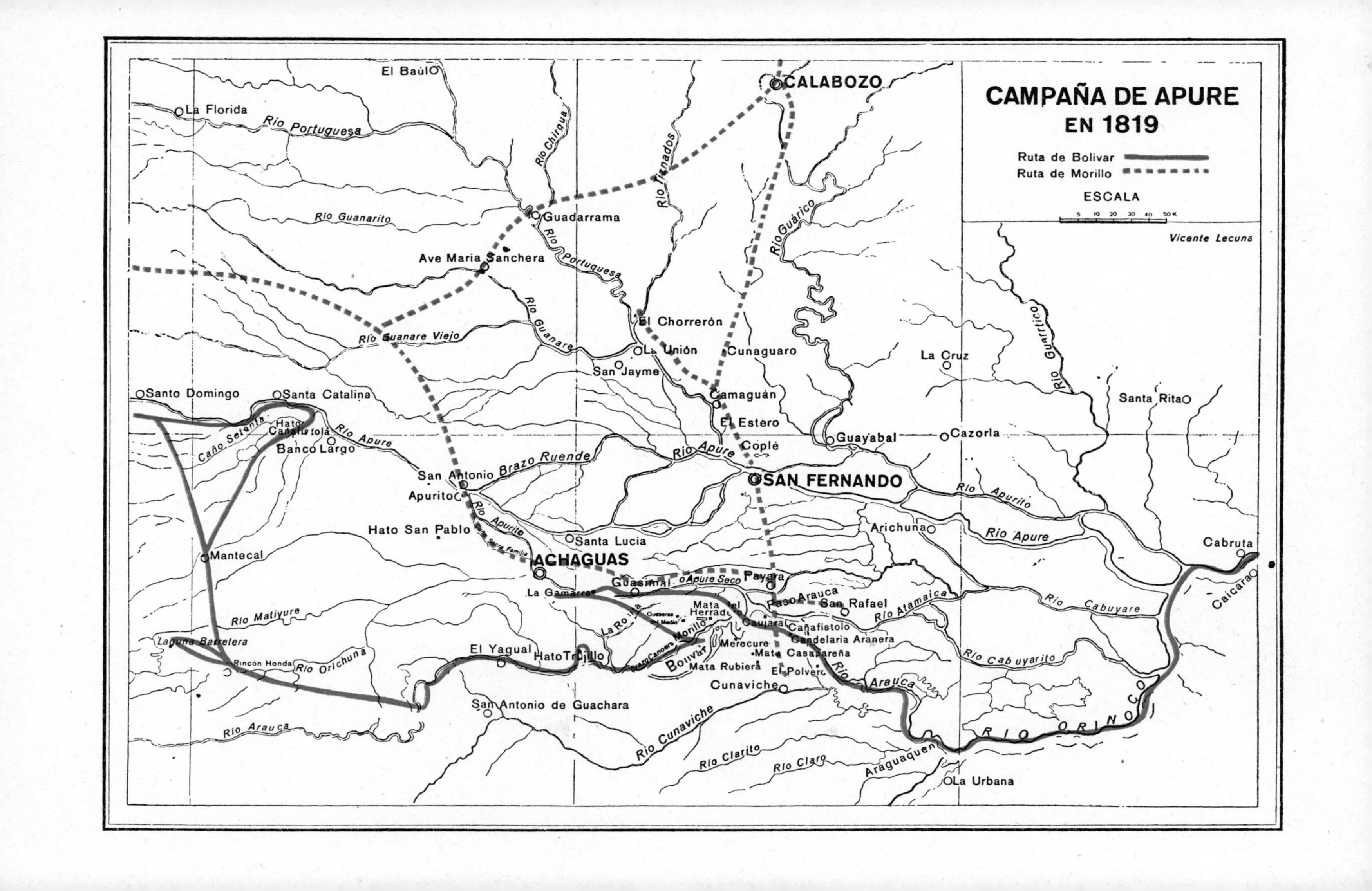

CAMPAÑA DE APURE
EN 1819
Ruta de Bolivar
Ruta de Morillo
ESCALA
5 10 20 30 40 50 K
Vicente Lecuna
CALABOZO
El Baúl
La Florida
Rio Portuguesa
Rio Chirgua
Rio Tiznados
Rio Guárico
Rio Guanarito
Guadarrama
Ave Maria Sanchera
Rio Portuguesa
Rio Guanare
Rio Guanare Viejo
El Chorrerón
La Unión
Cunaguaro
San Jayme
La Cruz
Rio Guarrico
Santa Rita
Camaguán
El Estero
Santo Domingo
Santa Catalina
Hato Cañafistola
Caño Setenta
Banco Largo
Rio Apure
Guayabal
Cazorla
Coplé
San Antonio
Brazo Ruende
SAN FERNANDO
Apurito
Rio Apurito
Hato San Pablo
Santa Lucia
Arichuna
Rio Apure
Cabruta
Caicara
Mantecal
ACHAGUAS
Guasimal
Apure Seco
Payara
La Gamarra
Mata del Herradero
Paso Arauca
San Rafael
Rio Atamaica
Rio Cabuyare
Rio Matiyure
La Rosita
Queseras del Medio
Morillo
Guajaral
Cañafistolo
Candelaria Aranera
Laguna Barretera
Rincon Honda
Rio Orichuna
El Yagual
Hato Trujillo
Bolivar
Merecure
Mata Casanareña
Mata Rubiera
El Polvero
Rio Arauca
Rio Cabuyarito
Cunaviche
San Antonio de Guachara
Rio Arauca
Rio Cunaviche
Rio Clarito
Rio Claro
Araguaquen
La Urbana
RIO ORINOCO

explorar el terreno. El 31 los patriotas se fueron al otro lado del Arauca, llevando consigo a casi todos los vecinos hábiles de los pueblos.

Desde el mes de diciembre, previendo la invasión de Apure, Páez concibió el plan sabio de defenderlo comprometiendo solo la caballería, después de aniquilar los caballos de los contrarios, por continuos movimientos. La infantería por su número y disciplina no se podía empeñar contra la enemiga en acción general y para salvarla, en caso extremo, pensaba trasladarla en una flotilla a la isla de la Urbana (21).

De acuerdo con estas ideas concebidas en el mes de diciembre dejó el paso franco del Apure al ejército real, pero disponiendo ahora de más infantes por la incorporación de las tropas de Sedeño y Monagas y algunos ingleses, conducidos al Apure por el Jefe Supremo a fines de aquel mes, intentó resistir en el de Arauca, de donde podía retirarse al sur, sin obstáculos que le estorbaran la marcha. Al efecto había construído en Caujaral parapetos y una batería con ocho piezas de los calibres de 4, 8 y 12, recién llegadas de Guayana. En aquellos colocó los infantes y apostó un regimiento de carabineros en el paso Marrereño. Solo esperaba un ataque formal en el paso principal.

El paso del Caujaral por Morillo.

El 1º de febrero los españoles marcharon al sur, conduciendo 6 lanchas arrastradas a cola de caballo y llegaron frente a los rebeldes en el paso del Caujaral, donde el río tiene cerca de 200 metros de ancho. Durante dos días los cazadores de la infantería y la artillería cambiaron tiros con los insurgentes, mientras el general en jefe reconocía las orillas del río; y en la noche del 3 se trasladó el ejército real al Paso Marrereño, tres leguas más arriba, defendido por el comandante Figueredo con 150 carabineros, en tanto que los carabineros de Narciso López permanecían haciendo fuego frente a Caujaral, para ocultar el movimiento. El 4 los españoles dirigidos por La Torre, distrajeron a Figueredo con el fuego del batallón Burgos y de dos piezas de campaña, mientras los otros batallones pasaban un poco más abajo en las canoas, y

(21) Oficio al Jefe Supremo. Payara, 19 de diciembre de 1818. O'Leary II, 11.

los jinetes cruzaban el río a nado, con sus caballos, llevando las sillas y las lanzas en la cabeza. Avisado Páez dispuso se retiraran las tropas de Caujaral y corrió a entretener al enemigo con un escuadrón de carabineros y cinco de lanceros, pero ya Morillo tenía en la orilla derecha varias compañías de los batallones Castilla y la Unión, al mando del coronel Pereira y algunos escuadrones, y fácilmente rechazó los ataques del jefe rebelde causándole 20 muertos y heridos. Los españoles tuvieron en este punto y frente a Caujaral 49 de unos y otros. En el curso del día y al siguiente, 5 de febrero, pasó el resto del ejército. Ponderando Morillo sus maniobras en este día, como Luis XIV, en el aparatoso y célebre paso del Rhin en 1.672, las considera las más notables de las campañas de Venezuela, y todavía más, nos dice que en la historia militar no hay nada comparable, por haberlas realizado sin los medios mecánicos de uso en la Europa (22).

El 6 lo emplearon los españoles en reorganizar sus tropas y reconocer el terreno sin salir de los bosques. El 7 avanzaron algunas secciones de tropa hacia la Mata Rubiera y la Mata Casanareña, isleta esta última seca y árida, formada por dos caños profundos, todavía ocupada por los de Páez; y otras tropas, cruzando a la izquierda, fueron al Caujaral, ocuparon el 8 las fortificaciones abandonadas por los patriotas y sacaron de un caño el material botado por Páez al retirarse, a saber: algunas piezas de artillería de grueso calibre, útiles de arsenal, los troqueles de la moneda, y otros objetos de los cuales aprovecharon en hacer lanzas, 10 quintales de hierro (23).

Retirada de Páez.

Después de este acontecimiento, Páez volvió a su plan primitivo, de acuerdo esta vez con las órdenes de Bolívar, y ya no pensó

(22) Mémoires du Général Morillo. París 1826, p. 190. Autobiografía de Páez. New York, I, 176. Campañas de Apure. Boletín de la Academia Nacional de la Historia Nº 21. p. 1.183.

(23) Oficio de Morillo al Ministro de la Guerra. Atamaica, 28 de febrero de 1819. Rodriguez Villa IV, 5. Gaceta de Caracas del 24 de febrero número 236. Páez escribió en una de sus obras que su proyecto fue dejar pasar al ejército realista los dos ríos sin oposición, pero esto no es exacto, como hemos visto. Notas del general Páez, en la obra Máximas de Napoleón. Nueva York, imprenta de S. Hallet. Calle Fulton Nº 60. 1865. Pág. 231.

sino molestar y debilitar a los enemigos, batiéndoles la caballería en acciones parciales o en acción general si se presentaba ocasión favorable. Al efecto se retiró el 6 al sur, del Cañafístolo hacia Cunaviche; y de la Mata Casanareña, situada en el lindero meridional del hato del Merecure, envió la infantería a la isla de la Urbana en el Orinoco, la mayor parte de la caballería a las sabanas del Río Claro, y la emigración, constante de algunos miles de personas, hombres en su mayoría ancianos, mujeres y niños al hato de Araguaquén, en la misma vía del Orinoco, quedándose él tan sólo con dos escuadrones de carabineros y seis de lanceros de su guardia, por todo 800 hombres, los más diestros de la caballería. Con ellos se situó en los Congriales de Cunaviche a esperar a los enemigos. "Esté V.E. seguro, escribió el 6 al Libertador, de que haré todos los esfuerzos posibles porque el enemigo no adquiera la más mínima ventaja sobre nosotros, hasta que logrando la reunión con los ingleses, le demos un golpe decisivo" (24). Todavía se creía en Apure que pronto llegarían todas las fuerzas británicas de Elsom y English.

Al amanecer el día 8 una columna al mando de Aramendi dejada por Páez para observar a Morillo avanzó sobre el campamento. Salió a recibirla el comandante Antonio Ramos con el escuadrón del Guayabal, y después de ardiente lucha y ayudado por el primer escuadrón del Rey, del comandante Martínez, la puso en fuga, matándole o hiriéndole 40 hombres, con la particularidad de recibir Ramos en la persecución un lanzaso de un soldado que lo derribó al suelo y se llevó su caballo (25).

Pocas horas después de este combate, los españoles salieron de los bosques y entraron a las sabanas, donde esperaban encontrar a los insurgentes, y no avanzaron sino corto trecho. El 9 y el 10 fueron al Cañafístolo y la Mata Casanareña. Desde el 8 Morillo había mandado a reconstruir las fortificaciones de campaña del Caujaral y a levantar otras en la orilla izquierda, a manera de ca-

(24) O'Leary II, pág. 17.
(25) Páez sitúa este combate en el día 14. Seguimos la versión de Morillo en cuanto a la fecha, porque su relación fue escrita en los mismos lugares. Rodríguez Villa IV, 8; y la comprueba el parte publicado en la Gaceta de Caracas, del 24 de febrero, número 236.

beza de puente, para asegurar las comunicaciones. En ellas quedó una corta guarnición cuidando los equipajes (26).

Táctica ingeniosa de Páez.

Observando Páez el 10 que los enemigos no avanzaban se revolvió en su busca hacia el paso del Caujaral y al otro día en el curso de la mañana divisó a larga distancia en el Cañafístolo la división de Vanguardia, marchando a la descubierta al mando de Morales, y en el acto avanzó contra ella. Desde el primer momento interceptó un escuadrón ocupado en coger ganados y capturó o mató a muchos de sus hombres. Enseguida cargó sobre los jinetes de Morales, pero retrocediendo éstos hasta el lugar donde se guareció la infantería en un bosque, dieron tiempo a que llegara Morillo con otros cuerpos y Páez se alejó otra vez; más a poco rato viendo a los enemigos marchar de nuevo contra él en masas compactas resolvió tender un lazo a la caballería enemiga, y al efecto distribuyó sus jinetes en cuatro columnas y las hizo marchar formando un gran cuadrilátero con orden de que si los cargaba la caballería las dos de atrás pasaran velozmente sin tocarse por el espacio que separaba a las dos primeras y volvieran caras cuando éstas a su vez, a derecha e izquierda, se voltearan contra los enemigos. Esta disposición geométrica estaba calculada para que las cuatro columnas al extenderse y volver caras quedaran rodeando por todas partes a los jinetes realistas. Su objeto era sorprenderlos en plena sabana con inesperado retorno ofensivo y atacar la masa de jinetes enemigos con una línea continua de lanceros que fácilmente darían cuenta de ella; maniobra habilísima porque de los contrarios solo podrían combatir los que se hallaran en la circunsferencia, quedando los demás inactivos. Y era tal su confianza en el manejo de sus hombres, que efectuaba esta retirada en perfecto orden marchando adelante de los españoles, casi constantemente solo a la distancia de poco más de un tiro de fusil. Soberbio e impresionante espectáculo para cuantos tuvieron la fortuna de admirarlo.

Pero el general español no se dejó engañar esta vez y fue siguiendo a los rebeldes paso a paso todo el día sin arriesgar su

(26) Oficio de Morillo de 28 de febrero, citado.

caballería. Sólo hubo un encuentro con el escuadrón de Narciso López, cuando éste se salió de las filas, e imprudentemente echó pie a tierra sin tener bayonetas, y se salvó por no haber cargado los de Páez en pelotón como les había ordenado. Toda la jornada se pasó en seguir los españoles a los independientes hasta el Congrial de Cunaviche, donde pernoctó Morillo muy cerca de la entrada de los desiertos de Caribén. En uno de los días siguientes el jefe apureño se metió con sus jinetes en unos morichales, pantanos engañosos, al parecer sin riesgo, con ánimo de atraer a ellos a los españoles, pero estos avisados de que solo eran transitables por algunas avenidas conocidas de los más prácticos no cayeron en la trampa (27).

Retirada del Jefe Español.

Convencido Morillo de que Páez, por su extraordinaria destreza era invencible por la caballería realista en aquellas sabanas y no pudiendo alcanzarlo con la infantería, resolvió suspender la persecución y retirarse al norte del Arauca. En esta idea pasó el 12 descansando en Cunaviche y en la tarde emprendió la retirada a tiempo que Páez describía un semicírculo "hacia el flanco derecho de Morillo", es decir rodeándolo al oeste por la Mata Rubiera, de manera de amanecer casi a la espalda y a la vista de los españoles. Morillo continuó retrocediendo hacia el hato de Cañafístolo hasta "quedar en paralelo con Páez", mientras éste, a su vez, lanzaba sobre el ejército real muchos grupos de jinetes, bien montados y aun cuando marchaban a distancia de la voz, era inútil perseguirlos porque los jinetes realistas con caballos cansados no podían alcanzarlos, y se exponían a una *vuelta de caras.* Continuando Morillo la retirada, Páez, quedó hacia el suroeste de los españoles, observándolos a corta distancia. Solo el maestro por excelencia de los llaneros era capaz de efectuar siempre con éxito operaciones tan arriesgadas y precisas.

(27) La vista de una nube de caballería, escribe Páez, ataca los nervios como el aspecto y los rugidos de un león. . . . Cosa esencialísima, dice en otro pasaje, es enseñar a la caballería a cargar, retirarse y volver caras; a ser ternejal en sus cargas, como dicen nuestros llaneros y nunca abandonar el campo por apariencias de derrota, pues en caso de desgracia le toca a ella detener la persecución del enemigo. Notas del General Páez, obra citada. páginas 248 y 249.

"Si hubiéramos continuado a los bosques del Orinoco, escribía Caparros, el secretario de Morillo, además de alejarnos mucho del centro de las provincias, y de dejar interceptadas nuestras comunicaciones, pues ya estaban los enemigos a nuestra retaguardia, hubiéramos perdido mucha gente; las marchas, el calor, la carnita, y el agua sucia se iban manifestando sensiblemente y al cabo de un mes los enfermos nos hubieran abrumado, sin trasportes ni medios de conducirlos, por desiertos, pantanos y arenales" (28). Esta pintura fiel de la realidad da idea de las penalidades de la campaña. La carnita era la carne insípida de toros flacos.

Al otro día habiéndose alejado los patriotas, Morillo se dirigió a las sabanas Marrereñas, a coger ganados, sin poder estorbárselo algunas partidas de insurgentes que lo observaban de cerca. "Es inmensa la riqueza de estos llanos, decía pocos días después el secretario de Morillo, en correspondencia privada. Millares de reses nos rodean; caballos aunque no tantos, los bastantes para montar perfectamente la caballería y establecer del otro lado del Apure excelentes potreros" (29).

A la verdad los caballos disminuían notablemente. El enorme consumo de ellos en los siete años corridos de guerra continua y el abandono en muchas sabanas de los cuidados necesarios a su fomento, eran las causas de este hecho. Las caballadas, escribía Páez en estos días, se hallan "molestadísimas e inútiles al presente para emprender operaciones sobre el enemigo" (30). El estaba bien provisto por haberse dedicado en el invierno a domar potros (31).

En los días subsiguientes los jinetes de Páez, fatigados de tan incesantes trabajos, de día y de noche, suspendieron sus hostilidades activas; el jefe español aprovechó este respiro haciendo recorrer los hatos del Merecure y el Cañafístolo; el 16 fue en persona a la Candelaria Aranera y sus partidas recogieron grandes

(28) Cartas interceptadas por los patriotas y publicadas en el Correo del Orinoco, número 26.

(29) Carta a Iturbe, Achaguas, 11 de marzo. Correo del Orinoco, número 26.

(30) Oficio al Jefe Supremo. Burón, 26 de febrero. O'Leary II, 18.

(31) Carta al general Bolívar, Caujaral a 5 de enero. O'Leary II, 15.

cantidades de ganados y pocos caballos, porque los insurgentes habían arreado, en los días precedentes, casi todas las caballadas, hacia las sabanas inmediatas al Orinoco. En trabajos tan útiles a su conservación y a la economía del territorio español escaso de carnes, y en atraer al bando realista a los emigrados fugitivos por aquellos contornos empleó el general español varios días.

Narración de Morillo.

El experto general español, siempre conciente de la realidad exponía estos últimos sucesos y su punto de vista, en carta a un íntimo amigo, de esta manera: Había perseguido a Páez desde el Cañafístolo y la mata Casanareña hasta Cunaviche, pero comprendiendo que su retirada tenía por objeto cansar al ejército real, suspendió la persecución y lentamente retrocedió al norte. En el hato de Merecure solo encontró ganados alzados. Las sabanas al sur del Arauca en gran parte áridas, no tenían ni ganados ni bestias. A todo esto añadíase que en las tropas se presentaron muchos casos de disentería o pujos. Resuelta la retirada cruzó el Arauca por el paso de la Seyba con la intención de establecerse en el cañón del Apure y el Arauca, donde verdaderamente se hallaba la gran riqueza de ganados de Venezuela. En Achaguas punto principal de esta región, los soldados habían vuelto a revivir. Tenían carne en abundancia, plátanos, yuca, papelón y cuanto se necesita para la vida. Pensaba el general en jefe establecerse allí sólidamente hasta hallarse en situación de seguir a Guayana, en el verano próximo, pero antes proyectaba dar otra entrada al Arauca, con el objeto de quitar a los insurgentes toda esperanza de volver a ocupar la línea del Apure. En su sentir sólo dominando el cajón de Apure podía conservarse y aumentar la opinión en favor del Rey (32).

Diseminación del ejército español.

En atención a la ausencia de Bolívar, temiendo desembarcos de los ingleses llegados a las Antillas en auxilio de los patriotas, y la posible invasión de Nonato Pérez a Barinas, Morillo resolvió

(32) Carta al Licenciado Ignacio Xavier Uzelay. Lecuna. Documentos Inéditos para la Historia de Bolívar. Tomo XVIII.

dividir sus fuerzas a fin de cubrir puntos tan distantes, y mantenerse en Apure en actitud defensiva. Sea que creyera a Bolívar ocupado en Guayana, o preparando alguna expedición a la costa, no contaba con su pronto regreso al Apure. En consecuencia del Caujaral destacó la 5a. división hacia Nutrias a las órdenes de La Torre y de Calzada, con instrucciones de seguir hasta Barinas o a cualquier otro punto amenazado. Al mismo tiempo el primero de estos generales debía organizar la construcción de flecheras aprovechando la abundancia de maderas en el río Masparro.

A Calabozo partió el general Aldama con el número 1º de Valencey y el 1º de Húsares de Fernando VII autorizado a dirigirse donde lo exigiera el real servicio. Los Húsares acantonados en el Sombrero y Camatagua y las fuerzas locales recibieron órdenes de estar prontos a marchar al punto de la costa que estuviera en peligro. La columna de Arana debía cubrir a Barcelona y vigilar los Valles del Tuy. Al capitán general se prescribieron medidas oportunas para aumentar sus tropas y cuidar las costas de Caracas.

Tomadas estas disposiciones el general en jefe con el grueso del ejército, atravesó el Arauca el 23 de febrero, como va expuesto, por el paso de la Seiba, llevando por delante gran cantidad de ganados. Estuvo varios días en Payara. Luego se dirigió por el hato de la Concepción al caño de Atamaica; en estos parajes recogió muchos emigrados, destacó varias partidas a la izquierda hacia Achaguas y a la derecha hasta Arichuna a recorrer el país y animar a las familias dispersas a regresar a sus hogares; dirigió parte de la infantería de la división de Morales y dos de sus escuadrones, a reconstruir las fortificaciones de San Fernando, y los abrigos necesarios para establecer una guarnición permanente. También destinó una o dos compañías a la escuadrilla sutil del Apure para custodiarla en San Antonio donde debía repararse. Las pérdidas de la campaña y estos destacamentos redujeron el ejército de Morillo a muy poco más de la mitad de su efectivo, más o menos a 3.200 hombres. Con ellos se estableció en Achaguas el 8 de marzo, lugar abundante, como ya lo hemos indicado en sementeras de caña, plátanos, yuca y maíz y rodeado de bosques, contando pasar allí tranquilamente el resto del verano (33).

(33) Mémoires du Général Morillo, obra citada. Página 195 y 196. El

Cuando el ejército español atravesaba el Arauca el comandante Juan Gómez, destacado con 200 hombres para interceptarle las comunicaciones, batió y destruyó en Guasimal la partida del comandante Palomo, mató a este jefe, célebre por sus crueldades, hizo algunos prisioneros y se apoderó de 36 carabinas, 52 lanzas y porción de caballos, y al regresar al Arauca con sus despojos, tropezó en el Totumo a todo el ejército español. Cargado por la caballería se vió obligado a retroceder y pasar al otro lado del Apure Seco (34).

Bolívar adopta la ofensiva.

Tal era la situación militar cuando el Presidente llegó inesperadamente al Apure el 10 de marzo, conduciendo 450 infantes ingleses y 100 venezolanos. Con este refuerzo sus tropas contaban cerca de 3.000 infantes y 1.500 caballos. "Si es verdad que el general español —escribió a Santander— ha dividido sus fuerzas como dicen, podré batirlo en detal. Yo voy a acercarme cuanto sea posible y según los partes que reciba de nuestras guerrillas que lo observan, tal vez me decidiré a dar de una vez la batalla" (35). Es decir sin esperar la diversión de Urdaneta.

En la mañana del 11 el Libertador encontró toda la infantería en el hato de Araguaquén. Recibido con aclamaciones entusiastas, por el deseo de entrar en acción, la puso en marcha el mismo día, aún cuando no habían llegado los caballos pedidos a Páez para los bagajes y los oficiales, y el 12 los batallones atravesaron el Río Claro (36) y se unieron a la caballería estacionada allí desde

---

destacamento de La Torre se puede estimar en 1.200 hombres, el de Aldama en 600, el de Morales, incluyendo las compañías destinadas a la escuadrilla en 700 y las pérdidas en la campaña en 500 suman 3.000 hombres. De aquí que a Morillo le quedaron solamente 3.200 en Achaguas, o muy poco más si acaso estos últimos destacamentos fueron menores.

(34) Autobiografía I, pág. 178.

(35) Oficio del 12 de marzo a Santander. O'Leary XVI, 267.

(36) Oficio de 13 de marzo a Páez. O'Leary XVI, 272. Esta versión dice por error Río Arauca por Río Claro. Téngase presente que todos los oficios de Bolívar que reproducen Blanco y Azpurúa y O'Leary son tomados de sus copiadores de órdenes, cuidadosamente conservados en su archivo.

principios del mes anterior. El ejército miraba la llegada del Presidente como anuncio de una batalla impacientemente esperada (37), y alivio de sus penalidades, por sus cuidados al soldado.

El 14 llegaron los caballos, y las tropas marchando a la derecha del Arauca Viejo, pasaron el 15 el río Cunaviche y el 16 se hallaban en las sabanas del Polvero, cerca del hato de la Candelaria. El Libertador se adelantó la mañana del 16 al Congrial de Cunaviche, a conferenciar con Páez, y dispuso que el ejército siguiera de este punto a cruzar el Arauca por los Potreritos Marrereños. La elección de este paso, el más cerca a los cuarteles españoles, estaba calculado para ocultar la marcha el mayor tiempo posible. Bolívar quería aprovechar la imprudencia de Morillo de dividir sus tropas y quedarse en Achaguas solamente con la mitad del ejército. "Es una pérdida irreparable la que haríamos si dejásemos escapar esta ocasión —le había escrito a Páez el 13— la más favorable que puede presentarse jamás para destruir a Morillo completamente. Toda su caballería está mal montada, y no hay en ella un solo soldado español porque los Húsares marcharon para Valencia. Es pues preciso que V.S. tome desde ahora sus medidas para que podamos marchar rápidamente sobre Achaguas" (38).

Páez piensa como el Libertador y en sus obras dice lo contrario.

Exactamente del mismo modo pensaba Páez pues apenas se separó del cuartel general —pasado el medio día del 16 de marzo — y recibió un parte del coronel Cornelio Muñoz, cuando escribió al Libertador la carta que insertamos enseguida, importantísima para la historia porque determina el pensamiento de Páez en esos días, negado por él mismo enfáticamente, en sus escritos históricos, y constituye una prueba palmaria de las inexcusables falsedades de este caudillo, cuando en sus escritos históricos se refiere a opiniones o actos del Libertador.

Nosotros nos referimos a O'Leary por comodidad de los que quieran verificar las citas, pero nos guiamos por los originales.

(37) Información publicada en el Correo del Orinoco, número 25.

(38) El mismo oficio citado en nota anterior.

"Marzo 16. Mi querido general y amigo": Incluyo a Vd. —le dice— la correspondencia que tomó Cornelio en la pequeña acción que tuvo y cuyo parte acompaño igualmente. Repare Vd. bien y verá como Morales ha marchado con la primera división y los Húsares para el llano arriba, y la orden que le dá Morillo a La Torre para que permanezca en Nutrias. Si es así, creo que debemos volar a destruir a Morillo en la Isla, sin darle lugar a que se le reuna La Torre, etc" (39). Carta que existe original en el archivo del Libertador y publicamos en facsímile en esta obra. ¿Como después de haber enviado esta carta al Libertador invitándolo a tomar la ofensiva, y en conocimiento de tantos hechos notorios de aquellos días, se atrevió a escribir años después el tejido de inexactitudes de su Autobiografía, para exhibirnos a Morillo en Achaguas con su ejército unido e intacto y a Bolívar imprudente y resistido a aceptar las razones que él le exponía para probárselo? (40). No era la decrepitud senil cuando publicó aquella obra, atribuida por algunos para disculpar sus fracasos militares y políticos, después que Monagas le arrebató la supremacía en la República, pues en la relación original de las Campañas de Apure, dictada en plena edad viril, en 1831 o 1832, dice lo mismo. Eran los celos de la gloria de Bolívar, la engañosa adulación de los serviles cuando se hallaba en el poder, al atribuirle todo el mérito de la guerra, y la vanidad, causa de tergiversar en la memoria los hechos a su favor.

No exageramos al emitir este juicio: para comprobarlo basta comparar lo expuesto y la citada carta del 16 de marzo, con estos conceptos tomados de las "Campañas de Apure": "En estas circunstancias —dice— llegó el general Bolívar de Guayana por la vía de Urbana y Araguaquén y de paso se trajo la caballería y la infantería que se encontraba en la sabana del Polvero, e incorporado a Páez le dijo que venía con ánimo de atacar a Morillo, que con este fin había hecho marchar las tropas con él. Páez le dijo que no lo hiciera porque el enemigo tenía 6.000 hombres y que

(39) Nótese la manera de Páez de atribuirse ideas agenas cuando no hace más que repetir lo que le había escrito Bolívar tres días antes.

(40) En el Correo del Orinoco número 25 del 3 de abril se publicó la correspondencia a que se refiere Páez y en la última página se dá cuenta de los destacamentos de La Torre y de Aldama.

tanto, por el número, que era superior, como por la calidad de las tropas, exponía el ejército a sufrir una derrota, porque en la infantería la mayor parte de reclutas no podía disputar con la de Morillo: que estuviera cierto que el plan de Morillo era destruir la infantería y embarcarse en San Fernando en lanchas que tenía alli preparadas e irse a tomar a Guayana: y que también era necesario dar tiempo a que el general Urdaneta ocupara a Caracas: dijo Bolívar que no creía que el enemigo tuviera 6.000 hombres, que era imposible y por esto tuvieron una disputa Páez y Bolívar, no llegando a convencerse éste ni porque Páez le presentó unos españoles prisioneros que tenía para que les preguntase por el número de tropas del enemigo. Los prisioneros le aseguraron que Morillo tenía 6.000 hombres y le dijeron los diferentes nombres y el número de los batallones, como también de las compañías de que se componían y con todo eso no se convenció, consentido en que solamente podían tener 3.500 hombres, y a pesar de los encarecimientos de Páez porque no expusiese el ejército, sólo pudo conseguir el que le ofreciera que él se acercaría solamente con el ejército a Achaguas para observar los movimientos de Morillo y perseguirlo en su retirada si acaso lo hacía a Caracas contra Urdaneta; pero todo esto lo hacía para engañar a Páez, pues que su intención fue atacar a Morillo en Achaguas" (41). En la Autobiogra-

---

(41) Boletín de la Academia Nacional de la Historia N° 21 p. 1187. El capitán Gómez, desertado del ejército español, impuso al Libertador en Araguaquén el 13 de marzo con rara exactitud el efectivo de Morillo, 3.000 hombres, mencionándole cada cuerpo y el número de plazas de cada uno. Oficio de Bolívar a Páez. Postdata. O'Leary XVI, 272.

A primera vista sorprende que O'Leary, testigo presencial y adicto a Bolívar, incurra en el error de otros historiadores de suponer que Páez opinaba en contra de la ofensiva, pero observando los hechos se explica la equivocación. (Narración I, 532.) Por una parte todos los que andan en un ejército no saben lo que piensa el general en jefe o discuten los jefes, y por otra el célebre edecán, aunque resultó magnífico escritor y buen político, no se muestra en su obra aficionado al análisis militar propiamente dicho, y en esta campaña era un muchacho, ayudante de Anzoátegui. Aunque él tenía la carta de Páez de 16 de marzo, cuando escribió sus memorias, no la había visto, perdida en el inmenso papelaje del archivo del Libertador que guardaba. Lo mismo se observa en otros pasajes de sus Memorias con otros documentos.

Téngase presente que la obra de O'Leary, excepto los dos tomos de Narración, es reproducción del Archivo de Bolívar, editado por Simón B. O'Leary, hijo del general.

Mzo. 16.

Mi querido Gral. y amigo: incluyo á V. la correspondencia q. tomó
Cornelio en la pequeña accion q. tubo,
y cuyos partes acompaño igualmte.
Repare V. bien, y verá
como Morales ha marchado con la
primera Division y los Husares p.
el Llano arriba, y la ord. q. le dá
Morillo á Latorre p. q. permanezca en Nutrias. Si es asi,
creo q. debemos volar á destruir
á Morillo en la Vilas, sin
darle lugar a q. se le reuna

Carta del general Páez, de 16 de Marzo de 1819, en que excita al Libertador a tomar la ofensiva.

Lacome &.a —

Todo q.e de V. am.o inv.l

José Ant.o Páez

fía modera un poco las expresiones y repite los mismos hechos falsos.

Fenómeno psicológico.

Cuando se escribe de memoria largo tiempo después de los acontecimientos, sin documentos, o con pocos documentos, es fácil incurrir en grandes equivocaciones. El amor propio de los autores o actores, los sucesos puestos fuera de sus fechas, pueden desalojar los hechos en el recuerdo, e inducir a errores fundamentales, hasta llegar a creer de buena fe lo contrario de actos realizados o de opiniones expresadas años atrás. Thiers observó este fenómeno cuando escribía la historia del Consulado y el Imperio, al estudiar las relaciones de algunos personajes a la luz de los documentos correspondientes. Páez lo presenta exactamente en las descripciones y apreciaciones de los actos del Libertador relacionados con los suyos propios. El más resaltante de todos es el descrito en los párrafos precedentes por existir en documentos españoles multitud de pruebas de estar diseminado el ejército español a la llegada de Bolívar al Apure, y por asegurarlo así el mismo Páez en carta a Bolívar de 16 de marzo, comentada páginas atrás, no obstante lo cual, completamente olvidado de todos esos hechos, lo niega, después en sus escritos y recrimina en estos a Bolívar suponiéndolo equivocado, cuando Bolívar estaba en la verdad.

Un caso idéntico debemos considerar adelante, al referirnos a la entrevista de Guayaquil. Creyendo asegurada la independencia del Perú el general San Martín abdicó el mando en 1822 y se fue a su país natal. En los años subsiguientes sus amigos le censuraban este acto, sin explicarse el motivo de su abdicación. De aquí nacieron leyendas para justificarla. Según una de ellas Bolívar le había negado su concurso a la campaña del Perú y él quiso dejarle el campo libre. Repetida ésta con insistencia, por no haber aparecido otra más adecuada, el general San Martín al principio la acogió para contestar preguntas indiscretas a ese respecto, y a la larga al parecer llegó a creerla efectiva, por un fenómeno psicológico que nos impone el amor propio al borrar ciertos recuerdos y forjar otros favorables a nuestro orgullo.

El ejército libertador emprende la ofensiva.

Por el estado embrionario del ejército y del organismo oficial todo había que crearlo. Anzoátegui desde el Polvero se encargó de recoger bongos y piraguas para pasar el Arauca y mulas para el parque. Ni siquiera había enjalmas suficientes. El ejército conducido por el Presidente partió el 16 de dicho hato, el 17 durmió en la Quesera Hurtadeña, el 18 fue al Congrial de Cunaviche, el 19 siguió por inmediaciones del hato de la Candelaria al paso del Caujaral, y el 20 se hallaba entre este último y el de las Mangas Marrereñas. Allí permaneció cuatro días mientras se recibían noticias de los exploradores.

El experto comandante Ichazu, en el Alto Apure, con su columna observaba de cerca a La Torre. El 24 de febrero sorprendió una partida del escuadrón de Guías al mando de Lozano, en marcha flanqueando la fuerza principal y se apoderó de algunos prisioneros y del equipaje del general. El 6 de marzo capturó otra partida sin disparar un tiro, y avisó la llegada de Reyes Vargas con su columna al pueblo de San Vicente, más arriba de Nutrias. Tres días después informó por error que La Torre, Calzada y Matute regresaban al cuartel general de Achaguas, cuando en verdad todavía no habían emprendido el movimiento (42).

El coronel Juan Gómez atisbaba las actividades de Morillo. El 13 de marzo dió noticias de fortificaciones construídas por el jefe español en las entradas a su campamento. El valiente comandante Jacinto Perera y otros jefes realistas, todos venezolanos, se ocupaban en recoger ganado. El 14 de marzo tuvo lugar un encuentro sangriento, favorable a los realistas en la Sacra Familia, entre un escuadrón y una compañía de Burgos, a cargo de Perera, y dos escuadrones de la Guardia de Páez. Los patriotas tuvieron 28 muertos y heridos y los realistas 12; y el 17 un convoy de Achaguas, protegido por 300 hombres de infantería y caballería fue atacado por Muñoz con 100 hombres en la dehesa Surero. Tres veces fue rechazado y otras tantas volvió a atacar. No pudiendo desalojar a los enemigos prendió fuego al bosque y estos se retiraron, dejando en poder de Muñoz algunas mulas cargadas y la correspondencia dirigida a Caracas. Los realistas perdieron 26 hombres, muertos y heridos, y los patriotas 14 de unos y otros. En una de las cargas el capitán Bolívar, valiente llanero de hercúlea fuerza, rompió las filas enemigas, gravemente herido se incorporó

(42) Boletín N° 89 de la Academia de la Historia, pág. 98.

a los suyos con una lanza clavada en el pecho, por el último enemigo muerto por él (43). De improviso llegaron al cuartel general importantes referencias enviadas por el coronel Muñoz: Morillo tenía diseminado su ejército en un espacio de 50 leguas: su centro en Achaguas y la vanguardia en la Gamarra, a la izquierda del río Apurito, 6 leguas adelante de su campo; componíase esta última del 2º batallón de la Unión constante de 700 plazas y el escuadrón de Carabineros del Rey de 100 jinetes al mando del coronel José Pereira. Era la oportunidad de dar un golpe seguro.

Combate de La Gamarra.

No podía desearse situación más conveniente para atacar a los enemigos. "Cuatro días ha, escribía Bolivar, que ocupo con todo el ejército la ribera derecha del Arauca esperando una ocasión oportuna para dar un golpe al enemigo. Esta ha llegado y hoy mismo emprendo la marcha. Si la operación que intento se logra como es probable, el ejército de Morillo será muy pronto destruído en detal, porque dividida su fuerza en cuatro diferentes puntos, nos es fácil batirlas sucesivamente todas. Si las reuniese y mi proyecto se frustra, cuando más podrá forzarme a repasar el Arauca, o a dar una batalla que sólo he rehusado hasta ahora por aguardar la cooperación del señor general Urdaneta" (44). No contento Bolívar con las noticias recogidas encargó a Rangel hacer nuevos reconocimientos con hombres escogidos, sobre La Gamarra y tomar noticias del terreno, y a Félix Lara, acompañado de jinetes expertos, verificar la posición de los cuerpos situados en Achaguas

(43) Correo del Orinoco número 25. O'Leary, Narración I, 536. El capitán Bolívar, descendiente de libertos de la familia del Libertador, es el mismo oficial que murió la noche del 25 de setiembre de 1828 en Bogotá. El Presidente le acordó por su valor en el combate la Estrella de Libertadores. Páez por error sitúa estos dos combates en el mes de abril, en las mismas fechas, pero no hay duda de que tuvieron efecto en el de marzo. El de la Sacra Familia, favorable a los españoles, está narrado en el Boletín del Ejército Pacificador, número 4, fechado el 18 de marzo en Achaguas, y publicado en la Gaceta de Caracas número 243, del 14 de abril de 1819; y el de Surero se halla descrito en la última página del Correo del Orinoco, número 25 del 3 de abril del mismo año. Véanse Campañas de Apure. Boletín de la Academia Nacional de la Historia Número 21, página 1196, y Autobiografía, I, página 189.

(44) Oficio al general Santander, Caujaral, 24 de marzo. O'Leary XVI, 286.

y San Fernando. El 25 el ejército pasó rápidamente a la izquierda del Arauca, el 26 marchó a paso redoblado río arriba y avanzando al norte cruzó el río Apurito o sea Apure Seco, y el 27 las primeras tropas de adelante cayeron sobre la vanguardia de Morillo en la Gamarra, en momentos de estar los españoles desprevenidos. Pereira sólo pudo oponerles en los puntos atacados 266 fusileros y 98 carabineros, por hallarse distantes algunas compañías, más éstas no tardaron en llegar al combate. Los batallones Rifles de la Guardia al mando del coronel inglés Pigott y Barcelona al de Ambrosio Plaza penetraron por el camino principal hacia el Trapiche, donde se apoyaba la fuerza enemiga y el de Barlovento, mandado por Macero dió un rodeo para envolver la derecha de los enemigos y atacar por ese lado. Aunque la sorpresa fue completa los realistas hicieron vigorosa resistencia, por su disciplina y la entereza de su jefe. Contenido el ataque de Rifles y Barcelona la posición debía rendirse al caerle por detrás el Barlovento, pero este batallón dirigido sin vigor no atacó oportunamente. Los patriotas volvieron a cargar en columna por el camino principal, y al salir del bosque a la explanada del trapiche los indios guayaneses de los batallones se dispersaron ante una vigorosa carga a la bayoneta del coronel Pereira. Al mismo tiempo Narciso López con sus carabineros ponía en fuga al batallón Barlovento en la retaguardia. Mientras tanto parte de las compañías españolas se retiraban atravesando en canoas el Apurito o sea Apure Seco, y Pereira vivamente perseguido por grupos de infantes patriotas replegó a toda carrera y cruzó el río en las lanchas, debiendo su salvación a la indisciplina de parte de las tropas y a un accidente epiléptico del general Páez en momentos de proceder al ataque. Cuando llegaron los otros batallones y la caballería, los españoles ya habían atravesado el río. Las casas del Trapiche, todas de paja se incendiaron. Los españoles tuvieron 51 muertos y heridos, y los patriotas 24 muertos, 30 heridos y 200 dispersos, casi todos indios de Guayana.

Como en otras ocasiones los defensores del Rey se atribuyeron el triunfo sin razón alguna. Aunque uno sólo de sus aguerridos batallones rechazó a tres de los patriotas, y dispersó unos indios guayaneses, toda la vanguardia española abandonó el campo en precipitada fuga, perseguida por los patriotas. No teniendo estos canoas para cruzar el río, les fue forzoso retroceder a buscar el vado y terreno despejado donde pudiera obrar la caballería (45).

Bolívar provoca a Morillo.

Perseguir a los enemigos directamente no era posible porque existiendo un bosque en la orilla opuesta podían ocuparlo y dar tiempo a la llegada de Morillo con el resto de su ejército. En consecuencia, Bolívar llevó el suyo, río abajo, buscando un vado en sabana descubierta en donde la caballería, pasando el río a nado rápidamente, pudiera proteger el dilatado pasaje de la infantería. Logrado el punto conveniente cerca de Guasimal, el ejército cruzó el río en la madrugada del 28, y avanzó en la llanura despejada a provocar a Morillo, quien encerrado en Achaguas, y rodeado de bosques permaneció impasible esperando la 5a división a cargo de La Torre y Calzada. Bolívar no intentó marchar de la Gamarra hacia el Oeste a interceptar a estos últimos, porque de ese lado el país estaba cubierto de bosques donde podían abrigarse los jefes realistas y bajo su protección llegar hasta Achaguas. El ejército libertador permaneció 36 horas provocando a Morillo en campo raso, sin lograr su objeto (46).

Retirada del ejército libertador.

Perdida por Bolívar la esperanza de dar una batalla en condiciones favorables, e informado del avance rápido de La Torre, llamado al cuartel general cuando se supo su regreso al Apure, se retiró al sur, en la tarde del 29, y siguió el 30 a la orilla iz-

(45) Oficio del coronel Pereira, Gaceta de Caracas, número 244 del 21 de abril de 1819. Bolívar al Vice-Presidente, 28 de marzo. O'Leary XVI, 290.

(46) Oficios de Bolívar a Zea, 28 de marzo, O'Leary XVI, 289 y 290. Páez dice en sus Campañas de Apure, copiando el parte de los realistas, que las pérdidas alcanzaron a 300 hombres, y que la acción no fue bien dirigida. Sorprender una fuerza por otra superior en número, no darle tiempo de reunir sus diversas secciones y cargarla vigorosamente es cuánto se podía hacer. También dice Páez que Bolívar no quiso acompañar la infantería de ningún cuerpo de caballería y a renglón seguido afirma que la caballería no podía pasar por las veredas por donde entró la infantería. Boletín de la Academia Nacional de la Historia, número 21, p. 1188. En la Autobiografía suprimió esta crítica absurda. Véanse O'Leary, Narración, I, p. 532. Montenegro Colón, IV, p. 314, y el parte oficial del coronel Pereira en la Gaceta de Caracas, número 244, del 21 de abril de 1819. Páez sufría ataques epilépticos que lo privaban del sentido.

quierda del Arauca. Las circunstancias habían cambiado por completo; la salvación de la mayor parte de la tropa de Pereira, y la incorporación de La Torre y Calzada había reconstituído al ejército real, y por tanto no era posible provocarlo de nuevo a una batalla. Según Páez gracias a él no la empeñó el Presidente. Un corto análisis prueba la inconsistencia de esta tesis. Para aprovechar las fuerzas inglesas llegadas a Margarita, y las propias de la isla, Bolívar dispuso la diversión de Urdaneta sobre las costas de Caracas, como medio de compensar la inferioridad numérica de las suyas propias. Por tanto habría sido absurdo, aventurar desde luego una batalla. Así el 28 le escribió al Vice-Presidente Zea: "Ayer pudimos obtener un suceso completo pero yo temí aventurar la suerte de la República cuando esperamos de un momento a otro la cooperación del señor general Urdaneta". El había marchado contra Morillo, cuando este diseminó sus tropas, pero reunidos de nuevo los españoles y demostrada la superioridad de la infantería real en la Gamarra, no era racional persistir en la ofensiva. Aunque seguro de este concepto, Bolívar, deseoso de tener el voto de sus tenientes reunió el 30 un consejo de jefes a orillas del Arauca, y todos estuvieron de acuerdo en no comprometer batalla. Resuelto esto y no dudando de las intenciones de su experto adversario cruzó el Arauca y se estableció en la orilla derecha, en los Potreritos Marrereños más arriba del paso de este nombre (47).

Casi al mismo tiempo Morillo, confiado en la mayor fuerza de su infantería, salió de Achaguas, pasó el río Apure Seco, y el 1º de abril se hallaba en marcha hacia el campamento de los patriotas en "columna cerrada" a tiempo que Páez avanzaba al término sur de las sabanas Camacheras con sólo 20 hombres casi todos jefes y oficiales, a efectuar un reconocimiento y lejos de arredrarse atacó con su natural audacia y habilidad, derrotó y alanceó la descubierta de Morillo de 200 hombres y se puso en retirada casi sin pérdida ante el avance de fuerzas mayores. Con-

(47) El 4 de abril, Bolívar dijo en carta a don Guillermo White, agente de la república en Trinidad, que no había empeñado batalla por la resolución en contrario del Consejo de Guerra, afirmación calculada, como tantas otras, para inspirar confianza. Del texto de la misma carta se desprende su convicción de que se debía esperar la diversión de Urdaneta. White tenía el encargo de difundir noticias favorables a la causa. Lecuna. Cartas del Libertador. II, 107.

tinuó Morillo su marcha, atravesó la sabana de las Queseras del Medio, hizo algunos movimientos a derecha e izquierda, y a la tarde acampó en la mata del Herradero, kilómetro y medio más abajo del campamento de Bolívar.

Combate de las Queseras del Medio.

El 2 amaneció el ejército real en la misma posición y después de medio día se estableció cerca de los Médanos de las Queseras del Medio, casi al frente y un poco más abajo del campamento de Bolívar y fuera del tiro de cañón; los contendientes quedaron separados por el brazo Canoero del río Arauca, muy profundo en aquél lugar y de poco más de 100 metros de ancho, y una extensa sabana sin bosque, ambos más abajo del paso denominado hoy de las Queseras del Medio. Impuesto Páez por un pasado del plan de Morillo de echarle encima, cuando volviera a atacar como la víspera, un cuerpo escogido de jinetes, seguido de todo el ejército en masa, para contrarrestar las temibles vueltas de cara del jefe apureño, resolvió repasar el río a provocarlo, y al efecto invitó a sus jinetes a que lo acompañaran al golpe que meditaba, y como se movieran todos, señaló una sección de la línea solamente, porque no era una acción general la que iba a dar; pero habiéndosele agregado muchos jefes y oficiales la columna resultó de 150 hombres, los cuales, como se desprende de esta descripción, no fueron escogidos (48). Enseguida pasó el río y sin salir del cauce profundo para no ser visto, organizó en la playa sus jinetes en secciones de 20 hombres. De repente salieron a la sabana y al trote y galope se acercaron al enemigo hasta llegar bajo el fuego de la fusilería.

Al momento Morillo empezó a ejecutar su plan moviendo todo el ejército contra la fuerza de Páez, la caballería en dos columnas en las alas y la infantería y artillería en el centro. La caballería, naturalmente, dejó atrás las otras armas y avanzaba con el objeto de cercar a los grupos de jinetes de Páez, los cuales retrocedían hacia el oeste a media marcha, en perfecto orden en línea extensa. Cuando parecía que lo iban a cercar Páez daba vueltas de cara y salidas parciales a los flancos. Después de recorrer cierto espacio Morillo creyó llegado el momento de lanzar

(48) Campañas de Apure. Boletín de la Academia de la Historia, Nº 21, p. 1192.

la caballería contra Páez, e hizo avanzar el escuadrón de carabineros de Narcisco López situado hacia el centro, el cual se fue adelante al trote y así privó los fuegos de la infantería. "Este fue el momento en que Páez, escribe él mismo en las Campañas de Apure, concibió la esperanza más grande de derrotarlos, porque viéndose con dos columnas fuertes de caballería en paralelo con él, no sabía a cual de las dos atacar con éxito, sin que la otra lo envolviese, pero para hacerlas reunirse ambas y quedar con un sólo objeto ordenó al coronel Rondón que volviera cara contra Narciso López, lo atacara de firme e inmediatamente retrocediera a su puesto, para que no lo encerraran las dos columnas de los flancos. Al ver López venir a Rondón como un rayo con 20 hombres, volvió a cometer la estupidez de hacer echar pie a tierra a sus carabineros para resistirlo, lo que no fue posible pues Rondón le lanceó la mayor parte de ellos en un momento y volvió a su puesto casi en el instante mismo en que las dos alas enemigas lo encerraban; quedó pues por esto la caballería enemiga en una sola masa y Páez que tenía ya dos de sus columnas al flanco derecho de ella y todas las otras muy bien en orden al frente, dió la voz y señal de volver caras y atacar. Todas las columnas ejecutaron a la vez la orden con una rapidez admirable y atacaron con un valor sin igual".

"La caballería enemiga quiso resistir a lanza calada el impulso de estos bravos; pero fue inútilmente, porque atacados a la vez de frente y de flanco, y con una resolución tan decidida, no pudieron resistir; y volviendo la espalda en el momento que tenían las lanzas al pecho, la mortandad de ellos fue inevitable; además, la confusión se introdujo en toda la masa de caballería y la hizo toda poner en fuga desordenada, y si la infantería no hubiera sido de tan buena calidad, y no hubiera tenido el bosque del río tan inmediato, su misma caballería, huyendo despavorida como iba, hubiera pasado sobre ella, pero conociendo Morillo en el momento el peligro inmediatamente en que estaba, se arrecostó (sic) sobre el río y allí salvó la infanteria y sirvió de apoyo a mucha parte de la caballería" (49). Tal es la descripción del héroe en el manuscrito original de sus Campañas de Apure.

(49) Campañas de Apure. Boletín de la Academia Nacional de la Historia, Nº 21, p. 1193 y 1194.

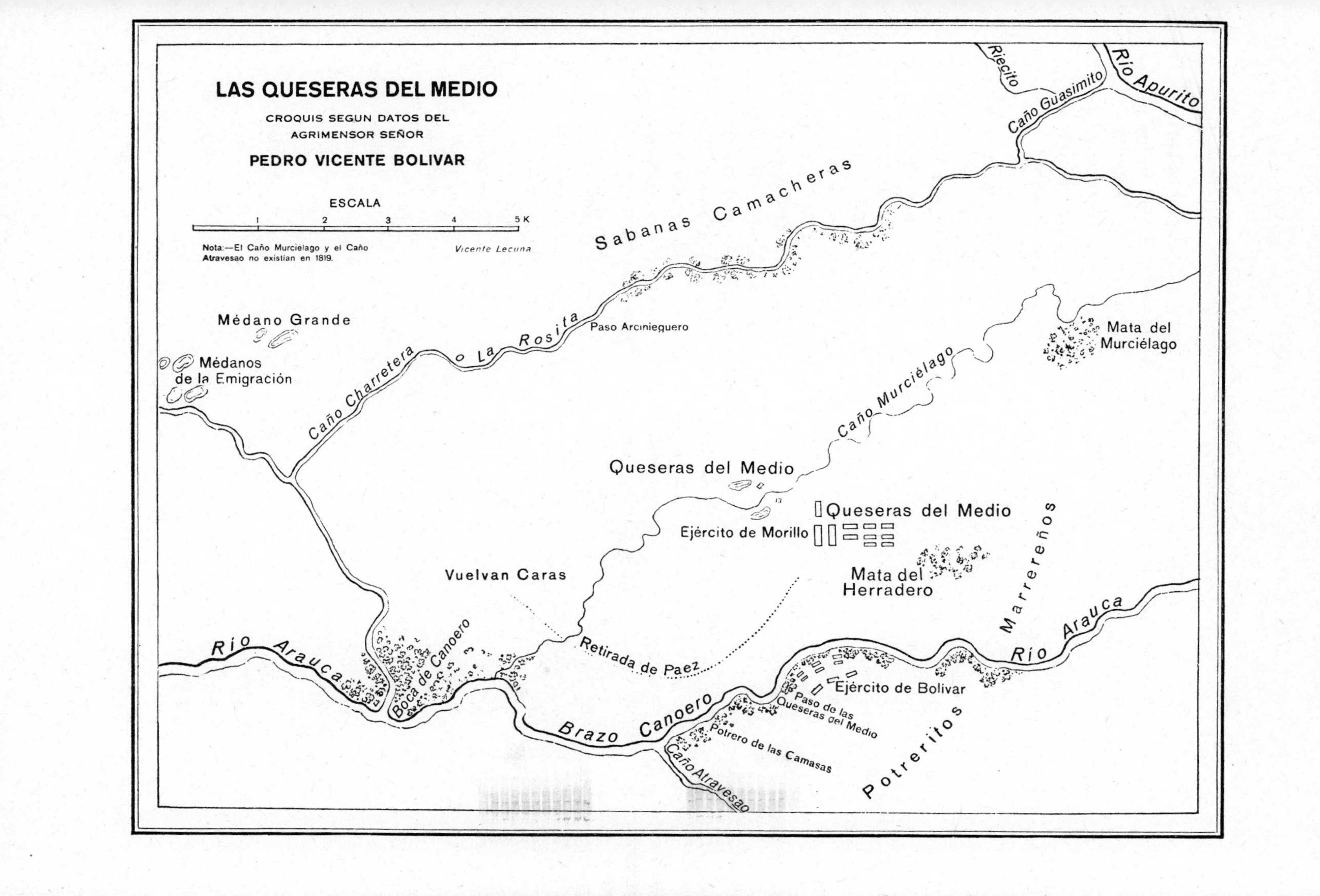
LAS QUESERAS DEL MEDIO
CROQUIS SEGUN DATOS DEL
AGRIMENSOR SEÑOR
PEDRO VICENTE BOLIVAR
ESCALA
1
2
3
4
5 K
Nota:—El Caño Murciélago y el Caño Atravesao no existian en 1819.
Vicente Lecuna
Riecito
Río Apurito
Caño Guasimito
Sabanas Camacheras
Paso Arcinieguero
Médano Grande
Médanos de la Emigración
Caño Charretera o La Rosita
Mata del Murciélago
Caño Murciélago
Queseras del Medio
Queseras del Medio
Ejército de Morillo
Mata del Herradero
Marrereños
Vuelvan Caras
Retirada de Paez
Río Arauca
Boca de Canoero
Río Arauca
Ejército de Bolivar
Paso de las Queseras del Medio
Brazo Canoero
Potrero de las Camasas
Caño Atravesao
Potreritos

La caballería realista, toda de venezolanos, constaba de 1.000 hombres, 200 de ellos carabineros. Su pérdida se estimó en 400 hombres, y la de los patriotas en 2 muertos y 6 heridos. Bolívar premió hazaña tan extraordinaria con una hermosa proclama y un decreto declarando miembros de la Orden de Libertadores a cuantos tomaron parte en la acción (50). Entre estos de hallaban muchos jefes y oficiales de la caballería de Oriente y del Alto Llano, como Carmona, Mina, Infante y Rondón. Después de la carga a López, Páez gritó al último de estos jefes: "Bravo, bravísimo, coronel Rondón" el cual le contestó: "General, así se baten los hijos del Alto Llano", aludiendo a una reprensión que le había dirigido unos días antes (51).

Injustas recriminaciones de Páez.

Después de describir acción tan gloriosa del jefe de Apure, magnífica por su excepcional ingenio e incomparable energía, cuando no debíamos tener sino elogios para el héroe, con pena nos vemos obligados a rebatir sus injustas censuras al Libertador. Según dice en las Campañas de Apure, su plan de atacar a Morillo simultaneamente con el fuego de la infantería al pasar delante del campamento, no tuvo efecto por no haber situado Bolívar tropas en la orilla con ese objeto, como él le exigiera; en la Autobiografía conviene en haber situado Bolívar una compañía de cazadores pero no toda la fuerza necesaria, seguramente por constar en el boletín oficial aquella circunstancia. Imposible después de un siglo averiguar ciertos detalles no asentados en los documentos, pero estos mismos nos dán materia suficiente para refutar a Páez en este punto. Según él la emboscada debía ponerse en la barranca de la orilla, al frente del campamento del Libertador, inmediato al paso del río utilizado por Páez; y en su retirada, según expresa claramente el boletín oficial, dictado por Bolívar en el mismo terreno, Páez "dejó el paso a su espalda (y fue entonces cuando) el enemigo creyéndolo perdido, desprendió toda su caballería sobre tan corto número de hombres". Por tanto el combate propiamente tuvo lugar más arriba del paso y fuera del alcance de la infantería de Bolívar, y aunque la lucha se

(50) Boletín de la Academia Nacional de la Historia, Nº 21, p. 1194.
(51) Autobiografía, I, 181.

prolongó largo trecho, primero en la retirada de Páez y luego en la persecución a la caballería de Morillo, los combatientes no volvieron a dicho paso, pues Morillo al decir de Páez, se *arrecostó* sobre el río y allí salvó la infantería (Campañas de Apure) echándose sobre el bosque (Autobiografía); y frente al paso y al campamento del Libertador, en la orilla izquierda no existía bosque según nos dice claramente el mismo Páez (52). En otros términos la oportunidad de volver caras y atacar no tuvo lugar frente al campamento de Bolívar y por consiguiente sus tropas no podían tomar parte en el combate. Más todavía, Páez repasó el Arauca en la noche por la boca del Canoero, y regresó al campamento al día siguiente a las siete de la mañana, prueba evidente de haber dado el combate a larga distancia de este último.

El general español nos proporciona también datos importantes, descartando sus exageraciones y mentiras. Según sus memorias las columnas del ejército siguieron detrás de la caballería cuando perseguía a Páez, "a un tiro de fusil de la orilla izquierda, siempre en guardia, por temor de caer en alguna emboscada enemiga. En efecto a corta distancia nuestros exploradores reconocieron la infantería de los rebeldes apostada sobre la orilla derecha y recibieron enseguida un fuego muy vivo". Según esto no una compañía como dice Páez, sino parte importante de la infantería del ejército libertador estaba apostada en la ribera pero el ejército de Morillo pasó fuera del tiro de fusil. El general español agrega el hecho incierto o exagerado de un supuesto desorden en las filas independientes causado por el fuego del batallón Nº 2 de Valencey y la artillería enviados a la orilla con ese propósito (53).

En resumen, Morillo, en el momento de la provocación, se hallaba enfrente del Libertador a más de un tiro de cañón, con el río y una sabana descubierta por medio. Páez pasó el río un

---

(52) Boletín del Ejército Libertador, del día 3 de abril. O'Leary XVI 293. Páez escribe en las Campañas de Apure "que el lado de los patriotas tenía monte y el opuesto por donde debía pasar Morillo el terreno era totalmente limpio". Boletín de la Academia Nacional de la Historia, Nº 21, p. 1192.

(53) Mémoires du Général Morillo. Pág. 206. París 1826. En el parte oficial dice que fueron el 2º batallón de la Unión y la artillería ligera los cuerpos que ocurrieron a la orilla del río.

poco más arriba del campamento y avanzó por la sabana despejada sobre el ejército real; refrenado por el fuego de fusilería retrocedió hacia el río perseguido por la caballería realista, los batallones de Navarra y de la Unión, y dos piezas de artillería ligera, y continuó en retirada río arriba, dejando el paso a su espalda, y el vuelvan caras tuvo lugar todavía más lejos cuando la caballería realista se adelantó a la infantería. Por tanto estos hechos sucedieron a larga distancia del paso y del campamento de Bolívar, las tropas patriotas no pudieron tomar parte en la acción y solo una compañía de granaderos tuvo ocasión de hacer fuego sobre los contrarios cuando vinieron a la orilla expresamente a provocarla.

Nuestro raciocinio basado en los datos documentados se confirma plenamente por la lógica de los hechos y la consideración de la psicología del actor principal, propenso en todo momento a entrar en combate. No es verosimil dadas las circunstancias y el carácter del hombre, que Bolívar descuidara o no quisiera cooperar a la acción, tomando unas medidas fáciles sin trabajo ni sacrificio alguno, y tan convenientes para él como al mismo Páez, pues al convertir el combate en una acción general, dividirían entre ambos la gloria del triunfo.

Por otra parte dada la posición relativa de las tropas no era posible hostilizar a Morillo con la infantería. El mismo Páez lo confirma así cuando dice en sus Campañas de Apure "que no pensó dar una acción general sino parcial" y el Libertador lo comprueba en estas palabras de su carta a Guillermo White escrita dos días después: "Antes de ayer el general Páez ha logrado un golpe admirable sobre Morillo y que pudo haber sido completamente decisivo, si la noche no lo hubiera ocultado a nuestras lanzas. No pensábamos más que darle a conocer la superioridad de nuestra caballería; y así no aprovechamos el brillante resultado que tuvimos, porque no habíamos preparado el lance para ello. Arrollamos todo el ejército cuando solo pensábamos bartirle una parte de su caballería. Ciento y cincuenta valientes mandados por el general Páez no podían destruir todo un ejército, estando nuestras tropas con el Arauca por medio" (54).

(54) Lecuna. Cartas del Libertador. II, 108.

La magnitud adquirida por el acontecimiento y las frases ponderativas de la proclama del Libertador indujeron a Páez, más tarde, a reemplazar la realidad por las leyendas de sus escritos históricos.

Juicio sobre la táctica admirable de Páez.

Empeño inoficioso e inútil, pues la leyenda tal como él la ha querido trasmitir a la posteridad, no resiste el análisis y no puede superar, desde el punto de vista del arte militar, a la realidad del gloriosísimo combate, narrado con sencillez y naturalidad en las Campañas de Apure: porque obligar a las columnas realistas a formar una sola masa, sorprenderlas con el inesperado retorno ofensivo, y atacarlas de frente y de flanco con una línea de jinetes adiestrados y el vigor que sólo les sabía comunicar su heroico jefe, es el colmo del arte en las luchas al arma blanca. Los jinetes realistas, situados al centro de la masa, no tenían en el combate acción ninguna y la superioridad numérica quedaba anulada por el arte. Las escasas pérdidas de los patriotas, y las muy numerosas de los adversarios prueban la confusión y el espanto introducidos en las filas enemigas por la violencia del ataque imprevisto, fenómenos naturalísimos provocados o creados exclusivamente por el fecundo ingenio de Páez con una serie de actos instintivos e instantáneos. Aquiles, dice Bonaparte, era hijo de una diosa y de un mortal, para expresar que en la guerra la concepción psicológica influye tanto como los factores mecánicos o materiales (55).

El Libertador repasa el Arauca.

El general español en su informe al Gobierno de Madrid oculta la derrota de su caballería, y dice que Páez atacó con 700

---

(55) Précis des guerres du Maréchal de Turenne. Página 823. Bibliotheque Militaire. Liskenne et Sauvan. París. 1862. El gran maestro de la guerra se expresa así, en otra obra: "En las cargas de caballería, como en los ejércitos de la antiguedad, las pérdidas de los vencidos son muy superiores a las del vencedor. Los escuadrones vencidos y acuchillados reciben mucho mal sin hacerlo".

"Las luchas al arma blanca se convierten en combates singulares, y en estos los hombres más diestros tienen todas las ventajas".

Précis des Guerres de César par Napoleón. París. 1836. Páginas 152 y 153.

hombres distribuidos en seis escuadrones (56). Trabajo le costó desde el amanecer del día siguiente reunir los dispersos de su caballería, pero hombre firme y siempre sereno, regresó a las Queseras del Medio, y luego de reorganizar los escuadrones, siguió recogiendo ganados en los hatos intermedios entre el Arauca y el Apure Seco, mientras Bolívar enviaba trás él a observarlo la Guardia de Honor de Páez, al mando de Muñoz. Horas antes del combate de Las Queseras del Medio había sido destacado Rangel con su regimiento a obrar a retaguardia del ejército real con orden de extenderse hacia Nutrias y atacar a Reyes Vargas, y después del combate fueron destinadas otras partidas a estorbar las operaciones de los españoles. El ejército libertador descansó dos días; el 5 repasó el Arauca y se acampó en la orilla izquierda en la Laguna de las Laureles.

Privaciones de las tropas.

Grandes penalidades sufría el ejército libertador, especialmente la infantería. Véase como las describe O'Leary, a la sazón empleado en ella: "Con paciencia había sufrido toda suerte de privaciones desde el principio de la campaña, haciendo muchas veces grandes marchas sin una gota de agua. El llanero, hombre de a caballo, mira con marcado desprecio al soldado de a pie y este sentimiento se aumenta y cobra proporciones de absoluto disgusto, cuando ve que está obligado a sostener al peón su camarada, con sus fatigas y trabajo personal. Para vengarse, el ganado que destinaba para la infantería era generalmente el de peor calidad, y el infeliz infante tenía que contentarse por toda ración con dos libras de esta miserable carne. No había pan ni cosa que lo sustituyese a ningún precio, ni sal, sin la cual la carne no sólo era insípida sino insalubre para el recluta indígena de Guayana. Si este alimento diario era poco apetitoso para el soldado criollo, éralo menos, y con sobra de razón, para el oficial

(56) Morillo al Ministro de la Guerra, 12 de mayo de 1819. Rodríguez Villa IV, p. 20 a 25. En el parte enviado al capitán general Ramón Correa, el 3 de abril, desde las Queseras del Medio, Morillo reconoce que sus escuadrones se retiraron precipitadamente hasta apoyarse en los batallones Navarra y 2º de la Unión que iban cerca, pero que esto lo hicieron al oír el fuego vivo que desde la orilla derecha hacían los rebeldes a un destacamento que se acercó a reconocerlos. Gaceta de Caracas, número 244, del 21 de abril de 1819.

británico, quien sin embargo, soportaba con la más laudable resignación todas esas penalidades. En las circunstancias más difíciles y en presencia de los mayores peligros, demostraron los oficiales ingleses la más noble perseverancia y fidelidad a la causa que habían abrazado" (57).

El ejército en verdad carecía de muchas cosas: desde hacía días se habían agotado la sal y las medicinas. El Libertador pidió con instancias a Angostura estos artículos, harina para hacer pan a los ingleses, tabaco de las Misiones, zapatos para reponer los gastados, hierro para fabricar lanzas, y la escuadrilla sutil indispensable para ocupar el Apure cuando se retirara el ejército real. "Sin los zapatos, escribía el Libertador al Vice-Presidente Zea, no podrán hacer los ingleses una sola marcha y aún mucha parte de nuestra tropa, acostumbrados ya a ellos, no podrán moverse cuando les falten" (58).

Tantas penalidades habían producido muchas bajas de enfermos y desertores difíciles de reemplazar. Sobraban hombres para la caballería, hasta el punto de no querer Páez que el Libertador llevara jinetes de Oriente, porque, según decía solo servían para gastar caballos sin utilidad o desertarse con ellos; pero no se lograba llevar apureños a los cuerpos de infantería, en los cuales la desnudez y la miseria eran más sensibles que en los de a caballo (59).

Unos cuerpos a la verdad estaban mal vestidos, o semidesnudos, pero otros habían recibido al comenzar la campaña uniformes nuevos. "Hemos visto por primera vez —escribía Morillo— las tropas rebeldes vestidas a la inglesa completamente, y a los llaneros de Apure con morriones y monturas de la caballería británica" (60).

Marcha al Alto Apure.

El Libertador resolvió trasladarse algunas jornadas hacia el Alto Apure, impulsado por razones poderosas, a saber: no exponerse a combatir en momentos en que casi toda su caballería

(57) O'Leary, Narración, I, 531.
(58) Oficio del 11 de abril. O'Leary XVI, 301.
(59) Carta de Páez, de 5 de enero de 1819. O'Leary II, 15.
(60) Oficio al Ministro de la Guerra. Atamaica, 28 de febrero. Rodriguez Villa IV, 10.

había sido destacada con diversos objetos, inducir al enemigo a evacuar el Apure amenazando a Barinas, y aproximarse a Casanare, objeto constante de sus pensamientos desde el año anterior. En consecuencia el 8 emprendió marcha por la ribera izquierda del Arauca, pero al amanecer del 9 caminando hacia el hato de Trujillo, casualmente estuvo a punto de tropezar al ejército real, el cual andaba buscando en esa dirección ganados y caballos. Bolívar con solo cuatro escuadrones del Alto Llano y la infantería no podía hacerle frente, y en consecuencia mandó a buscar las canoas adelantadas en el río, repasó el Arauca y prosiguió la marcha por la orilla derecha; el 11 se hallaba en Chaparralito, y el 12 se estableció en el hato Caraballero, donde se detuvo varios días para dar descanso a la infantería sofocada por la sed, el polvo y el carbón de la sabana quemada y azotada por el viento. Cuando el último paso del Arauca el coronel Alcántara, a quien Bolívar mandara a buscar las canoas, impresionado por la fortuna del ejército de no tropezar el día 9 con Morillo, se detuvo a apuntar la fecha en una cartera en vez de galopar a cumplir una orden, y reprendido por Bolívar, le contestó con estas palabras proféticas: "General, permítame que anote la fecha en que ha cambiado su fortuna. Desde hoy nos acompañará la prosperidad".

En el hato de Trujillo, cuando se acercó el ejército libertador, el bravo Morillo había salido de su campamento con algunos oficiales y una escolta de Guías, y al divisar la partida de reconocimiento dirigida por Páez, la cargó en persona con sus Guías pero al retirarse Páez, receloso de un ardid de guerra, se detuvo, y al parecer no se dió cuenta de estar Bolívar tan cerca (61). Contingencias propias del desierto, sin poder obtener referencias.

Durante este acontecimiento la Guardia de Honor de Páez, a cargo de Muñoz, se hallaba a retaguardia del ejército real, y cuando éste se dirigió a Achaguas siguió observándolo de cerca. Páez acompañó al Libertador hasta el hato Caraballero, y de allí se fue a unirse a su guardia y se aproximó a Achaguas.

Sus partidas de caballería habían seguido a Morillo espantándole los ganados y caballos, en cuanto podían, y a la sazón formaban semicírculo, a cierta distancia del ejército real, y con

(61) O'Leary. Memorias, I. 537 y 538.

frecuencia hacían prisioneros soldados desertores o dedicados al merodeo.

Dias de descanso. La vida en los llanos. El Presidente.

Mientras tanto los patriotas descansaban y se refrescaban en el hato Caraballero, donde encontraron algunas verduras. En ninguna otra campaña las tropas habían padecido más que en esta. "Agobiadas por el calor, escribe O'Leary, sin un arbusto siquiera que les diera sombra durante la jornada, ni una gota de agua que refrescara sus labios, y hora tras hora engañadas por las ilusiones ópticas tan frecuentes en aquellos parajes, las tropas llegaban tarde al vivac, donde les esperaba una escasa ración de carne flaca y sin sal. Allí dormían al aire libre, expuestas a la intemperie en un clima insalubre; empero ni una queja se oía a aquél valeroso y abnegado ejército, a quien animaba el ejemplo y la constancia del general en jefe. La vida de éste era la misma del soldado y hasta su vestido era casi el mismo: chaqueta de franela, pantalones de lienzo, botas altas y la gorra ordinaria de paño del artillero, componían su traje. Aconteció un día que ésta cayese en el río Arauca y fuese arrastrada por la corriente en medio de los estrepitosos "hurrahs" de los ingleses, que tenían la preocupación de ver en ella signo de mal agüero y causa de las recientes penalidades".

"Bolívar, en estas marchas se levantaba con el día, montaba a caballo para visitar los diferentes cuerpos, de paso los animaba con algunas palabras cariñosas o con recuerdos lisonjeros. Acompañado de su estado mayor seguía al ejército; al medio día se desmontaba para bañarse cuando había donde; almorzaba como los demás, con carne sola, y descansaba luego en su hamaca; después dictaba sus órdenes y despachaba su correspondencia, lo que hacía moviendo constantemente la hamaca. Después de haber comido las tropas su corta ración se continuaba la marcha hasta encontrar, si era posible, alguna mata o pequeño bosque donde se acampaban, o si nó a campo raso. Contaba entonces Bolívar treinta y cinco años, y se hallaba en toda la plenitud de su vigor físico y mental. Los que le acompañábamos en aquella época —a la sazón era yo ayudante de campo del general Anzoátegui— podemos dar testimonio de su incomparable actividad y de sus desvelos no sólo por la suerte de la República, sino por la del último de sus soldados" (62).

Operaciones secundarias.

A tiempo que el Jefe Supremo se dirigía al hato Caraballero, dos columnas de jinetes marchaban a ocupar la línea del Alto Apure para apoyar a Nonato Pérez y quitar recursos a los enemigos: el coronel Rangel siempre intrépido y activo, fue con su regimiento hasta Nutrias el 10 de abril, batió la guarnición de este pueblo de 300 hombres, a dos leguas de distancia, en el Trapiche de Alejo, mandó una partida hasta San Vicente y regresó a incorporarse al ejército. El teniente coronel Peña, igualmente feliz, destruyó cinco partidas enemigas y regresó cargado de despojos. A fin de hostigar a los españoles, además de las partidas encargadas de obrar a su frente, el Libertador había destacado dos muy importantes, destinadas a molestarlos a su espalda, una hacia Calabozo a cargo del valeroso coronel Urquiola, oficial de Zaraza, y la otra al Baúl al mando del comandante Villasana (63). Poco después una de las guerrillas de Rangel, operando a larga distancia a la izquierda del Apure, sorprendió y destruyó a un escuadrón realista en La Luz y las de Nonato Pérez lograron ventajas sobre Pedraza y San Vicente. En estos días La Torre, enviado de nuevo a Barinas con algunas tropas, marchaba a Santa Lucía a unirse a la columna de Reyes Vargas.

Correspondencia con los jefes de Oriente.

Aprovechó el Jefe Supremo los días de descanso para despachar correspondencia, pero con el desconsuelo de verse obligado a reprender a casi todos sus colaboradores. Mariño había pretendido asumir en Guayana facultades y prerrogativas extrañas a su comisión de levantar un cuerpo de reserva: sin derecho usaba el título de capitán general de la Nueva Granada y por último su jefe de estado mayor a cada paso chocaba con las autoridades de Guayana y de Cumaná, y no informaba al Presidente, porque según creía el ejército de Oriente no debía entenderse con él sino con la Secretaría de Guerra (64). En con-

(62) O'Leary, Narración, I, p. 538.
(63) Oficio a Zea de 17 de abril. O'Leary XVI, 312.
(64) Oficios de 13 y 14 de abril. O'Leary XVI, 304 y 308.

secuencia el Libertador dispuso limitar el mando de Mariño a las fuerzas de Barcelona y Alto Llano de Caracas, y pocos días después, considerando la necesidad de destruír el cuerpo de Arana, adelantado hacia Angostura, dió órdenes a Bermúdez y a Sedeño de marchar sin pérdida de tiempo con sus respectivas divisiones a reforzar a Mariño.

Tampoco informaba el general Zaraza de sus operaciones. Carecía del hábito de escribir. Varias partidas suyas habían sostenido diversos choques y sufrido algunas pérdidas, del 16 al 23 de febrero, perseguidas con 500 hombres por el comandante general Juez en la Barrosa, Sanjonote, Tacamajaca y Cerros de Espino; pero Zaraza dando la vuelta al enemigo cargó inesperadamente su retaguardia, cerca del río Manapire y le causó mucho daño quitándole prisioneros, caballos y equipajes (65). El Presidente le dá las gracias en nombre de la República por este suceso, aún sin recibir noticias para apreciar su importancia, y le reprende por haberse arrogado facultades superiores del Jefe del Estado, dando grados, cambiando el nombre de los cuerpos y dirigiéndose al Congreso en vez de hacerlo al poder ejecutivo.

Arismendi, aparte de su conducta torpe y mezquina en todo lo relativo a la expedición encomendada al general Urdaneta, había dado una comisión al exterior al viejo y desacreditado revolucionario español, Cortés Campomanés, sin autorización y sin consultar al gobierno, exponiendo a la República por lo menos a recibir un desaire.

El bravo patriota, columna principal del gobierno en Cumaná, el general Bermúdez, se quejaba del Ejecutivo por la manera de comunicarle las medidas tomadas contra un francés conspirador perpetuo, expulsado años atrás de la República, expartidario de Piar y protegido de Mariño. Bolívar le explica la política del gobierno, reconoce su fidelidad y disciplina y le añade, "el gobierno es imparcial y no vé las personas sino los hechos".

Junto con estos preceptos animaba a sus tenientes con instrucciones y consejos oportunos: a Mariño le dice: "Si V.E. logra batir, como me prometo, el cuerpo de Arana, puede estar seguro de que no habrá otras fuerzas que se le opongan y se multipli-

(65) Montenegro Colón IV, p. 313 y 314. Correo del Orinoco número 23.

carán los embarazos del enemigo"; a Bermúdez incitándolo a marchar en refuerzo de Mariño, le recuerda la necesidad de proteger a Guayana y de recuperar los llanos de Barcelona, de donde sacaban ganados para sostener las tropas de Cumaná, sin los cuales no se podría hacer el sitio de la plaza, pues "el único medio que hay de tomarla es asegurar al ejército que la sitie las subsistencias, y privarlas al enemigo" (66); esto último naturalmente por medio de la escuadra. A Zaraza le encarga formar el nuevo batallón de Chaguaramas, reunir sus partidas y completar su triunfo sobre el comandante Juez, y al Vice-Presidente Zea le renueva los pedidos hechos para el ejército y le informa sus proyectos de campaña.

Profunda pena causaron al Libertador los despachos de Urdaneta exponiéndole las dificultades opuestas en Margarita al desempeño de su comisión. En contestación lo anima a proseguir la empresa y en último caso lo autoriza a llevar las tropas al Orinoco si sus esfuerzos resultan vanos para conducirlos a la costa.

Saca de ganados de Apure.

Aún cuando Morillo retiró todas sus tropas a Achaguas, siguió ocupandose de recoger ganados, con el objeto, según decían los prisioneros, de llevar el mayor número posible a los Valles de Aragua. "Muchas partidas nuestras, escribía el Libertador, le observan, le molestan e impiden del modo posible la recolección de ganados; pero como abunda tanto en el país que ocupa, es muy difícil, si no imposible, impedírselo del todo" (67).

En pocos días los españoles recogieron 4.000 cabezas de ganado, y muchos caballos y con otras partidas los trasladaron a la izquierda de Apure (68).

Marcha ingeniosa al Mantecal.

Después de ocho días de reposo, el ejército libertador cruzó el Arauca al amanecer del 23 de abril, y emprendiendo marcha al norte fue primero a Rincón Hondo y luego al pueblo de San Miguel del Mantecal. Pensaba el Jefe Supremo seguir hasta Nu-

(66) Oficio a Bermúdez, 20 de abril. O'Leary XVI, 329.

(67) Oficio a Zea de 11 de abril. O'Leary XVI, 301.

(68) Mémoires &. 207. Páez dice en sus escritos que no le dejó coger ganados y tuvo que alimentar sus tropas con chigüires, pero esto no es verdad.

trias, amenazar a Barinas y por este medio inducir a Morillo a abandonar el Apure; y al mismo tiempo estar más cerca de la línea de retirada de Morillo, caso de abandonar el territorio violentamente, por la diversión encomendada a Urdaneta. En otros términos, situado Bolívar en Mantecal estaba bastante lejos de Morillo, para evitar maniobrando una batalla, dado caso de no convenirle, y al mismo tiempo se hallaba en posición de poderlo alcanzar si se retiraba hacia Caracas, por ser iguales las distancias de sus respectivos campamentos a la Villa de Cura o a Valencia (69).

También se proponía Bolívar reunir diferentes columnas de caballería hacia Nutrias y Barinas, y en esa dirección se juntaron las de Rangel, Nonato Pérez y Romero.

Pero razones también poderosas lo indujeron a efectuar esta ingeniosa marcha al Alto Apure: "Desde que recibí —le escribe a Santander desde el Mantecal el 25 de abril— el primer aviso de V.S. de que trataba el enemigo de ejecutar la expedición contra Casanare, procuré acercarme a V.S. y con este objeto me he adelantado hasta este punto". Al mismo tiempo no aprueba el proyecto de retirarse hacia el Sur.

"La entrada del invierno hace muy peligrosa la retirada al Meta; así porque la insalubridad del clima destruiría una gran parte de sus tropas, como porque las innundaciones y crecientes de los ríos impedirán a V.S. obrar por la espalda del enemigo, si este se avanza sobre Venezuela como probablemente sucederá. La retirada de V.S. pues, debe ser hacia esta parte, procurando incorporarse conmigo. De este modo podremos fácilmente batir al cuerpo enemigo que ataca a V.S. y batir a Morillo si quisiere obrar en combinación con él". Disposiciones admirables tanto por facilitar la entrada de Santander a este teatro de la guerra, como por establecer los dos ejércitos en líneas interiores respecto a los dos realistas en el caso previsto (70).

La moral del ejército.

Disminuida la infantería por la deserción y las enfermedades había ganado en disciplina y sentimiento del honor. Severos cas-

(69) Campañas de Apure. Boletín de la Academia Nacional de la Historia, número 21, p. 1198.

(70) Bolívar a Santander, 25 de abril. O'Leary XVI, 337.

tigos a los cobardes en la acción de la Gamarra produjeron su efecto y la infantería alcanzaba ya la alta moral de los batallones en las campañas de 1813 y 1814. El de Barlovento, dispersado en la Gamarra, fue disuelto y su coronel Macero, se destinó a desempeñar diversas comisiones.

Los desertores alzados para merodear con los indios de Arauquita, entre el Cabullare y el Arauca, fueron vivamente perseguidos.

A uno de los más bravos oficiales, José María Carreño, herido en muchas ocasiones, se le encomendó una comisión importante el 30 de abril, en el Hato de Aponte, pero como advirtiera que su marcha no podía ser tan rápida como lo exigía la misma comisión, a causa del estado de su salud, el Libertador dispuso pasarlo al hospital a curarse, y el oficial le escribió estas solemnes palabras: "yo estoy pronto y lo he estado siempre a servir en lo que se me destine, y si en esta mañana he cometido alguna falta suplico a V.E. suspenda el castigo que se me ha impuesto, y que respecto a que estamos prontos a dar una batalla me permita presenciarla para lavar cualquiera mancha que haya podido echar sobre mi reputación". Carreño siguió en el ejército, prestando como siempre, brillantes servicios y al año siguiente fue el vencedor en la Ciénaga y libertador de Santa Marta.

Carácter de las empresas de Bolívar.

La expedición a la costa de Caracas, de gran efecto si se hubiera llevado a cabo, por la posición relativa de las tropas, no pudo realizarse a causa de retardos de los contingentes ingleses, llegados a Margarita en los meses de junio y julio, la oposición de Arismendi y de otros margariteños, a entregar al ilustre general un cuerpo de nativos de la isla y la resistencia de los soldados de Bermúdez a separarse de su provincia.

Singular destino el de las empresas de Bolívar de esta época. Sus más útiles colaboradores le opusieron en días difíciles grandes obstáculos y fueron en parte causa de sus fracasos. Bermúdez, Ribas y Piar en 1814, Mariño en 1816 y 1817 y Páez en 1818. Todo por la audacia de las concepciones, la falta de un núcleo fuerte para imponer la obediencia, y el espíritu anárquico de poblaciones de escasa densidad y diverso origen.

Comentando los acontecimientos de Margarita, Bolívar le

expresaba a Urdaneta su dolor por los inconvenientes opuestos a la empresa y le añadía: "Las fuerzas de Morillo, reconcentradas todas en el Apure, no han podido atender en estos dos últimos meses a la costa, y V.S. tenía abiertas las puertas de Caracas, sin más que presentarse" (71).

Retirada y previsión de Morillo.

La subdivisión de la caballería de los patriotas en diversas partidas destinadas a estorbar las operaciones del ejército real, especialmente en la saca de ganados, obligó a Morillo a destacar también varias columnas para cubrirlas. Así permanecieron ambos bandos algunos días hasta fines de abril, cuando el jefe español supo el movimiento de Bolívar hacia el Alto Apure, con ánimo, según se rumoraba, de entrar a la provincia de Barinas, por San Vicente o Nutrias. Esto solo bastó para que anticipara la inevitable retirada del Apure al comenzar las lluvias (72). Inmediatamente hizo recoger las familias realistas dispuestas a emigrar, en junto 500 personas y las envió a la Guadarrama. En la misma dirección destacó a Morales con la Vanguardia después de alejar este jefe las columnas patriotas de Urquiola y Villasana interpuestas entre Calabozo y el Apure; y como ya estaban concluídas las obras de San Fernando, envió de guarnición el batallón del Infante, y una compañía de cada uno de los batallones Burgos y Hostalrich, por todo 600 hombres. El mismo día despachó hacia Nutrias un batallón de Barinas y un escuadrón de Dragones Leales contando entre ambos 500 combatientes. Hechos estos arreglos, el 25 de abril partió de Achaguas, rio arriba hasta el pueblo de Apurito, adonde llegó al medio día del 1º de mayo, y al día siguiente a las dos de la tarde todo el ejército estaba del otro lado.

Impuesto Páez de estos movimientos intentó alcanzar a los cuerpos destinados a San Fernando pero no lo pudo lograr sino al día siguiente, con la mala suerte de fracasar la emboscada puesta a los enemigos a una legua del pueblo, a causa de haber combatido por error dos fuerzas patriotas. Páez abandonó la celada y los españoles pasaron tranquilamente.

Hasta el 7 de mayo el ejército real continuó marchando unido, lentamente, en dirección de Barinas, y en ese día se dividió en

(71) Oficio del 20 de abril, Paso Caraballero. O'Leary XVI, 328.
(72) Mémoires du Géneral Morillo, p. 216.

dos columnas. La segunda división y un escuadrón de venezolanos se dirigió con Morillo a Guadarrama, y la quinta división siguió a Santa Rosa, vía de Barinas. En Guadarrama, Morillo hizo construir un fuerte, y en él estableció una compañía del Infante, para asegurar la navegación del Portuguesa. El 12 de mayo llegó a Calabozo (73).

El general español daba por terminada la campaña desencantado de las esperanzas concebidas al abrirla. Siempre exacto en sus apreciaciones, no se le ocultaban los peligros de la situación del ejército expedicionario de la Costafirme, según decía "la más crítica y apurada en que jamás se ha visto"; por los progresos de los independientes, la extensión adquirida por el Estado republicano, y la falta de socorros y refuerzos, insistentemente pedidos a la Península. Clara visión de la realidad revelan sus oficios a la Corte, y es justo reconocer sus grandes esfuerzos y sacrificios realizados en el desempeño de la misión de salvar la influencia de España. En esta ocasión con su ejército disminuído por las marchas y los combates, sin medios para reponerlo, previó los proyectos de su temible adversario, y anticipándose a los hechos, escribió al Rey el mismo día de su llegada a Calabozo, alarmado por el peligro de una invasión de Bolívar al Nuevo Reino de Granada, país, por su vasta extensión hasta Quito, dificil de defender con las tropas existentes. También señalaba en su oficio las ventajas de los insurgentes, en sus comunicaciones por el Orinoco, el Apure y el Meta, y la imposibilidad de recuperar a Guayana sin una marina adecuada. En todas sus comunicaciones obsérvase apreciación exacta de los hechos y clara visión del porvenir (74).

Campaña de Santander en Casanare.

Los pocos habitantes de esta provincia, dedicados a la cría de ganados, sólo sembraban lo necesario para subsistir; sin comercio y pocas industrias, no había ramos productivos al tesoro público. Las tropas casi desnudas, carecían de cobijas para cubrirse. A fin de atender a gastos indispensables Santander pudo proporcionarse, de ocho a diez mil pesos, haciendo acuñar la plata labrada de las iglesias, salvada del decreto precedente de llevarla al bajo Apure. En tales escaseses, formó su división de infantería

(73) Mémoires du général Morillo, p. 217 y 218.

(74) Oficio de Calabozo, del 12 de mayo, al Ministro de la Guerra. Rodríguez Villa, IV, p. 25 a 32.

y caballería, apoyado por Moreno y otros jefes locales. Todos se sometieron a sus órdenes sin resistencia. La provincia había reconocido a Bolívar como Jefe Supremo, desde antes de la llegada de Santander, y obedecía al gobierno de Venezuela, mientras se restableciera el de la Nueva Granada (75).

Debiendo los españoles alejar la división de Santander, constante amenaza de las provincias limítrofes, y proveerse de ganados, escasos en las altas mesetas granadinas, partieron de Tunja a las órdenes de Barreiro, en número de 1.800 hombres. El 6 de abril descendieron a los llanos por la vía de Tocaria, y el 9 entraron a Pore observados por partidas de caballería con las cuales sostuvieron ligeras escaramuzas. El 13 el cuerpo principal adelantó por el pie de la montaña a reunirse a la columna de Jiménez, procedente de Sácama, la cual desde el día anterior había entrado a la Laguna, cuartel general de los patriotas desde febrero. Santander se hallaba en la llanura, sobre el flanco derecho de los españoles, y cuando desfilaban a su frente, dirigió dos columnas sobre su vanguardia y retaguardia para provocarlos a un combate. Los españoles lo evadieron y siguiendo adelante entraron el 14 al Palmar, a dos leguas de la serranía. Los puestos avanzados tiroteaban su descubierta, y al presentarse un cuerpo de caballería para sostenerlos cambiaron de dirección y volvieron a Pore donde fueron hostilizados día y noche. El 18 Santander gallardamente se presentó frente a la plaza con toda su caballería, Barreiro la evacuó, se retiró por el mismo camino que había traído y volvió a Tunja. Santander había enviado una columna a la Salina, persiguió personalmente a Barreiro hasta Morcote y de allí envió a la cordillera otra columna por la vía de Paya. El 27 de abril quedó libre el llano. La infantería realista cubrió las entradas de Chita, Mongua y otros lugares, y la caballería se dirigió a Sogamoso. La proximidad de la estación lluviosa influyó en la retirada de Barreiro, efectuada casi al mismo tiempo que la de Morillo del Apure (76).

Bolívar proyecta líneas interiores.

Noticias de esta expedición española llegaron a Mantecal por conducto de Nonato Pérez y de unos emigrados. Estos informaron

(75) O'Leary III, comunicaciones de Santander a Bolívar del 9 al 29 de abril. Páginas 17 a 20.

(76) Mémoires du Général Morillo, p. 208 y siguientes.

el proyecto de Santander de retirarse al Meta, hacia donde habían marchado el gobierno político y la emigración, pero juzgando Bolívar posible la marcha de Barreiro a unirse a Morillo; y siendo inconveniente, en este caso, la retirada al Meta, dió orden a Santander de retroceder ante los enemigos, a unírsele en el Alto Apure. Era la operación natural, porque ocupando los independientes las líneas interiores, en el vasto teatro de la guerra, uniéndose podían batir uno después de otro a los dos caudillos realistas.

La columna enviada por Santander a la Salina de Chita, a cargo de Antonio Obando, tomó la plaza el 24 de abril e hizo prisionera la guarnición de 50 hombres, y la dirigida hacia Paya al mando del coronel Arredondo, ocupó el pueblo el 30 y persiguió a los enemigos más allá del río, por el camino de Labranza Grande, hasta aproximarse el batallón de Numancia, ante el cual se retiró. Los españoles volvieron a Paya y bajaron otra vez a Morcote, a donde entraron el 1º de mayo y por el lado del norte recuperaron la Salina y descendieron a Ten. Santander reunió de nuevo sus tropas y puesto a su frente se estableció en el punto central de Pore (77).

Plan de concentración en el Alto Apure.

Era necesario oponerse a la reunión de Barreiro y de Morillo, si efectivamente sus movimientos tuvieron ese objeto. La infantería se había reducido por las enfermedades, la deserción, los combates y un destacamento dejado en el Bajo Apure, a menos de 2.000 hombres, a pesar del refuerzo de los ingleses; y la caballería apenas alcanzaba a 800 jinetes, mal montados en aquellos días. En tal situación Bolívar exigió a Páez juntar sus fuerzas, empleadas en varios destacamentos, cerca de Achaguas y marchar a unírsele si Morillo avanzaba al Alto Apure. Su objeto era, en este caso, reunir sus propias fuerzas a las de Páez y a las de Santander, para obrar sucesivamente contra los dos cuerpos realistas antes de que realizaran su reunión (78). Pero pronto abandonó esta idea, porque calculando con más datos las dificultades del caso juzgó sin efecto el proyecto y así sucedió como hemos visto.

Del Mantecal el ejército se trasladó el 27 a la Quesera Barre-

(77) Santander al Secretario de Guerra, 3 de mayo. O'Leary XVI, 349.
(78) Oficio a Páez. Mantecal, 24 de abril. O'Leary XVI, 336.

tera a remontar la caballería y a esperar noticias recientes de los intentos de Morillo.

Otros proyectos.

Otras ideas agitaban también a Bolívar. El no se aferraba a un sólo plan de operaciones, y a veces los variaba en un mismo día. Esta facultad era uno de los motivos de su ascendiente sobre los demás. Considerados los destacamentos efectuados por Morillo, sus fuerzas en Achaguas sólo alcanzaban a 2.000 hombres, por tanto reuniendo Bolívar las suyas en San Pablo o cerca del Paso Caraballero, podía atacarlo con mayor número y decidir la campaña. Las divisiones españolas destacadas a larga distancia, desmoralizadas serían batidas en detal (79).

Dos días después, el 1º de mayo, según noticias de Angostura, sobre llegada de un nuevo contingente de ingleses, contaba todavía posible la diversión de Urdaneta y encargaba a Páez, de nuevo perseguir vivamente a Morillo, si se retiraba al norte para impedirle batir a Urdaneta en la costa (80). Pero la expedición de este general, como hemos visto no había podido realizarse y pronto abandonó el Presidente las esperanzas puestas en ella. La escuadra, en reparación en Juan Griego, no pudo hacer frente a la española mientras esta practicaba un reconocimiento a la vista del puerto el 28 de abril (81).

Bolívar va al Bajo Apure. Reunión en Cañafístola.

Ya impuesto por último Bolívar de la retirada de los españoles al otro lado del Apure, y deseoso de activar la reunión de las tropas del Bajo Apure, se fue en persona a dirigirla, dejando el ejército en Rincón Hondo a cargo del jefe de estado mayor Soublette: el 6 de mayo estuvo en Achaguas, el 9 en el Caujaral, al otro lado del Arauca, donde encontró a Páez con parte de su caballería y un cuerpo de 200 ingleses de la contrata de Elsom, recién llegados de Angostura, sin vestuarios sificientes y sin abrigos. Reunida toda la caballería volvió el 13 a Achaguas con Páez

(79) Oficio a Páez, 29 de abril en la Quesera Barretera. O'Leary XVI, 341. La versión publicada tiene un error. Donde dice 400 hombres léase 2.000 hombres. Véase oficio de Páez de 24 de abril al Presidente Bolívar. Boletín Nº 89 de la Academia de la Historia, pág. 130.

(80) Oficio a Páez del 1º de mayo, en la Quesera Barretera. O'Leary, 344.

(81) Oficio de Brión, 2 de mayo. O'Leary XVI, 345.

y los ingleses, y luego pasando el río Matiyure por Plana, y siguiendo por el hato de San Pablo, y el del Frío, se dirigió al de Cañafístola, inmediato al paso de Setenta. Llevaba todas las fuerzas de caballería del Bajo Apure, excepto algunas pequeñas partidas empleadas en perseguir guerrillas enemigas. En aquél hato las de Páez debían juntarse al ejército conducido por Soublette, según órdenes expedidas desde Achaguas.

Designio sobre Barinas.

Desengañado por fin Bolívar de que Urdaneta no había podido obrar sobre Caracas, su nuevo proyecto se dirigía a marchar con todo el ejército a Barinas a batir a La Torre si admitía la batalla o a Morillo si marchaba en esa dirección, y en todo caso a ocupar la provincia que le daría soldados para reponer las pérdidas y medios de vestir las tropas (82).

Previendo, como sucedió un poco más tarde, que una expedición de Urdaneta a Barcelona y Cumaná no tendría buen éxito, por falta de trasportes, de subsistencias y de cooperación de las tropas de Bermúdez, le ordenó desde Achaguas el 6 de mayo, que se dirigiera al Orinoco con las tropas inglesas, cualquiera que fuera su fuerza, y sin detenerse en Angostura las llevara a San Juan de Payara por el Cabuyare o el Arauca (83).

El 17 de mayo llegó Soublette a Cañafístola con el ejército y al día siguiente se incorporó el Libertador con la división de Páez. El comandante Ichazu tenía orden de llevar al Paso de Setenta algunas embarcaciones, ocultas en aquellos parajes, a fin de trasladar en ellas la infantería al otro lado del Apure.

Nonato Pérez no cumplió la orden de enviar caballos al ejército. Cansado el Libertador de sus repetidas desobediencias ordenó a Páez marchar a Guasdualito a prenderlo y tomar posesión de sus fuerzas y caballos empotrerados. El astuto jefe al saber la marcha de Páez se fue por otro camino al cuartel general a sincerarse (84); días antes alegaba no haber cumplido porque en un barajuste se le habían escapado los caballos (85).

(82) Oficio al Vice-Presidente Zea, Achaguas, 6 de mayo. O'Leary XVI, 354.

(83) Oficio a Urdaneta del 6 de mayo. O'Leary XVI, 355.

(84) Campañas de Apure. Boletín de la Academia Nacional de la Historia, número 21 página 1199.

(85) Boletín N° 89 de la Academia de la Historia, pág. 140.

Después de tantos trabajos las tropas se hallaban en la mayor miseria. No habían llegado los auxilios de víveres, medicinas, vestuarios y lanzas pedidos a Angostura repetidas veces. "Todo el ejército, escribía Bolívar a Zea el 9 de mayo, está desnudo y habiendo empezado ya las aguas cuando vamos a obrar, sufriremos muchas pérdidas por las enfermedades y deserciones, si no se dá al soldado algún alivio. La columna inglesa necesita muy particularmente de zapatos, sin los cuales no puede hacer una marcha, y en este tiempo se consumen muchos" (86). Con el ejército llegaron a Cañafístola 120 potros de remonta y 1.000 reses, y eran tan escasas las bestias de carga que el armamento sobrante se trasportaba en caballos casi inútiles para el servicio.

Marcha a la Nueva Granada.

Pero desde el 15 Bolívar venía pensando en otro partido de mayores proporciones. En ese día recibió en el Guamito de manos de Jacinto Lara la correspondencia de Casanare y los partes de Santander dando cuenta de sus éxitos contra Barreiro. Estos documentos reavivaron la atrevida concepción alimentada desde mediados de 1818 de libertar al Nuevo Reino, donde debía encontrar masa y población homogénea, tan necesarias para emprender en grande, pero no fueron suficientes para decidirlo de una vez. Había motivos para vacilar. De una parte el proyecto meditado de tan largo tiempo, de invadir a la Nueva Granada, guarnecida con menos fuerzas, y por este medio poner a Morillo en la alternativa o de evacuar a Venezuela para marchar al nuevo Reino o de perder a éste, de donde podría sacar Bolívar un ejército, regresar con él a Venezuela y batir definitivamente a Morillo; y del otro la desnudez del ejército, la escasez de medios de trasporte y de material de guerra, las enormes distancias por recorrer en los llanos y el ascenso a la Cordillera oriental en plena estación lluviosa, sin medios para cubrirse los hombres en las noches heladas. En suma, todas las ventajas magistralmente expuestas en el oficio a Páez de 19 de agosto de 1818, extractado páginas atrás, y su ofrecimiento a los granadinos de libertarlos en el curso de un año, presentes en su espíritu; y la necesidad de emprender la

---

(86) Nota del 9 de mayo. O'Leary XVI, 357.

marcha para llenar tan grandes fines, desprovisto de todo, según expresión de Santander, menos de valor y de constancia! (87).

El 6 de mayo había recibido Bolívar en Achaguas noticias oficiales de la expedición de Barreiro a Casanare, y desde luego consideró inevitable su retirada (88); y el 18 ya en conocimiento del resultado de la campaña le dice estas palabras a Santander: "He celebrado infinito las ventajas que ha alcanzado V.S. sobre la división enemiga que amenazaba a esa provincia. La conducta prudente de V.S. ha salvado el país de la invasión, ha asegurado la suerte de la división de su mando, ha destruído al enemigo, introduciendo la deserción en sus tropas y haciéndoles perder la moral sin aventurar un combate. Doy a V.S. las gracias por todos estos sucesos que aunque pequeños, son preliminares seguros de otros más completos y decisivos (89). Su imaginación ardiente e incansable todavía vacilaba. No solo las consideraciones y los hechos expuestos, sino multitud de otros secundarios, favorables o adversos perdidos para la posteridad, y quizás tan importantes como los primeros, obraban sobre su mente luminosa. El proceso requería cierto tiempo. Por fin el 20 la suerte quedó echada, y del mismo hato de Cañafístola, escribió a Santander: "Para ejecutar una operación que medito sobre la Nueva Granada, conviene que reuna V.S. todas sus fuerzas en el punto más cómodo y favorable para entrar al interior inmediatamente que reciba V.S. las órdenes que le comunicaré, luego que haya formado el plan y combinado los movimientos entre ese cuerpo, y los demás que deben cooperar a la empresa".

"Aún no sé positivamente el día, ni me he decidido sobre el modo en que debe ejecutarse; así me limito a indicar a V.S. el movimiento para que se prepare, y encargarle con el último encarecimiento el secreto, sin el cual nada podrá hacerse. V.S. sólo, sólo debe saberlo" (90).

Faltaba el asentimiento de sus compañeros de armas. No fue

(87) Nota de Santander al Jefe Supremo, del 13 de febrero. O'Leary III, 12. Descripción de la campaña por el general Santander. O'Leary III, 467.

(88) Oficio a Zea, O'Leary XVI, 353.

(89) Oficio a Santander, 18 de mayo. O'Leary XVI, 362.

(90) Oficio a Santander, 20 de mayo. O'Leary XVI, 364.

difícil obtener el de Páez al cual expuso de nuevo todas las ventajas seguras de la liberación del reino (91); y el 23 de mayo, en marcha al Mantecal convocó a junta de guerra a los jefes del ejército. Asistieron a ella Soublette, Anzoátegui, Briceño Méndez, Carrillo, Iribarren, Rangel, Rooke, Plaza y Manrique. "En una choza arruinada de la desierta aldea de Setenta, a orillas del Apure, se decidió la invasión de la Nueva Granada. No había una mesa en aquella choza, ni más asiento que las calaveras de las reses que para racionar la tropa había matado, no hacía mucho, una guerrilla realista, y que el sol y las lluvias habían blanqueado" (92). El Libertador expuso todo lo referido a Páez sobre el estado del ejército y las consecuencias para la infantería de invernar en los llanos por las enfermedades de la estación y la miseria. Leyó enseguida Soublette los despachos de Santander, y volviendo el Libertador a tomar la palabra, explicó su plan de sorprender al enemigo con la invasión al reino, y el efecto mágico que debía producir el cambio súbito y gigantesco del teatro de operaciones de un país al otro. Anzoátegui, Ambrosio Plaza y Soublette lo apoyaron con calor, otros opusieron objeciones, y al fin todos aprobaron el proyecto (93).

Del Mantecal adonde llegaron aquella tarde salió Rangel con pliegos para Páez, comunicándole el plan adoptado: al mismo tiempo partió un emisario cerca de Santander a llevarle órdenes tendientes a allanar obstáculos naturales a tan vastos designios (94). Al gobierno de Angostura y a los jefes en armas en el resto del territorio libre envió también Bolívar instrucciones y órdenes especiales como regla de conducta durante su ausencia: y el 26 de mayo emprendió resuelto la atrevida marcha hacia el corazón de la Nueva Granada.

---

(91) Páez dice lo contrario en sus escritos históricos. A creerlo fue él quien indujo al Libertador a hacer la campaña de la Nueva Granada. Campañas de Apure, en el Boletín de la Academia Nacional de la Historia, N° 21, 1.200. Autobiografía I, 191.

(92) O'Leary. Narración I, 543.

(93) Larrazábal, I, 578.

(94) O'Leary, Narración I, 544.

CAPITULO XVI

CREACION DE COLOMBIA

I

CAMPAÑA DE BOYACA

Disposiciones generales.

Al emprender la marcha a la Nueva Granada, en dirección de Casanare y Tunja, el Libertador dió las órdenes oportunas a sus lugartenientes. El general Páez, destinado a penetrar también en el Nuevo Reino, debía marchar hacia Cúcuta, con su caballería de lanceros y carabineros, como cuerpo independiente, a llamar la atención del enemigo por aquella parte, cortar sus comunicaciones, abrirlas con el cuartel general, conducir cuantas armas y municiones pudiera, y mandar partidas hacia Mérida para aumentar sus fuerzas y recoger noticias de los enemigos existentes por ese lado (1). Bolívar establecía esta segunda línea de operaciones para utilizar las fuerzas de Páez, sin alejarlo demasiado del Apure y facilitarle el pronto regreso a las llanuras. Sin fuerzas enemigas importantes en esa región la operación, aunque difícil, era realizable. La cooperación de Páez, tanto para secundar las operaciones principales como para distraer a cuantos intentaran marchar de Venezuela sería de la mayor importancia. Además se le recomendaba enviar un regimiento de caballería hacia Barinas a hostilizar a los enemigos y a observar los movimientos de todo el ejército español. El Vice Presidente Zea quedó encargado del mando en Venezuela y de trasmitir a los jefes principales las instrucciones del Jefe Supremo.

---

(1) Oficio del 4 de junio. O'Leary XVI, 391.

El general Bermúdez, nombrado general en jefe del Oriente, tuvo el encargo de obrar en masa, con su división y la de Mariño, en la parte oriental de la provincia de Caracas, donde había "víveres, caballos y enemigos", y amenazar a Calabozo, cuartel general de Morillo. Así cubriría el Oriente y estorbaría la acción de los españoles en el Occidente y si estos avanzaban sobre la Nueva Granada, podía, de acuerdo con el caudillo de Apure, tomar los valles de Aragua y a Caracas si fuere posible. Deseaba el Libertador aprovechar la audacia y empuje de Bermúdez y cortar los dasacuerdos del Vice-Presidente Zea con el general Mariño, el cual volvería a ocupar su puesto en el Congreso.

Si el general Urdaneta no encontrase como obrar sobre Cumaná o Barcelona, solo o en cooperación del ejército de Oriente, y entrase al Orinoco, debía dirigirse al Bajo Apure con sus tropas y cuantos elementos de guerra pudiera obtener. Desde el Apure debía remitir por el Meta a Casanare sin pérdida de tiempo, 1.000 fusiles y 300 a 400.000 cartuchos o más si le fuere posible; y en caso de un revés, dejar los soldados que pudiera salvar a cargo de su segundo Valdés, donde fuera conveniente, y dirigirse al cuartel general con cuantos elementos tuviera disponibles o a su alcance.

Estas órdenes a los jefes de Oriente servirían de reglas y no de preceptos rigurosos, y el Vice-Presidente Zea quedaba investido de toda la autoridad militar para dirigir las operaciones tanto de las tropas de Oriente, Margarita y parte oriental de Caracas, como de la marina de ambas aguas, y así lo notificó Bolívar al almirante Brión y al general Arismendi. Al mismo tiempo recomendó al Vicepresidente cultivar las relaciones exteriores y gestionar la consecusión de armas y municiones, de grande urgencia al ocupar, como esperaba, algunas provincias de la Nueva Granada (2).

Además de las disposiciones generales enviadas al Gobierno, el Libertador dió instrucciones a los diferentes jefes encareciéndoles la mayor armonía en el servicio. A Mariño le notificó el nombramiento de Bermúdez, necesario por su desacuerdo con el Vice-Presidente, y enemistad con aquel jefe, y le ordenó regresar a Angostura a continuar sus funciones legislativas. A Sedeño, Monagas y Zaraza les previno reconocer a Bermúdez como jefe

(2) Instrucciones del 26 de mayo. O'Leary XVI, 371.

del ejército de Oriente, y obedecer, mientras éste llegara al cuartel general, las órdenes del Vice-Presidente (3).

A este último general le recomendaba adiestrar sus tropas hasta hacerlas temibles a los enemigos por su valor, táctica y disciplina tal como ocurría con el ejército de Occidente; y le sugería preceptos militares propios a servir de guía en ciertos casos, como los siguientes: si al acercarse los enemigos no disponía de posiciones fuertes donde pudiera batirlos con ventaja y no había obstáculos en el terreno, convenía observarlos muy de lejos y atacarlos en la misma formación en que vinieran marchando, prontos a seguir sus movimientos con la última celeridad; también recomendaba oponerles en general, un frente igual o mayor por la ventaja de una ala sobresaliente para flanquear al adversario; y situar en las primeras compañías hombres selectos, pues como es sabido las tres primeras filas deciden regularmente de la suerte de la columna y aun de la victoria.

Justificábanse estos y otros consejos análogos por el carácter irreflexivo del impetuoso Bermúdez. A fin de estimularlo el Libertador le sugería la posibilidad de lograr sucesos prodigiosos y aun la libertad total de Venezuela, si pudiera obrar en combinación con Páez.

Este general recibió amplias instrucciones en previsión de diferentes casos. Una vez llegado a la Nueva Granada sería de desear su incorporación al ejército principal para dar una batalla, pero si se viese obligado a retirarse a Venezuela, por interposición de Morillo, debía reunir cuantas fuerzas pudiese, libertar a Caracas, y volver rápidamente al Occidente a tomarle la espalda a los españoles y a hostilizarlos con el mayor vigor. Era un plan verdaderamente boliviano, en toda su amplitud, demasiado extenso para la imaginación de Páez, fecunda en operaciones atrevidísimas pero parciales, siempre dentro de los límites movibles de su horizonte acostumbrado.

El general Pedro León Torres quedó mandando el Bajo Apure, encargado de sitiar a San Fernando con una columna de ingleses recién llegada de Angostura, un regimiento de caballería y la escuadrilla de 16 buques de guerra del teniente de navío

(3) Oficios del 26 de mayo. O'Leary XVI, 373 y 374.

Jacinto Muñoz, pedida a Guayana expresamente por Bolívar, y lista para el servicio desde el 15 de mayo en Araguaquén.

Juzgaba Bolívar, el 4 de junio, fecha de las instrucciones enviadas a Páez, pasar la cordillera al cabo de veinte días, invitaba a este general a concurrir a Cúcuta hacia el 25 del mismo mes, y desde luego para asegurar las comunicaciones, le encargaba destruir de paso la guerrilla de Guaca establecida y arraigada desde largo tiempo en la montaña de San Camilo, en el camino directo a Cúcuta.

Desgraciadamente la ejecución de los vastos proyectos de Bolívar sólo estaban al alcance de su autor. A Páez, de imaginación fértil en sus empresas de llanero, y de valor asombroso al frente del enemigo, al iniciar el movimiento lo intimidaron las dificultades del terreno hasta considerar la marcha a Cúcuta con su división de lanceros y carabineros, tan difícil "como coger el cielo con las manos" (4), y empleó sus fuerzas y malgastó el tiempo en combatir sin utilidad importante, al norte del Apure, una pequeña columna realista atrincherada en el pueblo de la Cruz, valiente y tenaz hasta causar a Páez gran número de muertos y heridos; mientras el Aguila Americana emprendía el vuelo maravilloso sobre los Andes Granadinos, y libertaba con sus solos esfuerzos, casi todo el Virreinato!

Los héroes de Oriente, ocupados en intereses locales o en rencillas lugareñas, y los próceres de Angostura, aplazando de un día a otro las medidas indispensables a la administración y a la guerra, tampoco hicieron nada extraordinario en la ausencia de Bolívar; y lejos de eso, por su indolencia dieron ocasión al choque

(4) Campañas de Apure. Boletín de la Academia Nacional de la Historia, Nº 21, 1201. El movimiento encomendado a Páez no podía compararse en cuanto a dificultades naturales con la marcha a Casanare. La primera parte del camino, de Guasdualito a Boca del Monte, es de 25 leguas y va por sabanas amplias, de escaso monte, fáciles de recorrer en todas direcciones con caballería. Luego se encuentra la selva secular, en terreno todo plano, con fangales en el invierno de trecho en trecho, y se recorre por un sendero, en el espacio de 35 leguas, hasta Teteo, puerto del río Uribante. El camino se cierra de monte bajo cuando se deja de transitar. De Teteo a San Cristóbal sigue 15 leguas por cerros con subidas y bajadas, pero sin grandes alturas. Esta vía de Guasdualito a San Cristóbal era y es todavía la más traficada por los ganados que se envían del Alto Apure a los Valles de Cúcuta y Pamplona.

de los partidos y a la caída del Vice-Presidente Zea, sin darse cuenta los revoltosos de la importancia para la prosecución de la lucha con las mayores ventajas, y los fecundos planes de Bolívar, de conservar en la alta magistratura a tan ilustre granadino, y lo reemplazaron con un hombre activo y valeroso, es verdad, pero sin luces, y sometido a juicio por el delito de desobediencia militar.

En camino de Nueva Granada.

El ejército emprendió marcha del Mantecal hacia Casanare el 27 de mayo al amanecer y acampó en el hato Diero, o de los Díaz; el 28 fue al hato Henriquero, el 29 al Bescancero, el 30 al Subireño y el 31 al Guerrereño. En los dos días siguientes hizo marchas análogas, y el 3 de junio entró al pueblo de Guasdualito, situado en la margen derecha del río Sarare, uno de los componentes del Apure, adonde el Libertador se había adelantado desde el día 1º. En estas marchas recorrió 310 kilómetros en siete jornadas, bajo lluvias casi contínuas. Allí descansó dos días. Por el desgaste de la campaña sus fuerzas se habían reducido y a la sazón sólo constaba de cuatro batallones: Rifles, Barcelona, Bravos de Páez y la Legión Británica, por haberse refundido en ellos los otros tres existentes al principio: estos cuerpos estaban a cargo respectivamente de los coroneles Arturo Sandes, Ambrosio Plaza, Cruz Carrillo y Jaime Rooke y tenían 1.332 infantes; formaban además parte de la expedición una compañía de artillería al mando de Salom de 40 hombres y cuatro piezas ligeras y siete escuadrones, en dos regimientos del Alto Llano de Caracas, un regimiento de Guías de la Guardia y un escuadrón de Guías de Apure, con 814 jinetes, encomendados a Juan José Rondón, Leonardo Infante, Lucas Carbajal, Julián Mellado y Hermenegildo Mujica, contando por todo la expedición 2.146 combatientes, fuera de los hombres del parque, de los equipajes y del ganado. El coronel Guillermo Iribarren con gran parte de los Húsares de Apure, uno de los mejores regimientos del ejército, desertó en la noche víspera de la partida, y el resto del cuerpo, en la primera ocasión favorable huyó a Guasdualito, sin por esto desalentarse en lo más mínimo Bolívar. Durante la marcha a este último pueblo tampoco faltaron intrigantes ocupados en corromper a los Bravos de Páez, con el mismo fin, pero como en este batallón la mayoría de los oficiales y soldados no eran de Apure, no tuvieron éxito. Su objeto era al regresar a Achaguas, desconocer al Presidente y presentar a Páez como al hombre predestinado para la elevada posición del mando en jefe (5). La estación de las lluvias, había comenzado en esa región, precisamente la víspera de emprender el ejército la marcha del Mantecal.

Disposiciones finales.

En Guasdualito el Libertador se reunió con Páez y allí le dió de palabra las mismas instrucciones repetidas por escrito desde Arauca, el 4 de junio, y extractadas por nosotros en las páginas precedentes. ¿Porqué no le manifestó entonces el jefe llanero que marchar a Cúcuta era como coger el cielo con las manos? El reservó el simil para excusarse ante la posteridad y pretende hacernos creer que Bolívar le ofreciera el mando de la expedición principal a Casanare y Sogamoso, mucho más difícil que la marcha a Cúcuta con su columna de lanceros y carabineros (6).

Al llegar al pueblo el Libertador nombró al coronel Justo Briceño juez fiscal de la causa del coronel Ramón Nonato Pérez, caudillo heroico y afortunado en sus luchas en los años precedentes, por los crímenes de muertes arbitrarias, robos, comunicación con los enemigos y mala conducta respecto a la emigración refugiada en Guasdualito. Eran las quejas de Páez contra el jefe inobediente. De los dos primeros de esos delitos fueron también culpables muchos jefes subalternos de la República, pero cubrían sus faltas con servicios eminentes, mientras Nonato Pérez disgustado por la situación subalterna en relación al prestigio y dotes superiores de Páez, pretendía señorear en su territorio sin ocuparse de lo existente más allá de sus sabanas. En cuanto a los tratos con los españoles fueron pura ficción de sus enemigos.

La concepción de la campaña.

No pudiendo el ejército marchar de un golpe de Angostura a Bogotá, era necesario avanzar por etapas, primero de Guayana al Bajo Apure, luego al Alto Apure, enseguida a Casanare, y por último a los valles centrales de Sogamoso en la Nueva Granada.

(5) O'Leary. Narración, I, 551.

(6) Autobiografía I, 192. Instrucciones a Páez, 4 de junio. O'Leary XVI, 391.

En cada uno de estos términos debía reponer sus víveres con ganados, sus medios de trasporte con mulas y caballos, y sus enfermos y desertores con reemplazos, única manera de llegar a la lucha decisiva con fuerzas suficientes. Así lo imponen los principios en una campaña bien dirigida y así lo han practicado todos los grandes capitanes (7). En nuestro medio embrionario y primitivo Bolívar practicaba los mismos principios, en relación con los recursos de que disponía. A este sistema obedeció el nombramiento de Santander de comandante general de la vanguardia del ejército libertador de la Nueva Granada y la comisión que se le confiara de organizar un gobierno en Casanare y una división, en refuerzo del ejército de Venezuela, encargos llevados a cabo con notable prudencia y acierto por el jefe granadino.

De Guasdualito el Libertador informó al Vice-Presidente Zea la dirección definitiva de su marcha a Casanare, en lugar de seguir la de Cúcuta, como le había anunciado el 26 de mayo, y volvió así a su idea primitiva cuando dispuso la organización de aquella provincia y la formación de la vanguardia. Reunido en Tame a Santander, pensaba cruzar la cordillera por la Salina de Chita, la mejor entrada a la Nueva Granada, mientras Páez marcharía por el camino de Cúcuta. De esta manera caerían ambos cuerpos, sin obstáculos que impidieran su unión, en medio de los dos centros de poder de los españoles en el Nuevo Reino, Cartagena y Bogotá, distantes entre sí más de 200 leguas, y podían sorprender la división de Barreiro, encargada de cubrir la frontera de Venezuela, único ejército de operaciones existente en tan inmenso país, sumido en profunda paz desde su reconquista efectuada por Morillo en 1816.

El Virrey tenía en Bogotá 1.200 hombres en tres o cuatro batallones de los regimientos de Alabarderos, Victoria y Aragón. Barreiro disponía en su cuartel general de Tunja de 3.200 de los batallones del Rey, Numancia, Victoria y Tambo y del regimiento de caballería de Granaderos, y reuniendo los destacamentos situados del Socorro a Labranza Grande, podía contar 5.500 combatientes. En Cartagena y Santa Marta había 1.700 soldados, algo más en las lejanas provincias de Popayán y Quito, y una guarni-

(7) Mémoires de Napoleón. Liskenne et Sauvan. París 1869. pag. 371.

ción importante en Panamá en junto unos 11.000 hombres (8). Los independientes sin detalles precisos, tenían conocimiento de estos datos, con la aproximación posible.

Efectuada la invasión los enemigos se concentrarían en Sogamoso o se dividirían para atender a todas partes. En el primer caso abandonarían las provincias de Pamplona y el Socorro y parte de Santa Marta y Tunja y en el segundo Bolívar los podría batir en detal. En cualquiera de los casos previstos, luego de penetrar al Reino, Bolívar se quedaría mandando el ejército reunido, y Páez volvería al Apure, a aumentar sus fuerzas y a obrar contra Morillo, donde fuere del caso. Tales eran sus ideas al abandonar a Venezuela, e informado de los proyectos atribuidos al general Mac Gregor, después de su fracaso en Portobelo en el mes de abril, recomendaba a Zea enviarle un emisario a invitarlo a realizar cuanto antes la invasión por Santa Marta como la mejor cooperación a su empresa.

Circunstancias felices le permitían avanzar sin cuidarse de los enemigos de Venezuela. El invierno y las inundaciones le cubrirían las espaldas, las pérdidas sufridas por el ejército español en la campaña de Apure paralizarían la acción de Morillo en la cordillera, y en la Nueva Granada no creían posible su marcha desde el Apure en la estación lluviosa. "Hace mucho tiempo, escribía a Zea, que estoy meditando esta empresa y espero que sorprenderá a todos, porque nadie está preparado para oponérsele (9).

Prosigue la marcha a Casanare.

El 4 de junio el ejército continuó la marcha, dirigiéndose al sur hacia el pueblo de Arauca, situado en la derecha del río de este nombre y distante 50 kilómetros de Guasdualito. En este corto trecho atravesó varios caños, crecidos, afluentes del Buria y del Orichuna, y muchas sabanas inundadas. Bolívar cruzó el Arauca, de 190 metros de ancho en aquel punto, el día 4 y el ejército en los dos días siguientes. Situado en terreno seco, aun en la estación lluviosa, el pueblo de Arauca es el primero de la

(8) Campaña del Ejército Libertador Colombiano en 1819, por Manuel París R. Bogotá, 1919. 65.

(9) Oficio del 26 de mayo. O'Leary XVI, 371.

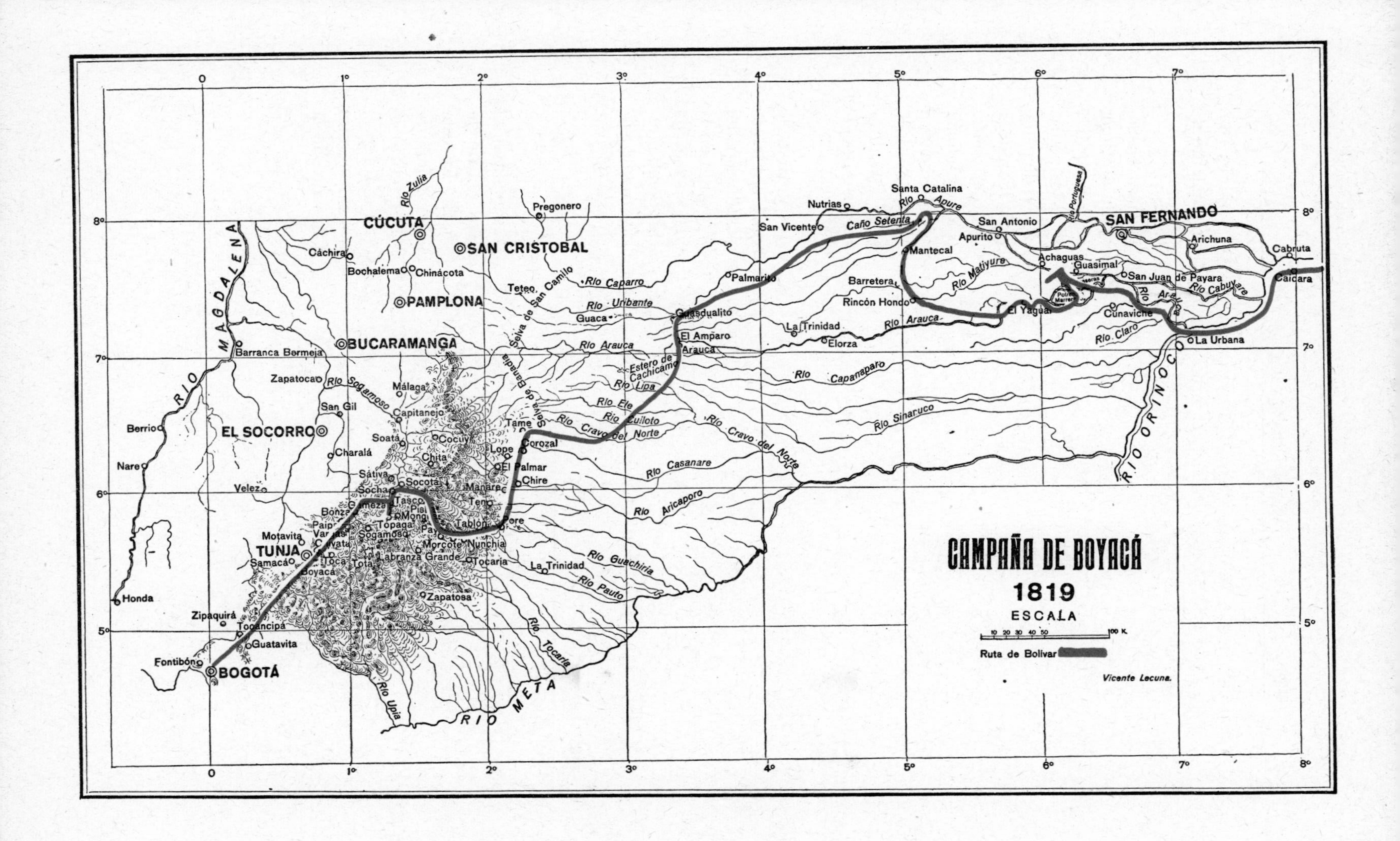

CAMPAÑA DE BOYACÁ
1819
ESCALA
10 20 30 40 50 100 K.
Ruta de Bolívar
Vicente Lecuna.
SAN FERNANDO
SAN CRISTOBAL
PAMPLONA
CÚCUTA
BUCARAMANGA
EL SOCORRO
TUNJA
BOGOTÁ
RIO ORINOCO
RIO MAGDALENA
RIO META
Caicara
Cabruta
Arichuna
San Juan de Payara
La Urbana
Cunaviche
Guasimal
Achaguas
San Antonio
Apurito
Mantecal
El Yagual
Santa Catalina
Nutrias
San Vicente
Palmarito
Barretera
Rincón Hondo
La Trinidad
Elorza
Guasdualito
El Amparo
Arauca
Pregonero
Teteo
Guaca
Tame
Lope
Corozal
El Palmar
Chire
Pore
Manare
Tablón
Morcote
Nunchía
Tocaría
Labranza Grande
Zapatosa
Socotá
Socha
Tasco
Pisba
Topaga
Sogamoso
Paipa
Bonza
Gámeza
Vargas
Corrales
Toca
Tota
Boyacá
Samacá
Motavita
Tocancipá
Guatavita
Zipaquirá
Fontibón
Honda
Nare
Berrio
Barranca Bermeja
Zapatoca
San Gil
Charalá
Velez
Soatá
Capitanejo
Málaga
Cocuy
Chita
Sátiva
Cáchira
Bochalema
Chinácota
Río Apure
Caño Setenta
Río Arauca
Río Capanaparo
Río Sinaruco
Río Claro
Río Cravo del Norte
Río Casanare
Río Aricaporo
Río Guachiría
Río Pauto
Río Tocaría
Río Upía
Río Caparro
Río Uribante
Río Lipa
Río Ele
Río Cuiloto
Río Zulia
Río Sogamoso
Río Portuguesa
Río Matiyure
Río Cabuyare
Estero de Cachicamo
Selva de San Camilo
Selva de Banadía

provincia de Casanare. El terreno hacia adelante se hallaba en gran parte inundado, y para mayor conflicto en lugar de los 300 caballos indispensables para el servicio, ofrecidos por Páez en Guasdualito, sólo llegaron con los últimos cuerpos del ejército 200 yeguas cerriles, flacas y sarnosas. "Así es, le escribe el Libertador, que no se han podido apartar de ellas ni las que necesitan los oficiales de infantería que marcharán a pie de aquí, porque no hay una sola bestia que pueda servir. Es bien extraño, le añade, que habiendo 1.600 caballos útiles ahí, de los cuales he tenido la moderación de no pedir sino 300, no se me hayan podido dar. Mejor hubiera sido que no se me hubieran ofrecido, porqué a lo menos no habría contado con ellos para la marcha, y no sería tan sensible su falta. Yo espero que V.S. averigue la causa que ha habido para esto, y de que ha dependido, para que ponga V.S. el remedio" (10). Este hecho corre parejas con el barajuste de aquellos caballos de Ramón Nonato Pérez, necesarios al ejército libertador, que tampoco llegaron al cuartel general, situado entonces en Mantecal, y se nos ocurre pensar que algunos dirigentes del Apure verían con agrado la expedición al Nuevo Reino, calculando que si Bolívar triunfaba aprovecharían la victoria y si perdía la campaña no regresaría a Venezuela, a molestarlos con empresas descabelladas según ellos. Era el frecuente desacuerdo de los grandes espíritus y de sus colaboradores descreídos o indiferentes.

En Arauca recibió el Libertador comunicación de Santander participándole el reconocimiento del Gobierno de Venezuela por la división de Casanare, y en respuesta, al manifestarle su satisfacción por este acto político, le comunica la marcha del ejército hacia Tame, adonde pensaba llegar pasados siete u ocho días, le recuerda su encargo de tenerle preparados bagajes para el parque y caballos de remonta y le avisa la orden dada a Páez de moverse sobre Cúcuta (11).

El ejército debía seguir al suroeste a través de inmensas sabanas desiertas, cubiertas de paja y en gran parte por las aguas del invierno, y sembradas a largos trechos, como todos los llanos, de bosques aislados, denominados matas, y de extensos palmares. "Las lluvias escribe O'Leary, habían comenzado con rigor inusi-

(10) Oficio del 5 de junio. O'Leary XVI. 395.
(11) Oficio del 5 de junio. O'Leary XVI, 394.

tado y caían a torrentes. Arroyos que apenas tenían agua en el verano, ahora inundaban las sabanas: riachuelos que poco antes no contenían agua suficiente para apagar la sed del viajero, se habían convertido desbordando su cauce, en ríos navegables. Para pasarlos era necesario construir botes de cuero, ya con el fin de evitar que la humedad dañase el parque, ya para trasladar la parte de tropa que no sabía nadar. Durante siete días marcharon las tropas con el agua a la cintura, teniendo que acampar al raso en los sitios o lugares que el agua no había alcanzado a cubrir. Por todo abrigo llevaba el soldado una miserable frazada, pero ni aun de ella se servía para cubrirse, tanto era su empeño en proteger el fusil y sus municiones" (12). Esta narración coincide con la reciente descripción del terreno, en la estación lluviosa, del distinguido general colombiano Carlos Cortés Vargas, abundante en datos geográficos y observaciones atinadas, indispensables para formar concepto exacto de las dificultades vencidas por los patriotas (13). Nosotros tomamos de este estudio muchos detalles asentados en las páginas siguientes.

El 5 de junio terminó el ejército de cruzar el río Arauca y siguió a dormir en las Cuatro Matas, el 6 entró en los derrames denominados Rabanales del Arauca, y el 7 atravesó con gran trabajo el estero de Cachicamo, de varias leguas de extensión totalmente anegado, origen del río Capanaparo. El 8 cruzó sin dificultad, por los vados, el caño de la Bendición y el río Lipa, más al día siguiente nuevo obstáculo presentó el río Ele muy crecido. El pasaje duró todo el día y parte de la noche. En cambio el Cuiloto fue esguazado con facilidad el 10 y el ejército acampó en la Mata del Chaparro Negro. Al día siguiente se pudo atravesar con relativa facilidad el río Cravo del Norte, último obstáculo opuesto por el terreno en estos días y el ejército acampó en la Macolla de Guasduas (14). Hasta allí había marchado al sur oeste por una vía desusada al presente, al este de la gran selva de

---

(12) O'Leary, Narración I, 551.

(13) De Arauca a Nunchia. Campaña Libertadora de 1819. Bogotá. Talleres del Estado Mayor General. 1919.

(14) Diario de la marcha de Rincón Hondo a Paya. Blanco y Azpurúa, VI. 681.

Rabanales son terrenos anegadizos cubiertos del bejuco nombrado rabanal.

Banadia, extendida por muchas leguas desde la falda de la Cordillera Oriental hacia las llanuras.

Esta ruta, denominada de Iguanitos, seguida por la expedición, cruza al oeste en el último punto nombrado, y sigue por un gran banco de sabana, bordeando la selva y la margen derecha del río Cravo hasta muy cerca de Tame. Las marchas se efectuaron el 12 al hato de Santo Domingo, el 13 a Betoyes y el 14 a Tame, aldeas de escaso número de habitantes. El cambio de terreno fue un gran alivio para las tropas y su alegría estalló en vitores y aclamaciones cuando en Betoyes las racionaron con plátanos y un poco de sal para la carne, enviados por el general Santander.

Desde Arauca el ejército había recorrido 200 kilómetros. Al atravesar los ríos, como en otras partes de los llanos, muchos soldados sufrieron mordeduras de los caribes, pececillos voraces ávidos de atacar al hombre especialmente si tiene algún rasguño o herida. En los pasos de cierta profundidad fue necesario construir balsas con troncos livianos o los pequeños botes de cuero de ganado descritos por O'Leary, para trasportar ciertos bagajes y las cajas de municiones, y unos y otros los conducían nadadores excelentes (15).

El Libertador compartía con los soldados todos los trabajos. En las madrugadas más penosas cuando los peones soñolientos se mostraban remisos o cansados, para animarlos, ayudaba personalmente a cargar las mulas del parque y en los pasos de río siempre estaba pronto a socorrer los que no sabían nadar o a los más débiles. "Nunca, dice O'Leary, se le oyó quejarse de fatiga ni aun después de arduos trabajos y de largas marchas".

A Tame vino a esperarlo el general Santander, entusiasta colaborador de la empresa, y su amigo en aquellos años de creación y de trabajos. El día 3 de junio le había escrito de Tame: "Gloria inmortal al protector de la Nueva Granada, al benemérito hijo de la tierra de Colombia! V.E. ha dado ya la salud a aquel infortunado país, y ha preparado la de Venezuela por la cual tanto se ha fatigado. El proyecto de V.E. de que me ha impuesto el coronel Lara, es el proyecto que arrancará a Fernando el cetro de la parte

(15) Campagnes et Croisiéres. París 1837. Páginas 168 y 169. Obra escrita por el oficial inglés Wavell, perteneciente a la Legión Británica.

de la América que posee . . . El coronel Lara me dice que piensa V.E. salir por la Salina. Este camino es el más corto en sus páramos, el más poblado, pero tiene mucha piedra, y las mayores fuerzas están cargadas a esa parte. Creo que con toda la infantería se puede hacer la salida por ese lado, y con la caballería por Zapatosa" (16), recomendación esta última poco meditada por la distancia de una a otra ruta, y porque los enemigos situados en Sogamoso, podrían interponerse entre las dos columnas. Habría sido un grave error llevar el ejército dividido por dos vías tan distantes una de otra.

Sobre la travesía de la Cordillera.

Cuando las tropas llegaron a terrenos relativamente secos el Libertador se adelantó a Tame, adonde entró en la tarde del 12, y se reunió con el general Santader. El tema más importante de sus conversaciones fue sin duda la travesía de la Cordillera, una de las más altas de los Andes. Para caer a la provincia de Tunja, al norte de Bogotá, existen tres vías principales, la de la Salina de Chita, y las de Pisba, y Labranza Grande, nombradas de Norte a Sur. La primera, la menos larga, fue considerada por Bolívar, desde Guasdualito como la más conveniente y los datos recogidos en Tame le confirmaron esta idea. "Por las últimas noticias que tenemos de la Nueva Granada, escribió a Páez el 13, el enemigo ha reforzado el punto de la Salina con 200 hombres de la tropa que existía en Soatá. Con este refuerzo, la fuerza de la Salina asciende a 600 hombres de la mejor tropa que tiene el enemigo. Este es el cuerpo más considerable que ha quedado a nuestro frente, porque los demás destacamentos son débiles, y el cuerpo principal del ejército se ha retirado hacia Santa Fe, evacuando a Sogamoso".

---

(16) O'Leary III, 26. En la versión de O'Leary dice Zapatoca, por Zapatosa. Lo hemos corregido por la carta original, toda de letra del general Santander, existente en el archivo del Libertador, tomo III de la sección de O'Leary. Zapatosa se halla al sur de Labranza Grande en la vertiente de los llanos y la vía que pasa por allí conduce a la laguna de Tota, al sur de Sogamoso. Zapatoca queda entre Bucaramanga y el Socorro, a la cual por su situación no se podía referir el general Santander.

Si en la invasión de un país se dispone la marcha de una columna separada de la línea principal, debe obrar como cuerpo independiente, con medios para defenderse, como era el caso de la operación encomendada a Páez.

"A pesar de ser el camino de la Salina el que está más cubierto y fortificado, estoy decidido a hacer mi marcha por él, así porque es el más breve y mejor, como porque ofrece mil comodidades para las tropas, que pernoctarán siempre en poblado, y sufrirán poco el rigor de los páramos, por ser menos fuertes y no tan largos" (17). ¿Que razones tuvo Bolívar para cambiar de opinión dos días después y tomar la vía del Pisba? En los documentos del caso no se encuntra ninguna luz acerca de este punto importante. Siguiendo la vía de la Salina, caía al valle de Sogamoso a 60 kilómetros solamente más abajo de Socha, desembocadero del Páramo de Pisba, y ahorraba el largo y penoso camino del río Casanare a Nunchia. ¿Acaso tuvo informes sobre la fuerza y fortificaciones de la Salina que le hicieran desistir de ella? ¿Influirian en segundo término, la situación de las tropas y la necesidad de recoger caballos y ganados? La División Santander se hallaba en Pore y para tomar la vía de la Salina tendría que retroceder un largo trecho hasta Lope o el Palmar; y cansados o agotados los ganados del ejército quizás no se podrian reponer sino siguiendo la falda de la Cordillera (18). Pasado tanto tiempo y sin información completa es imposible una conclusión exacta. Cuando la dificil campaña de Pasto el Libertador avanzó de Popayán hacia el Sur, sin tener todos los elementos indispensables, so pena de perecer el ejército de hambre, y reasumiendo su exposición a Santander le escribió: "Vd. me preguntará, que por qué mando a Valdés si va a ser destruído, y yo le responderé que por la misma razón que pasé el Páramo de Pisba contra toda esperanza" (19).

El camino de Labranza Grande conducía a Mongua cerca del pueblo de Sogamoso, de ordinario cuartel general de los españoles, mientras en el camino desusado e inhospitalario de Pisba no encontraría enemigos, podía ocultar más tiempo el movimiento y el efecto de la sorpresa sería mayor.

En el oficio a Páez, extractado páginas atras, Bolívar le decía la posibilidad de llegar al Valle de Sogamoso el 27 partiendo el 15 de Tame aun marchando lentamente. Por tanto le recomendaba ocupar a Cúcuta del 25 al 27, encargo inútil por la desobediencia

(17) O'Leary XVI, 400.
(18) Véase nota de Santander de 20 de junio. O'Leary III, 28.
(19) Lecuna. Cartas del Libertador. III, 28.

de Páez de tomar parte en la campaña. En efecto después de dispersar la guerrilla de Guaca, único obstáculo en el camino de Cúcuta, se había ido a Achaguas, en el Bajo Apure (20).

De Tame a Pore.

La falda oriental de la cordillera en gran parte deshabitada y cubierta de bosques, desciende rápidamente hacia los llanos cálidos y salvajes, atravesados por el ejército, mientras la occidental menos montuosa, se asienta suavemente sobre las altas mesetas granadinas, y cultivada en muchos puntos mantiene una población numerosa.

Para alcanzar el valle del Paya, en los flancos del Pisba, y tributario del Tocaria, elegido para penetrar en la cordillera, el ejército debía recorrer al pie de esta un arco de 180 kilómetros, de Tame a Morcote, pasando por Corozal, Chire y Pore y cruzar numerosos ríos y quebradas dirigidos a los llanos. De Tame el general Santander se adelantó a Pore a disponer su división para el movimiento.

El 18 de junio después de cuatro días de descanso el ejército siguió marcha, esguazó el río Tame y fue a acampar cerca de Lope, bajo lluvias torrenciales. Como estas no cesaban casi todos los caños estaban de nado. La marcha el 19 se hizo en peores condiciones por encontrarse el río Casanare tan crecido, que muchas mulas del parque y caballos de los oficiales se ahogaron; y para colmo de contrariedades el ganado retrasado por las lluvias se hallaba expuesto a perderse.

Las tropas acamparon en la margen del río y el Libertador se adelantó a Cordero, cerca de Chire, y de allí envió guías para conducir el ganado por otro camino a un paso del Casanare fácil de esguazar; y a los coroneles Lara y Molina hacia adelante a echar puentes en los brazos del Ariporo; y encomendó a Santander disponer otros tantos sobre algunos torrentes difíciles de atravesar (21). Al pie o en la falda de la cordillera el pasaje de ríos y

---

(20) Campañas de Apure. Boletín de la Academia Nacional de la Historia, No. 21, 1.201.

(21) Obras citadas de Blanco & Azpurua y Cortés Vargas. Oficio del Libertador a Santander. Cordero, 20 de junio. O'Leary XVI, 401.

quebradas se dificulta por la rápidez de las corrientes, y las piedras sueltas en vados peligrosos. El 20 el ejército siguió por sabanas altas y lomas, desprendidas de la cordillera, y fue a dormir al cantón de Cordero, el 21 pasó los ríos de Aricaporo y Ariporo y acampó en el Trapiche del Toche, donde está hoy el pueblo de Moreno. Al día siguiente siguió marcha como en los anteriores por la falda de la Cordillera, cruzó varias quebradas y los ríos Muese y Guachiria, y entró a Pore, capital de la Provincia. Allí se unió a la división de Santander.

Fuerza del ejército.

En la larga travesía del Mantecal a Pore, de más de 600 kilómetros las tropas de Bolívar habían perdido muchos hombres, y aunque incorporaron algunas partidas en Guasdualito y Arauca, al llegar a Tame solo contaban 1.850 soldados. Las de Santander distribuidas en los batallones Cazadores y 1º de Línea de la Nueva Granada, y seis escuadrones de Guías, Dragones y Lanceros de Casanare contaban 1.200 escasos, por todo el ejército libertador sumaba 3.000 combatientes (22).

De Pore a Paya.

La vanguardia emprendió marcha el 23, atravesó con facilidad el río Pauto y fue hasta la alta meseta del Tablón, el 24 avanzó a Nunchía, el 25 entró en Morcote, el 26 subió a la meseta de Chitacoba o Páramo de los Llaneros. La retaguardia cruzó el Pauto en el Tablón el 25, el 26 llegó a Nunchia, y el 27 a Morcote.

El frío se hacía sentir con rigor sobre todo al amanecer cuando soplaba el viento de las cimas heladas de la cordillera. En los últimos días las quebradas y torrentes de las montañas opusieron frecuentes interrupciones a las marchas. Para atravesarlos la caballería trasportaba las armas y la ropa de los infantes, y estos formaban cadenas dándose las manos para resistir y atrave-

---

(22) Véase el estado de la división de Casanare en el Archivo de Santander, tomo III, página 224: Las tropas disponibles el 8 de junio alcanzaban a 508 infantes y 782 jinetes, sin contar los piquetes de Arauca y el Meta. Total 1.290, de los cuales todos no marcharon en la expedición, por las deserciones naturales al emprenderla, y las comisiones necesarias en la provincia para guardar el orden.

sar la corriente. Bolívar los pasaba y repasaba varias veces, llevando a la grupa de su caballo soldados débiles o enfermos o las mujeres vivanderas o queridas de algunos soldados (23).

El coronel Moreno, encargado de conducir a Morcote los ganados y caballos del ejército avisó el retardo de los primeros todavía lejos, más allá del río Tocaria. Esta lentitud obligó al Libertador a suspender la marcha en Morcote, donde sólo había plátanos, y a dar orden a Santander de detenerse en Paya, mientras llegaba el ganado. Al mismo tiempo envió al jefe de estado mayor Soublette a apresurar la marcha de las reses y de la columna de Moreno. "Hoy no comerá esta división, y quien sabe si mañana sucederá lo mismo" escribió Bolívar a Santander el 27 (24).

Combate en Paya.

Por fortuna el general Santander jefe de la vanguardia, ocupó ese mismo día fácilmente a Paya, caserío situado en una posición fuerte a 900 metros sobre el mar. Había emprendido la marcha, dos leguas antes de llegar al pueblo, y aunque la guarnición de 300 hombres ocupaba un pequeño fuerte y el borde de la meseta la desalojó tras corta lucha atacándola desde el terreno más elevado. Los enemigos cortaron el puente y se retiraron al valle inmediato de Labranza Grande por donde esperaban a los independientes. Este oportuno triunfo despejaba el camino del ejército y reanimó su moral. El 28 Bolívar, resuelto a tomar la vía desusada, ordenó a Santander adelantar sus tropas hasta Pisba si tenía víveres o podía encontrarlos (25).

Razones militares para adoptar la vía de Pisba.

Fueren cuales fueren los inconvenientes del Páramo, esta determinación audaz es digna de elogios. Siguiendo el camino trillado de Labranza Grande el ejército tendría que luchar con los enemigos, y en las montañas tomada una posición los vencidos pueden ocupar otra y otra a retaguardia y renovar la resistencia, mientras la desusada vía de Pisba enteramente libre solo presentaba el obstáculo de la aspereza del suelo, y siguiéndola causaba nueva sorpresa a los enemigos.

---

(23) Obra citada de Wavell p. 170.
(24) Oficio a Santander. 27 de junio O'Leary XVI, 402.
(25) Oficio a Santander. 28 de junio. O'Leary XVI, 403.

En ese día las tropas permanecieron estacionadas esperando los ganados y mulas del coronel Moreno. Afortunadamente Soublette pudo sacar cierta cantidad en corto tiempo y fueron encaminados unos cuantos a socorrer las tropas de Santander. Moreno llevó a Morcote solamente 300 reses cogidas en Tocaria, y una madrina de mulas, porque estropeados los ganados de Pore no pudieron seguir.

El 29 la retaguardia continuó adelante y entró a Paya. De allí Bolívar dirigió el 30 una proclama a los granadinos anunciándoles la marcha del ejército libertador e invitándolos a abandonar a los españoles y dedicar todos sus esfuerzos a la libertad de la patria. El mismo día escribió al Vice-Presidente Zea sobre la campaña en estos términos: "Desde Guasdualito, donde tuve la satisfacción de escribir a V.E. no había ocurrido novedad importante en el ejército. Todas nuestras operaciones se limitaban a marchar por país amigo, hasta el 27 del presente en que atacó la vanguardia al destacamento de 300 hombres que tenía aquí el enemigo. Este suceso ha dado principio a la campaña de la Nueva Granada, y si los primeros sucesos pueden ser presagio del resultado de una empresa, el de la nuestra será el más feliz: 300 hombres de la más selecta infantería enemiga han sido desalojados de esta posición, tan fuerte por la naturaleza, que 100 hombres son bastantes para detener el paso a 10.000. La ventaja de nuestra victoria se redujo a la ocupación del puesto, sin haber podido perseguir al enemigo porque pasó el puente del río Paya, que no da vado, y lo cortó. Se le quitaron los pocos víveres que tenía aquí y se le mataron algunos hombres".

"Pero no ha sido esta la victoria que más satisfacción ha producido al ejército, ni la que más esfuerzo nos ha costado. La principal dificultad que hemos vencido es la que nos presentaba el camino. Un mes entero hemos marchado por la Provincia de Casanare, superando cada día nuevos obstáculos, que parece se redoblaban al paso que nos adelantábamos en ella. Es un prodigio de la buena suerte haber llegado aquí sin una novedad en el ejército después de haber atravesado multitud de ríos navegables que inundaban una gran parte del camino que hemos hecho en los Llanos. Esta creí que fuese la principal dificultad de mi marcha, y vencida, nada me parecía lo demás, cuando he tropezado con obstáculos que sólo la constancia a toda prueba pudiera haber allanado. La aspereza de las montañas que hemos atravesado es increíble a quien no la palpa. Para formar una idea de ellas basta saber que, en cuatro marchas, hemos inutilizado casi todos los trasportes del parque y hemos perdido todo el ganado que venía de repuesto. El rigor de la estación ha contribuido también a hacer más pesado el camino; apenas hay día o noche que no llueva; al fin, aunque no hemos concluído la marcha, podemos lisonjearnos de haber hecho lo más difícil, y de que nos acercamos al término. Dentro de ocho días lo más tarde estaré en Sogamoso, y para entonces espero que habrá mejorado mucho nuestra situación" (26).

Páez y Morillo
Efecto de la proyectada expedición de Urdaneta.

Desde el 24 de mayo el general Páez expuso objeciones al Libertador respecto al tránsito de caballería por el camino de Cúcuta. Según le expresó en carta de aquella fecha, los llaneros de Apure se desertarían ante la necesidad de efectuar marchas a pie en la montaña, y le aconsejaba en caso de adoptar esa vía para su empresa, llevar solamente los del Alto Llano de Caracas "menos afectos a la deserción" (27); pero en Guasdualito, bajo la influencia de la palabra de Bolívar, convino en llevar sus jinetes por Cúcuta, en apoyo de la expedición principal. Pocos días después de la marcha del ejército se dirigió a Guaca, dentro de la montaña de San Camilo, a tres leguas de la Boca del Monte; el 14 de junio dispersó la guerrilla establecida en aquel punto, destruyó sus casas y labranzas, y en vista del informe de los espías sobre el mal estado del camino, desistió de seguir adelante y retornó a Guasdualito. Pero no eran sólamente las dificultades del camino la causa de su abandono de la campaña, sino el temor de verse cortado en la selva o en algún valle de la cordillera (28). El no quería moverse sino en terrenos donde sus caballos pudieran correr y maniobrar libremente. Y al anunciar su regreso al Libertador, en oficio del 15 de junio, le ofreció marchar a Barinas contra una divi-

---

(26) Al Vice Presidente, 30 de junio. O'Leary XVI. 405 y 406.
(27) Carta de Guasdualito. 24 de mayo. O'Leary II, 28.
(28) Carta a Santander, de 19 de junio de 1819. Archivo de Santander II, 163.

sión de 1.000 hombres estacionada en Pedraza, al parecer destinada por los españoles a dirigirse a Cúcuta; más luego desistió también de esta otra operación y se fue a Achaguas, pues según decía, Morillo con sus tropas establecidas de Camaguán al Chorrerón, podía invadir de nuevo el Bajo Apure, por no estar todavía anegadas las sabanas (29). Temores vanos, decimos nosotros, pues aunque Morillo permaneciera en Calabozo, como centro de operaciones para cubrir las llanuras, y atender a Barcelona y la costa de Caracas no tenía sus batallones en aquellos puntos, y ni aun teniéndolos consigo podía invadir el Apure en pleno invierno, con su ejército disminuido por los pérdidas de la campaña.

En efecto el 28 de junio, fecha del último oficio de Páez, el general español había destacado hacia la costa casi todos sus batallones, por temor a la expedición de Urdaneta, y aunque el destino de estos destacamentos se ignorara en Apure, no podía desconocerse el hecho, hasta el punto de formar concepto del todo equivocado sobre la posición de las tropas y situación de Morillo. A fines de junio el jefe español había enviado el 2º batallón de Navarra a reforzar a Arana en Barcelona, el 1º de Valencey a Caracas, el 2º de Valencey al mando de Pereira a Chaguaramas a vigilar a Barcelona o a Caracas, el de Hostalrich a San Carlos, con este último objeto, y el de seguir en caso de necesidad a Barinas; y solamente entregó a La Torre, destinado a socorrer a Barreiro en la defensa de la Nueva Granada, el 1º de Navarra, a pesar de sus temores respecto a Bolívar, cuya marcha a Casanare ya conocía, sin duda para seguir al Nuevo Reino; y él se quedó en Calabozo solamente con el batallón Burgos, el más débil de todos y la caballería de Morales, fuerzas insuficientes para cualquiera operación ofensiva sobre el Apure; de manera que la anunciada expedición de Urdaneta aun cuando no se llevara a cabo, por su sola amenaza, distrajo las tropas de Morillo y le impidió socorrer a tiempo el virreinato granadino (30). Caso singular, como tantos otros frecuentes en las guerras, afortunado en grado sumo para la causa independiente, pues prestó a Bolívar, cuando menos esperaba, la protección necesaria a su empresa.

---

(29) Oficios del 15 y 28 de junio. O'Leary II. 29 y 30.

(30) Oficio de Morillo al Ministro de la Guerra. Calabozo, 2 de julio de 1819. Rodríguez Villa IV. 42.

El ascenso a la Cordillera.

Bolívar contestó a Páez desde Paya, el 30 de junio a su nota del 15 conformándose, por el momento, con la prometida expedición a Pedraza, y respecto a los obstáculos naturales opuestos a su empresa, le escribió lo siguiente: "Las operaciones del ejército reducidas hasta ahora a marchar por país amigo, no tienen de interesante sino la ocupación de este punto, y las innumerables dificultades que hemos vencido para venir hasta aquí. Después de haber pasado felizmente los rabanales de Arauca y todos los ríos navegables que hay de allí a Pore, creí haber superado ya el principal obstáculo para la empresa; pero al ver las nuevas dificultades que diariamente se presentan y reproducen a cada paso, casi he desesperado de su ejecución. Sólo una constancia a toda prueba y la decisión de no desistir por nada de un plan que ha sido tan generalmente aplaudido, me hubiera hecho vencer unos caminos, no solo impracticables sino casi inaccesibles, sin trasportes para reponer los del parque, sin víveres para la mantención de las tropas, y en una estación tan cruda que apenas hay día ni noche en que no llueva" (31).

El general O'Leary en su lenguaje pintoresco, describe así estos trabajos y la impresión de los soldados: "De Tame a Pore, capital de Casanare, todo el camino estaba inundado, "más un pequeño mar que un terreno sólido era el territorio por donde el ejército debía hacer sus primeras marchas", dice Santander en su relación de esta campaña. El 22 de junio se encontraron obstáculos de otro orden. Los gigantescos Andes, que se consideran intransitables en esta estación parecían poner una barrera insuperable a la marcha del ejército. Durante cuatro días lucharon las tropas con las dificultades de aquellos caminos escabrosos, si es que precipicios escarpados merecen tal nombre. Los llaneros contemplaban con asombro y espanto las estupendas alturas, y se admiraban de que existiese un país tan diferente al suyo. A medida que subían y a cada montaña que trepaban crecía más y más su sorpresa: porque lo que habían tenido por última cima no era sino el principio de otra y otras más elevadas, desde cuyas cumbres divisaban todavía montes cuyos picos parecían perderse entre las brumas etéreas del firmamento. Hombres acostumbrados en

(31) O'Leary XVI, 404.

sus pampas a atravesar ríos torrentosos, a domar caballos salvajes y a vencer cuerpo a cuerpo al toro bravío, al cocodrilo y al tigre, se arredraban ahora ante el aspecto de esta naturaleza extraña. Sin esperanzas de vencer tan extraordinarias dificultades, y muertos ya de fatiga los caballos, persuadíanse de que solamente locos pudieran perseverar en el intento, por climas cuya temperatura embargaba sus sentidos y helaba su cuerpo de que resultó que muchos se desertasen. Las acémilas que conducían las municiones y armas, caían bajo el peso de su carga: pocos caballos sobrevivieron a los cinco días de marcha y los que quedaban muertos de la división delantera obstruian el camino y aumentaban las dificultades de la retaguardia. Llovía día y noche incesantemente y el frío aumentaba en proporción al ascenso. El agua fría a que no estaban acostumbradas las tropas, produjo en ellas la diarrea. Un cúmulo de incidentes parecía conjurarse para destruir las esperanzas de Bolívar, que era el único a quien se veía firme, en medio de contratiempos tales que el menor de ellos habría bastado para desanimar a un corazón menos grande. Reanimaba las tropas con su presencia, y con su ejemplo, hablábales de la gloria que les esperaba y de la abundancia que reinaba en el país que marchaban a libertar. Los soldados le oían con placer y redoblaban sus esfuerzos" (32).

Miserias de la vanidad.

En los días de la disolución de la Gran Colombia, el general Santander escribió en una memoria política, publicada en 1838, que el Libertador desalentado por la desnudez de los soldados y la pérdida de caballos en las primeras jornadas del ascenso a la cordillera, y "por la consideración de que un enemigo fuerte, tranquilo poseedor del país que debía ocuparse, si obraba con viveza y celeridad, destruiría las fuerzas patriotas debilitadas por el cansancio, disminuidas por el paso del Páramo, desprovistas de caballos y de medios de subsistencias, estaba muy inclinado a contramarchar, y limitar sus operaciones a una irrupción en el valle de Cúcuta, mientras el invierno daba tiempo a emprender nuevamente la campaña sobre Caracas, que siempre había ocupado todo su anhelo". Añade Santander que ayudado de algunos otros jefes, en la conferencia a que lo llamó Bolívar en el Llano Miguel, a la

(32) Narración I, 560 y 561.

cual asistieron también Soublette, Anzoátegui, Lara y Salom, "procuró disminuir el peso de todas estas consideraciones, y por último ofreció atravesar la cordillera con su división, informarse menudamente de las posiciones del enemigo, de los recursos que podía proveer el país, de la opinión pública y de todo cuanto pudiera contribuir a indicar con mayor seguridad las operaciones ulteriores, y avigoró este plan con la observación de que si el enemigo destruía su división, el ejército de Venezuela se conservaba intacto para hacer la contramarcha y emprender otra cosa sin que echase de menos la fuerza levantada en Casanare; pero que si el enemigo no había tomado posiciones al pie de la Cordillera, si el país brindaba recursos, si los pueblos recibían a las tropas como libertadores, entonces marcharía el resto del ejército a unirse a la vanguardia y proseguiría las operaciones". Y según agrega aprobada esta proposición, él cumplió felizmente su oferta, y la campaña continuó con "grandes esperanzas de suceso al ver que la vanguardia había ocupado el pie de la cordillera sin oposición" (33). Afirmaciones todas, nos duele decirlo, sofísticas, absurdas y falsas, nacidas del amor propio exagerado, de los rencores de la época desgraciada para la patria, de las desavenencias de Bolívar y Santander; y en abierta oposición a las declaraciones sinceras del mismo ilustre gobernante, como veremos en las páginas siguientes, en su magistral reseña de la campaña, acerca de la firmeza inquebrantable del Libertador en todas los momentos de ella. Sólo cegado por la pasión política se podía atribuir a Bolívar, el hombre de energía sobrehumana, y de inquebrantable perseverancia, el descabellado proyecto de devolverse del pie del Pisba, cuando ya había realizado treinta jornadas y sólo le faltaban cinco para llegar a la tierra prometida. En aquel estado retroceder equivalía a la derrota sin combatir, y a sus consecuencias inevitables, el descredito y la ruina. Bolívar no podía flaquear, por esta razón incontrastable, y porque en su espíritu, como lo mostró siempre, las dificultades y contratiempos producían reacciones intensas y multiplicaban su energía. No lo juzgamos infalible. Seducido por su grandioso proyecto de Confederación Boliviana, se equivocó en sus apreciaciones políticas, con gran ventaja de Santander, y

(33) Memorias sobre el origen, causas y progreso de las desavenencias entre el Presidente de Colombia, Simón Bolívar, y el Vice-Presidente de la misma Francisco de P. Santander. Archivo Santander, tomo XXIV, 203 y 204.

acaso erró en alguno de sus combates por impaciente o demasiado impetuoso, pero la tenacidad fue su virtud primordial: y característica de su genio guerrero la apreciación exacta de la situación militar y de la influencia en ella de los fenómenos morales. Como resultado de observaciones superficiales pueden parecer extravagantes sus empresas por la escasez de medios, mientras formaba el espíritu nacional y desarrollaba las virtudes guerreras de su adormecido pueblo, pero analizándolas a fondo se encuentran lógicas, aunque atrevidas, y ajustadas a los principios del arte de la guerra y todas, aún las malogradas, produjeron resultados útiles a la prosecución de la lucha, mientras esta idea de devolverse a las llanuras inundadas para reemprender la marcha por Cúcuta, sólo a un demente se le podía ocurrir. Por otra parte, dejar a la vanguardia pasar sola, exponiéndola a perderse, era faltar a elementales principios militares, a los cuales Bolívar siempre fue fiel, y como veremos enseguida el ejército de Venezuela cruzó el Páramo detrás de la vanguardia, con la separación natural indispensable, cuando no tenían Bolívar y Santander más datos sobre la buena voluntad de los pueblos y la posición de los enemigos, sino los recibidos anteriormente.

Acoge el general Santander para dar fuerza a su leyenda del Llano Miguel a la manoseada conseja realista de la preferencia de Bolívar a obrar sobre Caracas, posponiendo operaciones más útiles. Páez echó mano de la misma patraña para censurar los planes de Bolívar en 1818. Pequeñeces de estos dos hombres eminentes. A pesar de sus brillantes dotes ninguno de los dos tuvo, como Bolívar la amplia concepción de todos los fenomenos de la guerra. Jamás Bolívar creyó decidir la contienda con la ocupación de tales o cuales ciudades o territorios. El anunciaba como fin de la guerra la destrucción total de las fuerzas enemigas.

Acerca de esta pretensión de Santander, y a la de Páez, de atribuirse la idea de hacer la campaña, sin recordar la proclama profética de Bolívar anunciándola el 15 de agosto del año anterior, escribe Baralt esta justa observación: "El empeño insensato de atribuirse glorias ajenas ha hecho decir a algunos hombres, ora que habían sugerido al Libertador el pensamiento de esta operación, ora que ya en Casanare quería éste variar de plan y a ellos se debió que siguiese el primitivo. Miserias todas de la vanidad e hijas en mucha parte de la destreza con que aquel hombre singular hacía obrar a sus agentes, persuadiéndoles que ejecutaban sus propias ideas, cuando sólo se movían por las que él les inspiraba" (34). Sobre el caso presente dice Restrepo que la junta del Llano Miguel tuvo por objeto únicamente acallar a los quejosos con la opinión de los jefes principales, como la practicó Bolívar en distintas ocasiones en el curso de la revolución; y no porque él tuviera la menor duda acerca de la necesidad imperiosa de seguir adelante (35).

También se atribuía la idea original de la expedición a la Nueva Granada, el presbítero coronel José Félix Blanco, y según dice con esta mira realizó su viaje comercial y de exploración a Casanare en 1818, pero si Bolívar hubiera emprendido la expedición cuando la aconsejaba Blanco, en el verano de 1818, habría fracasado, con peligro, de su libertad personal; primero porque para el buen éxito de la expedición se requería reforzar con tropas al ejército en Casanare, adonde llegaría disminuido por las marchas, y ganados y bagajes de repuesto, y esto no se podía improvisar entonces, y segundo porque estando entero en aquel año el ejército de Morillo, y con menos atenciones en Venezuela, por lo menos una de sus divisiones habría volado a socorrer al Nuevo Reino (36).

A través del Pisba.

No existiendo descripción pormenorizada del terreno recorrido por el ejército Libertador, de ninguno de sus actores, extractamos la del viaje del profesor americano Hiram Bingham, efectuado expresamente para apreciar las dificultades vencidas por los patriotas (37). Seguido por pocos compañeros el profesor recorrió el trayecto de Paya a Las Quebradas, al otro lado del Páramo en cuatro jornadas, cortas por las distancias recorridas, pero de grandes dificultades, aun para simples viajeros, a causa de las asperezas del suelo. En la primera se va en unas horas de Paya

(34) Resumen de la Historia de Venezuela, Edición de Brujas 1939. I, 457.

(35) Restrepo II, 530. No existe ningún documento sobre esta junta o consejo de Llano Miguel. Sólo se conocen a este respecto las afirmaciones de Santander y de su adepto, el siempre fracasado Antonio Obando.

(36) Blanco y Azpurúa. VI. página 646.

(37) The Journal of an Expedition Across Venezuela and Colombia. New Haven, Conn. 1909. Páginas 191 y siguientes.

El Paso de los Andes, 1819.
Por Tito Salas

a Pisba, aldea de 30 o 40 casuchas, asentada en una planicie, a más de 100 metros sobre el río. El camino, siempre angosto, al borde de precipicios escarpados, a veces entre enhiestos peñascales, y cortado por torrentes impetuosos sigue el valle muy hondo y cubierto de espesos bosques. En la segunda jornada se atraviesan en la mañana los villorrios de Pancote y Jota de 10 a 12 ranchos, y al medio día un peligroso torrente, de vado muy difícil, lleno de enormes piedras, fuera de muchas de menor importancia. Luego se llega a Tovacar, conjunto de chozas muy pequeñas, a 1.830 metros de altura. El camino dentro de la selva tupida, casi siempre muy pendiente, a veces en escalones, está lleno de atolladeros, y de piedras resbaladizas. Al término de la jornada se encuentra a Pueblo Viejo, donde apenas existen tres chozas.

En la tercera jornada se sigue dentro del bosque hasta los 2.900 metros de altura sobre el mar, con mayores dificultades. Aunque no había llovido hacía varios días, por ser verano cuando lo recorrió Bingham, el camino era un arroyo. Al medio día se sube a la fila del Páramo. El sendero va por una región pantanosa donde las bestias se atascan a cada paso, y en la tarde es forzoso detenerse en una Sabaneta a 3.200 metros de altura. De aquí en adelante el terreno es un yermo húmedo, frecuentemente azotado por el viento, o cubierto de nieblas heladas. La vegetación es raquítica y escasa, y el suelo está lleno de lodazales. De todo el camino se divisan los picos de los Andes, algunos de más de 4.000 metros de altura.

Partiendo de la Sabaneta en la mañana, por sendas resbalosas y cubiertas de baches, se alcanza al medio día una larga fila, dejando a un lado el lago donde, según leyendas de los indios, los españoles perseguidos por Bolívar arrojaron un tesoro. Dos horas después se pasa la cumbre, de más o menos 4.000 metros de altura sobre el mar (38). Del otro lado la senda es abrupta, pero menos difícil y en larga extensión el terreno se presenta completamente estéril. Después de una bajada con desnível de 600 a 1.000 metros calculados al ojo, se llega a Las Quebradas a 3.355 metros de altura sobre el mar.

---

(38) Todavía no se ha medido con exactitud. Hiram Bingham supone que pasa de 13.000 pies ingleses. Sus aparatos no le permitieron medir alturas tan elevadas.

En los días 30 de junio y 1º de julio la vanguardia, por orden de Bolívar, emprendió marcha hacia el Páramo. Adelante iba el comandante Joaquín Paris, con una compañía de Cazadores, y el general Santander lo seguía con el resto de sus infantes. París llegó a Las Quebradas en la tarde del 4 de julio, al día siguiente entró a Socha, y recibió orden de ocupar con partidas los lugares más próximos. Santander en cuatro jornadas, seguido de las tropas de Venezuela, recorrió el espacio de Paya a Las Quebradas adonde llegó el 4 de julio en la noche y al otro día se dirigió a Socha (39).

La retaguardia y parte de la caballería siguieron el movimiento con el Libertador el 2 de julio y llegaron a Pisba: el 3 avanzaron a Pueblo Viejo, donde pasaron la noche. La cantidad de tropas y de bestias retardó notablemente la marcha. El día 4 las dificultades fueron más sensibles por el cansancio, la marcha más lenta y durmieron en la Sabaneta. Al Páramo propiamente dicho se le calcularon seis leguas. El Libertador conduciendo el cuerpo principal no quiso adelantarse. En la madrugada del 5 emprendió la marcha, desde el pie del Páramo con la mayor parte de las tropas, lo atravesó felizmente con buen tiempo, y en la tarde llegó a Las Quebradas, mientras la vanguardia marchaba de este punto a Socha (40). El día 6 las tropas avanzaron con Anzoátegui a

---

(39) No hay datos exactos sobre la fecha de salida de Paya y llegada a Socha de la vanguardia, pero según la narración de O'Leary, que insertamos adelante y la de Antonio Obando, no pueden ser otras que las anotadas en el texto. Véase esta última en el Archivo de Santander: II, 181 y 182.

(40) Esta distribución de las jornadas es supuesta por nosotros, pero ajustada a las fechas de salida de Paya el 2 de julio, y de llegada a Las Quebradas el 5 de julio. Véanse O'Leary, Narración I, 564: y el oficio de Bolívar a Soublette de 7 de julio. O'Leary XVI, 408.

Antonio Obando dice en su autobiografía: "A poco rato de estar nosotros (la vanguardia) allí (en Las Quebradas) comenzó a salir la retaguardia en desorden, pues así se había mandado a marchar desde la entrada en el Páramo, y sin embargo de esto se emparamaron como sesenta hombres del batallón Albión: esa misma tarde salió el general Bolívar con su Estado Mayor. El ejército acampó allí mismo, y a mi se me dió orden de avanzar como un cuarto de legua sobre el pueblo de Socha". Archivo de Santander, II, 182. Según esto la vanguardia y la retaguardia atravesaron el Páramo en un mismo día. Nosotros hemos preferido la versión de O'Leary según la cual la vanguardia precedió en un día a la retaguardia en el paso del Pá-

este pueblo, y el Libertador permaneció en Las Quebradas, dando urgentes disposiciones para socorrer a los atrasados, y luego marchó a alcanzarlas. A pesar de la ventaja del buen tiempo la tropa sufrió penas indecibles por el frío: muchos hombres murieron o quedaron emparamados, perecieron gran número de bestias de silla y de carga, y fueron pocas las que pudieron pasar.

Acompañando a la Legión Británica, una parte de la caballería, los equipajes y el parque, el general Soublette emprendió marcha de Paya tres o cuatro días después de la división Anzoátegui, es decir el 5 o 6 y todavía el 11 se hallaba en Pueblo Viejo (41). Para ayudarlo a pasar el Páramo, el Libertador destacó de Las Quebradas al coronel Jacinto Lara con algunos soldados a reunir todos los hombres de Socha y Socotá y a llevarlos en auxilio de los ingleses y de los llaneros, a conducir a hombros los pertrechos y armas abandonados en el suelo, y a recoger bestias cansadas. Soublette tenía orden de adelantar en el tránsito sin esperar el parque, y enviar de Las Quebradas, donde encontraría víveres, una comisión al Páramo semejante a la de Lara a recoger bestias y efectos. Los sufrimientos y trabajos de la trágica travesía los describe O'Leary con naturalidad y vivos colores. "Pasados algunos días de descanso, dice, continuó su marcha el ejército el 2 de julio. El destacamento realista, que había sido batido en Paya, se retiró a Labranza Grande, punto al cual guiaba un camino que era considerado como el único posible en aquella estación del año: otro había al través del Páramo de Pisba, pero tan quebrado y desigual, que apenas se usaba en el verano. Considerábanlo insuperable los españoles y por ello descuidaron su defensa; motivo que precisamente decidió a Bolívar a escogerlo. El paso de Casanare por entre sabanas cubiertas de agua, y el de aquella parte de los Andes, que quedaba detrás, aunque escabroso y pendiente, era en todos sentidos preferible al camino que iba a atravesar el ejército. En muchos puntos estaba el tránsito obstruído completamente por inmensas rocas y árboles caídos, y desmedros causados por las constantes lluvias que hacía peligroso y deleznable el piso. Los soldados que habían recibido raciones de carne y arracacha para cuatro días, las arrojaban y solo se curaban

---

ramo, porque nos parece más lógico, por haber emprendido la marcha la vanguardia con anticipación también de un día a la retaguardia.

(41) Oficio de Soublette. Pueblo Viejo, 11 de julio. O'Leary XVI, 410.

de su fusil, como que eran más que suficientes las dificultades que se les presentaban para el ascenso, aun yendo libres de embarazo alguno. Los pocos caballos que habían sobrevivido perecieron en esta jornada. Tarde de la noche llegó el ejército al pie del Páramo de Pisba y acampó allí; noche horrible aquella pues fue imposible mantener lumbre por no haber en el contorno habitaciones de ninguna especie y porque la llovizna constante acompañada de granizo y de un viento helado y perenne, apagaba las fogatas que se intentaban hacer al raso, tan pronto como se encendían".

"Como las tropas estaban casi desnudas y la mayor parte de ellas eran naturales de los ardientes llanos de Venezuela, es más fácil concebir que describir sus crueles padecimientos. Al siguiente día franquearon el Páramo mismo, lúgubre e inhospitalario desierto, desprovisto de toda vegetación a causa de su altura. El efecto del aire frío y penetrante fue fatal en aquel día para muchos soldados; en la marcha caían repentinamente enfermos muchos de ellos y a los pocos minutos expiraban. La flagelación se empleó con buen éxito en algunos casos para reanimar a los emparamados y así logró salvarse a un coronel de caballería. Durante la marcha de este día, me llamó la atención un grupo de soldados que se había detenido cerca del sitio donde me había sentado abrumado de fatiga, y viéndolos afanados pregunté a uno de ellos que ocurría, contestóme que la mujer de un soldado del batallón Rifles estaba con los dolores del parto. A la mañana siguiente ví a la misma mujer con el recién nacido en los brazos y aparentemente en la mejor salud, marchando a retaguardia del batallón. Después del parto había andado dos leguas por uno de los peores caminos de aquel escabroso terreno".

"Cien hombres habrían bastado para destruir al ejército patriota en la travesía de este Páramo. En la marcha era imposible mantener juntos a los soldados, pues aun los oficiales mismos apenas podían sufrir las fatigas del camino, ni menos atender a la tropa. Aquella noche fue más horrible, que las anteriores, y aunque el campamento estaba más abrigado y era menos frecuente la lluvia perecieron muchos soldados a causa de sus sufrimientos y privaciones. A medida que las partidas de diez o veinte hombres descendían juntos del Páramo, el Presidente los felicitaba por el próximo término de la campaña, diciéndoles que ya habían vencido los mayores obstáculos de la marcha. El 6 llegó la división Anzoátegui a Socha, primer pueblo de la provincia de Tunja: la vanguardia le había precedido desde el día anterior. Los soldados al ver hacia atrás las elevadas crestas de las montañas cubiertas de nubes y brumas hicieron voto espontáneo de vencer o morir antes que emprender por ellas retirada, pues más temían ésta que al enemigo, por formidable que fuese. En Socha recibió el ejército solícita hospitalidad de los habitantes del lugar y de los campos circunvecinos. Pan, y chicha, bebida hecha con maíz y melado, recompensaron las penalidades sufridas por las tropas y las alentaron a concebir más halagüeñas esperanzas en lo porvenir. Más al paso que disminuían los trabajos del soldado, se multiplicaban las atenciones del general. La caballería había llegado sin un solo caballo y las provisiones de guerra yacían en el tránsito por falta de acémilas en que trasportarlas: a duras penas conservó la infanteria secos sus cartuchos en medio de las lluvias, y las armas en su mayor parte estaban descompuestas y se hacía necesario limpiarlas pronto. Las tropas estaban sin vestido, los hospitales llenos y el enemigo se encontraba a pocas jornadas. Pero no era la grande alma de Bolívar para apocarse ante estos embarazos, que por lo contrario sólo servían para hacerla cada vez mas grande y poner a prueba lo inagotable de sus recursos. Su primer cuidado fue asegurar la subsistencia de las tropas, y ponerlas en estado de resistir a los realistas. Con este fin despachó al coronel Lara, cuya actividad en ejecutar las órdenes del Presidente era asombrosa, para que con cuantas mulas pudiera reunir saliese a recoger las armas y municiones dejadas detrás y a reunir los dispersos y enfermos, y mandó también comisionados a recolectar caballos en diferentes puntos y a traer ganados de los campos circunvecinos. Se organizó un hospital, se enviaron espías en todas direcciones, a indagar noticias acerca del enemigo, y difundir otras exagerando el número, calidad y disciplina del ejército patriota. Nada quedó por hacerse de cuanto podía aconsejar la prudencia" (42).

"El espectáculo de estas cadenas de montañas, escribe el capitán Wavell, de la Legión Británica, es soberbio y salvaje. Aunque ciertas cumbres parecen cubiertas de nieve miradas desde abajo, les queda muy poca en los Páramos, a causa del viento que la arrastra, o de las rocas inclinadas sobre las cuales se desliza. En

(42) O'Leary, Narración I, 564 a 566.

cambio se mantiene en las grietas, dando origen, en las más profundas, a arroyos y cascadas. En el Páramo se encuentran osamentas de hombres y animales que han perecido atravesándolo. En muchos lugares amenazan al viajero enormes rocas suspendidas encima del desfiladero, o abismos a los que es fácil caer. Al silencio de estas soledades salvajes, sólo lo turba el murmurio monótono de caídas de agua lejanas y de tiempo en tiempo el grito del cóndor. El cielo, de color azul subido, parece más cerca que visto del fondo de los valles. En el Páramo, sin la protección de los bosques, el frío es tan penetrante que helaba aun a aquellos que tenían abrigos, y estos eran muy pocos en el ejército del general Bolívar. La fuerza del viento a veces obligaba a los soldados a acostarse para evitarla" (43).

El ejército libertador atravesó, en la campaña del Perú, la Cordillera Blanca, más elevada que la Oriental de la Nueva Granada, sin sufrir pérdidas sensibles como en esta última, porque la cruzó bien equipado y provisto de todo lo necesario. En aquella campaña Bolívar y Sucre pudieron preparar el ejército durante varios meses en los ricos departamentos de Cajamarca, Trujillo, la Costa y Huánuco. Los soldados con vestidos dobles, zapatos y abrigos, dormían en cobertizos, llamados en el país pascanas, construídos especialmente, donde encontraban víveres y leña; se habían entrenado para resistir el soroche, y los jinetes marchando en mulas, llevaban de diestro sus caballos, herrados convenientemente, y de noche los cubrían con mantas; mientras que en la travesía de la Cordillera granadina emprendida sin estos elementos por carencia de medios, el ejército casi desnudo, y los caballos y mulas sin herrar, arrostraban peores caminos. Por todo esto la heroica empresa tuvo carácter trágico.

En el valle del Sogamoso.

Desde el 7 el Libertador se hallaba en Socha, en el centro del valle del río Chicamocha o Sogamoso, extendido desde las cercanías de Tunja hasta el Magdalena. Fértil y de clima benigno, de 2.500 a 2.800 metros de altura en la parte más poblada y sana, es uno de los lugares privilegiados de la América Tropical por su salubridad y riqueza agrícola. Para los hombres de las ardientes y desoladas tierras venezolanas tal país era un verdadero paraiso.

---

(43) Obra citada, 174 y 175.

"Los tres pueblos que hemos ocupado hasta ahora, escribía Bolívar a Soublette el 7, nos han recibido con demostraciones de gozo y entusiasmo por la libertad. Nadie ha emigrado, y todos prestan gustosamente los auxilios que se les piden". Era el mejor presagio para el éxito de la campaña porque el ejército dislocado y separado en dos porciones por el Páramo necesitaba socorros de toda clase para reponerse. El día 11 Soublette con la atención del parque y los equipajes siguió marcha de Pueblo Viejo. El 12 y 13 cruzaron el Páramo el resto de la caballería, los equipajes, el parque y los ingleses, con pérdida de hombres y bestias muertos; casi todas las cargas quedaron en el suelo. En Paya dejó Soublette una caballada y el ganado, para pasarlos poco a poco. Desde el 10 los hombres de maleta, nativos adiestrados para las cargas, enviados por Lara, empezaron a sacar a hombros las municiones. Los indios de Pisba y otros lugarejos menores habían huído (44).

Primeros movimientos. Combates en Corrales y Gámeza.

El día 7 marchó el comandante Durán con 20 Guías de la Vanguardia a descubrir al enemigo sobre Corrales, donde sorprendió y tomó un pequeño destacamento. Diversas comisiones partieron al norte a Sátiva y Soatá, y al sur hacia Betéitiva y otros lugares a recoger caballos y víveres. Los hombres se reponían y mejoraban su equipo: los cuerpos se formaban de nuevo. El general Santander, describe los últimos sufrimientos, y la reorganización del ejército en estas palabras: "Un número considerable de soldados quedaron muertos, al rigor del frío, en el Páramo de Pisba: un número mayor había llenado los hospitales y el resto de tropa no podía hacer la más pequeña marcha. Los cuerpos de caballería, en cuya audacia estaba librada una gran parte de nuestra confianza, llegaron a Socha sin un caballo, sin monturas, y hasta sin armas, porque todo estorbaba al soldado para volar y salir del Páramo: las municiones de boca y guerra quedaron abandonadas, porque no hubo caballería que pudiese salir, ni hombre que se detuviese a conducirlas. En la alternativa de morir, víctimas del frío, preferían encontrarse con el enemigo en cualquiera estado. El ejército era un cuerpo moribundo; uno u otro jefe eran los únicos que podían hacer el servicio. ¿Pero qué

(44) Oficio de Soublette, citado. Pueblo Viejo, 11 de julio O'Leary XVI, 410.

se podía temer, si a su frente estaba el general Bolívar? Aquí es donde este hombre se hace superior a todos los hombres, desplegando una energía y firmeza extraordinarias. En tres días hace montar la caballería, la arma, reune el parque y restablece el ejército; por todas partes dirige partidas contra el enemigo, pone en efervescencia los pueblos, amaga atacar en todas dirreciones y el 11 de julio presenta la primera batalla en las alturas de Gámeza. ¡Oh pueblos de la Provincia de Tunja! ¡Y cuánto contribuyeron vuestros generosos esfuerzos para efectuar esta trasformación que ha dado la salud a la República!" (45).

Los enemigos habían sido sorprendidos y en muchos lugares ignoraban cuanto estaba pasando. Sin embargo, los jefes procedieron con actividad. El 10 de julio el general Barreiro reuniendo cuantas tropas tenía a su alcance, se presentó con dos columnas de 800 hombres cada una en Corrales y Gámeza, a ambos lados del río Sogamoso, a 40 kilómetros de Socha. En el primer punto el coronel Justo Briceño con un escuadrón cargó sobre la descubierta realista, la destruyó completamente y rechazó un cuerpo de la vanguardia. Al mismo tiempo el teniente Franco con una compañía de fusileros de observación en Gámeza, fue atacado, obligado a retroceder y perseguido hasta encontrar el 1º de Cazadores de la Nueva Granada, en ese momento en marcha guiado por Santander en persona. Los enemigos, al ver el refuerzo replegaron y tomaron posiciones en la Peña de Tópaga. Allí permaneció Barreiro toda la noche y reunió la columna de Corrales. Los destacamentos independientes se retiraron en la noche al cuartel general, situado en los Aposentos de Tasco, a mitad de camino de Socha a Gámeza. Los movimientos de Barreiro indicaban el propósito de no empeñar acción decisiva, sin duda esperando reunir fuerzas mayores (46).

Batalla de Gámeza.

Grave era la situación de Bolívar: faltábanle la mayor parte de la caballería, la Legión Británica y muchos hombres de otros

(45) El General Bolívar en la campaña de la Nueva Granada. Archivo Santander, II, 45 y 46.

(46) Algunos autores, entre ellos Baralt, guiándose por los partes realistas asientan que estos primeros combates fueron adversos a los patriotas. Es un error.

cuerpos, todavía en Socha y Socotá reponiéndose, el parque venía atrasado, y los enemigos amenazando. Mantenerse a la defensiva era mostrar al enemigo la propia debilidad. En circunstancias tan apuradas el alma del guerrero se reveló en toda su fuerza. Resuelto a tomar la ofensiva, ordenó por medio del edecán Alvarez a los destacamentos avanzados mantenerse en las posiciones adquiridas; recomendó a Santander variar de posición, al caer la tarde, si temía un ataque nocturno y a Briceño permanecer en Corrales, y situar una descubierta en el puente de Gámeza con orden de participar volando cualquiera novedad (47). Ambos jefes no debían retirarse sino oprimidos por fuerza mayor, en cuyo caso encontrarían al Libertador en el camino con la división Anzoátegui a la sazón reuniéndose; pero desconfiados y temerosos ambos se retiraron en la noche a Tasco, movimiento injustificado, por fortuna sin consecuencia, porque al amanecer el Libertador marchó a grandes pasos con la división Anzoátegui, puso en movimiento la de Santander, y avanzó resueltamente a encontrar al enemigo, en marcha también desde el alba en busca de los patriotas. Este movimiento de Bolívar sabio y atrevido, uno de los más bellos y gloriosos de la campaña, desconcertó al jefe español, le infundió temor, y al observarlo replegó con rapidez, repasó el río Gámeza y volvió a la posición fuerte de la Peña de Tópaga (48). Revelada con este movimiento retrógrado, la situación moral de los adversarios, Bolívar sin vacilar ordenó inmediatamente el ataque. Para enardecer a sus hombres les decía; "no pudiendo retirarnos por el páramo debemos vencer o morir". Fueran estas u otras análogas sus palabras, las tropas avanzaron con ímpetu irresistible; el batallón 1º de Línea de la Nueva Granada, y tres compañías escogi-

---

(47) Oficio a Santander. Aposentos de Tasco. 10 de julio. Lecuna. Boletín de la Academia de la Historia, Nº 92, página 637.

(48) Un movimiento semejante del mariscal Turena, sorprendido por fuerzas superiores en Mont Saint Quintín, durante la campaña de 1653, mereció de Bonaparte los más grandes elogios, en su análisis de las campañas del célebre mariscal. "Un general ordinario, dice Napoleón, habría procurado cubrirse con un obstáculo natural, pero Turena con inaudita audacia marchó al encuentro de los enemigos, seguro de desconcertarlos por este movimiento". Précis des guerres du Maréchal de Turenne; Mémoires de Napoleón, Liskenne et Sauvan. París, página 822.

Copiamos esta observación magistral por la crítica insulsa de Antonio Obando el cual dice que Bolívar debió esperar el ataque.

das de Rifles, Barcelona y Bravos de Páez, pasaron el puente al paso de carga, bajo los fuegos cruzados de los españoles.

Dueñas estas tropas del terreno del otro lado, rechazaron de nuevo a los enemigos, y reforzadas por el resto de los batallones de Anzoátegui, avanzaron de bayoneta calada. Los realistas temiendo la carga se retiraron a otra posición más fuerte en los Molinos de Tópaga. A su vez los independientes dueños del campo y fatigados de ocho horas de pelea retrocedieron a Gámeza. El combate les había costado 12 muertos y 76 heridos y quizás exagerando calcularon las pérdidas de los españoles en 300 hombres entre muertos, heridos y prisioneros. El coronel Arredondo, jefe de los Cazadores de la Nueva Granada quedó mortalmente herido, y el general Santander contuso. El 12 el ejército regresó a Tasco a esperar la Legión Británica, parte de la caballería, los equipajes y el parque (49). El retroceso de los independientes no produjo ninguna reacción en los contrarios intimidados por la actitud mostrada en Gámeza: Barreiro se conformó con cubrir la parte alta del valle de Sogamoso, y esperar mientras tanto sus refuerzos.

Días de tregua.

Las dos primeras divisiones habían llegado a Socha tan fatigadas de las marchas y resentidas de la variedad del clima, que todavía en Tasco necesitaban varios días para reponerse. Por otra parte el ejército incompleto todavía no podía presentar una acción general. Tales fueron los motivos de suspender Bolívar la ofensiva, aun cuando los españoles aprovecharan este receso para reunir todas sus tropas. Por tres correos interceptados se había impuesto de sus planes, fuerzas y esperanzas, y estos datos lo incitaban a comenzar cuanto antes las operaciones activas.

Fortuna fue para el ejército hallarse en medio de poblaciones amigas. "El patriotismo del pueblo es tal, escribía Bolívar, que de

---

(49) Boletín del Ejército Libertador, del 12 de julio. O'Leary XVI, 411. Este y los demás boletines de la campaña, firmados por los jefes de Estado Mayor, son dictados por el Libertador: en estos documentos sólo se proponía exaltar el mérito de las tropas, y no se refiere a su acción personal en ninguno de ellos. Esto ha dado origen a la torpe leyenda reciente de que no asistiera a la batalla de Boyacá.

En todos los boletines de 1813 a 1824, dictados casi sin excepción por Bolívar, se observa el mismo sistema.

muchas leguas de distancia, vienen los principales ciudadanos a ofrecer sus personas y propiedades para el servicio del ejército. No es necesario que el ejército se acerque o entre a las poblaciones para que reconozcan mi autoridad o ejecuten las órdenes que les libro" (50). ¡Que diferencia con la campaña de 1818 en medio de las poblaciones hostiles del Guárico!

La mayor atención por el momento era recoger todo lo abandonado en el camino del Páramo, y al mismo tiempo componer el armamento y curar y restablecer los enfermos y cansados y reunir caballos. Llegado a Socha con los ingleses y la caballería a pie, Soublette quedó encargado de estas funciones. El comandante Segarra, despachó de Paya cuanto pudo, y con su columna marchó a Labranza Grande, adonde entró el 15. Los enemigos en conocimiento de la marcha del ejército por otra vía, no lo esperaron, y el pueblo lo recibió con patriotismo. El coronel Salom fue el último en pasar el Páramo con sus hombres de la artillería y la caballería del comandante Véjar. Estas fuerzas marcharon a Socotá, a reponerse y remontarse. Las comisiones de Lara iban y venían del Pisba trasportando cargas abandonadas (51).

En Socotá se establecieron el hospital mayor y la maestranza. Dos fraguas trabajaban noche y día, haciendo lanzas y componiendo el armamento. Fue necesario rehacer casi todos los cartuchos del parque mojados en la travesía. El coronel Carrillo condujo al ejército los primeros 100 infantes y 25 jinetes salidos del hospital. Lara multiplicaba su actividad secundando a Soublette. Al ejército enviaron ganados, caballos, sillas, medicinas, una armería, harina y menestras. Igual actividad desplegaban los oficiales Olmedilla, Parra, Villarreal, Solano, Reyes, Leyba y Moreno, destinados a Cheva, Ubita, Soatá, Sátiva, Cerinza, Betéitiva, Santa Rosa y Chita. Abandonada esta última villa por los enemigos se dió orden de llevar al ejército por la Salina el parque que había quedado en Pore.

Perdidos muchos de los Copiadores de Ordenes del Libertador en esta campaña, sólo hemos encontrado las noticias expuestas

(50) Oficio a Páez, del 14 de julio. O'Leary XVI, 414.

(51) Oficios de Soublette de 18, 19 y 20 de julio. O'Leary XVI, 416 a 418. El primero de estos oficios, en la obra de O'Leary, tiene por error la fecha de 8 de julio.

sobre las actividades de los independientes, en dos notas de aquellos y en los escasos oficios conservados de los subalternos.

Batalla del Pantano de Vargas.

A pocos kilómetros de distancia, con el río Gámeza por medio, permanecieron los contendientes varios días, aprovechados por los españoles para incorporar algunos destacamentos distantes y por los patriotas en terminar la reconstitución de su ejército. Numerosas partidas de convalecientes, procedentes de Socha y Socotá, se reunieron a las tropas.

Los españoles en la fuerte posición de Tópaga cerraban a los patriotas el camino de Tunja. Para obligarlos a abandonarla el Libertador por un rápido movimiento de flanco, por encima de altas colinas, llevó sus tropas de este a oeste y acampó cerca del pueblo de Santa Rosa, en el valle fértil y abundante del mismo nombre, tributario del Sogamoso. La Legión Británica restablecida en Socha y Socotá, corrió por La Paz y Belén y se apostó en Cerinza, valle igualmente rico, detrás y a corta distancia del ejército, al cual se incorporó enseguida. Los españoles a su vez para cubrir a Tunja hicieron un movimiento paralelo y se establecieron el 18 en los Molinos de Bonza, apoyados en unas paredes y protegidos por barrancos, a hora y media adelante de Paipa. El 19 el ejército libertador avanzó rápidamente por Duitama sobre los enemigos y en la tarde del 20 se situó a su frente detrás de unas cercas, en los Corrales de Bonza, y lo provocó al combate, con diversos movimientos, tanto en este día como en los siguientes, y sólo logró batir las guerrillas avanzadas al encuentro de los patriotas (52).

El 25 al amanecer Bolívar llevó su ejército por el camino del Salitre de Paipa, a dar un rodeo por su izquierda y caer sobre la espalda de los españoles, con el propósito de obligarlos a abandonar sus parapetos. A las diez del día el ejército acabó de pasar el río Sogamoso y a las doce, cuando marchaba al este del Pantano de Vargas, se presentó el enemigo en unas alturas a cerrarle el paso. El Libertador resueltamente aceptó el combate aunque la

(52) Boletín del Ejército Libertador de 25 de julio. O'Leary XVI, 421. Oficio de Barreiro de 20 de julio. Boletín Nº 90 de la Academia de la Historia, pag. 353.

forma del terreno lo obligara a tomar una posición desventajosa. El general Santander con dos batallones de la vanguardia ocupó las alturas de la izquierda, pero el coronel Nicolás López al frente del Primer batallón del Rey y parte del Segundo, lo atacó vigorosamente y lo arrojó de la posición. Al obtener esta ventaja Barreiro lanzó sobre el centro los batallones 2º y 3º de Numancia, parte del Tambo y los Dragones de Granada. Avanzando con intrepidez estos cuerpos arrollaron a los batallones Rifles y Barcelona, pero Bolívar los detuvo, recuperaron su formación y reforzados con la Legión Británica guiada por el coronel Rooke, retomaron las alturas. Reaccionados los realistas volvieron a cargar y por segunda vez las tomaron. El ejército independiente, casi envuelto, sufría un fuego vivo y mortífero. En ese momento el Libertador corrió hacia donde estaba la caballería del Alto Llano, le dió la orden de cargar y dirigiéndose al coronel Rondón, le gritó "Coronel, salve Vd. la patria!" Los escuadrones realistas venían avanzando, apoyados por una gruesa columna de infantería. Rondón e Infante los cargaron con extraordinaria bravura, los arrollaron y enseguida destrozaron la infantería de su apoyo, mientras el comandante Carvajal con los Guías de la Guardia, hacía otro tanto por el camino principal, y la infantería independiente recuperaba las alturas. Sobre este empuje general escribía Santander algunos días después: "El esfuerzo de los generales y oficiales subalternos, la serenidad e intrepidez de las tropas, la presencia del general Bolívar en todas partes y en todos puntos, su voz empleada en dar nuevo aliento al soldado, e inspirarle confianza, todo reunido hizo triunfar en Vargas a las armas de la República" (53).

Las tropas, especialmente la Legión Británica, se batieron con valor, pero Bolívar arrebató la victoria a los adversarios con los mismos jinetes de Zaraza, vencidos en La Puerta y el Rincón de los Toros. Un año de campaña activa y de combates bajo su mando, los había aleccionado. La carga decisiva fue dada por toda la caballería del alto llano de Caracas, los Guías de la Guardia y los de Apure, por lo menos 400 a 500 hombres. Desde luego carece de valor la leyenda moderna según la cual sólo un puñado de hombres decidieron la jornada.

(53) Archivo de Santander II, p. 46.

El ejército real desalojado de todos los puntos de su línea se retiró al oscurecer, bajo una lluvia torrencial, por el camino que había traído. Sus pérdidas entre muertos, heridos y prisioneros calculadas por los independientes en 500 hombres, no pasaron de 300. Estos últimos perdieron 104 entre muertos y heridos; de los primeros el comandante Jimenez y cinco oficiales y de los segundos los coroneles Rooke, Sandes y Briceño, el capitán O'Leary y 14 oficiales más. En el parte del combate se hizo una mención especial de Rondón y Carvajal y de las compañías inglesas, recompensadas en el mismo campo de la acción con la Estrella de Libertadores. El ejército lamentó la pérdida del noble y heróico coronel Rooke, muerto tres días después del combate a consecuencia de sus heridas.

Al día siguiente de la batalla los españoles retrocedieron al pueblo de Paipa y los independientes a los Corrales de Bonza. Aunque las fuerzas quedaron equilibradas el combate no fue inútil porque demostró la superioridad de dirección de los independientes, y cobraron unos ánimo y otros desaliento (54). Para dar tiempo a llegar víveres, caballos y voluntarios de Sogamoso y de Cerinza, y reclutas de las provincias del Socorro y Pamplona, Bolívar estableció sólidamente el ejército, como para resistir con ventaja en caso de un ataque en masa de los adversarios (55).

---

(54) El notable oficial general Manuel Briceño en un estudio histórico crítico censura el movimiento de Bolívar como contrario a una máxima célebre de Bonaparte, *no hacer movimientos de flanco delante de un ejército en posición*. La observación no es justa. El movimiento de Bolívar fue hecho a larga distancia de los contrarios, con un ejército pequeño y fácil de mover en todas direcciones. El mismo Bonaparte, autor de la máxima considerada por Briceño, hace constar que no se debe aplicar al movimiento que precedió a la célebre batalla de Leuthen porque no se efectuó a la vista de los austriacos, sino a larga distancia. Précis des Guerres de Frederic II, Mémoires de Napoleón. Liskenne et Sauvan, París 1862. 871.

La circunstancia fortuita de aceptar Bolívar el combate en posición desventajosa es uno de tantos accidentes naturales e imprevisibles en la guerra.

Barreiro, activo y hábil perdió el combate porque su adversario fue más diestro y enérgico. Véase el estudio de Briceño en el Papel Periódico de Bogotá, número del 24 de julio de 1883.

(55) Relación de Santander citada. Archivo de Santander II, p. 50.

Reprensión a Páez. Observación sobre los métodos de guerra.

El Libertador contestó a Páez su oficio de 15 de junio aceptando sus excusas en relación a la entrada por Cúcuta en virtud de su promesa de marchar de Guasdualito contra una división española según Páez situada en Pedraza pronta a socorrer la Nueva Granada. Pero nuevas razones alegó el jefe apureño, como hemos referido, para no cumplir tampoco este ofrecimiento, y se fue a Achaguas a fines de junio a remontar sus jinetes y vigilar el Apure. Su oposición a colaborar en la empresa de la Nueva Granada quedó claramente demostrada con estos hechos, y Bolívar contestó el 30 de julio, cinco días después de la batalla del Pantano de Vargas, su nota del 28 de junio, respecto a su última resolución, haciéndolo responsable de la suerte de la República, por no haber ocupado el valle de Cúcuta (56). Desgraciadamente este oficio se ha perdido, y solo conocemos la frase acusadora por la réplica indignada de Páez de 2 de setiembre siguiente, en la cual hace alarde de sus victorias y asienta que si la "fortuna lo ha protegido es porque jamás se ha conducido por esperanzas alegres o imaginarias", observación sin duda lanzada como crítica velada y acerba a las empresas bolivianas, basadas, en el largo y penoso período de formación del ejército libertador, en el empleo de los grandes factores morales de la guerra, llevados a un límite extremo: la actividad incesante para recoger elementos y la audacia

---

(56) Páez alega en las Campañas de Apure (Boletín de la Academia Nacional de la Historia N° 21. 1.201) que era imposible entrar hacia Cúcuta porque los españoles tenían un fuerte intomable en la montaña de San Camilo; y en la Autobiografía (I, 192) dice que era un punto fortificado en San Josesito, dos leguas antes de llegar a San Cristóbal, según le informaron en Guaca: pero en ninguno de sus oficios al Libertador hace valer esta circunstancia, ni menciona siquiera el tal fuerte, seguramente insignificante, si acaso existió, pues en todos los documentos solo se menciona, en custodia del camino, a la guerrilla de Guaca, del comandante Silva, fácilmente dispersada por Páez el 14 de junio como hemos visto.

Véanse las cartas de Páez de 15 y 28 de junio y 2 de setiembre en O'Leary II, 29, 30, 31 y 36.

Temiendo Bolívar que La Torre avanzara de nuevo a San Cristóbal, como a fines del año anterior, dispuso el 17 de febrero de 1820, desde Pamplona, abrir una pica para evadir a San Josesito y destruír las trincheras establecidas en este punto por los españoles, pero estas obras no existían en junio de 1819. O'Leary XVII, 74.

como fuerza creadora; única manera de transformar la moral de pueblos adormecidos y conducirlos al triunfo, por medio de esfuerzos sobrehumanos, cuando los recursos son insuficientes. Ya en otro lugar hemos hecho estas observaciones, pero debemos repetirlas. El héroe apureño realizaba es verdad hazañas homéricas, calculadas siempre sobre bases seguras, utilizando su fuerza personal y su destreza en el manejo de la lanza, pero agotado moralmente después de sus mayores esfuerzos, o satisfecho de las ventajas adquiridas, no arriesgaba sus tropas más allá de los límites de sus llanuras y su influencia era limitada y local, mientras Bolívar, abarcando territorios inmensos, extendía su acción infatigable a países enteros. Años más tarde él escribirá a Páez con motivo de su rebelión de 1826: "El Apure sería la habitación del vacío, el sepulcro de sus héroes sin mis servicios, sin mis peligros, sin las victorias que he ganado a fuerza de perseverancia y de penas sin fin. Vd. mi querido general, y los bravos de aquel ejército, no estarían mandando en Venezuela, y los puestos que la tiranía les habría asignado serían escarpias y nó las coronas de gloria que ahora ciñen sus frentes" (57). Esta profunda observación expresa la diferencia de métodos de los dos guerreros. Perdida su fuerza física por la edad, la acción de Páez en las guerras civiles fue lamentable.

Medidas Militares.

Desde antes de la pelea el Libertador había enviado al coronel Antonio Morales a la provincia del Socorro, y al coronel Pedro Fortoul a la de Pamplona, con muy pocos hombres, a insurreccionarlas y encargarse de su gobernación. Ambas estaban casi desguarnecidas por haber llamado los españoles al ejército algunas de sus guarniciones, y podían proporcionar hombres y recursos, y muchos artículos necesarios al ejército, que no se hallaban en los valles del Sogamoso, puestos a contribución por los españoles. El general Santander, después de referir la situación brillante del ejército real, y sus soldados abastecidos de todo lo necesario, expone la de los independientes de esta manera; "Nosotros ocupábamos un país devastado, en donde no era posible exigir una pequeña contribución: no encontrábamos en él una

(57) Lecuna. Cartas del Libertador, VI, 133 y 134.

sola pieza de género de que poder hacer un vestuario, y en la necesidad de hacer sensibles a los pueblos los bienes de la libertad, no era justo imitar la conducta de sus opresores. Con una escasa ración, y sólo con esto, nuestros soldados, en cuyo corazón no había otro interés que el de destruir a los españoles, se manifestaban satisfecchos, contentos con su suerte, firmes en su resolución, constantes en los trabajos y superiores a todos los peligros y privaciones. ¡Cuántas veces su estado de miseria arrancó lágrimas de mis ojos! El soldado se consolaba con ver a su general a su lado, partiendo con él los peligros y las necesidades. Este ejército, todavía desnudo y pobre, había sufrido muchas bajas por las enfermedades, por los muertos y heridos de los combates pasados. Era ya un esqueleto en el campo de Bonza. Su vista, en vez de inspirar confianza, desanimaba a los que se habían hecho cargo del estado del enemigo, de sus recursos y del plan de defensa que habían adoptado. Es verdad que nadie desesperó del éxito de la empresa: pero también es verdad que era la presencia del general Bolívar la que daba vida y esperanzas a todos" (58).

En los primeros momentos el renombre del Libertador y la creencia de que llevaba un ejército numeroso había despertado el entusiasmo general, pero no bastaba la disposición favorable mostrada hasta entonces. Era necesario estimular la acción de los ciudadanos. Con este objeto Bolívar decretó en Duitama el 28 de julio la ley marcial, y según ella todos los hombres de 15 a 40 años, casados o solteros, en las provincias de Tunja, Casanare, San Martín, Pamplona y el Socorro, debían presentarse con sus caballerías al servicio en el término de 24 horas, bajo pena de muerte a los desobedientes. Los comandantes o alcaldes encargados de la ejecución sufrirían igual pena si mostraren omisión, tibieza o poca voluntad. Dado el carácter inflexible del Libertador juzgábase inevitable su cumplimiento, y el rigor necesario para evitar mayores males. "Es preciso, había escrito Bolívar años atrás, que el gobierno se identifique, por decirlo así, al carácter de las circunstancias, de los tiempos y de los hombres que lo rodean. Si estos son prósperos y serenos, él debe ser dulce y protector, pero si son calamitosos y turbulentos, él debe mostrarse terrible y armarse de una firmeza igual a los peligros, sin atender a leyes, ni

(58) Relación citada. Archivo de Santander II, 47.

constituciones, interín no se restablecen la felicidad y la paz" (59). Dulcificaba la tremenda medida la promesa formal de limitar el servicio sólo a quince días.

Esta providencia y comisiones enviadas a distintos lugares produjeron útil resultado: el ejército se engrosó con reemplazos y se formaron dos batallones nuevos. Por su parte el coronel Morales aunque perseguido en el Socorro por el valeroso comandante español Lucas González pudo enviar algunos reclutas al ejército. Al llegar estos al campo, en los momentos de reposo del ejército, recibían la instrucción necesaria. "Era espectáculo singular, escribe el general Santander, que mientras unas tropas tirotean al enemigo, lo divertían, y otras descansaban haciendo sus ranchos, los reclutas, en contínua instrucción, aprendían a manejar el fusil, a formarse en columnas, desplegar en batalla y todo lo demás que era indispensable. Al ruido de las balas y a la vista del enemigo, estos nuevos soldados se preparaban para concurrir a la más brillante jornada que presenta nuestra historia militar" (60).

Combate en los Molinos de Bonza
Ocupación de Tunja.

Recogidos ya cuantos reemplazos podía obtener, y debiendo por tanto buscar una solución rápida, el general Bolívar ordenó el 3 de agosto un movimiento de todas las tropas sobre los puestos avanzados de los españoles. En un momento la descubierta de caballería al mando del intrépido Leonardo Infante, arrolló completamente la del enemigo de 100 hombres situada en los Molinos de Bonza. El ejército español ante este avance violento evacuó precipitadamente la población de Paipa, y tomó posición a corta distancia en una altura, en la confluencia de los caminos de Tunja y el Socorro. Bolívar ocupó a Paipa, en la noche atravesó el puente y acampó en la orilla derecha del río Sogamoso. Este movimiento indicaba la intención de flanquear a los españoles y amenazar a Tunja. El 4 permanecieron los dos ejércitos casi a la vista, en sus respectivos campos. Por la tarde, para despistar a Barreiro, la infantería republicana repasó el puente, y a las ocho de la noche contramarchó, lo volvió a cruzar, y el ejército se dirigió a marchas forzadas por el camino de Toca, que conduce a Tunja

(59) Lecuna. Proclamas y Discursos del Libertador. Caracas. 1939. 16.
(60) Relación citada de Santander. Archivo de Santander II, 47.

dando un rodeo, pero a poco andar cruzó a la derecha, y a marchas forzadas siguió el camino directo de dicha ciudad. Andando toda la noche recorrió seis leguas, y a las nueve de la mañana del 5 entró al pueblo de Chibatá. El Libertador siguió adelante con la caballería y a las once ocupó a Tunja, haciendo prisionera su guarnición, y no cayeron en su poder el gobernador Don Juan Loño, y el 3º batallón de Numancia, porque en la madrugada habían marchado al ejército conduciendo tres piezas de artillería. A las dos de la tarde se reunieron en Tunja todas las tropas de Bolívar. En los almacenes del gobierno encontraron 600 fusiles, vestuarios, paños, medicinas, una maestranza y otros objetos.

Los españoles quedaron burlados a la espalda de los independientes, pero en conocimiento de su marcha, al amanecer del 5 retrocedieron hacia Tunja, por el camino principal de Paipa, y a las 5 de la tarde hicieron alto en el llano de la Paja a la vista de un destacamento de Dragones enviado a observarlos, después de la ocupación de la ciudad.

El general español debía recuperar sus comunicaciones con Santa Fé, cortadas por los independientes. A las ocho de la noche continuó su movimiento por el páramo de Cómbita, y el 6 a las nueve de la mañana entró en el pueblo de Motavita, legua y media al noroeste de Tunja. Los Dragones molestaron su retaguardia toda la noche y le hicieron prisioneros. Para cubrir a Santa Fe, Barreiro podía seguir el camino de Samacá, o el más recto e inmediato a Tunja, por el puente de Boyacá.

El ejército libertador había repuesto sus bajas, y aunque sabía los refuerzos de algunos cuerpos recibidos por los realistas después de la batalla del Pantano de Vargas, consideraba cierta la victoria (61).

Batalla de Boyacá.

Al amanecer del 7 las avanzadas dieron parte de que los españoles estaban en marcha por el camino de Samacá. Inmediatamente el ejército libertador se puso sobre las armas. El general Bolívar en persona desde el amanecer hacía un reconocimiento de la marcha de los españoles, y apenas se cercioró de que abandonaban el camino de Samacá y cruzaban a la izquierda con intención

(61) Boletín del Ejército Libertador, 6 de agosto. O'Leary XVI, 426.

de pasar el puente de Boyacá para recuperar sus comunicaciones, envió orden al ejército, formado con el arma al brazo en la plaza de Tunja, de marchar por el camino principal, para impedírselo o forzarlo a admitir la batalla.

A las dos de la tarde la primera división de Barreiro se acercaba al Boyacá, riachuelo angosto y hondo, cuando se dejó ver sobre una loma tendida la descubierta de caballería republicana. No juzgando Barreiro tan cerca al ejército insurgente la mandó a atacar con sus cazadores para alejarla del camino, mientras el ejército real seguía su movimiento. Bolívar aceleró la marcha del suyo, y con gran sorpresa de los españoles se presentó toda la infantería independiente en columna sobre una altura elevada respecto a su posición. Los cazadores españoles habían subido una parte del camino persiguiendo la descubierta y el resto del ejército estaba en el bajo, a un cuarto de legua (62) del puente y presentaba una fuerza de 3.000 hombres.

Dada la situación relativa de las tropas las independientes con solo avanzar podían dividir en dos partes el ejército real, separando la vanguardia del cuerpo de batalla: así lo dispuso el Libertador y se ejecutó con celeridad. El batallón de Cazadores, guiado por Santander desplegó una compañía en guerrilla y con las demás en columna atacó a los cazadores, y los obligó a retirarse precipitadamente hasta un paredón donde se sostuvieron, mientras los batallones 2° y 3° de Numancia y un escuadrón de caballería pasaban el puente. En seguida los cazadores siguieron el movimiento y toda la vanguardia española quedó en posición del otro lado. Entre tanto las columnas de infantería de los independientes descendían de las colinas y la caballería marchaba por el camino.

El cuerpo de batalla de los españoles compuesto de los batallones 1° y 2° del Rey, el del Tambo, el 1° de Victoria y de seis escuadrones, se movió un poco a su derecha y tomó posición en una suave altura. La línea española quedó rota y el intervalo de menos de un kilómetro, ocupado por los patriotas. En la izquierda de estos, los batallones 1° de línea y Cazadores de la Nueva Granada, y los Guías de Venezuela, a las órdenes de Santader, con-

(62) Así dice el parte oficial. Según planos modernos, a poco menos de un kilómetro.

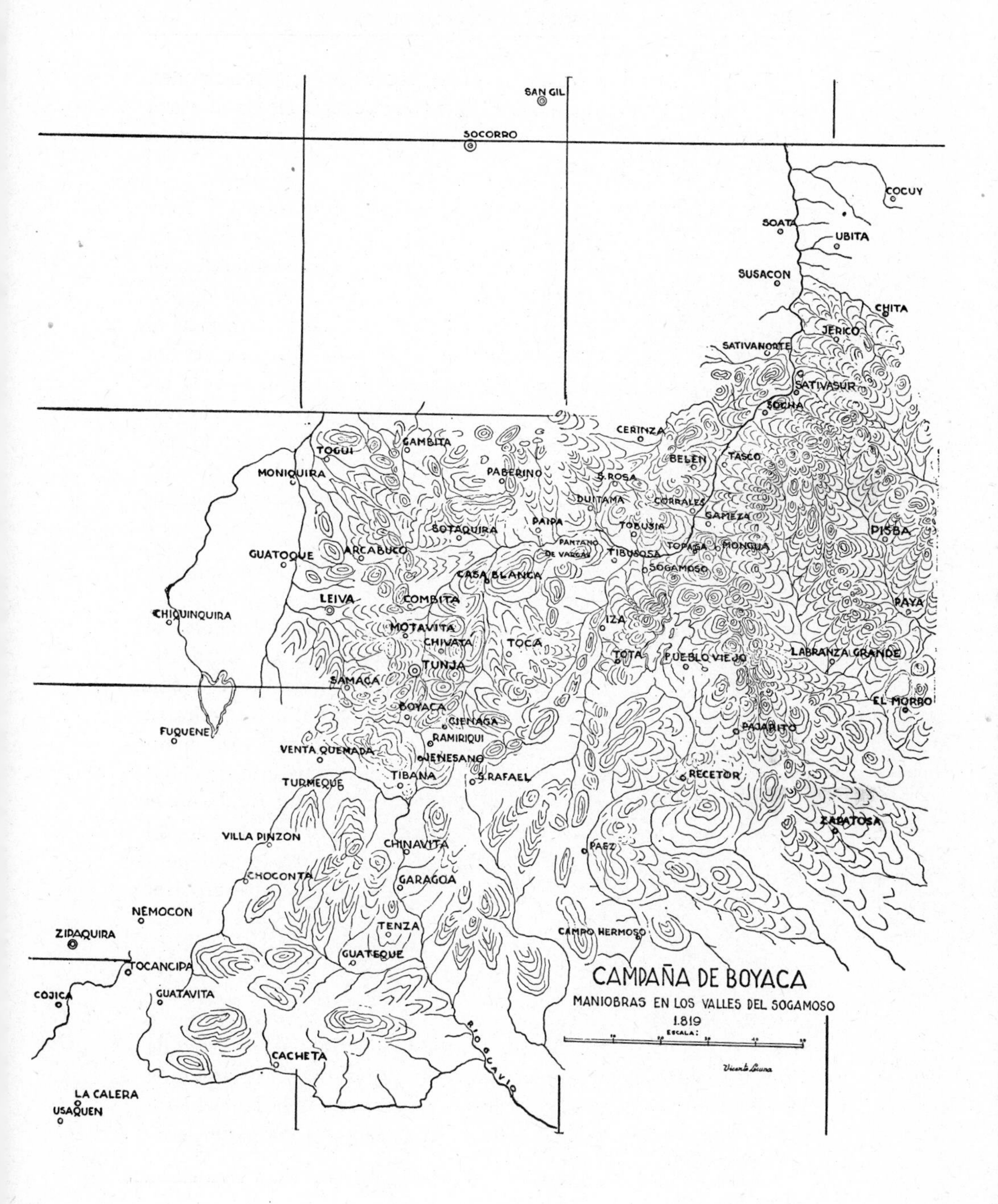
CAMPAÑA DE BOYACA
MANIOBRAS EN LOS VALLES DEL SOGAMOSO
1.819
ESCALA:
SAN GIL
SOCORRO
COCUY
SOATA
UBITA
SUSACON
CHITA
JERICO
SATIVANORTE
SATIVASUR
SOCHA
CERINZA
BELEN
TASCO
TOGUI
GAMBITA
PABERINO
MONIQUIRA
S. ROSA
DUITAMA
CORRALES
SAMEZA
TOBUSIA
PAIPA
SOTAQUIRA
PISBA
TOPAGA
MONGUA
PANTANO DE VARGAS
TIBASOSA
SOGAMOSO
ARCABUCO
GUATOQUE
CASA BLANCA
LEIVA
COMBITA
PAYA
CHIQUINQUIRA
IZA
MOTAVITA
CHIVATA
TOCA
TOTA
PUEBLO VIEJO
LABRANZA GRANDE
TUNJA
SAMACA
BOYACA
EL MORRO
CIENAGA
PAJARITO
FUQUENE
RAMIRIQUI
VENTA QUEMADA
JENESANO
TIBANA
S. RAFAEL
RECETOR
TURMEQUE
ZAPATOSA
VILLA PINZON
CHINAVITA
PAEZ
CHOCONTA
GARAGOA
NEMOCON
TENZA
CAMPO HERMOSO
ZIPAQUIRA
GUATEQUE
TOCANCIPA
COJICA
GUATAVITA
CACHETA
RIO GUAVIO
LA CALERA
USAQUEN

tenían desde la orilla del río a la Vanguardia de los españoles situada del otro lado. En la derecha la división Anzoátegui avanzó sobre el cuerpo de batalla regido por Barreiro. Este general movió hacia adelante un batallón con intención de aproximarse a su Vanguardia. Bolívar lanzó contra él los Rifles y una compañía inglesa, guiados por Anzoátegui, y tras corta lucha lo desalojaron de una cañada, donde intentó desplegar en guerrilla, y retrocedió hacia el cuerpo principal. Barreiro resignado a combatir separado de su vanguardia, formó sus tropas en columnas sobre la altura, con tres piezas de artillería en el centro, dos cuerpos de caballería a los costados y otros en reserva.

La división Anzoátegui se arrojó sobre el cuerpo enemigo: el batallón Rifles y una compañía inglesa a la izquierda, los batallones Barcelona y Bravos de Páez en el centro y la derecha, y el regimiento del Llano Arriba en segunda línea. Dirigiéndose a estos cuerpos en su avance, bajo el fuego, el general Bolívar los arengaba provocando su emulación y entusiasmo: a los criollos al lado de los ingleses los alentaba a mostrarse dignos de su antigua fama: a los ingleses a su vez los animaba atribuyendo a unos cuantos de su nación la valentía y disciplina de Rifles (63). El resto de Albión, o sea la legión británica, los lanceros de Venezuela, Dragones de Nueva Granada, y las columnas de Tunja y el Socorro, permanecieron en reserva. El ejército libertador contaba 3.000 hombres como el realista, pero sólo 2.000 eran veteranos.

La acción se hizo general. Las tropas de Anzoátegui despreciando los fuegos de los enemigos, avanzaban bajo nutridas descargas en perfecto orden: los realistas le oponían tenaz resistencia. Reforzado Anzoátegui con parte de la reserva, atacó con Rifles y toda la Legión Británica a la brigada de infantería española situada a la derecha de Barreiro, la derrotó y persiguió activamente. Barreiro lanzó contra él sus Granaderos a Caballo, todos españoles, mas cargados estos por el regimiento del Alto Llano de Caracas dirigido por Rondón, quedaron destrozados y desaparecieron del campo. Enseguida Anzoátegui reforzado con los Lan-

(63) Memorias del General Tomás Carlos Wright, oficial del batallón Rifles, en la batalla de Boyacá. Boletín de la Academia Nacional de la Historia, número 79, página 310.

ceros de Venezuela, envolvió el centro e izquierda de Barreiro completamente aislados, y trás ardiente lucha los arrojó de su posición. Barreiro trató de rehacer sus cuerpos en otra altura, pero rotos y envueltos fueron destruídos. Un escuadrón realista, hasta entonces en reserva, aguardó de lanzas caladas a los jinetes llaneros, y atacado con vigor fue batido completamente. Todo el cuerpo de batalla del ejército real, en derrota y cercado, rindió las armas. El soldado de Rifles Pedro Martínez capturó a Barreiro.

Casi simultáneamente el general Santander cargando con unas compañías del batallón de Línea y los Guías de Venezuela, al mando del primer edecán Diego Ibarra, atravesaba el puente y vencía la resistencia de la vanguardia española.

Con Barreiro cayeron prisioneros su segundo Jiménez y 1.600 soldados no heridos. En el campo quedaron más de 200 muertos y otros tantos heridos de los realistas. Las pérdidas de los independientes se estimaron en el parte dado al otro día en Venta Quemada en 13 muertos y 53 heridos, pero seguramente fueron mayores. "Nada es comparable —dice Bolívar en el boletín— a la intrepidez con que el señor general Anzoátegui, a la cabeza de dos batallones y un escuadrón de caballería, atacó y rindió el cuerpo principal del enemigo. A él se debe en gran parte la victoria. El señor general Santander dirigió sus movimientos con acierto y firmeza. Los batallones Bravos de Páez y 1º de Barcelona y el escuadrón del Llano Arriba combatieron con un valor asombroso" (64). El Libertador en persona persiguió a los fugitivos hasta Venta Quemada, donde pasó la noche. A la mañana siguiente ejecutó un acto de justa retribución, Francisco Fernández Vinoni, el infame traidor de Puerto Cabello en 1812, causante principal de las mayores amarguras y descrédito del héroe al principio de su carrera, reconocido entre los fugitivos capturados en la persecución, fue ahorcado en el acto por orden suya.

Liberación de Bogotá

El Libertador siguió el 8 hacia la capital con el primer escuadrón del Llano Arriba o sea del Alto Llano de Caracas, dejando órdenes sobre los movimientos del ejército, y el encargo especial

(64) Boletín del ejército libertador. O'Leary XVI, 428.

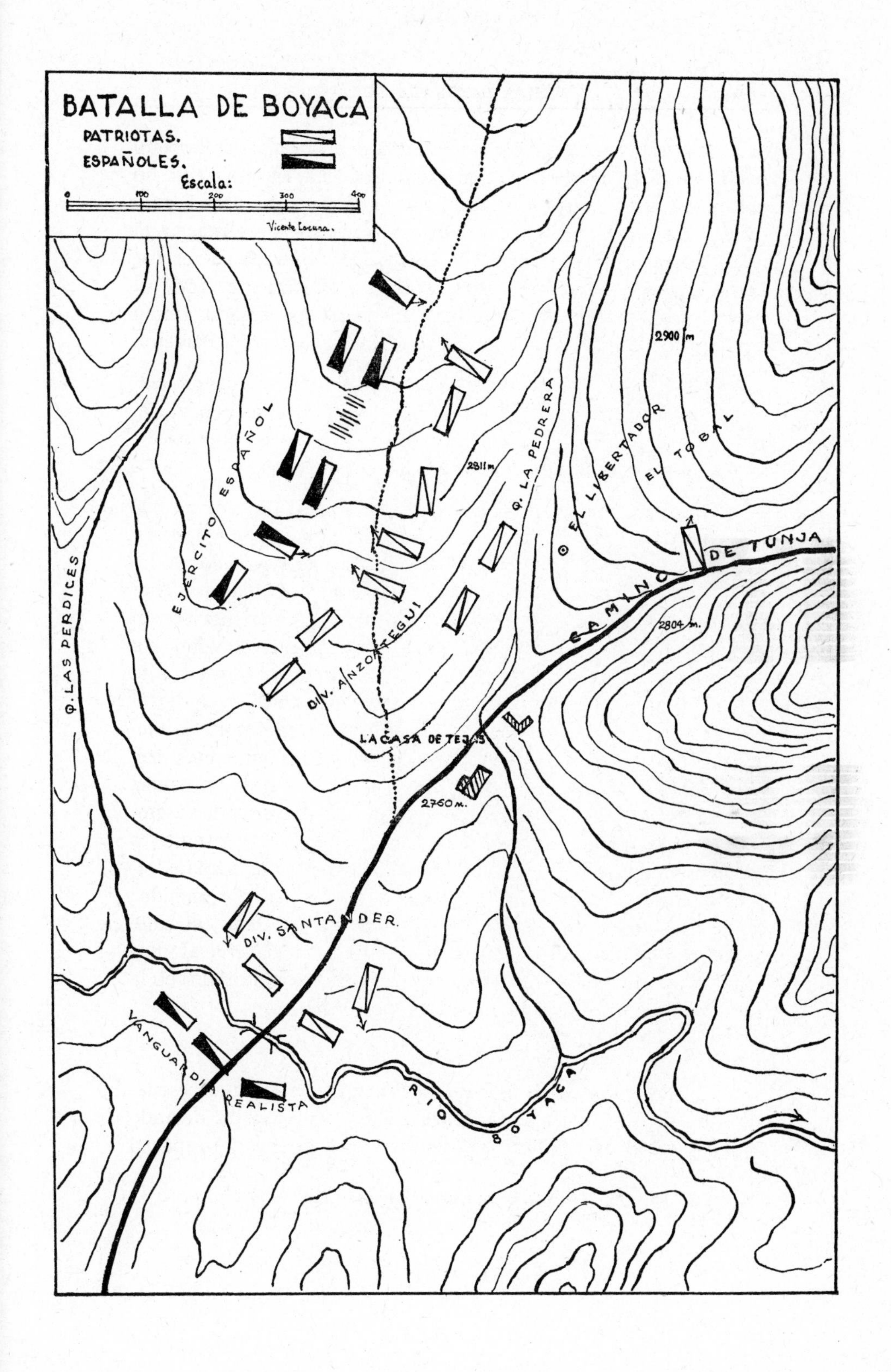

BATALLA DE BOYACA
PATRIOTAS.
ESPAÑOLES.
Escala:
0
100
200
300
400
Vicente Lecuna.
EJERCITO ESPAÑOL
Q. LAS PERDICES
DIV. ANZOATEGUI
Q. LA PEDRERA
2811 m
2900 m
EL LIBERTADOR
EL TOBAL
CAMINO DE TUNJA
2804 m.
LA CASA DE TEJAS
2760 m.
DIV. SANTANDER.
VANGUARDIA REALISTA
RIO BOYACA

de enviar sendas columnas, sin pérdida de tiempo hacia las provincias del Socorro y Pamplona. "El 10 por la mañana supo en el puente del Común la fuga del Virrey; inmediatamente despachó a Anzoátegui en su persecución, y con su estado mayor apresuró su marcha a Santa Fe, en donde entró a las cinco de la tarde en medio de las aclamaciones del pueblo, cuyos trasportes de alegría eran solo comparables a su sorpresa por la súbita cuanto inesperada transición de la más opresiva tiranía al goce de la libertad" (65).

Jamás se ha adquirido un triunfo más completo ni con más trabajo. A los seis meses justos de abierta la campaña en Apure, y a los 75 días de marcha desde el Mantecal, arrostrando toda clase de trabajos y sufrimientos, la victoria entregaba al héroe la parte principal del virreinato de la Nueva Granada, corazón de la gloriosa república soñada desde el comienzo de su carrera, y próxima a constituirse al calor de sus hazañas y de las virtudes de sus hijos.

Ningún día de su vida tan hermoso como el 10 de agosto de 1819, en medio de sus conciudadanos de Santa Fe de Bogotá, de los cuales se había despedido en la mañana del 23 de enero de 1815, diciéndoles que el recuerdo de su ciudad sería el consuelo de su corazón en los crueles infortunios de la guerra (66). Ahora volvía vencedor, veía asegurada la obra de su vida, y calculaba la influencia de tan gran victoria, en toda la América y en la Europa liberal. La suerte había cambiado por completo. La República constituída hasta entonces en la semidesierta Guayana y en unos llanos desprovistos de casi todo lo necesario a la vida civilizada, sería pronto una nación. Las amarguras sufridas en incesantes luchas contra enemigos superiores en fuerza, y contra la anarquía y la desidia, iban a cesar o por lo menos a reducirse en una gran proporción. Mariño y Páez no opondrían más inconvenientes a las disposiciones del Jefe Supremo. En adelante él crearía a Colombia, podría trabajar por su engrandecimiento, y llenaría los destinos de la América Hispana.

---

(65) O'Leary. Narración I. 578.

(66) Véase su proclama de 23 de enero de 1815. Lecuna Proclamas y Discursos, 131.

La persecución.

Si grandes fueron la habilidad y la energía para obtener la victoria, grande fue también la rapidez para sacar todo el fruto posible de ella. Dos factores poderosos obraron en el mismo sentido, el pánico que inspiraba a los españoles el nombre de Bolívar, y el acierto y la violencia de sus disposiciones. Del mismo campo de batalla y de Bogotá partieron columnas de tropas hacia el Norte, al Magdalena, a Antioquia, al Chocó y a Popayán y en pocos días quedaron libres estas provincias. El Virrey y los principales funcionarios del Gobierno huyeron de Bogotá el 9 de agosto hacia Honda, camino de Cartagena, custodiados por la Guardia de Alabarderos. Calzada se retiró a toda carrera hacia Popayán con 450 soldados del regimiento de Aragón. Al mismo punto se dirigió el coronel venezolano Nicolás López, uno de los principales tenientes de Boves, el cual pudo reunir en su fuga 683 hombres, entre ellos los Cazadores y Dragones de Granada, escapados del campo de Boyacá. Al saber el Libertador, a 6 leguas de Santa Fe, la huída del Virrey, dejando atrás su escolta, corrió hacia la capital, como hemos dicho, acompañado solamente de algunos de sus edecanes. Esa misma noche apareció en el cerro de Monserrate, inmediato a la capital, el coronel español Antonio Plá con 300 hombres procedente de los valles de Tenza, de donde se retiraba aterrorizado a consecuencia de la derrota. Este hombre había sido cruel en las campañas de Venezuela, especialmente después de la acción del Rincón de los Toros. Aterrado por el recuerdo de sus crímenes aun sabiendo que Bolívar estaba sin tropas en la ciudad no se atrevió a entrar a ella, retrocedió a Guasca y Guatavita en completa dispersión, y más adelante cayó prisionero con sus oficiales y fue conducido a Bogotá. El gobernador de Tunja, don José Loño, el jefe de estado mayor de Barreiro, comandante Esteban Díaz y otros jefes escapados de la batalla de Boyacá, corrieron con 266 hombres por la Palma en dirección de Guarumo en el Magdalena, perseguidos por una columna patriota. (67).

El general Anzoátegui marchó por la Sabana con medio ba-

(67) Esteban Díaz fue también jefe de estado mayor de los españoles en la batalla de San Félix. En el diario de Piar lo suponen muerto en la acción. Mas adelante fue también jefe de estado mayor en la batalla de la Ciénaga.

tallón y el escuadrón de Infante en persecución del virrey. El jefe llanero se adelantó a toda carrera y creyendo alcanzar la emigración en Honda, pasó a nado con sus jinetes el Magdalena, pero no logró su objeto, porque los emigrados iban navegando río abajo y se habían llevado todos los buques. Anzoátegui siguió por tierra hasta Nare y tomó muchos oficiales y soldados dispersos. Ambrosio Plaza, el experto jefe del batallón Barcelona, persiguió vivamente a Calzada, y a su segundo Basilio García, quienes sólo pudieron salvar 250 hombres de la guarnición de la capital. Purificación, Neiva y la Plata quedaron libres en los primeros días de setiembre. Hacia Antioquia partió a toda carrera el valeroso y enérgico teniente coronel José María Córdova. En el tránsito por el Magdalena dispersó una columna de 160 veteranos, tomo 76 prisioneros y entró a Nare el 25 de agosto. El Gobernador del Socorro, Lucas González, había contenido los progresos del coronel Morales, pero antes de llegar una columna enviada del campo de batalla, al tener noticia del desastre de Barreiro, emprendió precipitadamente la fuga por Mogotes y Capitanejo hacia Pamplona, y siguió a Cúcuta, precedido por el Gobernador de Pamplona don José Bauzá: y el coronel Pedro Fortoul ocupó esta provincia con un batallón formado sobre la marcha en Málaga y Concepción. El gobernador de Antioquia don Carlos Tolrá, espantado como sus colegas con la noticia de Boyacá, huyó el 20 de agosto a Zaragoza con 60 hombres, luego abandonó la provincia y siguió a Cartagena; las fuerzas locales se dispersaron en diferentes direcciones; el coronel Córdova avisó desde Medellín el 30 de agosto la libertad absoluta de toda la provincia. Apenas ocupó la capital destacó al capitán Juan María Gómez con una compañía a libertar la provincia del Chocó abandonada por el gobernador Aguirre, personaje de mala fortuna, aprehendido luego en las bocas del río Atrato y fusilado por los patriotas; poco después el guerrillero de Patía, Simón Muñoz, se presentó en las Juntas con 200 soldados realistas, fugitivos de Popayán, y asustado por la presencia del capitán patriota, regresó con su columna en dispersión al valle del Cauca. En este último los paisanos capitaneados por el teniente coronel Juan María Alvarez capturaron en su fuga al gobernador Domínguez y a 80 españoles el 2 de setiembre, cerca de Caloto, mataron a los principales y retuvieron a los demás prisioneros; y el general Joaquín Ricaurte, escondido en los bosques durante la dominación de los españoles, acaudillando numerosos grupos patriotas, formados espontáneamente, obligó a rendirse, en el llano de Juanito, cerca de Buga, al capitán de Húsares Miguel Rodríguez el 29 de setiembre, enviado por Calzada desde Popayán con 200 hombres a someter los revoltosos. A consecuencia de este desastre Calzada abandonó la ciudad el 5 de octubre y se retiró a Pasto. Días de angustia, por desórdenes de los vencedores, sufrieron los pueblos del Cauca, hasta la llegada a Popayán del coronel Joaquín París, destacado por Bolívar con 300 soldados veteranos. Las nueve provincias de Santa Fe, Tunja, El Socorro, Pamplona, Neiva, Mariquita, Antióquia, el Chocó y la mayor parte de Popayán quedaron libres (68).

Organización del Estado en la Nueva Granada.

Bolívar dió al Estado de la Nueva Granada la misma organización sencilla probada en el de Venezuela, como más conveniente para la prosecución de la guerra. Por decreto de 17 de agosto estableció en cada provincia un comandante general encargado de las funciones gubernativas, la alta policia, el mando de las tropas, y de presidir la municipalidad; y un gobernador político con atribuciones de juez de primera instancia y de jefe de la baja policía (69). El mismo día promulgó un reglamento para las causas de bienes secuestrados, y poco después dispuso la manera de rescatar dichos bienes por su valor en dinero.

El 11 de setiembre debiendo dar a las provincias libres un gobierno provisional, mientras la representación nacional resolviera la forma permanente del Gobierno, dispuso encomendar en su ausencia, el gobierno a un vice-presidente, con las mismas atribuciones señaladas por el Congreso al de Venezuela. Como era de esperarse el cargo fue conferido al general Santander por sus servicios y dotes eminentes, así como por su origen.

Esta organización, de acuerdo con las ideas de Bolívar, conocidas desde 1813, acerca de la necesidad de establecer un gobierno central, merecieron aplausos de cuantos estaban desengañados de los inconvenientes del sistema federal. La Gaceta de Santa Fe, reprodujo con elogios la manifestación en ese sentido,

(68) Restrepo II. 540 a 548. Correo del Orinoco Números 44 y 46.
(69) Decreto de 17 de agosto. O'Leary XVI, 434.

dirigida al Libertador, el 3 de setiembre, por el notable ciudadano José Manuel Restrepo, gobernador político de Antióquia (70).

La Suprema Corte de Justicia se estableció pocos días después semejante a la de Angostura. Los dos Estados regidos por un solo Jefe Supremo y por las mismas leyes podían fundirse fácilmente en una sola República.

En cuanto a la organización fiscal el Libertador dispuso, conservar los mismos establecimientos de rentas existentes al tiempo de libertarse las provincias, mientras las observaciones del tiempo indicaran las reformas convenientes. Era la manera de tener rentas sin exponerlas a ensayos improvisados.

Respecto a las rentas decimales dispuso centralizarlas en la tesorería eclesiástica, según el método tradicional, anulando así una disposición contraria de Sámano, y reservando al Estado, tomar de ellas cantidades en calidad de suplementos, para atender a necesidades de la guerra.

Suprimió las contribuciones extraordinarias impuestas por los españoles, gravosas a los pueblos, y para nivelar el presupuesto eliminó empleos de escasa utilidad y dotó los demás moderadamente. A fin de estimular la industria minera puso en práctica por primera vez recomendaciones del Barón de Humboldt a ese respecto. Sólo ordenó la confiscación de una pequeña parte de los bienes de emigrados, y dió plenas garantías a los realistas resueltos a permanecer en el territorio libertado. Declaró válidos los contratos celebrados durante la dominación española aun cuando en algunos casos el Estado podía alegar derechos contra ciertos bienes. Un decreto restituyó a sus dueños los secuestrados por el Gobierno español. Otro repuso en sus destinos a los funcionarios destituidos por este último, fieles a sus deberes de buenos ciudadanos. En todas sus disposiciones mostró el espíritu de orden, de economía y de método, característico de su administración, cuantas veces pudo destinar algún tiempo a estas labores.

En la Casa de Moneda se hallaron algunos fondos, pero no el millón de pesos anunciado al Vice Presidente Zea para pro-

(70) Correo del Orinoco Número 44.

ducir efecto (71). El Fisco naturalmente se resintió del trastorno general y la guerra exigía grandes sumas. El ilustrado ciudadano Luis Eduardo Azuola, Director General de Rentas, explicó en una memoria la situación de ruina de las Provincias y de sus recursos agotados por las exacciones del gobierno español, y en resumen propuso dos empréstitos, uno de la masa de Diezmos, sin garantía especial y otro del comercio y particulares con hipoteca de la Casa de Moneda. El Libertador renuente a empeñar las rentas no los aprobó, aun cuando había apelado en menor escala a recursos análogos y volvió a usarlos poco después. En efecto días antes de recibir este informe dispuso de todos los ingresos de las provincias del Socorro, Tunja y Pamplona los cuales se remitirían semanalmente a su cuartel general, establecido a la sazón en Vélez, para atender a los gastos del ejército del norte, carente de todo; y así mismo también debían enviársele los productos de dos donativos de 40.000 pesos, en cada una de las citadas provincias, uno exigido a los ciudadanos, y otro a la masa de Diezmos, en calidad de reemplazo este último, es decir como anticipo (72). A fin de dedicar la mayor cantidad de dinero a la guerra, los sueldos de los empleados del gobierno se redujeron a la mitad. A algunos párrocos hostiles a la República y de recursos monetarios, impuso multas de 10.000 pesos.

Desde los primeros días Bolívar envió a Venezuela 170.000 pesos con el capitán Domingo Ascanio, para compras de armamentos y a Soublette, encargado del ejército del Norte le remitió 50.000 pesos con el capitán llanero José Bolívar, sumas enormes para aquellos tiempos, y en circunstancias tan difíciles, pero indispensables para llevar adelante las armas de la República.

El 9 de setiembre propuso al virrey Sámano el canje de los prisioneros de Boyacá por ingleses caídos en Portobelo y prisioneros de estado existentes en Cartagena. Pero esta propuesta generosa y humanitaria quedó sin repuesta como tantas otras análogas en épocas anteriores, hechas a mandatarios tan torpes y egoistas como Sámano.

---

(71) Según noticias no oficiales de los realistas, en la Casa de Moneda dejaron 700.000 pesos en moneda extinguida o feble, 20.000 en pastas de oro y plata del Rey y de particulares, y mas de 80.000 en moneda acuñada. Cartas interceptadas. Correo del Orinoco, N° 41. O'Leary XVI, 432.

(72) O'Leary XVI, 476 y 479.

Los padres capuchinos habían abandonado el convento de la capital y sus propiedades. Bolívar los destinó por decreto de 17 de setiembre a un colegio de Educación para Huérfanos; y a los pocos días hallándose en Leiva concedió una pensión a las Religiosas del lugar, mientras restablecían sus rentas.

Operaciones sobre Venezuela. Exacciones indispensables. Motivo de la guerra a muerte.

Simultáneamente con la persecución de los vencidos y la ocupación de las provincias el Libertador tomó medidas activas para formar un ejército en la frontera del virreinato y enviar tropas a Venezuela. Con este objeto Soublette partió para Tunja. El 31 de agosto reunió en esta ciudad los batallones Tunja, 1º de Línea de Nueva Granada y Boyacá. De todas las provincias vecinas debían enviarle reclutas, pero estos no llegaron al ejército en las cantidades dispuestas sino lentamente y en partidas pequeñas. Pocos días después avanzó hasta Pamplona donde se le reunieron un escuadrón de Guías, el batallón Bravos de Páez y otro denominado Pamplona de reciente creación, encomendado al valeroso comandante cubano José Rafael de las Heras.

Quería Bolívar aumentar estas tropas con reclutas y los batallones existentes en Bogotá, a fin de establecer sólidamente un ejército adelante de Cúcuta y enviar una división fuerte por la montaña de San Camilo, a reunirse a la división de Páez en el Apure.

El deseaba hacer otro Boyacá en Venezuela, mas atravesáronse obstáculos de todo orden señalados por nosotros próximamente en su lugar. El mayor era por el momento la falta de fusiles en la Nueva Granada y las dificultades para conducirlos de Venezuela, por lo cual no se podían levantar fuerzas suficientes para dejar defendida la frontera de Cúcuta y era forzoso mantener en ella la división de Anzoátegui, en vez de llevarla a reforzar el ejército de Venezuela, como también lo deseaban casi todos sus hombres, oficiales y soldados, para regresar a sus hogares (73). La escasez de dinero requería medidas enérgicas y violentas, dolorosas, pero indispensables y naturalmente el vice-presidente por

(73) Lecuna. Cartas del Libertador. A Santander del 14 de noviembre. II, 119.

razones locales objetaba algunas de ellas. "Muchos días ha, le escribía Bolívar, que deseaba contestar a Vd. sobre sus observaciones con respecto a mis órdenes de empréstitos, de diezmos y donativos. Vd. debe hacerme la justicia que ninguna de las observaciones que Vd. me hace haya podido escapárseme: son obvias y generales. Y también debe hacerme la justicia que cuando yo empleo semejantes medidas es porque las conceptúo de urgente necesidad. Las grandes medidas para sostener una empresa sin recursos, son indispensables aunque terribles. Recuerde Vd. los violentos resortes que he tenido que mover para lograr los pocos sucesos que nos tienen con vida. Para comprometer cuatro guerrillas, que han contribuido a libertarnos, fue necesario declarar la guerra a muerte; para hacernos de algunos partidarios fieles necesitamos la libertad de los esclavos; para reclutar los dos ejércitos del año pasado y este tuvimos que recurrir a la formidable ley marcial, y para conseguir 170.000 pesos que están marchando para Guayana, hemos pedido y tomado cuantos fondos públicos y particulares han estado a nuestro alcance" (74).

Combate del Alto de las Cruces.

Soublette tenía orden de dirigirse a Cúcuta y no arriesgar combate sino contra fuerzas inferiores. En caso de amenazarlo tropas españolas superiores a las suyas debía replegar hasta encontrar a Bolívar quien al mismo tiempo saldría de la capital con los batallones de la división Anzoátegui reservados en Bogotá. Corrían noticias de que Morillo marchaba sobre la Nueva Granada con 3.000 veteranos, pero según otros datos sólo había avanzado hacia el Reino, una columna al mando de La Torre, y esa era la verdad.

En efecto este general marchó desde Barinas con el batallón Nº 1 de Navarra, constante de 356 hombres de armas y 200 reclutas. Incorporando 70 soldados del batallón del Tambo conducidos de Pamplona por Bauzá, y 180 veteranos de Lucas González del Socorro, sumaba 806 combatientes. Con ellos se adelantó La Torre hasta el río Táchira mientras Soublette llegaba a Cúcuta. La vanguardia de los españoles fue arrojada del Rosario tras un violento combate. La Torre se retiró al Alto de las Cruces, en el ca-

(74) Lecuna. Cartas del Libertador; a Santander del 1º de noviembre. II, 113.

mino de San Antonio a Capacho, y allí fue atacado por Soublette el 23 de setiembre, y después de varias horas de fuego se separaron los contendientes a sus posiciones anteriores, con la ventaja para los patriotas del desaliento del español, convencido de la inferioridad de sus tropas, y de su retirada hasta la Grita, y dejar franco el camino de Venezuela, por la vía de San Cristóbal, San Camilo y Guasdualito. Soublette perdió 65 hombres entre muertos y heridos y La Torre un poco menos.

A través de la selva.

El Libertador dió a un tiempo varias órdenes a Soublette, a saber: marchar al Alto Apure a través de la inmensa selva de San Camilo, con pocos veteranos y muchos reclutas distribuídos en cuatro cuerpos; mandar por ganados a Guasdualito, ofrecer a la tropa repartiles dinero más allá de la montaña; dejar parte de sus fusiles en Cúcuta, reforzar sus cuatro batallones con los reclutas conducidos hacia su campo por los comandantes Vargas y Mellado, fijar a cada uno 500 plazas, y reunirse a Páez en el paso de Quintero en el Apure, donde recibiría fusiles de repuesto. Al coronel Galea dió orden de marchar de Casanare, pena de la vida, con 300 jinetes y ganados en auxilio de Soublette (75). Los primeros de estos movimientos se ejecutaron puntualmente, y al llegar al Alto Apure, la división Soublette, por orden de Páez, siguió a la isla de Achaguas a reponerse.

Viaje del Libertador.

Terminados los arreglos administrativos e investido Santander del Gobierno, partió Bolívar el 20 de setiembre hacia Venezuela. En Bogotá dejó de reserva el batallón Granaderos de la Guardia y cuatro escuadrones. Rápidamente llegó a Tunja y Puente Real, luego siguió a Vélez (28 de setiembre), el Socorro (4 de octubre), San Jil (8 de octubre), Barichara (9 de octubre), Pie de Cuesta (12 de octubre), Girón (13 de octubre), Bucaramanga (14 de octubre), y Pamplona (19 de octubre). En cada una de estas villas y ciudades deteníase pocos días a dar disposiciones sobre la administración y la guerra.

Su tránsito por las provincias le proporcionó grandes satis-

(75) Oficio de Bolívar a Soublette, 13 de setiembre. O'Leary XVI, 458.

facciones. En todas partes recibió testimonios de gratitud, de amor y de confianza. Grupos de gentes entusiasmadas le obstruían el paso en los caminos. Arcos triunfales, flores, aclamaciones, himnos, coronas puestas sobre su cabeza por jóvenes bellas, y abrazos a punto a ser sofocado, fueron el premio de tantos trabajos y fatigas. (76).

Ya adelantado en el viaje resolvió atravesar la Cordillera por Chita, bajar a Pore, seguir a Arauca, embarcarse en este río hacia el Bajo Apure y en el Orinoco para Guayana.

Disposiciones militares.

De la ciudad del Socorro ordenó a Anzoátegui, de regreso de la persecución al Virrey, marchar a Pamplona a hacerse cargo del ejército del Norte, trayendo los reclutas, las altas de los hospitales y un escuadrón de Húsares Ingleses al mando del coronel Mackintosh, denominado Albión, compuesto de oficiales, cabos y soldados de la Legión Británica, montados en mulas, para no cansar los caballos, pero luego el cuerpo fue transformado en batallón de infantería conservando su nuevo nombre. Este ejército tendría por base los batallones Bravos de Páez, denominado Vencedor en Boyacá, Rifles, Vargas y la caballería del Alto Llano de Caracas, y situado en Pamplona por el momento se le confiaba la misión de vigilar al Táchira, al Magdalena y a Ocaña. Tunja y el Socorro le suministrarían raciones y reemplazos.

También dispuso una organización muy útil practicada en parte solamente por falta de cooperación. Tal fue el establecimiento en las provincias granadinas de depósitos de reclutas, y de academias militares de 24 aspirantes cada una, encomendadas a oficiales retirados, inútiles para el servicio activo.

De Pamplona ordenó a Soublette, adelantado ya en la montaña de San Camilo, dejar el mando de su división al coronel Justo Briceño, seguir solo por Apure y Guayana al Oriente de Venezuela y llevar las tropas de esta región al Bajo Apure a reunirlas con las de Páez y la división confiada a Briceño.

La concentración debía efectuarse lo más tarde el 15 de fe-

(76) Oficio de Bolívar a Santander, 26 de setiembre. O'Leary XVI, 473.

brero, a fin de abrir el Libertador en persona las hostilidades contra el ejército de Morillo ese mismo día. En el Oriente no quedarían sino cuerpos de caballería con Monagas y Zaraza. Soublette debía apurar el viaje de Urdaneta al cuartel general, y ordenar a Valdés trasladarse volando a Bogotá a tomar el mando de una división en la Nueva Granada. A este país se enviarían por Apure y San Camilo cuantos fusiles y municiones hubiera en Guayana. El Vice-Presidente Zea tenía el encargo de comprar armamento con el dinero remitido de Bogotá. Al Apure se enviaron géneros, agujas e hilo para confección de vestuarios.

Hallándose Bolívar en viaje hacia Venezuela, Santander ordenó el 11 de octubre el fusilamiento de Barreiro y de sus 38 oficiales prisioneros, sin esperar la contestación del Virrey a la propuesta de canje enviada a este funcionario por el Libertador. La debilidad del Gobierno y el temor a una reacción realista fueron las causas de esta medida criticada por muchos como cruel e inútil. Había una razón fuerte de equilibrio político. Santander no se sentía seguro y juzgaba necesario aterrorizar a los adversarios. Lo mismo hicieron Páez en Apure cuando mandó a degollar al ilustrado coronel López y sus compañeros, y Piar en San Félix con Cerruti y demás prisioneros de la batalla.

Nueva irrupción de La Torre. Muerte de Anzoátegui.

Antes de regresar el Libertador a los llanos, La Torre después de haberse retirado hacia Mérida, había vuelto a la Grita, con algunos refuerzos. Para disipar la alarma, Bolívar tomó medidas oportunas, dió una proclama desde Pamplona, el 2 de noviembre, y logró inspirar confianza a las poblaciones: la alarma había sido infundada. Las tropas de La Torre apenas alcanzaban a 1.200 hombres, y los planes de Morillo según se pudo conjeturar, se reducían a sostenerse a la defensiva, mientras llegaran socorros de la Península. La Torre avanzó hasta la línea del Táchira y allí se detuvo. La división del Norte tenía su cuartel en Pamplona y avanzadas en Chinácota y Bochalema.

Además de las operaciones dispuestas en Venezuela Bolívar meditaba otras en la Nueva Granada. A Margarita había empezado a llegar una numerosa legión de irlandeses, contratada por el general D'Evereux y la mejor manera de utilizarla era en una expedición marítima a Río Hacha o Santa Marta. Al mismo tiempo urgía libertar a Maracaibo, entrada cómoda a las mesetas granadinas incomunicadas con el mar, y Anzoátegui luego de obligar a La Torre a retirarse podía marchar a dicha plaza por Ocaña, Chiriguaná y el Valle de Upar. Bolívar tenía dispuestas las órdenes correspondientes cuando recibió en Chita el 19 de noviembre la terrible noticia de la muerte de Anzoátegui, ocurrida en Pamplona cuatro días antes. Lo sintió como amigo y hombre público tan hondamente como había sentido a Girardot. El amaba a Anzoátegui por sus virtudes políticas y dotes guerreras. Probado en muchas campañas y combates, se le consideraba con razón una de las principales columnas del Estado, y desaparecía cuando solo tenía 30 años de edad. El ejército de la Nueva Granada guardó luto por ocho días y el Libertador dispuso mantener siempre su nombre en el ejército dándoselo a un batallón selecto. Por lo pronto lo reemplazó con el coronel Salom, y suspendió las disposiciones relativas a la expedición a Maracaibo.

Marchando velozmente Bolívar llegó a Pore el 22 de noviembre, el 28 a Arauca, y el 5 de diciembre a Achaguas. El día 3 se había visto con el general Páez cuando éste, en marcha hacia Barinas, se dirigía a atravesar el Apure. Pero antes de exponer los actos del Libertador en Venezuela debemos resumir los principales acontecimientos ocurridos en su territorio durante la campaña de la Nueva Granada.

II

Sucesos en Venezuela

Asuntos exteriores.

Los Estados Unidos mantuvieron su neutralidad durante todo el curso de la revolución hispano americana; en consecuencia admitían los buques de uno y otro partido indistintamente, sin permitir a los insurgentes ningún acto desagradable a España. El Presidente Monroe no quiso recibir como agente de Venezuela ante su gobierno, al general Lino de Clemente, bien por no estar reconocida nuestra independencia por los Estados Unidos, o bien por la participación inconsulta de este buen ciudadano a nombre y sin poderes de Venezuela, en una protesta contra la ocupación por los Estados Unidos, de la Isla Amelia en la costa de Florida, asiento de la república pirática de Luis Aury. Aunque el Vice-Presidente Zea deseaba enviar otro agente a Washington no había encontrado los medios ni la persona conveniente.

Decretado por el Congreso el envío a Londres de dos diputados a negociar un empréstito, la elección recayó en los señores Peñalver y Róscio, pero luego fue reemplazado este último por el coronel Vergara, con el objeto de enviar un venezolano y un granadino; los dos diputados partieron a Inglaterra.

En este año corrió con mala fortuna una expedición inglesa. La goleta Gambier en viaje de Londres con el armamento de la expedición de Elsom y 600 quintales de pólvora naufragó en la isla de Cangrejos, cerca de Guayana salvándose únicamente los hombres (77).

Un suceso característico de la política de los Estados Unidos en aquella época respecto a las nuevas repúblicas ocurrió en este período. Se recordará que el agente Irvine no vino a Angostura a trabajar por la causa general de América, sino a reclamar dos goletas capturadas una al entrar y otra al salir del Orinoco, por llevar víveres a la plaza sitiada de Angostura, contraviniendo al bloqueo decretado por Venezuela. El Libertador rechazó enérgicamente tan injustas pretensiones y el agente regresó a su país, pero el gobierno de Washington no se conformó y envió a repetir el reclamo al Comodoro Perry, el cual dejó su corbeta en Trinidad y vino en una goleta de guerra, propia para atravesar las barras del Orinoco y ancló en Angostura el 26 de julio. El Vice-Presidente Zea condescendió en cuanto a entregar o indemnizar a las goletas Tigre y Libertad, conforme al artículo 33 de la ordenanza de corso del gobierno español, respecto a las embarcaciones aun cuando condujeran géneros embargados pertenecientes a enemigos, o para proveer alguna plaza bloqueada por mar o tierra. Se condescendió igualmente en restituir o indemnizar el cargamento de la goleta Tigre por no ser efectos de contrabando, ni comestibles para la plaza enemiga bloqueada, conforme al mismo artículo; pero se denegó la restitución o indemnización del cargamento de la goleta Libertad, todos comestibles destinados a plaza enemiga

(77) Oficio de Zea, 8 de junio de 1819. O'Leary XVI, 397.

bloqueada; mas con la salvedad de dejarlo libre si se encontraban disposiciones favorables al caso en las leyes o la práctica de las demás naciones marítimas (78). Este fue el primer acto de fuerza de los muchos ocurridos después contra nuestros países indefensos, y el primer acto de debilidad de nuestra lamentable diplomacia.

Combate de Cantaura.

En abril y mayo Mariño recorrió parte del Alto Llano de Caracas y de los llanos de Barcelona, persiguiendo a las partidas enemigas, y reuniendo guerrillas y reclutas. Luego regresó al Pao a esperar refuerzos. El Comandante Arana, encargado por Morillo de cubrir a Barcelona avanzó a los llanos del Sur contra él. El 6 de junio sorprendió unas guerrillas en Santa María de Ipire e impuesto de hallarse Mariño reuniendo tropas en San Diego de Cabrutica marchó en su busca. Arana llevaba el batallón La Reina y varias columnas locales de infantería y caballería en junto 702 infantes y 112 jinetes mal montados (79).

Mariño había reunido los contingentes de Monagas, Sedeño, Zaraza y Rojas y contaba 900 fusileros y 400 jinetes de lanza. Arana marchando día y noche, entró al Pao el día 10 en la esperanza de apoderarse de una caballada de los insurgentes, pero no habiéndolo logrado incendió el pueblo y contramarchó al Chaparro; en su retirada anduvo lentamente y el 12 lo alcanzó Mariño en el hato de la Cantaura con sólo 80 jinetes. Cargado el jefe independiente por los jinetes realistas, se retiró, volvió caras y los puso en derrota. Arana continuó la retirada, primero por sabanas despejadas y luego por el cauce, seco a la sazón, del río Unare, y protegido por sus bosques. Mariño lo persiguió vivamente en el espacio de cinco leguas, y asaltándolo con sus infantes por los claros del bosque le causó graves daños. En el Chispero suspendió la persecución por la caída de la noche. Los patriotas tuvieron 24 muertos y 47 heridos. Arana perdió 162 hombres entre muertos y

(78) Oficio de Zea, de 8 de setiembre. O'Leary XVI, 449. El comodoro Perry subió a Angostura en la goleta de guerra Nunsuch, al mando del teniente Claxton que lo acompañaba. Correo del Orinoco No. 35. Véase en el Archivo Santander la crítica de Róscio. III, 242.

(79) Morillo al Ministro de la Guerra. 2 de julio. Rodríguez Villa, IV. 37.

dispersos y logró salvar 91 heridos (80). Mariño fatigado no continuó la persecución y al día siguiente recibió orden de Bolívar, trasmitida por Zea de entregar el mando del ejército a Bermúdez, y sin esperar a este general lo encomendó a Sedeño. Bermúdez no llegó al campamento sino el 7 de julio cuando Arana retirado a Onoto, había recogido muchos de sus dispersos y estaba a punto de recibir un refuerzo enviado por Morillo.

Urdaneta en Barcelona, ataque a Cumaná.

En vista de la resistencia de Arismendi a obedecer las órdenes del Gobierno, de la comprobación jurada del delito y previa consulta con el asesor Narváez, Urdaneta lo redujo a prisión el 28 de mayo y lo envió a la capital Angostura a rendir cuenta de su conducta. Completada por fin la expedición inglesa hasta contar 1.200 hombres incluyendo una partida de alemanes y otra de venezolanos, Urdaneta se dirigió en la escuadra a Barcelona, en los primeros días de julio, ocupó la ciudad el 17 sin resistencia, por haberla evacuado el enemigo, y enseguida el almirante Brión con sus marinos tomó por asalto el promontorio del Morro, viéndose el caso singular de no poder auxiliarlo el general Urdaneta, porque embriagados los ingleses declararon no obedecer si no se les dejaba saquear la ciudad, salvándose esta por la firmeza de Urdaneta y el apoyo de los alemanes del mayor Freudenthal y de los criollos del comandante Cala. Muchos ingleses quejosos de incumplimiento de sus contratas, desertaron hacia Cumaná, pero batidos por la guerrilla de Santa Fe, murieron 19 en el combate, 18 cayeron prisioneros y muchos fueron fusilados.

El 18 de julio la escuadra española compuesta de las corbetas Ninfa y Descubierta, un bergantín goleta, las goletas Morillo y Conejito y dos faluchos, se acercó al Morro a reconocer los independiente, más perseguida por Brión con 12 buques, entre mayores y menores, como tantas otras veces, esquivó el combate y se refugió en Cumaná. Brión regresó a Barcelona (81).

Quince días pasó Urdaneta en esta ciudad sin lograr comunicarse con Bermúdez. Agotándose los víveres partió el 1º de agosto

(80) Partes de Mariño, Blanco y Azpúrua, VI, 682; y de Arana, Rodríguez Villa, IV, 37. Mémoires du general Morillo. París 1826. 223.

(81) Correo del Orinoco No. 37.

en la escuadra rumbo a Cumaná, desembarcó en Bordones el 2, atacó la plaza el 5 y después de tres días de tentativas inútiles y sangrientas, sostenidas por los ingleses bajo el mando de Valdés con intrepidez y audacia, se retiró hacia Maturín.

La división de Oriente.

El 25 de julio movió el general Bermúdez tardíamente sus tropas de San Diego hacia la Villa de Aragua donde llegó el 2 de agosto precisamente cuando Urdaneta cansado de esperarlo, se había retirado de Barcelona y desembarcaba en Bordones. El 4 se hallaba Bermúdez en el Carito y el 6 entró en aquella ciudad.

Arana reforzado primero con el 2º de Navarra y luego con el 2º de Valencey a cargo de Pereira, cedió el mando a este jefe y juntos avanzaron sobre Barcelona. Aunque Bermúdez disponía de 1.300 hombres, escaso de municiones, no podía empeñar combate en forma con estos dos cuerpos veteranos, por lo que después de resistir con éxito el 11 un ataque en el puente de Barcelona, se retiró por los altos de Conoma hacia Cumaná, a cuyas cercanías llegó el 15 y el 18 entró a Cumanacoa. Estas operaciones fueron tan inútiles como las de Urdaneta cuando uniéndose ambos jefes podían batir a Pereira y Arana y poner en conmoción la capitanía general. El coronel A.J. de Sucre, jefe de estado mayor de Bermúdez, no tenía influencia en la dirección de las operaciones, por el carácter indomable de su general. Pero no fue de Bermúdez toda la culpa. Su presencia al Sur de Barcelona con un cuerpo fuerte era sabida, por tanto Urdaneta debió preferir esta vía para sus marchas antes de ir a estrellarse inútilmente en Cumaná y dar el largo rodeo de Maturín para conducir las tropas a Guayana o al Apure.

Montes continuó hostilizando las comunicaciones de Cumaná y sus convoyes. Los realistas de Carúpano, al mando del coronel Lorenzo y del capitán Sevilla, batieron el 23 de diciembre a los patriotas de Güiria y Yaguaraparo, establecieron una guarnición en este pueblo y regresaron a sus cuarteles, pero reaccionados los insurgentes lo recuperaron y avanzaron de nuevo sobre Río Caribe y Carúpano.

En los llanos de Barcelona, después de la retirada de Bermúdez, los realistas dueños otra vez de la capital volvieron a avanzar, y sostuvieron choques con las guerrillas de Monagas en Onoto y San Mateo. Luego siguieron al mando de Pereira al Paso Real de Suata, quemaron el pueblo de San Diego y divididos en dos columnas se retiraron unos a las órdenes de Arana hacia Onoto y otros a las de Pereira al Chaguaramal de Perales. Al mismo tiempo, los del Alto Llano de Caracas se extendieron al sur de Chaguaramas y la Pascua, pero rechazados por las partidas de Zaraza y Sedeño, retrocedieron a sus cuarteles de Orituco.

Combate en La Cruz.

En Barinas se hallaba la 5º división a cargo del coronel Antonio Tovar, compuesta del regimiento de Barinas y de varios escuadrones, en junto 1.000 hombres. El batallón Nº 1 de Barinas al mando del coronel Juan Tello estaba de guarnición de Nutrias. Con el objeto de hostilizarlo Páez se puso en marcha desde Achaguas el 10 de julio, con una columna de 300 infantes venezolanos e ingleses y 700 jinetes, lanceros y carabineros, de su guardia. Varios días después devolvió los infantes, imposibilitados de marchar adelante, por estar anegadas las sabanas, y siguió con la caballería en dirección de Guanare. Para cubrir su marcha previno a Aramendi avanzar con su regimiento sobre Barinas a distraer la descubierta batida pocos días antes por el mismo Aramendi en Obispos.

Andando con lentitud por las innundaciones Páez llegó el 21 al pueblo de La Cruz, a diez leguas de Nutrias, situado en la vía usual de Guanare. Encontró 200 hombres del batallón Barinas, al mando del capitán Durán, enviados por Tello para cubrir aquel punto. Páez atacó temerariamente, durante todo el día la iglesia y una casa ocupada por los realistas. Tuvo 25 oficiales y soldados muertos entre ellos el heroico coronel Urquiola, del Alto Llano y 96 heridos y no pudo ocupar el puesto sino en la noche cuando lo evacuaron los enemigos. Durán se retiró con 70 hombres sanos y 85 heridos, y dejó 45 muertos y heridos graves. Páez no pudo seguir a Guanare como era su intención y regresó al Bajo Apure (82). A este sangriento e inútil combate, pena dá decirlo, se limitaron las operaciones del jefe llanero, mientras Bolívar libertaba

(82) Véase el parte en el Correo del Orinoco No. 37. Campañas de Apure. Boletín de la Academia Nacional de la Historia No. 21, 1201. Autobiografía, I, 194. Oficio de Morillo en Rodríguez Villa, IV, 57.

a la Nueva Granada. Después de la descripción del combate, no se encuentra en sus obras históricas, ni una palabra sobre la gloriosa campaña de Bolívar, aun cuando esta gran empresa transformaba la situación militar de Apure y de toda Venezuela, en proporciones gigantescas; y apenas menciona la llegada a Guasdualito de 1.500 reclutas granadinos enviados por el Libertador para su división, y la de Soublette al Yagual, de donde seguiría en comisión a Guayana. Páez envió orden a los reclutas granadinos de bajar a disciplinarse en Achaguas. También menciona en sus escritos, equivocando la fecha, su encuentro con el Libertador de regreso del Nuevo Reino en viaje para Guayana. (83).

Liberación de San Fernando y de Barinas
Triunfos de Antonio Díaz.

En agosto se restableció el sitio de San Fernando bajo la dirección de Pedro León Torres, cuando regresaron obligadas por el invierno las tropas tomadas por Páez en julio para llevarlas a Nutrias. El célebre capitán Antonio Díaz, encargado otra vez del mando de la escuadrilla republicana, penetró en el Apure, después de un combate en el caño Guarumito, e interpuso la suya entre la de Nutrias y la de San Fernando, batió a la primera y se apoderó de todos sus buques el 30 de setiembre frente al pueblo de San Antonio, y poco después batió y destruyó la de San Fernando en la Boca del río Portuguesa con pérdida de su segundo Jacinto Muñoz, muerto en el combate. Sin marina esta plaza era insostenible, y Morillo en la situación creada por la victoria de Boyacá no podía pensar en socorrerla. A mediados de octubre fue evacuada y la guarnición se salvó retirándose a Calabozo. Casi al mismo tiempo la 5º división, por las mismas razones, evacuó a Nutrias y a Barinas y replegó a Guanare. El Apure quedó libre para siempre.

Revolución en Angostura
Exposición del doctor Zea.

El 15 de agosto terminaron las tareas del Congreso con la firma de la Constitución y de algunas leyes. Días antes se presentó una moción encaminada a poner el cuerpo en receso una vez cumplidos estos actos, pero lejos de aceptarse, el 17, después de mu-

(83) Autobiografía I. 197.

chos debates, se declaró en sesión permanente (84). Desde el mes anterior los diputados García Cádiz, Guevara, Alcalá y Alzuru, por oposicionistas de Bolívar y amistad a Mariño y Arismendi agitaban la opinión contra el Gobierno de Zea. Según ellos en administración era nulo y débil. Ayudábanlos los coroneles Julián Montes de Oca y Juan Francisco Sánchez, antiguo cirujano de Caracas este último y protegido de Bolívar. Heridos algunos de estos hombres por críticas imprudentes de Zea, abultaban sus deficiencias y apatía en la administración; y casi todos censuraban los proyectos demasiado vastos del Libertador, destinados en su sentir al fracaso: y obsesionados a este respecto en los primeros días de setiembre corrieron sin fundamento alguno, la noticia de haber sido derrotado Bolívar en la Nueva Granada y venir de regreso a Venezuela casi solo dejando muertos o en poder del enemigo cuantos soldados había llevado. Los diputados desafectos pronunciaban en el congreso discursos acaloradísimos contra Bolívar y aún llegaron a proponer se le juzgase como desertor por haber abandonado el territorio venezolano sin autorización del Congreso (85). La llegada de los boletines de las batallas de Gámeza y Pantano de Vargas, publicados por Zea el 11 de setiembre en el número 38 del Correo del Orinoco, contuvo por un momento la furia de los revolucionarios, pero reaccionados cuando se informaron de haber Bolívar proclamado la ley marcial, acudieron a una intriga infame; el 14 se presentó Diego Morales, antiguo partidario de Piar, acompañado de Luis Alcalá, edecán de Mariño, con la noticia falsa de que los realistas, después de haber incendiado a San Diego de Cabrutica se dirigían a la capital. Zea lo obligó a comparecer ante el Consejo de Administración de la Guerra, de reciente creación, y el oficial mintió, se contradijo y dió a conocer se trataba de una mal urdida estratagema para asustar la población. La agitación continuó por el empeño de algunos diputados de restablecer a Mariño en el mando del ejército de Oriente, alegando la injusticia de su reemplazo en momento de haber obtenido una victoria, sin pensar que la mayor parte del ejército vencedor no lo reunió él sino el gobierno y él se había

(84) Correo del Orinoco No. 37.

(85) Baralt. Edición de Brujas I, 473. Carta de Zea a Bolívar de 24 de setiembre, en el Boletín de la Academia de la Historia, N° 90, Pag. 335. Véase también carta de Róscio a Bolívar de 23 de setiembre. Archivo Santander III, 242.

hecho insoportable al Vice-Presidente por sus demasías y caprichos, causa principal de la disposición del Presidente. Reunido el Congreso los revoltosos se presentaron armados, Mariño arrastró sable, Alzuru pidió el nombramiento de un Vice-Presidente militar y aunque Urbaneja lo contradijo con energía no logró acallarlo. También tomaron parte contra Zea, José Gabriel Pérez y Tomás Montilla. El coronel Francisco Conde, comandante de la plaza, estaba dispuesto a sostener al Vice-Presidente, pero sus avisos fueron interceptados. Los gritos, la confusión y el desorden crecían por momentos. Zea, no queriendo ser causa de una conmoción sangrienta renunció, y el Congreso nombró en su lugar a Arismendi por nueve votos contra siete a favor del general Urdaneta. El mismo día Mariño fue nombrado general en jefe del ejército de Oriente y la insurrección contra Bolívar quedó planteada. Mariño aspiraba a reemplazarlo, y por esto hizo cuanto pudo para que no lo nombraran vice-presidente. Revolución vengonzosa, mengua eterna de cuantos tomaron parte en ella! Era la rebelión de la mediocridad contra el genio y el heroísmo; de los mezquinos y egoístas contra las almas grandes y generosas; de los intereses lugareños contra los destinos de la América y de la Humanidad! Pero la alegría duró poco a los vencedores: a los cinco días de la revolución, el 19 de setiembre, cayó a los revoltosos como una bomba la noticia del triunfo de Boyacá y de la liberación del Nuevo Reino. Nunca la justicia ha obrado con más rapidez. El ingenio de Zea trazó las escenas tragicómicas de Angostura con mano maestra, en carta a Bolívar poco conocida, de la cual estractamos estas líneas: "¡ Que a propósito llegó la noticia de su entrada en Santa Fe, precedida de tan brillante victoria! Esté Vd. seguro que ha triunfado en Boyacá de todos sus enemigos, que ha desconcertado sus planes insensatos, confundido la envidia y la ambición, y puesto el sello a su reputación inmensa y a su gloria. El rayo no produce efectos más rápidos ni más extraordinarios que la noticia de su entrada en esa capital. Leyéronse en aquel momento los sentimientos, las ideas, los proyectos de todos, pintándose a su pesar o a su gusto, en los semblantes. Que asombro se manifestaba en unos! ¡ Qué espanto en otros! En unos abatimiento, en otros confusión, en otros rabia; y en lo general una satisfacción y una alegría de que no hay idea. No crea Vd. que ésta es una pintura, es la expresión de la verdad; verdad tan manifiesta que no se ha ocultado al pueblo que ha notado tan diversas impresiones, sin embargo de que todos hablaban el mismo lenguaje de satisfacción y regocijo.

"Yo estoy aún como fuera de juicio. Mi imaginación exaltada no me ha permitido desde entonces ni sueño ni reposo. Me parece que me han trasportado a otra región, y vuelo de objeto en objeto, calculando los efectos de la victoria de Boyacá en Venezuela, en la Nueva Granada, en toda América, y en la misma Europa. Lo que ahora importa es darse prisa a asegurar el fruto manteniendo el entusiasmo, y aprovechándose de él para levantar un grande ejército. . . .

"Supongo a Vd. perfectamente enterado de los acontecimientos de esta capital por la correspondencia que llevó el teniente coronel Gómez. En ella me olvidé de decir que el secretario Pérez, ahora auditor general del ejército de Mariño, fue uno de los principales agentes de la conspiración, que no fue otra cosa lo que produjo esta mutación de escena; pero lo que yo no puedo creer es que él supiera que era dirigida contra Vd. como muchos lo decían, y en el día es cosa averiguada. He aquí la razón por qué Mariño, bien lejos de aspirar a la vice-presidencia, empleó todo su influjo en favor de Arismendi. El nombramiento de éste se había manejado de tal suerte, que si no hubiese resultado electo, le hubieran proclamado todos los que al intento ocuparon armados el lugar de la sala del Congreso destinado al público, y habrían correspondido los grupos de gente armada apostados en diversos puntos a disposición del señor Montes de Oca y otros. El aire con que Mariño entró en la sala cuando más acalorada estaba la discusión, arrastrando el sable, y sentándose con estrépito, dió bien a entender lo que dejaba dispuesto. Los pocos desatinos que dijo, porque apenas habló, fueron sobre el mismo tono. Alzurú, gloriándose en la alameda de lo bien que había él dirigido este negocio, ha detallado cuanto he dicho, añadiendo que la entrada en Santa Fe, había libertado a Vd. de ser destituido de la presidencia por haber salido del territorio de la República sin permiso del Congreso, y exponiéndola al peligro de que Arismendi y Mariño acababan de salvarla. De resultas debía este ser nombrado presidente, luego que hubiese restablecido el ejército que tanto se ha trabajado para disolver, y que se ha hecho creer no existe, sin embargo de que la disminución no es muy considerable, a pesar de tanta deserción, porque Bermúdez hacía muchos reclutas. Eso es lo que traía loco y desesperado a tan benemérito general, siendo ya cosa sabida que el día que le llegaban treinta o cuarenta reclutas, se le desertaban cincuenta o sesenta. Sin embargo, aún no ha llegado a Maturín el general Mariño y ya se confiesa que hay mil quinientos hombres, cuando ellos mismos gritaban hace dos o tres día que no llegaban a trescientos. Desde que se supo que Vd. había promulgado la ley marcial, lo tuvieron por perdido, no se descuidaron en anunciarlo, y comenzaron las maniobras activas, que Sánchez y Montes de Oca, vinieron a completar. Asi es que aquella misma noche fue nombrado el primero gobernador de Angostura, y el segundo primer edecán de Arismendi. Entre tanto Mariño afectaba que solo por salvar la patria, volviendo a reunir el ejército con sólo presentarse, aceptaba el mando en jefe sin reparar en que este lenguaje estaba en contradicción con cuanto había dicho y hecho en aquellos mismos días.

"Montilla es una misma persona con Mariño y su lenguaje es tan inconsecuente y tan contradictorio que se hace incomprensible. Como habla siempre en tono de burla, solo por constante adhesión a ese partido, se puede saber como piensa. Es muy posible que con motivo de la entrada de Vd. en Santa Fe le escriba mil gracias, que yo no podría oir sin indignación (86).

"Lo que más me asombra en todo lo ocurrido es que estos hombres no hayan visto el abismo en que iban a precipitarse comprometiendo la causa. Un sólo fusilazo que aquí se hubiese tirado nos arruinaba en la opinión de Europa, que tanto nos ha costado merecer y está en el día enteramente decidida por nosotros. Este conocimiento es el que ha arreglado mi conducta, obligándome a contestar con calma y con moderación a los insultos de Alzuru, y de otros diputados en público. Hasta los buenos ciudadanos y los militares amigos del orden me han dado mucho que hacer para contenerlos y calmarlos, porque los demagogos infernales habían llevado las cosas a tal punto, que el menor desliz por nuestra parte habría producido cuando no la guerra civil, los más tristes resultados, y la mudanza de la forma misma del gobierno.

"Por lo que hace a Arismendi, cualquiera que haya sido la parte que ha tenido en estas cosas, él ha tomado el buen camino

(86) Se refiere a Tomás Montilla, amigo personal de Bolívar, desde la infancia, hombre de mucho sprit, aficionado al licor.

y burlado las esperanzas de los perturbadores, luego que logró su designio. Es indisputable que sabe más que todos ellos: y yo espero que las cosas irán bien, porque manifiesta buenas intenciones, y lejos de aconsejarse con los facciosos, se aconseja con los que le opusieron la más viva resistencia, como Urbaneja; que en una sesión tan pública como la de aquella noche, trató a Alzuru de perturbador y de malvado, diciéndole que él era el primero a quien debía degollar el pueblo por su lenguaje y principios demagógicos y esto lo dijo a gritos. No trató mejor al mismo Arismendi; pero éste ha sentado por principio olvidar todo lo pasado y no atender más que a la causa pública. Si él está realmente penetrado de estos principios, de que hasta ahora no se ha separado, no puede menos de alabarse y aun de admirarse su conducta.

"La del doctor Roscio ha sido constantemente la más noble y la más liberal, contra lo que al principio habíamos concebido. Por su voto no se hubiera mudado una sílaba del proyecto de Constitución, y siempre ha estado por los buenos principios. No fue a la comisión de Londres, porque habiendo llegado Vergara, se creyó mejor que fuese uno de la Nueva Granada y otro de Venezuela, y además por la ventaja de hablar inglés" (87).

Creación de Colombia.

El 11 de diciembre a las diez de la mañana llegó Bolívar a la capital de Guayana. Sólo pocas horas antes se tuvo noticia de su aproximación. En tan corto tiempo los ciudadanos adornaron con palmas y ramos de flores la calle por donde debía pasar. Las salvas de artillería de la marina sutil y de la plaza anunciaron su llegada. El pueblo dejando a un lado las corporaciones oficiales lo condujo en brazos hasta la casa del general Sedeño, comandante general, situada frente al muelle. Por todas partes resonaban las aclamaciones al Libertador y padre de la patria. Las señoras, casi todas emigradas de Caracas, Cumaná, Barinas y Mérida, víctimas de atroces sufrimientos y miserias desde 1814, contando ya seguro volver pronto a sus hogares, lo llevaron en triunfo al palacio del Gobierno. El entusiasmo mostrado por amigos sinceros y enemigos deseosos de sincerarse no tuvo límites. Casi al mismo tiempo regresó Arismendi de Maturín, pero ni a este jefe ni a Mariño ni a sus adeptos les dirigió Bolívar la más pequeña re-

(87) Carta de Zea, citada.

convención. El mismo día se presentó en la sala del Congreso, hizo una rápida reseña de la campaña, recomendó el mérito de sus compañeros de armas y elogió con calor la conducta heróica del pueblo granadino. Después manifestó que la reunión de este con el venezolano era el objeto único de sus afanes y trabajos desde sus primeras armas, el voto de los ciudadanos de ambos países y la garantía de la libertad de la América del Sur (88). Lo primero y último sin duda era exacto, no así, desgraciadamente, lo segundo por el débil sentido político de nuestros conciudadanos. "Legisladores, exclamó Bolívar al concluir, el tiempo de dar una base fija y eterna a nuestra república ha llegado. A vuestra sabiduría pertenece decretar este grande acto social y establecer los principios del pacto sobre el cual va a fundarse esta vasta república. Proclamadla a la faz del mundo, y mis servicios quedarán recompensados". El doctor Zea, presidente del Congreso, había opinado por constituir de un todo la Nueva Granada, y dejar a los respectivos parlamentos la creación de la nueva república y sin duda tenía razón desde el punto de vista legal, pero Bolívar, más práctico, temiendo la diversidad de opiniones cuando pasara el entusiasmo de la victoria, influyó en el sentido de proclamar la unión en el mismo Congreso de Angostura, del cual formaba parte una representación neogranadina, encabezada por un grande hombre: este parecer fue aceptado de buen grado y todo salió a la medida de su deseo. El 17 de diciembre el Congreso decretó la ley fundamental de la gloriosa República de Colombia, la creación política más bella y más útil de la América Española.

La elocuencia de Zea, compitiendo con la de Bolívar, animó todavía más este acto sublime. Pidiendo al Congreso la creación del gran Estado terminó su discurso con estas hermosas palabras: "La importancia en política es proporcionada a las masas, como la atracción en la naturaleza. Si Quito, Santa Fé y Venezuela, se reunen en una sola República, ¿Quién podrá calcular el poder y prosperidad correspondiente a tan inmensa masa? ¡Quiera el Cielo bendecir esta unión cuya consolidación es el objeto de todos mis desvelos, y el voto más ardiente de mi corazón!".

La república se dividió en tres departamentos: Venezuela, Cundinamarca y Quito. Bolívar y Zea fueron nombrados Presi-

(88) Baralt. Edición de Brujas I, 477.

dente y Vice-Presidente de Colombia, Roscio y Santander Vice-Presidentes de Venezuela y Cundinamarca. El de Quito se nombraría cuando fuera libertado el país.

Situación del general español.

Aunque Morillo había previsto la invasión de Bolívar al Nuevo Reino y su desenlace fatal, la noticia de la victoria de los independientes lo dejó anonadado. Sin poder impedirla porque las fuerzas disponibles apenas bastaban a conservar su base indispensable, la provincia de Caracas, amenazada de los desembarcos de Urdaneta, permaneció inactivo mientras aquella empresa se llevaba a cabo. El había expuesto a la corte desde el comienzo de sus campañas la necesidad de refuerzos y más tarde la de una marina capaz de extirpar a los corsarios y de retomar a Guayana, pero el ministerio, sordo a sus clamores, sólo le había enviado por corto tiempo la división de Canterac con orden expresa de despacharla luego al Perú. En sus últimos oficios en vano había llamado la atención al Gobierno, acerca de los prodigios realizados por Bolívar con un puñado de hombres reunidos en Los Cayos de San Luis, y sus resultados extraordinarios hasta adueñarse de gran parte de Venezuela y de la Nueva Granada. Desesperado por su situación angustiosa, envió el 12 de setiembre, desde Valencia, a su ayudante León Ortega a solicitar 7 u 8.000 hombres, y algunos buques de guerra indispensables para salvar la Costa Firme, según su concepto la región más importante de la América desde el punto de vista militar (89).

La victoria de Boyacá había transformado la situación relativa de los dos bandos. Sin fuerzas suficientes para socorrer al Nuevo Reino y ni siquiera para asegurar las plazas de Cumaná y Barcelona, Morillo debía limitarse a la defensiva; y si Bolívar avanzaba contra él se vería en la necesidad de concentrar todas sus fuerzas, abandonando la mayor parte del país, para dar una batalla cuya suerte juzgaba funesta para los suyos (90). Estas ideas tan claramente expuestas por el general español a la corte

---

(89) Oficio del 12 de setiembre de 1819. Rodríguez Villa, IV, 49 a 55.

(90) Oficio del Tinaco, 24 de setiembre de 1819. Rodríguez Villa IV, 70 a 74.

justifican las de Bolívar cuando se empeñaba en decidir de una vez la suerte de Venezuela.

La marina española, nunca lista para entrar en combate, pero suficiente en los últimos años para mantener libres las comunicaciones del Centro y Occidente de Venezuela con las Colonias y la Madre Patria, necesarias al comercio, se había disminuido notablemente. La corbeta Ninfa y la goleta Ferrolana, casi inútiles, fueron enviadas a La Habana, y las corbetas Descubierta y Bailen y otros buques permanecían en Puerto Cabello faltos de elementos indispensables, acabando de perderse. El comandante de marina José María Chacón restableció en setiembre el bloqueo de la isla de Margarita, pero replegó a Cumaná cuando Brión reunió de nuevo sus corsarios, ocupados en cruzar. En los primeros días de octubre un corsario español se arriesgó a cruzar frente a las bocas del Orinoco, capturó dos goletas inglesas cargadas de mulas y novillos, y desapareció al presentarse el bergantín Congreso, al mando del valeroso capitán José Padilla, armado expresamente en Angostura para proteger el comercio de Guayana en unión de la escuadrilla sutil de Margarita (91).

Después de esto volvieron algunos buques españoles al mando de Echevarría a hostilizar a los patriotas y dominaron las costas de Carúpano, más no pudieron sostenerse y en diciembre se retiraron a Cumaná y luego a Puerto Cabello.

Proyectos Militares.

La presencia del Libertador en Angostura, los proyectos grandiosos en favor de la causa y su política generosa unificaron los espíritus. Seguro del éxito en el Congreso, respecto a la creación de Colombia, se consagró a las medidas militares. Las primeras, tomadas el 12 y 13 de diciembre, fueron relativas a la marcha del ejército de Oriente y la Legión Inglesa conducidos por Soublette desde Maturín al Orinoco. Valdés debía tomar en Santa Clara el mando de toda esta infantería, y en el lugar del embarque la de Monagas conducida por Mires; y Sucre preparar en Santa Cruz y Parmana, puertos del Orinoco, mas arriba de Angostura todo lo necesario para su mantenimiento y navegación al Apure.

---

(91) Oficio de Morillo, 1° de diciembre de 1819. Rodríguez Villa, IV, 88. Correo del Orinoco Nos. 41 y 43.

Sedeño, nombrado comandante general de caballería, conduciría al mismo punto por la vía de Cabruta, la suya y las de Monagas y Zaraza, y estos dos generales quedarían en sus respectivos territorios con campos volantes, levantando nuevas fuerzas. Soublette, como jefe de estado mayor dirigiría la marcha de todas estas tropas, y Bermúdez tomaría el mando de ellas, cuando estuvieran en Apure.

El coronel Mariano Montilla, antiguo rival de Bolívar en Cartagena, fue enviado a Margarita, el 14 de diciembre, a tomar el mando de las fuerzas irlandesas llegadas a la isla, y las próximas a venir y a expedicionar con ellas sobre la costa en la escuadra de Brión. Si reuniere 2.000 hombres debía tomar a Caracas, desembarcando en Catia o en Ocumare, según la posición del ejército enemigo, levantar tropas y mantenerse en la capital, hasta estar cierto de la derrota de Morillo o hasta la última extremidad; y si no alcanzare a reunir en Margarita sino 1.000 hombres se dirigiría a Río Hacha o Santa Marta a obrar en combinación del ejército del norte de la Nueva Granada encomendado a Urdaneta, o de las fuerzas que destinara el vice-presidente Santander a la costa. Dos extranjeros, Hamilton y Anderson, partieron a San Thomas y los Estados Unidos con dinero a comprar y contratar armas. Gómez recibió orden de ayudar a Montilla y propender a la reposición de Margarita. Arismendi fue nombrado general en jefe de las fuerzas de Oriente y Mariño destinado a servir en el cuartel general sin puesto determinado por el momento.

Las tropas de Oriente, bien provistas de armas, pero escasas de vestuarios, desembarcaron en Arichuna el 13 de enero y siguieron a Payara. Contando la caballería de Sedeño sumaban 3.000 hombres. Los buques mayores se devolvieron de Caicara y la escuadrilla sutil trasladó al Apure el material de guerra.

Expedición de Páez a Barinas.

Páez había marchado desde el 13 de diciembre con 1.200 jinetes de su excelente caballería y 1.866 infantes de los batallones Tiradores y Boyacá de la Nueva Granada, Bravos de Apure y una columna inglesa, hacia Barinas adonde llegó el 17. Ocupó la ciudad abandonada por los españoles y parte de sus habitantes, y destacó algunas partidas de observación a Guanare, pero impuesto de la reunión de fuerzas superiores en San Carlos y desanimado por la deserción en la infantería y una plaga denominada llaguita de los caballos, regresó a sus cuarteles de Achaguas el 1º de enero. Exageraba estos males el gran jefe de Apure. A la verdad en la infantería habían ocurrido deserciones alarmantes de oficiales y soldados, pero fue principalmente de prisioneros incorporados en la Nueva Granada, y además este era un vicio consuetudinario de nuestras tropas, extinguido solo en las últimas campañas, cuando se logró arraigar en cuantos empuñaban las armas el sentimiento nacional; más impresionado Páez escribió al Libertador disuadiéndolo de emprender contra Morillo con semejantes tropas (92). Tales fueron sus ideas al palpar la realidad del momento, aun cuando tres meses antes, en carta a Bolívar del 30 de setiembre, había abogado por aprovechar el efecto de la jornada de Boyacá, procediendo a la ofensiva al comenzar el verano (93).

El Libertador desiste de la ofensiva.

Bolívar partió de Angostura a fines de diciembre, hizo adelantar al Apure la división de Sedeño, y llegó a San Juan de Payara, el 10 de enero. Deseoso de abrir la campaña podía reunir en San Fernando 6.000 combatientes de las tropas mencionadas, sin contar algunos escuadrones más de Apure, ni los nuevos reclutas en viaje de la Nueva Granada, y marchar directamente contra Morillo, pero graves inconvenientes encontró para llevar adelante sus propósitos. Aunque Páez le había escrito el 17 de octubre a la Nueva Granada asegurándole el buen estado de los caballos, ahora le decía, y era cierto, que los caballos, flacos por las fatigas anteriores necesitaban reponerse para resistir una campaña, y además se destruirían en el tránsito al país montañoso, sin encontrar en todas partes, por el verano fortísimo, agua y pasto abundante como había en Apure. A esto se añadían grandes pérdidas por desersión en el ejército de Oriente y falta de vestuarios. Refiriéndose al estado de sus tropas, y a las de Oriente, Páez aconsejó al Libertador en una memoria aplazar la campaña hasta aumentarlas y mejorar su equipo y disciplina. Según él la debilidad de Morillo era relativa a su estado anterior, y podía disponer de 7.000 soldados. Atribuía su inacción al plan de atraer a los inde-

(92) Carta del 3 de enero de 1820. O'Leary II, 45.
(93) Páez a Bolívar, 30 de setiembre. Archivo Santander III, 250.

pendientes a terreno montañoso, y lo más ventajoso dejarlo consumir sus escasos recursos. Pero este plan tenía el inconveniente de dar tiempo a los realistas de recibir refuerzos pedidos a España, y si esto sucedía la situación de los patriotas se agravaría en grado sumo. Empeñado Páez en sus ideas adujo en su abono el principio falso de no ser ventaja para Morillo recibir más tropas por la dificultad de mantenerlas.

En vista del mal estado de las tropas y de la necesidad urgente de dirigirse a Bogotá a dar la última mano a la creación de Colombia, Bolívar resolvió desistir de la ofensiva en Venezuela y marchar rápidamente a la Nueva Granada. Por fortuna resultó acertada esta aventurada resolución, porque gracias al efecto causado por la victoria de Boyacá y la liberación, en un abrir y cerrar de ojos, de la Nueva Granada, en España ocurrió un acontecimiento de enorme trascendencia para estos países: la rebelión contra el poder absoluto del Rey, el 1º de enero de 1820, de las tropas destinadas a sojuzgar la América (94). Los realistas recibieron un golpe tremendo, al perder las esperanzas de recibir refuerzos.

De acuerdo con el plan de operaciones adoptado, quedaron en el Apure: la nueva Legión Británica al mando del coronel Blosset, compuesta de los contingentes de English tan revoltosos bajo el mando de Urdaneta, reducida a 600 hombres; los batallones Tiradores, Boyacá y Bravos de Apure, formando todos dos brigadas de 900 soldados cada una, y la caballería de Páez, constante de 1.500 jinetes. El resto de las tropas reunidas en ese territorio, es decir el ejército de Oriente, la caballería de Sedeño y los reclutas granadinos, por todo 2.600 hombres, debían marchar a la Nueva Granada en dos columnas, una a las órdenes de Valdés y Mires por Casanare y la Salina de Chita, y la otra por San Camilo y Cúcuta, pero de Guasdualito el Libertador envió también la mayor parte de esta última con Valdés a Casanare, y él partió hacia Cúcuta con un escuadrón de caballería. Poco antes había despachado a Sucre a San Thomas a comprar armas para la Nueva Granada, con $.80.000 enviados por el vice-presidente Santander.

(94) Vadillo. Apuntes de los sucesos que han influído en el estado de la América del Sud. Cap. IV. p. 8 *passim*, y especialmente pag. 280, 282. Cita de Mitre, II, pag. 442.

Observaciones.

La campaña de Boyacá es gloriosa en sus diversos aspectos. A mediados de 1818 Bolívar dijo al comandante francés Persat: "En este año hemos tenido un Novi. En el que viene haremos un Marengo" (95). A fines de 1817 vinieron a Guayana comisionados de Casanare a traer a Bolívar su reconocimiento de Jefe Supremo, y a pedirle un comandante general, pero Bolívar no lo envió hasta agosto de 1818, cuando pudo mandar también fusiles y municiones, elementos indispensables al designado para imponerse a los guerrilleros anárquicos.

Elegido Santander para tan importante destino llevó en la proclama de Bolívar de 15 de agosto de 1818 su profesía expresada en estos términos: "Granadinos: Venezuela conmigo marcha a libertaros, como vosotros conmigo, en los años pasados, libertasteis a Venezuela. . . . El Sol no completará el curso de su actual período sin ver en todo vuestro territorio altares a la libertad". El 10 de agosto del año siguiente la mayor parte del nuevo reino estaba libre (96).

Con admirable habilidad Santander supo mantener unidos los guerrilleros de Casanare y libre el territorio, de su mando.

Poco antes de reunirse Bolívar a su lugarteniente, este le escribió el 3 de junio desde Tame donde lo esperaba: "el proyecto de V.E. de que me ha impuesto el coronel Lara, arrancará a Fernando el cetro de la América que posee". Era una predicción. Para cruzar la cordillera Santander aconsejaba llevar la infantería por la Salina de Chita, y la caballería a 150 kilómetros al Sur por la vía de Zapatosa, de mejor camino para los caballos. Habría sido grave error dividir tropas poco numerosas para invadir el Reino por dos vías tan distantes entre sí (97). Es muy diferente el caso de la entrada por Cúcuta del general Páez, a obrar independientemente del cuerpo principal.

La maniobra fundamental de la travesía de la Cordillera, el abandono de la vía de Paya y Labranza Grande, donde podía encontrar resistencia, para tomar el camino solitario de Pisba,

---

(95) Mémoires du Commandant Persat. París, Plon 1.910, p. 41.
(96) Lecuna. Proclamas y Discursos del Libertador, p. 190.
(97) Carta Oficial, Tame, 3 de junio de 1819. O'Leary, III, 26.

inclemente y difícil, pero sin enemigos, fue de gran trascendencia. Llegó al otro lado de la Cordillera a valles donde no era esperado, circunstancia favorable para reponer sus tropas antes de llevarlas al combate. Esta maniobra atrevida decidió de la campaña, pues siguiendo por Labranza Grande, las columnas enemigas, resistiendo, podían destruir la expedición, porque en la guerra de montaña tomada una posición, el enemigo siempre encuentra a retaguardia otra igualmente fuerte para defenderse. El reducto de Paya, destinado a contener a los indios, dominado por alturas vecinas, no podía resistir a soldados de fusiles.

También es digna de elogio la actitud ingeniosa y resuelta de Bolívar en Tasco para contener a los enemigos, y el movimiento hacia adelante a dar la batalla en Gámeza, aun cuando no tenía todavía todas las tropas disponibles. Su intrépida actitud le valió la victoria. El movimiento de flanco hacia Santa Rosa, para obligar a los enemigos a abandonar posiciones intomables, los análogos de Bonza con igual objeto, y los de Paipa, para cortar a los enemigos son maniobras perfectas. El mismo elogio merecen las acciones de Vargas y Boyacá, dirigidas en todos sus actos por Bolívar. Sin duda en estas operaciones accidentes imprevisibles del terreno y el apoyo de los habitantes, lo favorecieron, pero el tino y la habilidad de las maniobras fue siempre el factor decisivo. Y en el abrupto camino de Pisba él supo vencer dificultades naturales capaces de arredrar a cualquiera otro.

En las guerras clásicas, la historia refiere muchos pasos de ejércitos, a través de montañas, célebres por el efecto mágico de la sorpresa en vasta escala, pero siempre partiendo de un país pacífico. Este paso de los Andes Granadinos, lo emprende Bolívar, después de terminar una campaña; al acometer la atrevida marcha deja a la espalda la mayor parte de las fuerzas enemigas, vence las innundaciones de los llanos, las inclemencias de los páramos, atraviesa la cordillera, cambia el teatro de la guerra y liberta el Nuevo Reino. Tantos accidentes de tiempo y lugar dan carácter de grandeza a la campaña.

CAPITULO XVII

PERIODO DE LA CONSTITUCION ESPAÑOLA

I

Operaciones en la Nueva Granada

Situación general.

Dos grandes acontecimientos transformaron la posición de los independientes a consecuencia de la jornada de Boyacá: la ocupación de las ricas provincias centrales de la Nueva Granada y la rebelión en Cádiz, el 1º de enero, del ejército destinado a pacificar las provincias de América. El primero, al duplicar el territorio de la República, aumentó en mayor proporción los recursos de Bolívar y de sus compañeros de armas; y el segundo, en gestación desde atrás, y consumado cuando llegó a la Península la noticia de la liberación del Nuevo Reino de Granada, incendió a toda España, al proclamar los rebeldes la constitución liberal de 1812; absorbió las fuerzas y elementos militares reunidos por la monarquía absoluta para conservar la integridad del imperio español, quitó toda esperanza a los españoles de América y a los americanos realistas de recibir refuerzos de la madre patria, y conmovió a México y al Perú.

Partiendo Bolívar de Guayana y Apure realizó las difíciles campañas de 1818 y 1819, luchando contra fuerzas superiores y contra la opinión de gran parte de sus conciudadanos. La liberación de las altas mesetas granadinas, le proporcionó una nueva y excelente base de operaciones, la ventaja de ocupar el corazón de un inmenso teatro de guerra, de población numerosa sin odios raciales, y de aislar a Morillo en el occidente de Venezuela, a Sámano en las costas de Cartagena y a Aymerich en Pasto y Quito. A ninguno de estos jefes le era fácil socorrer a sus colegas, por mediar entre ellos enormes distancias, mientras Bolívar situado en el centro podía atacarlos a su arbitrio. Más la escasez de armas, la dificultad de obtenerlas ocasionalmente en San Thomas, o por medio de contratas con especuladores extranjeros, su dilatada conducción por el Orinoco y el Meta o el Arauca, y a través de la cordillera, no le permitió aprovechar con rapidez tan gran ventaja. Los españoles fuertes todavía contaban 15.000 hombres en Venezuela, 5.000 en Santa Marta, Cartagena y Panamá, y otros tantos en Quito y Pasto (1).

Otra ventaja proporcionó la reciente victoria. La autoridad sobre las fuerzas independientes, establecida a raíz del fusilamiento de Piar, adquirió la consistencia requerida para dirigir con buen éxito la guerra. Los jefes divisionarios prestaron mayor obediencia al Libertador y a pesar de la extensión del teatro de operaciones y la escasez de medios, la acción del Gobierno se desenvolvió con más eficacia.

Tres meses empleó Bolívar en libertar las nueve provincias centrales de la Nueva Granada, en levantar fuerzas y organizar su gobierno: el 20 de noviembre partió de la Salina de Chita hacia Angostura; marchando a caballo con extraordinaria velocidad a través de los inmensos llanos de Casanare y del Apure, y luego embarcado en el Orinoco llegó a esta capital el 11 de diciembre, creó a Colombia el 17, dió las órdenes convenientes a concentrar el mayor número de fuerzas en Apure, dispuso el viaje del Vice-Presidente Zea a los Estados Unidos y Europa a solicitar el reconocimiento de la independencia y a contratar un empréstito y elementos de guerra, y el 24 partió otra vez al Apure y a la Nueva Granada: el 11 de enero llegó a San Juan de Payara, el 24 a Matiyure, el 29 a Guasdualito y el 7 de febrero a San Cristóbal, ciudad situada en una depresión de la cordillera, cerca de la frontera granadina.

Del penúltimo de estos lugares envió orden a Santander el 29 de enero de destinar al coronel Salom a Popayán con el batallón denominado Albión y el escuadrón de Guías a tomar el mando

(1) Restrepo por no contar fuerzas auxiliares y guarniciones, da efectivos menores III, 11.

de la provincia del Cauca y a organizar tropas para emprender a su tiempo la campaña de Pasto y Quito. Al llegar a San Cristóbal aprovechando la reciente ley del Congreso en favor de los esclavos, dispuso levantar 3.000 en las provincias de Antioquia y el Chocó y 2.000 en la de Popayán, destinados a conquistar su libertad, los primeros en el ejército del Norte, y los últimos en el Sur. Estas medidas eran indispensables por el elevado gasto de hombres en nuestras exiguas tropas. El *frotamiento* en las grandes marchas superaba al de cualquiera otro país por las enormes distancias, la despoblación y la aspereza de los caminos. A esto se añadía las bajas causadas por el paludismo en los granadinos de tierras frías al descender a las abrasadas llanuras de Venezuela. De varios miles de reclutas granadinos enviados al Apure algunos meses después solo quedaban en servicio poco más de la mitad.

Apenas llegó Bolívar a San Cristóbal de regreso de Angostura partió a La Grita a revisar el ejército del Norte, encargado de hacer frente a la división de La Torre. A poco andar, en Táriba, encontró a las tropas en retirada, por falta de víveres, y por haber adelantado el jefe español su cuerpo principal del puente del río Chama cerca de Mérida. Desde luego aprobó el movimiento, pensando emprender mas tarde operaciones activas con refuerzos considerables, pero suspendió la retirada y las estableció sólidamente en la línea de San Cristóbal, Táriba y Lobatera, puntos de donde podían cerrar la entrada a los valles del Táchira, por los dos caminos del páramo de Zumbador, paso obligado para dirigirse de Mérida a Cúcuta.

Escasez de armas.

Aun impulsado a la acción por su temperamento, Bolívar se vió obligado a permanecer a la defensiva. Después de Boyacá no pudo emprender inmediatamente contra Morillo por carecer de elementos indispensables. "La campaña, había escrito de Guasdualito al Vice-Presidente de Venezuela, no se ha emprendido por falta de armas; pues en tanto no se cubra la Nueva Granada y no se disciplinen los batallones de Apure, nada se puede hacer" (2). Felizmente había pasado el tiempo de emprender operaciones aventuradas, para impulsar la revolución, puesta ya en marcha por las ventajas adquiridas. Por el momento pensaba enviar al Sur,

(2) Oficio del 31 de enero en Guasdualito. O'Leary XVII, 52.

además de los cuerpos mencionados, los batallones del Cauca, Neiva y Vargas y aunque estos unidos a Albión sumaban 1.960 hombres, sólo tenían 460 fusiles. En Antioquia el valeroso Córdova, por falta de armas sólo pudo levantar 600 hombres, para cubrir la provincia y formar la columna de operaciones. En Honda existía medio batallón con 200 fusiles; otro cuerpo igual del Chocó, mal armado, operaba en el Atrato contra una columna de Cartagena (3). Tales eran las fuerzas activas en la Nueva Granada.

De Guayana Bolívar había despachado comisionados activos a las Antillas y a los Estados Unidos a comprar armas, y dejó entabladas negociaciones con diversos contratistas, para su pronta introducción. Resuelto ya a elevar a Sucre, a mandos importantes lo envió preliminarmente a comprar un armamento a San Thomas por ser este el asunto más urgente de la República. En su marcha a la Nueva Granada Valdés llevaba armas sobrantes con sus tropas pero estas eran pocas, y creciendo la necesidad, Bolívar le escribía a Sucre el 2 de marzo, desde Tunja: "Los pueblos desesperan por verse armados y su seguridad lo exije imperiosamente" (4). A pesar de la escasez de armamento reclutábanse hombres y se adiestraban en los movimientos con lanzas o picas a manera de fusil.

Los esclavos.

El Vice-Presidente cumplió la orden sobre los esclavos desde el momento de recibirla, pero considerando los intereses de las provincias, hizo presente los perjuicios que sufrirían la agricultura y la minería y por consiguiente los recursos del Estado. En su correspondencia alegaba haber ordenado espontáneamente la libertad de los esclavos en las costas del Sur, cuyos dueños eran desafectos a la República, pero no juzgaba lo mismo respecto a los propietarios del Chocó y Antioquia adictos a la independencia y al sistema republicano (5). Mirando el Libertador el asunto en todos sus aspectos le contestó de esta manera:

---

(3) Nota de Santander de 17 de febrero. Bolívar y Santander. Obra publicada por Enrique Ortega Ricaurte. Bogotá, 1940.

(4) Copiadores del Libertador. Boletín de la Academia de la Historia número 93, página 113.

(5) Bolívar y Santander. Ortega Ricaurte, Bogotá 1940, pag. 139, 167 y 180.

"Con la ley quedo a cubierto, y respondo a todas las observaciones que V.E. me hace. Pero siguiendo mi costumbre explicaré mis órdenes.

"He mandado que se tomen los esclavos útiles para las armas. Debe suponerse, que se entiende solamente con los necesarios para las armas, pues de otro modo serían mas perjudiciales que útiles al ejército un número excesivo de ellos.

"Las razones militares y políticas que he tenido para ordenar la leva de esclavos son muy obvias. Necesitamos de hombres que abracen la causa y la carrera con entusiasmo: de hombres que vean identificada su causa con la causa pública, y en quienes el valor de la muerte sea poco menos que el de su vida.

"Las razones políticas son aun más poderosas. Se ha declarado la libertad de los Esclavos de derecho y aun de hecho. El Congreso ha tenido presente lo que dice Montesquieu: *en los Gobiernos moderados la libertad política hace preciosa la libertad civil; y el que está privado de esta última está aún privado de la otra; ve una sociedad feliz, de la cual no es ni aún parte; encuentra la seguridad establecida para los otros y no para él. Nada acerca tanto a la condición de bestias como ver siempre hombres libres y no serlo. Tales gentes son enemigos de la Sociedad, y su número sería peligroso. No se debe admirar que en los Gobiernos moderados, el Estado haya sido turbado por la rebelión de los Esclavos y que esto haya sucedido tan rara vez en los Estados Despóticos.*

"Es pues demostrado por las máximas de la Política, sacadas de los ejemplos de la historia, que todo gobierno libre que comete el absurdo de mantener la esclavitud, es castigado por la rebelión y algunas veces por el exterminio, como en Haití.

"En efecto la Ley del Congreso es sabia en todas sus partes. ¿Que medio mas adecuado ni más legitimo para obtener la libertad que pelear por ella? ¿Será justo que mueran solamente los hombres libres por emancipar a los esclavos? ¿No será útil que estos adquieran sus derechos en el campo de batalla y que se disminuya su peligroso número por un medio necesario y legítimo?

"Hemos visto en Venezuela morir la populación libre y quedar la cautiva; no sé si esto es política; pero sé que si en Cundinamarca no empleamos los esclavos sucederá otro tanto.

"Yo pues, usando de las facultades que me concede la Ley de la Libertad de los Esclavos, reitero mis anteriores órdenes: Que el ejército del Sur tome los esclavos útiles para las armas que necesite y que vengan 3.000 jóvenes solteros para el ejército del Norte. Sobre estos últimos insto fuertemente" (6).

El dominio del Magdalena. Combate en el Peñón de Barbacoas.

A raíz del triunfo de Boyacá el Libertador tomó empeño en reunir una escuadrilla en el Magdalena, y dominar esta vía fluvial, tendida en el medio y a lo largo del país. Luego desde Guayana hizo marchar carpinteros para la construcción de buques. Aunque los españoles se habían llevado casi todos los existentes en el río, el Vice-Presidente logró conseguir unos cuantos menores, por medio del gobernador de la provincia de Mariquita, José María Mantilla. El 18 de diciembre partieron de Honda, al mando del intrépido y experto teniente coronel José Antonio Mayz, 26 lanchas de guerra y trasporte tripuladas por 100 marineros y 78 infantes veteranos. El 19 tuvieron un encuentro afortunado con algunos buques realistas, y regresaron al puerto de la Angostura del Carare, a recibir municiones y 49 Guías del comandante llanero Juan Carvajal. El 20 de enero siguieron hacia abajo y el 23 encontraron la escuadrilla cerca del Peñón de Barbacoas, más abajo de la boca del río Carare: 9 buques mayores y 2 menores, bien artillados, al mando del capitán español Mier, con 300 marineros y 153 infantes a cargo del teniente coronel Isidro Barradas, venezolano de origen canario, célebre después por su expedición a México, opusieron tenaz resistencia, pero emprendieron la fuga cuando Carvajal con sus Guías alanceó a los infantes, puestos en tierra por Barradas, y fueron tomados al abordaje y echados a pique 2 buques mayores y capturados otros 2. Mayz quedó gravemente herido (7). Los españoles perdieron muchos oficiales y

---

(6) Oficio del 20 de abril, Copiadores del Libertador. Boletín de la Academia de la Historia, nº 93 Pag. 115. En el copiador existen dos versiones, la publicada por O'Leary, incompleta XVII, 137, y esta dada a conocer por nosotros.

(7) José Antonio Mayz y Alcalá, natural de Cumaná y de familia distinguida; asistió a la campaña de Mariño en 1813, y a las acciones de Bocachica, Carabobo y la Puerta. Tomó parte en la Expedición de Los Cayos y en las Campañas de Guayana, el Guárico, Apure y Boyacá. En la Nueva

soldados muertos y dejaron en poder de los independientes 87 prisioneros, 67 fusiles y otros elementos de guerra (8). Esta brillante victoria hizo a los patriotas dueños de la parte central del Magdalena y contribuyó poderosamente a la defensa de la provincia de Antioquia. Inutilizado el vencedor por sus heridas, Santander lo reemplazó acertadamente con el teniente coronel Hermógenes Maza, uno de los héroes de las campañas de 1813 y 1814; la escuadrilla siguió adelante, el 28 de enero se hallaba en Badillo, mas arriba de Puerto Real de Ocaña, y allí recibió orden del Vice-Presidente de avanzar hacia Mompox (9).

Los ganados.

Debíanse vencer dificultades propias de sociedades en embrión, como eran las nuestras, y la apatía y abandono de subalternos morosos en cumplir las órdenes superiores. La imprevisión tan frecuente en las razas criollas era otro motivo de atraso, contra el cual era necesario luchar tomando medidas anticipadas.

La provisión de ganados para el ejército de Urdaneta y las poblaciones granadinas limítrofes de Venezuela, no pudo organizarse con regularidad por negligencia de los escasos habitantes del Apure y Casanare. La falta de interés por la cosa pública era obstáculo contra el cual tropezaban las órdenes más premiosas. Jefes importantes de las llanuras posponían las órdenes del Libertador a operaciones privadas, y comisionados especiales no dieron todo el resultado esperado por falta de cooperación y también justo es decirlo, a causa de las resistencias provocadas por exceso de celo de los agentes o sus propias arbitrariedades. En verdad estos hombres partían a su comisión con poco dinero o con el indispensable para la conducción de los ganados, pero en las llanuras todavía abundaban reses y nadie les impedía cojerlas. En tan grande abandono muchos reclutas granadinos de regreso de Apure perecieron de miseria.

Como ocurre hoy la parte oriental de la Nueva Granada se abastecía de ganados de Casanare por la Salina de Chita y del

---

Granada desempeñó empleos pasivos, como inválido, hasta 1832. Murió en Bogotá. Patriotas de la Provincia de Cumaná por J. S. González Varela. p. 32. Correspondencia de Mayz con Caicedo, Archivo del Libertador.

(8) Correo del Orinoco Nº 57.

(9) Bolívar y Santander, 133.

Alto Apure por Guasdualito y la Montaña de San Camilo. Refiriendose a esta vía importante, en la cual se habían extraviado varias partidas de ganado, el Libertador le escribía a Páez: "Guasdualito es la llave de la Nueva Granada, y necesita de un hombre de inteligencia, de actividad, de celo y no de un guapo como el señor coronel Aramendi, que mejor está en el campo de batalla que en otra parte" (10). En efecto este heroico jefe de escuadrón, de raza africana, del cual se conservan autógrafos de preciosa letra cursiva, era arbitrario, descuidado en el servicio, y no cumplía las órdenes del gobierno. Por su culpa se perdieron varias puntas de ganado de tránsito para Cúcuta. Bolívar lo reprende, nombra en su lugar al comandante Burgos, y recomienda a Páez mandarlo a Pedraza, con su *Regimiento de la Muerte*, a hostilizar a los enemigos de Barinas.

Expedición a las costas de Santa Marta.

Reunidos en Margarita algunos contingentes de irlandeses, contratados en su país por el general D'Evereux, envió Bolívar desde Angostura, el 14 de diciembre, a su antiguo contendor en Cartagena, el valiente y perito coronel Mariano Montilla, a tomar el mando de estos extranjeros y a conducirlos con algunas tropas de Margarita, en la escuadra del almirante Brión, a las costas de Santa Marta o Río Hacha, a obrar en combinación con el ejército del norte encomendado a Urdaneta; esta operación era de grande importancia, no solo para privar a los enemigos de sus bases principales, sino para facilitar la libertad de Maracaibo, proveer de armas y municiones a la Nueva Granada, y abrir su comercio exterior. Aunque la escasez de elementos, y la falta de cooperación de algunos jefes, retardó la ejecución, Montilla al fin pudo llevarla a cabo, gracias a su actividad y su constancia.

Proyectos y operaciones.

El obstáculo principal a la concentración de fuerzas en el vasto y despoblado territorio de Colombia, fue siempre la dificultad de mantenerlas. La cordillera venezolana no podía sostener con sus recursos locales más de mil hombres. Casi otro tanto ocurría en las provincias granadinas. Medidas activas, encomendadas

(10) Oficio de Guasdualito, 29 de enero. Copiadores del Libertador. Boletín de la Academia de la Historia número 93, página 109.

al coronel Rangel, debían proveer la región montañosa de ganados de Casanare y Apure.

La división Valdés en marcha desde Maturín y el Bajo Apure, por falta de víveres en San Cristobal y Cúcuta, no había tomado la vía directa de Guasdualito y San Camilo, y como expondremos adelante siguió la más larga y difícil de Casanare, para atravesar la cordillera por la Salina de Chita y bajar al Valle de Sogamoso, adonde debía llegar a fines de febrero o principios de marzo. Estas tropas se destinaban a permanecer de reserva en las altas mesetas granadinas, para acudir con ellas adonde fuera necesario.

Para contribuir a la independencia de Maracaibo, Bolívar tomó varias disposiciones: Montilla luego de desembarcar en Río Hacha cooperaría a la empresa encomendada al general Urdaneta; de Pamplona y Honda partirían sendas expediciones a Puerto Real de Ocaña: una a cargo de Salom compuesta del batallón Vencedor regido por Carrillo y una compañía de Guías, y la otra destinada a bajar en la escuadrilla, la formarían el batallón Albión y los Guías de Juan Carvajal y de aquel puerto, estas columnas seguirían a incorporarse a Montilla y a libertar a Maracaibo, puerto utilísimo a las comunicaciones de una gran parte de la Nueva Granada con el mar. "Libre esta plaza, decía a Santander, se asegura la libertad de Cundinamarca por las armas, por el comercio, y por la opinión". Por otra parte, la capital de Colombia no podía permanecer en un extremo como Angostura. Urgía trasladarla al Rosario de Cúcuta, punto designado por el Congreso para su asiento. Mas para esto se requería el puerto, sin el cual el gobierno quedaría encerrado en las montañas, y el comercio continuaría interrumpido, como lo estaba desde la liberación de las provincias.

Estos eran sus proyectos el 11 de febrero cuando supo la derrota infligida por Calzada en Popayán al coronel Antonio Obando y en consecuencia suspendió la orden de llevar a la costa los batallones indicados. La ineptitud de un favorito trastornaba los mas grandes pensamientos de la campaña. Sin fuerzas suficientes Bolívar se contentó con despachar al coronel Carmona con una columna por Ocaña al Valle de Upar a socorrer a Montilla cuando desembarcara en Río Hacha; dispuso, como lo había ordenado anteriormente de Guasdualito, la marcha de Albión y los Guías de

Carvajal al Cauca, no ya a formar un ejército sino a contener a Calzada, y encomendó la empresa al coronel Mires. (11).

Contaba Bolívar todavía reunir la división de Valdés a la de Urdaneta y reforzadas con los batallones existentes en Tunja, Pamplona y el Socorro, abrir la campaña combinando sus operaciones con el ejército de Apure. Si Morillo anticipaba sus marchas sobre la Nueva Granada, pensaba observar una conducta prudente, mientras a Páez le encomendaba para este caso la mayor audacia, arrostrarlo todo, batir los cuerpos existentes en la provincia de Caracas y entrar por Trujillo y Mérida a tomar la espalda al enemigo, y si éste se dirigía al Oriente obrar del mismo modo, variando solo de dirección; y en ambos casos ocupar a Caracas, aunque fuera con un pequeño cuerpo (12).

Catástrofe de Antonio Obando.

Tres días después de las primeras noticias de lo acaecido en Popayán se supo en el cuartel general la magnitud del suceso. El Sur había caído en manos de los españoles, estos podían extenderse al corazón de país y era urgente hacerle frente al peligro. Todo fue obra de un momento. Calzada reforzado con un batallón de Quito, otro del Patía y algunas guerrillas, entre ellas la del funesto José María Obando, el futuro asesino de Sucre, reunió 1.000 hombres y en la madrugada del 24 de enero sorprendió en Popayán y batió por completo la columna de 400 veteranos y 200 reclutas del comandante general de la provincia Antonio Obando, oficial inepto, colocado por Santander en aquel punto por razones de amistad, el cual sin atender a la voz sorda de la aproximación del enemigo, difundida desde ocho días antes, engañado por ideas falsas, incrédulo y vanidoso, se dejó sorprender, ni siquiera pudo huir con los restos de su tropa y se escondió en una casa particular. (13) Este desgraciado acontecimiento retardó cerca de seis meses las operaciones en el Sur y la liberación de las provincias del norte. Calzada persiguió a los pocos que pudieron escapar a través del valle del Cauca; una de sus columnas llegó a Cartago, y

(11) Oficios a Santander del 9 y 11 de febrero. O'Leary XVII, 63 y 64.

(12) Oficios de 14 de febrero. O'Leary XVII, 66 y 68.

(13) Relación de los sucesos de Popayán, por el Ayuntamiento de la ciudad. O'Leary XVII, 365 y 369.

él intentó socorrer a Warleta en Antioquia; pero en conocimiento de la derrota de este último y amenazado algún tiempo después desde Neiva, como veremos adelante, retrocedió a Popayán. En esta incursión devastó el territorio por sí y por medio del guerrillero Simón Muñoz; ambos cometieron todo género de tropelías.

Córdova en Antioquia.

El expresado coronel Warleta, procedente de Cartagena con 350 hombres del regimiento de Aragón, enseguida de amagar por Zaragoza invadió por Cáceres la provincia de Antioquia, su antigua conquista de 1816 (14). Restablecido Córdova de una caída del caballo, reunió en Barboza sus escasas tropas y marchó velozmente el 12 de febrero contra los enemigos. Batió dos partidas avanzadas y al precipitarse en Chorros Blancos al ataque de la columna principal, Warleta abandonó la posición asustado por el continente resuelto que el joven guerrero sabía comunicar a sus hombres. Córdova siguió tras él, ocupó a Yarumal el 13 (15), envió una compañía en su persecución y regresó a Río Negro a defender la provincia amenazada al Sur por Calzada (16). Estas operaciones, pequeñas por el número de combatientes, fueron de grande utilidad, por la excepcional importancia militar de la rica Provincia de Antioquia, situada entre los dos grandes ríos del país, y en medio de las provincias de Cartagena y Popayán, centros principales de los realistas. El eminente patriota José Manuel Restrepo, gobernador político, trabajó con acierto en la administración y contribuyó a formar el espíritu público.

La división Valdés.

Desde Maturín a la Boca del Pao recorrieron las tropas de Valdés más de 100 leguas. Allí se embarcaron en el Orinoco y desembarcaron el 13 de enero en Arichuna, en el Bajo Apure. De este punto emprendieron la marcha extraordinaria a la Nueva Granada: fueron a Guasdualito en el Alto Apure, cruzaron el Arauca, atravesaron la provincia de Casanare, y la Cordillera occidental, y bajaron a los valles de Sogamoso. Hasta allí habían recorrido 400 leguas. En la travesía estas tropas perdieron la mitad de sus hom-

(14) Correo del Orinoco N° 58.
(15) Correo del Orinoco N° 60.
(16) Carta del 26 de febrero. Archivo Santander, IV, 146.

bres, por enfermos y desertores, de manera que sólo llegaron poco más de 1.000. Observase por este movimiento cuanto habían cambiado la obediencia y la disciplina, después del triunfo de Boyacá. El ejército de Oriente opuesto siempre a apartarse pocas leguas de sus lares emprendía ahora cruzar de extremo a extremo el continente. Después de reposar en los valles de Sogamoso, la división Valdés fue enviada al Sur, y atravesó la Cordillera Central, como veremos luego, a reparar el desastre de Popayán, en vez de emplearse en reforzar el ejército de Urdaneta, columna principal del naciente estado de la Nueva Granada, como se había pensado al principio.

Combate en la Plata.

Por lo pronto el coronel José Mires, jefe de la vanguardia de Valdés, tuvo orden de adelantarse solo a Bogotá a tomar el mando del batallón Albión y los Guías de Carvajal, y marchar velozmente al Alto Magdalena a contener a Calzada. Este jefe por fortuna se contentó con ocupar solamente el Valle del Cauca, y de Popayán destacó en exploración por el camino de la capital al capitán Domínguez con 310 fusileros. Mires, recién llegado a la Plata, al pie de la Cordillera Central, se replegó a la aproximación de los enemigos, creyendo más numerosa la columna realista, pero al asegurarse de su efectivo, se devolvió rápidamente y la batió y destruyó el 28 de abril en el mismo pueblo de la Plata. En el combate se distinguieron el capitán Rasch al atacar el puente, y Carvajal y Morán quienes se arrojaron al río con unos cuantos, a flanquear la posición. Los españoles dejaron en el campo 80 muertos y heridos y cerca de 100 prisioneros. Las pérdidas de Mires alcanzaron a 28 muertos y heridos y 19 dispersos.

Nuevo plan de campaña.

Obligado el Libertador a prescindir de la expedición importante sobre Santa Marta o Maracaibo, en combinación con Montilla y el Almirante, envió solamente hacia Ocaña y la Costa al coronel Carmona con 500 hombres, de los cuales 225 eran veteranos (17); y temeroso de que impuesto Morillo de la marcha de Valdés al Sur avanzara sobre Cúcuta con fuerzas importantes, dió orden a Urdaneta de retirarse, llegado el caso, en dirección de

(17) Oficio a Santander. Rosario 11 de febrero. O'Leary XVII, 64.

Bogotá sin comprometer acción, defender el terreno palmo a palmo, cortar los desfiladeros, establecer guerrillas y retirar toda clase de recursos. El coronel Carmona podía hostilizar al enemigo por su flanco derecho, y el comandante Herás y el coronel Rangel, partiendo de Guasdualito con tropas de Apure, harían otro tanto sobre su flanco izquierdo y le estorbarían la recolección de víveres, mientras el general Páez despues de ocupar los llanos de Caracas viniera sobre la espalda de las fuerzas invasoras hasta Cúcuta o más adelante (18). Esta combinación era forzosa por la imposibilidad de obrar en masa mientras no se recibieran fusiles y municiones y fue dispuesta teniendo en cuenta el valor y prudencia de Páez, autorizado a obrar independientemente según las circunstancias, y la imposibilidad de alejarse de su base de Venezuela, sin exponerla a caer en manos de los patriotas.

Ejército del Norte.

La división de Urdaneta, núcleo principal del Ejército del Norte, establecida como hemos visto en la línea de San Cristóbal Táriba y Lobatera, permaneció en ella varios meses observando a La Torre, situado en Mérida con avanzadas en La Grita y Bailadores (19). En aquellos días constaba de tres batallones de la Guardia de Honor, a saber: Granaderos o sea el antiguo Barcelona, Vencedor en Boyacá y Rifles, al mando respectivamente de los coroneles Ambrosio Plaza, Cruz Carrillo y Arturo Sandes. Un escuadrón de Carabineros formado por Lucas Carvajal y la excelente brigada de caballería del alto llano de Caracas del coronel Rondón compuesta de los escuadrones Dragones, Húsares, Lanceros y Guías, al mando de Mellado, Figueredo, Infante y Orta. Estos últimos se acantonaron en segunda línea en el valle del Táchira, donde abundaba el forraje. La división contaba 1.500 infantes y 500 jinetes. El 8 de marzo Salóm fue nombrado sub-jefe de estado mayor general.

En el mes de abril Urdaneta se dirigió solo al Apure a acelerar el envío de armamentos y a conducir la segunda brigada de

(18) Oficio a Urdaneta, Pamplona, 17 de febrero. O'Leary XVII, 74. Es principio general obrar en una sola línea de operaciones, a menos que la columna destacada o que obre independientemente en otra línea sea tan fuerte que pueda defenderse sola. Era el caso de la de Páez.

(19) Memorias de Urdaneta. O'Leary VI, 366.

infantería del ejército de Páez para reforzar su división. Formaban dicha brigada los batallones Tiradores y Boyacá, al mando de los coroneles Heras y Lugo. Partieron 1.100 hombres y llegaron 900. En San Cristobal el segundo de estos batallones se refundió en el primero y sus oficiales se trasladaron a Pamplona a formar otro con el mismo nombre. Incorporados poco después este nuevo batallón, y el regimiento apureño del coronel Rangel, la Guardia se organizó en dos brigadas, la primera a las órdenes de Plaza con los batallones Granaderos y Vencedor y la caballería de Rondón, y la segunda al mando de Rangel, formada por los batallones Tiradores y Boyacá y el regimiento de Cazadores a caballo encomendado al teniente coronel Lucas Carvajal. El batallón Rifles fue destinado al Magdalena, como veremos adelante.

Los batallones Bogotá y Vargas y la columna de 1.000 hombres de Justo Briceño, compuesta de orientales de la división Valdés y reclutas granadinos, disciplinándose respectivamente en la capital, en Pamplona y en el Socorro, debían también reforzar a Urdaneta. En estas dos provincias y en la de Tunja existían en los depósitos cerca de 4.000 reclutas adiestrándose para llenar las bajas de los batallones veteranos y formar otros nuevos. A Neiva y el Cauca pidiéronse jinetes para reemplazos de la caballería.

Al mismo tiempo dispuso el Libertador formar cuerpos de esta arma en Antioquia y el Bajo Magdalena, y al efecto envió a Córdova, con el comandante Carpio, un cuadro de oficiales llaneros adecuados a aquel objeto.

A mediados de mayo dió orden al coronel Plaza, encargado del mando de La Guardia de concentrarla en Táriba y retirarse hacia San Josesito es decir en dirección del Apure hasta unirse a Urdaneta, en caso de avanzar La Torre, y cargar luego al general español por la espalda mientras él lo contendría de frente. Maniobra peligrosa, por fortuna sin efecto, porque el movimiento de La Torre no se efectuó sino a fines de mayo y al llegar a La Grita con los excelentes batallones Navarra y Barinas, supo la aproximación de Urdaneta con refuerzos de Apure y retrocedió otra vez a Mérida (20).

Los habitantes de la Grita, esencialmente realistas, no envia-

(20) Oficio de 17 de mayo, Rosario. O'Leary XVII, 179.

ron avisos a los patriotas del movimiento de los españoles, como se les había ordenado por bando el mes anterior, y lejos de eso, les prestaron toda clase de auxilios. Esto dió motivo a ordenes draconianas del Libertador de prenderlos en masa y conducirlos a espalda de las tropas, a fin de librarse de su complicidad con los enemigos. Dificultades de este género fueron también vencidas en otros puntos de Venezuela con igual energía en el curso de la revolución.

Operaciones en el Magdalena.

El coronel Carmona, destinado a la costa a socorrer la esperada expedición de Montilla, partió de Pamplona y avanzó por el páramo de Cachirí al pueblo de La Cruz y a la ciudad de Ocaña. De aquí debía seguir a buscar la comunicación con aquel jefe, obrando "con la mayor circunspección y prudencia, para no ser cortado o destruido", mientras no tuviera noticia de la expedición, y "por el contrario con la mayor audacia al saber su llegada a la Costa, para auxiliarla en todo lo posible" (21). En Chiriguaná, podía recoger caballos y ganados.

No dudando Bolívar de la libertad de la provincia de Antioquia, por la actividad y valor de Córdova, sin noticia todavía de las brillantes operaciones ejecutadas por este impetuoso jefe, le dió orden el 20 de febrero, de marchar sobre Mompox con todas las fuerzas que pudiera disponer procurando combinar sus operaciones con las similares de la escuadrilla sutil del Magdalena a la cual suponía en marcha.

Al comandante de esta última le avisó el avance del coronel Carmona sobre Ocaña y el del coronel Córdova sobre Mompox, y le ordenó comunicarse con el primero por Puerto Real de Ocaña, prestarse auxilios mutuamente, y combinar sus operaciones con el segundo (22). Tomadas estas disposiciones y después de escribir de nuevo al coronel Montilla estimulándolo a libertar a Maracaibo (23), partió hacia Bogotá donde había tenido lugar un grande acto político, y se requería su presencia.

---

(21) Instrucciones a Carmona, Bucaramanga, 20 de febrero. O'Leary XVII, 80.

(22) Oficio del 20 de febrero. Bucaramanga. O'Leary XVII, 82.

(23) Oficio del 20 de febrero, Bucaramanga. O'Leary XVII, 83.

Ratificación de la Unión Colombiana.

El general Santander, Vice-Presidente de la Nueva Granada, había reunido en la capital el 12 de febrero a las autoridades civiles, militares y eclesiásticas, con el objeto de exponerles las ventajas de la unión con Venezuela, decretada el 17 de diciembre por el Congreso de Angostura; y todos unánimes estuvieron de acuerdo en dar pronta ejecución a la ley, con la reserva natural de someterla al Congreso de 1821 para su confirmación o alteración: todos también lo fueron de expresarle cordiales gracias al Presidente por sus constantes desvelos en favor de la Nueva Granada y los Prelados prometieron dirigirse, cuanto antes, a Su Santidad en favor de la República, conforme a insinuaciones del Vice-Presidente. Firmada una acta encabezada por este magistrado, el secretario de guerra y hacienda Alejandro Osorio, y el de Interior y Justicia Estanislao Vergara, fue remitida al Libertador, y en su comunicación Santander le expresaba los sentimientos del pueblo granadino, resuelto a seguir las miras sublimes de Bolívar, por sus conceptos nobles y justicieros, y considerar conveniente la unión con Venezuela. El Libertador contestó del Socorro el 25 de febrero al Vice-Presidente en términos expresivos, reconociendo sus eminentes servicios y méritos en la administración (24).

¡Cuan grande hubiera sido nuestro desarrollo si este acuerdo, de los primeros magistrados y de hombres eminentes de ambos países se hubiera consolidado por una decisión enérgica y conciente de la mayoría! Aunque el incentivo de la libertad no podía reemplazar el de una religión nueva o el de las grandes conquistas, fuerzas aglutinantes de los más duraderos imperios y repúblicas de todos los tiempos; a la nuestra, por su origen, esfuerzos y razas comunes, le faltó además, a causa de la prematura muerte de su fundador, la acción prolongada, capaz de agrupar definitivamente los elementos unionistas creados por la guerra.

El 5 de marzo entró el Libertador en Bogotá en medio de vivas y gritos de alegría. De allí envió auxilios de dinero a Valdés estacionado en Sogamoso, reponiendo su división, a Urdaneta y a Páez; al primero de estos últimos ratificó sus instrucciones para

(24) Correo del Orinoco N° 60. O'Leary XVII, 86.

la defensa del territorio, y al segundo las referentes a las operaciones contra Morillo (25).

Bolívar era el centro alrededor del cual giraba toda la máquina. Los republicanos lo amaban, apreciaban sus virtudes y reconocían sus servicios. En 1812 y 1813 había dado a la Nueva Granada los más sabios consejos políticos y militares y ejemplos de acción enérgica. En 1815 unificó la república dividida. En 1819 restableció la libertad. Santander colaboraba con eficacia a todos sus proyectos convencido de la grandeza y utilidad de sus servicios, y ponía de su parte cuantos esfuerzos le eran posibles. Gustábale, sin embargo mostrar, en la correspondencia, su propia personalidad, observando con habilidad aquellos lados inconvenientes, inevitables, de las grandes medidas de gobierno y de guerra ordenadas por Bolívar, aun cuando las ejecutara puntualmente; y Bolívar con la mejor voluntad le replicaba y demostraba la necesidad de lo dispuesto.

El beneplácito de los bogotanos por la creación de la gran república tuvo la mayor trascendencia. En todo el país se aceptó el hecho consumado como necesario para terminar la guerra y de grandes ventajas en el porvenir. Así lo esperaba Bolívar del notable espíritu público mostrado por la Nueva Granada, desde el primer momento de su liberación. Esta mutua comprensión cimentó su prestigio y afirmó el amor que siempre le había inspirado el pueblo granadino. Entusiasmado por el resultado obtenido, dijo en una proclama a la parte libre de la nación: "Cundinamarqueses! Quise ratificarme si deseabais aún ser colombianos: me respondísteis que sí y os llamo colombianos! Venezolanos! Siempre habeis mostrado el vivo interés de pertenecer a la gran república de Colombia, y ya vuestros votos se han cumplido. La intención de mi vida ha sido una: la formación de la República libre, e independiente de Colombia entre dos pueblos hermanos. Lo he alcanzado: ¡ ¡ ¡ Viva el Dios de Colombia ! ! ! "(26).

Necesidades y recursos.

El Vice-Presidente agobiado por los pedidos de los jefes de tropas se quejaba frecuentemente, en su correspondencia privada

(25) Oficios de 5, 7 y 8 de marzo. O'Leary XVII, 93 a 96.
(26) Lecuna. Proclamas y Discursos del Libertador 248.

con Bolívar, de los embarazos debidos a los gastos de los ejércitos, por la imposibilidad de satisfacerlos, y en cierta ocasión le manifestó la imposibilidad de seguir en el puesto, pero el Libertador acostumbrado a vencer dificultades todavía mayores, lo tranquilizaba e insistía en sus proyectos, porqué ¿a quien dirigirse sino a él? No había otro que lo hiciera mejor. En aquellos momentos obraban en la Nueva Granada 10.000 hombres. El gobierno proveia a una parte de los gastos y el resto lo daban los pueblos por medio de exacciones, y apesar de tantos esfuerzos las tropas subsistían en las mayores escaceses.

Las campañas anteriores se habían hecho en Venezuela y Casanare casi sin pagar tropas, disponiendo solo de rentas pobrísimas y de exacciones, y tomando para el servicio del estado el ganado y los caballos sueltos abundantes en sus llanuras semidesiertas, de toda clase de propietarios, pero en la parte alta de la Nueva Granada, esencialmente agrícola, no existía este último recurso, y el adelanto de la causa imponía pagar todos los servicios; y aún a Venezuela, era necesario enviar algunas sumas de dinero para mantener completo por lo menos el ejército de Apure.

La provincia de Cundinamarca no tenía otras entradas sino las salinas, el estanco de tabaco, alcabalas y casa de moneda. Las de Neiva y Mariquita muy pobres, el Chocó de escasa población y la extensa de Antioquia, mantenían sus tropas. Los productos de las de Pamplona, Tunja y el Socorro, administrados en parte por Bolívar, se destinaban a los batallones en formación y al ejército del Norte. Reducido el Vice-Presidente Santander a administrar un escaso territorio debía remitir $30.000 mensuales al ejército del Norte para completar sus gastos, y pagar en Bogotá la comisaría de guerra, la maestranza, los hospitales y empleados civiles. En nueve meses los gastos del gobierno de la Nueva Granada, incluyendo $500.000 empleados en armas, vestuarios y raciones, en parte para Venezuela, ascendieron a $1.000.000 (27). La tesorería absorbió el producto de los diezmos y los novenos cedidos por el clero y proveía al estanco de tabacos. Aun cuando las rentas se manejaron con pureza los recursos fiscales no alcanzaban a cubrir los gastos, y en mayo se acudió al odioso pero temporal,

(27) Bolívar y Santander, obra citada 186.

de los empréstitos a las diversas provincias en proporción a sus medios (28).

En el ramo de guerra se trabajó con actividad. Se establecieron fábricas de nitro y pólvora, explotáronse minas de plomo, se fabricaban lanzas y sillas. El público colaboraba con entusiasmo. En la capital se formaron dos escuadrones, uno de veteranos y otro de milicias, equipado este último por los vecinos notables.

La conducción de armas de Angostura a Guasdualito y de este punto a los valles de Cúcuta se hacía con extraordinaria lentitud por escasez de bestias de carga en Apure. "La Provincia de Casanare, escribía Bolívar, que podía prestar algunas, lejos de hacerlo aumenta nuestros embarazos, porqué los comisionados que las traen se las llevan sin hacer ningún servicio, y además cargan con las demás que encuentran" (29). Tales dificultades oponían estos pueblos primitivos a su propio engrandecimiento.

Unidad de mando.

El Congreso de Angostura al disponer el sistema de gobierno reservó exclusivamente al Libertador Presidente la dirección de la guerra, medida necesaria para el buen éxito de las operaciones, seguramente sugerida por el mismo Bolívar. Pero las enormes distancias de los extremos al centro de la República lo indujeron a delegar esta atribución, en cuanto al Oriente de Venezuela, en el Vice-Presidente de Colombia residente en Angostura y en el Vice-Presidente de Cundinamarca respecto a las operaciones en el Sur, en el Cauca y el Magdalena. Mas tarde con motivo de una orden inconsulta enviada de Angostura a Montilla de llevar los irlandeses a Guayana, Bolívar resolvió de nuevo el 2 de mayo asumir todo el poder militar reservándose dar órdenes al Vice-Presidente de Venezuela para la guerra de Oriente y el 4 de junio encargó al Vice-Presidente de Cundinamarca recomendar a los jefes de operaciones ejecutar con preferencia las órdenes del Libertador con el objeto de evitar confusiones y dudas a dichos jefes si recibian órdenes diversas y quizás contrarias. Por tanto aun cuando conservó al Vice-Presidente de Cundinamarca la facultad de inter-

(28) Bolívar y Santander 160, 168, 171, 182 a 187. 210.

(29) Oficio a Santander. Rosario, 3 de julio de 1820. O'Leary XVII, 254.

venir en las operaciones, debía ser dentro de las órdenes generales del mando supremo.

Expedición de Montilla. Fracaso de Mac Gregor.

Distraer a los enemigos de sus empresas al interior, arrebatarles la costa de Santa Marta y llevar armas a la Nueva Granada eran los primeros objetos militares de la expedición encomendada al coronel Montilla y al almirante Brion, como va expuesto en páginas anteriores.

Dificultades de todo género se opusieron a tan bien calculada empresa: la resistencia de los margariteños a salir de la isla y la tibieza de sus jefes en cumplir las órdenes del gobierno; el corto número de irlandeses disponibles por no haber llegado sino una parte de la división contratada por D'Evereux, su indisciplina e inexperiencia militar, las pretensiones de estos extranjeros a los cuales se había hecho en su país promesas irrealizables, y la escasez de víveres. Para llevarla a cabo el Libertador entregó a Montilla en Angostura $30.000 del dinero tomado en la Nueva Granada. Con dicha suma se fue este jefe a San Thomas a comprar víveres, vestuarios y armas, y regresó a Margarita en un bergantín cargado de efectos, convoyado por uno de guerra denominado Boyacá. En su comunicación al Ministro envió detalles sorprendentes sobre la derrota de Mac Gregor en Río Hacha en octubre del año anterior, al séptimo día de haber ocupado la plaza; derrota dada por los vecinos exasperados del saqueo de su ciudad por los ingleses, a pesar de haberles prestado toda clase de auxilios. Los habitantes enardecidos por el ultraje a sus hogares, atacaron a los expedicionarios con cuchillos y otras armas análogas y del degüello sólo escaparon 46 de los 300 ingleses de Mac Gregor. "Esta es una prueba, decía Montilla, de que tropas extranjeras sin una fuerza nacional que las contenga expondrán a reveses las armas de la república" (30). Era una lección y un mal presagio para la expedición en proyecto.

A consecuencia de gestiones en Londres del duque de San Carlos, Embajador de España, no habían podido embarcarse los últimos enganches de D'Evereux, y considerando insuficientes los llegados a Margarita, el Gobierno de Angostura presidido todavía

(30) O'Leary XVII, 36.

por Zea, ordenó a Montilla el 28 de febrero, prescindir de la expedición a Río Hacha y llevar a Angostura los expedicionarios existentes en la isla, orden inconsulta, por fortuna sin efecto, por haber llegado tarde a su destino. El jefe independiente aunque solo disponía en aquella fecha de 700 irlandeses, casi todos bisoños, y propensos a sublevarse, como lo habían efectuado dos partidas en Porlamar y Juan Griego porque no se les daba paga completa, no vaciló en emprender la expedición, más para resolverse a marchar celebró un convenio con Brion el 6 de marzo, por el cual el Almirante se comprometía a proporcionarle 400 hombres de la marina para el primer ataque, y después 200 para el servicio en tierra, mientras formara tropas criollas, medida indispensable, tanto por el escaso número de irlandeses, como por la necesidad de contenerlos en el pillaje al cual se mostraban inclinados (31). Brion convencido de la ventaja de la empresa, recomendada por él con calor meses atrás, lo ayudaba de muy buena gana. Al día siguiente partieron de Juan Griego en 10 buques de guerra, bergantines y goletas, y 6 de trasporte, goletas, faluchos y flecheras. Los irlandeses formaban tres cuerpos a saber, Lanceros, Cundinamarca y Tiradores, y una sección de artillería. Los hombres de Brión, soldados y marineros, eran en su mayoría margariteños, y los demás extranjeros de diversa procedencia. La expedición bajando rápidamente con la corriente fondeó el 12 en el puerto de Río Hacha.

Toma de Río Hacha.

Defendían la plaza un fuerte y dos baterías con 49 piezas. Los españoles contestaron el fuego de los independientes, con poca pérdida de ambos lados, hasta la caída de la noche, enseguida clavaron la mayor parte de los cañones y se retiraron a Santa Marta, dirigidos por el gobernador José Solís. Los habitantes abandonaron la ciudad temerosos de la reproducción del saqueo de los compañeros de Mac Gregor, de manera que los patriotas al desembarcar en la madrugada del 13 la hallaron vacía. Nombrado go-

(31) Boletín de la Academia de la Historia, Nº 93 página 87. La escuadra de Brión se componía de los bergantines Urdaneta, Orinoco, Brión, Josefina, Bogotá y La Popa y las goletas Espartana, Granadina, Cundinamarca y Belona. Véase también en el mismo boletin pag. 86 el estado de la división irlandesa el 4 de marzo de 1820, firmado por el jefe de estado mayor Stopford.

bernador el coronel Ramón Ayala, hombre civilizado y humano, y establecido un régimen para guardar el orden, la mayor parte de los habitantes regresaron a sus hogares de los montes y caseríos vecinos, y se procedió a levantar cuerpos criollos.

Las instrucciones dadas por el Libertador a Montilla en Angostura, el 14 de diciembre de 1819, amplias como todas las suyas lo autorizaban a obrar sobre Río Hacha o Santa Marta, o sobre los enemigos de Cartagena, según se proporcionara la subsistencia de la Legión, y con preferencia en la ribera izquierda del Magdalena; y también a abrir comunicaciones con el general Urdaneta, y prestarle su cooperación si se la exigiese para tomar a Maracaibo. Quedaba por tanto Montilla libre para elegir el punto adonde creyera conveniente dirigirse, y él juzgó juiciosamente lo mejor penetrar tierra adentro a darse la mano con Urdaneta. La distancia de 120 leguas de Ocaña a Río Hacha y principalmente la hostilidad de los habitantes fueron causa de no poder realizar su propósito.

La región, así como la vecina de Santa Marta, señalabase por sus opiniones realistas. Montilla batió la guerrilla del indio goajiro Miguel José Gómez, cerca de la plaza, avanzó algunas partidas al interior en persecución de otras guerrillas y personalmente marchó el 23 de marzo con una columna de 500 hombres, irlandeses y criollos, hacia el Valle de Upar adonde llegó el 28, y se estableció allí, juzgando abrir pronto comunicaciones con el ejército del norte, regido por Urdaneta. Para guardar las suyas estableció al coronel José Padilla con 300 reclutas y oficiales veteranos, primero en Fonseca y luego en San Juan, donde este valiente jefe batió una facción numerosa, alentada por el triunfo completo obtenido en Moreno el 22 de abril por el indio Gómez sobre un destacamento de 60 hombres encargado de conducir unas cargas de municiones; y desde el Valle de Upar, el mismo Montilla marchó el 9 de abril a dispersar otra facción en el Molino. En este territorio cuantos patriotas se separaban de las filas, siquiera a tiro de fusil, eran degollados por los paisanos tanto en Río Hacha, como en los lugares intermedios hasta el Valle de Upar (32). Los mensajeros

(32) Oficios de Montilla del 22 de marzo, 6, 17 y 22 de abril. Nota de Montenegro Colón, Gobernador de Maracaibo, de 8 de mayo. Boletín de la Academia de la Historia N° 93 páginas 91, 95, 96 y 98. Gaceta de Caracas N° 204, del 17 de mayo de 1820.

enviados a Urdaneta fueron capturados o se devolvieron sin llegar á su destino.

Montilla retrocede.

A mediados de abril Montilla pensaba seguir avanzando hacia Chiriguaná de donde se decía marchaba una fuerza sobre él, pero luego desistió y en consejo de guerra, considerando imposible la comunicación con Urdaneta, resolvieron los principales jefes el 10 de mayo, retirarse a la costa por temor a una reunión de tropas efectuada en Río Hacha por Sanchez Lima en esos días (33). El general O'Connor, entonces teniente coronel encargado del mando de los Lanceros Irlandeses, asegura en sus "Recuerdos" haber opinado en contra de este movimiento. Es de dudar si Montilla, a pesar de la distancia al mar, debió seguir tierra adentro o regresar a restablecer su contacto con el Almirante. En el primer caso podía quedar aislado si no encontraba a Urdaneta, en el segundo no llenaba del todo su cometido. Sea como fuere la retirada desanimó a los irlandeses, y dió motivo a sus motines y abandono del país (34).

Reprensión a Carmona.

Tuvo gran parte de la culpa de este movimiento retrógado el coronel Carmona, pues él supo en Ocaña, del 15 al 20 de abril, el desembarco de la expedición, y no solo no se movió a socorrerla, sin pensar en los peligros, como se le había ordenado, sino que tardó 15 días en dar la noticia al cuartel general. Si en vez de quedarse inactivo en dicha ciudad sin enemigos aparte de unas guerrillas impotentes contra su columna, batidas por él en varios reencuentros, avanza en cinco días a Chiriguaná, como pudo hacerlo, seguramente Montilla no se habría retirado. La indignación del Libertador al imponerse de la indecisión de Carmona no tuvo límites. El jefe del Estado Mayor, por su orden, le escribió, con sobrada razón al secretario de Carmona: "Por la conducta lenta y cobarde que ha observado el señor coronel Carmona, contra su carácter y acreditado valor, confirma S.E. las noticias que se le

(33) Oficio de Montilla del 28 de abril. Boletín citado página 97. Restrepo III, 25 y 26. Gaceta de Caracas, 306, del 31 de mayo.
(34) Recuerdos de F. B. O'Connor. Tarija 1895. 19 y siguientes.

habían dado de que Vd. por cobardía y poco deseo de buscar al enemigo, y el capitán La Torre por no quedar en Ocaña, han sido la causa de que no se hayan cumplido las instrucciones de S.E. para las operaciones de esa columna, y de que se haya guardado en los partes tan profundo silencio sobre las noticias que se adquirían del enemigo". (35).

La reprensión era justa: presente el general en jefe en el teatro de las operaciones tenía derecho de exigir el cumplimiento exacto de sus órdenes. Carmona era uno de esos hombres, tan comunes en la milicia, de gran valor personal, pero sin la audacia hija de un razonamiento bien fundado, cuando las ventajas exceden a los peligros. Aun cuando de Ocaña a Chiriguaná hay 40 leguas, y otras tantas de este punto al Valle de Upar, hallándose Carmona, desde el 10 de marzo en Ocaña, a la primera noticia de la expedición, de acuerdo con las órdenes de Bolívar, debió lanzarse atrevidamente a Chiriguaná y avisar al cuartel general (36).

Marcha de Lara.

Lejos Bolívar de desanimarse por el retardo de los últimos contingentes de D'Evereux, ordenó de nuevo a Montilla, desde San Cristóbal el 13 de abril, suponiéndolo todavía en Venezuela, invadir las costas de Maracaibo o Santa Marta, cualesquiera que fueran sus fuerzas, aunque solo contara 500 hombres, en la inteligencia de haber ocupado a Ocaña el coronel Carmona y de tener orden de batir algunas partidas hostiles, y avanzar en dirección de Chiriguaná; y de un movimiento análogo del coronel Lara en la misma dirección con tres batallones (37). Poco después el Libertador se vió obligado a detener a este último por amenazas de avance de La Torre, como hemos dicho y expondremos con más extensión al referir las operaciones en Venezuela, y Lara no pudo emprender marcha de Bucaramanga sobre Ocaña sino el 20 de mayo, cuando ya Montilla se había retirado. Su columna constaba de 1.100 hombres de los batallones Rifles, Pamplona y Flanquea-

(35) Oficio del 23 de mayo. En los Copiadores del Libertador, boletín citado, página 137. El secretario de Carmona, Pedro Rodríguez, sirvió a las órdenes de Montilla con honor, y acompañó al Libertador, en San Pedro Alejandrino, hasta sus últimos momentos.

(36) Instrucciones de 20 de febrero. O'Leary XVII, 80.

(37) Instrucciones del 13 de abril. O'Leary XVII, 128.

dores y por su número y calidad, especialmente la del primero de estos cuerpos, recibió orden de internarse atrevidamente a Perijá y tomar a Maracaibo (38). Al saber Bolívar que un refuerzo enviado por La Torre a esta ciudad había contra-marchado a Mérida renovó sus instancias a Lara de marchar sin detenerse hasta lograr el objeto indicado (39). En previsión de esta empresa había establecido un astillero en el río Zulia, a cargo del maestro José Brun, e hizo construir con anticipación una escuadrilla y aunque esta fue desgraciada en su primer avance hacia el Lago, reconstituida enseguida con 34 bongos nuevos se mantuvo lista para apoyar las operaciones de Lara.

Laguna Salada. Rebelión de los irlandeses.

Apenas había regresado Montilla a Río Hacha, y en momentos de situarse la división del coronel Sánchez Lima de 1.200 hombres a su frente el 18 de mayo, 52 oficiales de la legión irlandesa le presentaron un memorial subversivo quejándose de la escasez de raciones y exigiendo se les trasladara con sus tropas a una colonia británica. Todos los esfuerzos del jefe patriota, hombre de mundo, de educación europea, y caballeroso en el mando, fueron inútiles para reducirlos. El 20 ocurrió cerca de la plaza un choque sangriento con los realistas, ventajoso a Montilla, pero no logró reducir a los insubordinados a acompañarlo a batir en forma a los españoles, y el 25 de mayo se vió obligado a marchar contra estos, con solo 580 hombres, 380 de la infantería de marina, de tres compañías de naturales de Río Hacha y un piquete de caballería; y 200 de Lanceros irlandeses, al mando de O'Connor. Llevaba además dos piezas de artillería (40). La insurrección realista cobraba alientos, día por día, y el goagiro Gómez había vuelto a triunfar en Moreno el 7 de mayo.

Sánchez Lima esperó a Montilla en una posición llana, la izquierda apoyada en La Laguna Salada, y la derecha a un bosque, y aunque una parte de su fuerza se componía de veteranos de Maracaibo y Santa Marta, fue arrojado del puesto y derrotado de nuevo en la Sabana del Patrón, pero retirándose hacia Santa Marta

(38) Oficio del Rosario, 10 de mayo. O'Leary XVII, 165.
(39) Oficios de 4 y 24 de junio. O'Leary XVII, 213 y 240.
(40) Diario de Río Hacha, 27 de mayo a 4 de junio, en el Correo del Orinoco, número 74.

por bosques espesos, Montilla, por la pequeñez de su columna, no creyó prudente perseguirlo. De las fuerzas patriotas solo 400 hombres entraron en la acción. Los irlandeses de O'Connor se condujeron brillantemente.

A pesar de este triunfo los irlandeses insubordinados permanecieron irreductibles, irritados por la falsa creencia de que el Almirante tenía dinero y no quería darles, y aun cuando por fin el jefe patriota convino en embarcarlos el 4 de junio, saquearon e incendiaron la ciudad y fue preciso la amenaza de echarlos a pique para que entregaran los fusiles. De allí se dirigieron a Jamaica. Montilla envió a los oficiales irlandeses Stopford y O'Connor a explicar al gobernador de la isla, y al almirante inglés estacionado en ella, los motivos de la rebelión de estos hombres (41), y enseguida evacuó la plaza. Pocos días antes se había incorporado a la escuadra el bergantín de guerra Boyacá, procedente de Cabo Francés, con 1.000 fusiles a bordo, y el comisionado Santa María, encargado de conducirlos.

Sin duda Montilla no debió dividir su fuerzas para penetrar en los despoblados del Valle de Upar, y conservar al mismo tiempo a Río Hacha, sino marchar con toda su división contra Santa Marta, o a la ribera izquierda del Magdalena, como le aconsejara Bolívar. Ni en una ni en otra dirección existían enemigos capaces de batirlo en campo raso, y dueño así de sus movimientos, con el parque abordo y el apoyo de la escuadra, podía levantar fuerzas y apoderarse de toda la costa, tal como lo realizó luego con menor fuerza, como vamos a ver.

Nuevo desembarco de Montilla.

Grave era la situación de los patriotas, con pocas tropas, el país enemigo, escasos de víveres y los buques faltos de reparaciones urgentes, sin embargo Montilla siempre animoso, resolvió correr fortuna y desembarcar en otro puerto. A esta resolución contribuyó el almirante Brión, convencido de la importancia de

(41) Oficio del 6 de junio al duque de Manchester. Boletín de la Academia de la Historia, nº 93, pag. 105. Relación de Montilla al Libertador. Blanco y Azpurúa. VII, 330.

ocupar una sección cualquiera del litoral granadino y de levantar tropas con las armas existentes a bordo. Tenían la ventaja de la escuadra para salvarse en cualquier evento desgraciado. Puestos en marcha emplearon los días 9 y 10 en hostilizar a Santa Marta por Gaira, San Antonio y el Morro, con el fuego de los buques y en vista de hallarse la plaza bien artillada y guarnecida, siguieron al oeste y entraron el 11 de junio en Sabanilla, puerto situado entre la boca Magdalena y la ciudad de Cartagena. El mismo día los expedicionarios tomaron el fuerte, defendido por 20 hombres solamente y cuatro piezas, y en los siguientes se internaron hacia Barranquilla y Soledad casi sin resistencia; favorecidos por los habitantes en su mayoría patriotas, ocuparon todo el territorio de las bocas del Magdalena y cortaron las comunicaciones entre Santa Marta y Cartagena. El doctor Pedro Gual se les había incorporado en Río Hacha y ayudó a levantar partidarios en los pueblos del interior, donde dejó amigos cuando fue Gobernador del Estado de Cartagena. Pronto Montilla reunió 400 hombres, los armó y envió al Presbítero Francisco Paéres Masenet, ardiente patriota, a través del territorio enemigo a solicitar noticias del interior y averiguar lo cierto acerca de rumores de venir una columna patriota al Magdalena por el Cauca (42).

Córdova y Maza libertan el Magdalena. Triunfo en Tenerife.

Esta era la del joven comandante general de Antioquia. El 14 de abril el Libertador había indicado a Santander reforzar la escuadrilla con el batallón Honda, a la sazón disciplinándose en Mariquita, ordenarle tomar a Mompox, y apurar al coronel Córdova a cooperar a esta empresa, movimiento oportuno por la importancia de dicha plaza, y necesario para impedir a los enemigos de Cartagena y Santa Marta dirigirse en fuerza contra la expedición de Ocaña destinada a libertar a Maracaibo (43); el 2 de junio, previendo la desocupación del Banco por los enemigos, Bolívar ordenó a Maza apresurar su marcha con la escuadrilla hacia Mompox, y realizarla aun cuando los enemigos se sostuvieran en aquel punto, y al efecto le recomendaba darles un falso ataque y pasar de noche delante de las fortificaciones, procurando no ser sentido

(42) Restrepo III, 32 y 33.

(43) Oficio de San Cristóbal, 14 de abril. O'Leary XVII, 130. Véase también el oficio de 12 de junio. O'Leary XVII, 222.

(44); y más tarde repitió estas órdenes en el deseo de aprovechar los momentos en que las fuerzas de Santa Marta y Cartagena tenían fija su atención sobre la expedición de Montilla, y no podían ocuparse de las riberas del Magdalena (45).

Córdova partió de Zaragoza, en buques menores, por el río Nechí abajo con 200 hombres escasos. Los realistas sorprendidos de noche abandonaron el puesto en la boca de este río, y el jefe patriota pudo ocupar a Cáceres en el río Cauca, y recoger otras lanchas para embarcar toda su columna montante a 400 hombres. Uno de sus destacamentos de 50 voluntarios al mando del capitán Corral sorprendió y destruyó el realista de Majagual casi tres veces superior en número. Allí supo que otra partida suya de 75 soldados enviada a la Sabana de Corozal se hallaba amenazada por una de 140 destacada de Cartagena a recoger reclutas. En el acto corrió en su auxilio y obligó a los enemigos a embarcarse en el Tolú. El 17 de junio recibió en Magangué el comisionado enviado por Montilla a avisar su desembarco y a dar parte de tener a bordo armas y pertrechos sobrantes. Animado Córdova con estas noticias marchó el 19 atrevidamente con solo 200 hombres, a través de un territorio montuoso y de fangales, a sorprender a Mompox, cayéndole por la espalda. El 20 la ocupó, abandonada la víspera por el batallón de Albuera del comandante Vicente Villa, al tener noticia de su aproximación. Poco antes los enemigos habían batido en Tocalva una pequeña partida suya, le quitaron algunos buques menores y dispersaron otra en Magangué, cuando Córdova avanzó a Corozal, pero estos descalabros parciales fueron reparados con usura por la audacia de la marcha a Mompox.

Los españoles dominaban el Bajo Magdalena con su escuadrilla apoyada en el puesto fortificado del Banco, 16 leguas más arriba de Mompox, en la boca del río César. La del comandante Maza los atacó el 24 de mayo y aunque ocupó el Peñón y echó a pique un buque enemigo se vió obligada a retirarse; y mas tarde, en conocimiento los españoles del desembarco de Montilla, y al saber la aproximación de Córdova aun siendo superiores en número abandonaron sus fortificaciones, así como habían abandonado a Mompox, y se retiraron a Tenerife. Tal es el efecto moral

(44) Oficio del 2 de junio. O'Leary XVII, 209.
(45) Oficio del 12 de junio O'Leary XVII, 222.

que en la guerra producen la velocidad y el vigor en las operaciones.

Libre el paso, Maza, sin haber recibido el refuerzo del batallón Honda, se unió a Córdova en Mompox el 22 de junio, con 7 embarcaciones menores y 100 fusileros. Aunque los enemigos tenían 300 soldados y 11 buques de guerra bien armados, acoderados al puerto, los dos jefes patriotas no vacilaron en seguir contra ellos, y al aproximarse a su campo, Córdova desembarcó para embestir por tierra. La acción se dió el 25 de junio. Maza atacó por sorpresa, al amanecer, con la misma intrepidez de sus cargas a la bayoneta en las gloriosas batallas de San Mateo. En el abordaje, a usanza venezolana, no dió cuartel. El comandante Vicente Villa, viéndose perdido voló su buque por no caer en manos de tan terrible enemigo. Los demás fueron todos dominados. Sólo salvaron la vida 27 prisioneros, y 70 granaderos del regimiento de León escapados por tierra con el comandante Esteban Díaz, al parecer el mismo jefe de estado mayor de La Torre en San Félix y de Barreiro en Boyacá; en poder de Maza quedaron 9 buques de guerra, fusiles y municiones. Córdova a pesar de sus esfuerzos llegó cuando terminaba la acción. Solo pudo escapar un buque pero fue capturado en Sitio Nuevo por el coronel José Padilla, destacado por el almirante Brión con fuerzas sutiles formadas sobre la base de algunas flecheras de Margarita. La brillante victoria de Tenerife aseguró el éxito de la expedición de Montilla (46). La conducta de Córdova, Maza, Brión y Montilla, por su puntualidad, acierto y energía, es digna de los mayores elogios. Este último superior al infortunio, según expresión de Páez, triunfó en las circunstancias mas difíciles por su audacia y talento (47).

Sitio de Cartagena.

El coronel Montilla con parte de su fuerza marchó de Barranquilla a Sabana Larga, sorprendió y batió en Turbaco al coronel Ignacio Romero, destacado de Cartagena contra él con 400 hombres del regimiento de Leon, y lo obligó a refugiarse en la plaza. En seguida regresó a Barranquilla a continuar con el Almirante el

(46) Restrepo III, 33 a 36.

(47) Orden general del 20 de julio. Rosario, Blanco y Azpúrua, VII 307.

bloqueo de Cartagena. Reunido a Córdova en Soledad, le dió orden de regresar a Calamar a reducir las Sabanas, al sureste de la plaza, ocupadas por partidas enemigas, pero estas no esperaron el ataque y corrieron a guarecerse en Cartagena. Situado Montilla en Turbaco, a cuatro leguas de la ciudad, se apoderó de los caminos de la plaza y el 1º de julio estableció en forma el bloqueo. Con la artillería tomada a los españoles en diferentes puestos estableció las baterías indispensables al asedio. Aunque sus fuerzas apenas alcanzaban a 700 hombres, mientras la guarnición contaba 1.150, establecido en los puntos importantes pudo sostenerse y diariamente las aumentaba. Al mismo tiempo el Almirante acudió con la mayor parte de sus buques y completó el cerco por el mar. Brillante desquite de estos jefes víctimas de los infortunios de 1815 en la misma plaza. Los españoles no tenían víveres para sostener un sitio largo. Con motivo del nuevo sistema de gobierno establecido en España, una revolución arrojó de la plaza al virrey Sámano, al coronel Warleta y a otros militares, y el brigadier Gabriel Torres tomó el mando civil y militar.

El doctor Pedro Gual se encargó de la gobernación de la parte libre de la provincia. El puerto de Sabanilla se habilitó para el comercio exterior. Al mismo tiempo se inició la administración de rentas. Por lo pronto sostuviéronse las tropas del sitio con recursos de los vecinos de los pueblos inmediatos (48).

Libre el río Magdalena y encerrados los enemigos por esta parte dentro de los muros de Cartagena, la Nueva Granada pudo restablecer sus relaciones mercantiles en el exterior con gran alivio de las provincias del interior, y se enviaron los fusiles y municiones sobrantes de la expedición de Montilla a Mompox a la orden del Vice-Presidente. Por el Magdalena y el Cauca podían introducirse nuevas remesas de armas hasta Antióquia y de allí era relativamente fácil el trasporte al ejército del Sur. Al tener Bolívar noticia de estos triunfos dió orden a Guayana de enviar cuantos fusiles se pudiera a las bocas del Magdalena; encomendó al almirante Brión mantener libre la entrada al río, ordenó a Montilla engrosar sus tropas con las de Córdova y Maza, aumentar las de Lara, cuidar de la seguridad del Magdalena y tomar a Santa

(48) Restrepo III, 39.

Marta. Al Almirante le dió las gracias por sus servicios y ordenó al Vice-Presidente remitirle $65.000 para cubrir parte de sus gastos; propuso a la Diputación del Congreso elevar a Montilla a general de brigada y a Córdova a coronel efectivo, encomendó el mando de las dos escuadrillas al coronel y capitán de fragata José Padilla y destinó a Maza a mandar un cuerpo de la división de Montilla. Córdova por lo pronto conservó la comandancia general de la provincia de Antioquia, y a Montilla se encomendó las de Cartagena y Santa Marta.

Restablecido el comercio exterior por resolución de 28 de julio el Libertador fijó los derechos de entrada en 33% del valor corriente de las mercancías, sin atender a antiguos aforos (49).

Combate en Chiriguaná.

Paralelamente con Córdova y Maza, avanzaban Lara y Carmona de Ocaña al norte, bien para apoyar a Montilla o para tomar a Maracaibo. El primero partió de aquella ciudad el 13 de junio y el segundo adelantado en Chiriguaná reconoció el 16 de cerca la división de Sánchez Lima, reconstituida después de su derrota en Laguna Salada, y constante a la sazón de 1.000 a 1.200 hombres, y en virtud de órdenes del cuartel general expedidas el 24 de mayo se retiró hasta unirse con Lara en la Sabana de Tamalameque el 21, juntándose 1.400 a 1.500 combatientes. El 22 emprendieron marcha contra los enemigos, y estos se retiraron hasta un bosque inmediato al pueblo de Chiriguaná, donde cedieron el campo el 24 tras empeñado combate, ante el empuje y fuego certero del batallón Rifles, triunfo casi simultaneo con el de Maza y Córdova en Tenerife. Lara persiguió a los enemigos solamente por espacio de dos leguas (50) en lugar de seguir con la espada en los riñones de los fugitivos hasta destruirlos o hasta Santa Marta; detenido en su marcha sin justificado motivo se entretuvo en dispersar guerrillas y en reponer sus bajas, ocasionadas por la fatiga, el combate y el clima, y quiso esperar nuevas órdenes del Libertador cuando las tenía muy explícitas expedidas el 10 de mayo de seguir a Maracaibo, despreciando guerrillas, sin esperar la coopera-

---

(49) Oficio a Montilla. O'Leary XVII, 331.

(50) Oficio del jefe de Estado Mayor general. Correo del Orinoco Nº 75.

ción marítima destinada a divertir a los enemigos: sus maniobras serían las decisivas (51); y estas órdenes se le renovaron el 11 de junio, autorizándolo a convertir sus operaciones a Santa Marta si lo consideraba más fácil y seguro, pero debiendo preferir, en igualdad de circunstancias la campaña sobre Maracaibo la mas ventajosa a la república (52). Perdido un tiempo precioso en objetos secundarios, Lara a pesar de sus brillantes cualidades de soldado, no supo sacar mayor provecho de la victoria. Sus fáciles operaciones posteriores prueban el error gravísimo de no haber perseguido a los enemigos.

Batalla de Pitayó.

De regreso de Bogotá a San Cristobal el Libertador pasó revista a las tropas de Valdés en Sogamoso el 29 de marzo. Dos días antes había enviado sus instrucciones a este general para marchar al Sur. Consideraba Bolívar a esta expedición capaz de destruir la división de Calzada, libertar el país hasta mas allá de Pasto y quizás hasta Quito. Valdés partió de Bogotá el 18 de abril y de Purificación el 26. En Neiva se detuvo el 28 a reparar parte de su armamento. En toda la República se hacía sentir la falta de recursos y era forzoso estacionarse a preparar los cuerpos. Allí recibió la noticia del triunfo de Mires en la Plata el mismo día de su llegada a Neiva. Sus tropas, conducidas desde tan lejanos países, se refundieron en los batallones Cazadores de Cundinamarca, Neiva y Cauca y en dos escuadrones.

Tres columnas de reclutas había enviado el Vice-Presidente hacia el Cauca. Primero marchó Murgueitío de Ibagué, cruzó la cordillera, ocupó a Cartago el 22 de marzo y batió al guerrillero Mendiburen. Luego el coronel Concha, nombrado gobernador de la nueva provincia del Cauca, erigida por Bolívar, salió de Neiva conduciendo la fuerza levantada en la provincia, pasó la cordillera por Quindío y se unió a Murgueitío en Buga. A este punto concurrió también con sus hombres el coronel Cancino gobernador del Chocó. Los dos primeros aunque habían reunido cerca de 2.000 reclutas siguieron a Cali llevando solamente de 400 a 450 hombres útiles, la mayor parte esclavos recién reclutados, sin experiencia militar.

(51) Oficio del 10 de mayo. O'Leary XVII, 165.
(52) Oficio de 11 de junio. O'Leary XVII. 220.

Reunidas las tropas de Valdés y Mires en La Plata, emprendieron marcha sobre el Cauca por el páramo de las Moras, dejando a la izquierda el de Guanacas. Contaban mas de 2.000 combatientes. Los españoles, ignorando el camino seguido por Valdés, se habían situado divididos en dos columnas, una en Pitayó enfrente del páramo de las Moras, a cargo del teniente coronel Nicolás López, compuesta del batallón de Cazadores y el de Patía, en junto 1.100 infantes excelentes, y otra en Piendamó enfrente del páramo de Guanacas, de 500 infantes del regimiento de Aragón y 100 caballos regida por el propio Calzada. Habiéndose presentado Valdés inopinadamente por la primera de estas vías, López no tuvo tiempo de avisar a Calzada y se vió obligado a empeñar solo el combate. La división Valdés era superior en número, pero su retaguardia a cargo de Mires se hallaba todavía en el Páramo, cuando el 6 de junio, a medio día, López cargó en Pitayó sobre las primeras tropas descendidas al valle y las hizo retroceder; pero reforzadas por el batallón Albión y los Guías de Juan Carvajal se empeñó el combate con furor. López trató inútilmente de desalojar a los patriotas de la posición principal en el camino, y rechazado varias veces, una carga de Albión seguida de impetuoso ataque de Juan Carvajal con los Guías, lo puso en completa derrota. Después de tres horas de pelea dejó en el campo 133 muertos y heridos y 150 prisioneros, 340 fusiles, 3.000 cartuchos y otros objetos. Valdés tuvo 30 muertos y 62 heridos (53). Algunas secciones de tropa persiguieron a los fugitivos hasta Guambia, a cuatro leguas de Pitayó. Nicolás López, oficial coriano, de relevantes dotes militares, acostumbrado a vencer con Boves, en la segunda parte de la campaña de 1814, cuando todo se conspiraba contra los patriotas, sufría ahora las consecuencias de sostener una causa desprestigiada, y no muy tarde iría a terminar su carrera mandando las tropas vencidas por Sucre en la batalla de Pichincha.

Los españoles se habían propuesto batir a Valdés, a la salida del páramo antes de incorporar a su división la columna del coronel Concha, estacionada en Cali desde el mes anterior. Valdés llevaba muchos reclutas, el armamento en parte descompuesto y carecía de municiones sobrantes (54). Estos fueron los motivos

---

(53) Parte de Valdés. Correo del Orinoco Nº 76.

(54) Carta de Santander de 21 mayo. Bolívar y Santander, 185.

alegados para no seguir la persecución de los enemigos, después de tan brillante triunfo; pero en realidad sólo lo detuvo, como secuela de los grandes esfuerzos realizados, la tendencia humana de ahorrar nuevas fatigas a hombres abrumados de cansancio. Solo los grandes capitanes mejor impuestos de la realidad prolongan la persecución hasta aniquilar al enemigo, sistema mas humano, de menos sacrificios y mayores resultados.

Manera de utilizar la victoria.

Juzgando Bolívar como era la verdad, que ni el jefe español ni la belicosa población de Pasto, tenían preparativos de defensa, ni podrían resistir una incursión violenta, el 26 de junio al tener noticias del combate escribió a Valdés por medio del Secretario, los sabios consejos siguientes: "S.E. espera que sacando V.S. todas las ventajas que ofrece un suceso tan decisivo, habrá adelantado sus posiciones hasta más allá de Pasto, cuando reciba esta comunicación. La habilidad de un general se despliega principalmente después de una victoria; vencer, puede ser obra del acaso, o de la fortuna simplemente, pero aprovechar la ocasión favorable y extender los frutos y ventajas de un triunfo, sólo es obra de la prudencia y talentos. Es pues, con razón que S.E. se promete la continuación de la marcha y sucesos de V.S." (55).

Encargado Santander de dirigir las operaciones del Sur, el Libertador le escribió el mismo día estas palabras: "Espero que Valdés aproveche la victoria, contra la costumbre de nuestros compañeros de armas. En Boyacá se nos abrieron las puertas de la fortuna, o mejor diré la fortuna me volvió, porque hemos sabido aprovecharla; siendo bien sensible que nuestros jefes no lo hagan nunca" (56).

Del campo del combate, cargado de heridos y con sus caballos cansados de la travesía de la Cordillera, el general Valdés en vez de seguir directamente contra Calzada, destruirlo y entrar a Popayán se dirigió a la derecha a la región llamada propiamente Valle del Cauca, a pesar de que en los primeros días recogió abundantes despojos y capturó en Quilichao sin resistencia una partida armada, indicio seguro del desastroso efecto moral causado a los

(55) Rosario 26 de junio. O'Leary XVII, 243.
(56) Carta del Libertador de 26 de junio. Lecuna II, 207.

contrarios por la derrota. Por ese movimiento parecía huír de los vencidos. Marchando lentamente llegó el 15 a Caloto, e incorporó la columna de Concha, mientras Calzada, dejando abandonada a Popayán se establecía tranquilamente en Timbio cuatro leguas al sur, a recoger dispersos y reorganizar su mermada división. En verdad de Popayán hacia Pasto los pueblos eran hostiles como decía Santander a Bolívar, al comunicarle sus consejos a Valdés, opuestos a los de Bolívar, pero constando al jefe republicano que el coronel López sólo había salvado 200 hombres del combate, debió sin dilación caer sobre Calzada, inferior en número y destruirlo. Perdida por Valdés la oportunidad de arrojar a los enemigos más allá de Pasto la lucha por libertar esta abrupta región, asiento de una población realista y valiente, costó más tarde crueles sacrificios. Valdés, según expresión de Bolívar, era el hombre más elegante en un campo de batalla. A su valor unía dotes sobresalientes para el mando, comprensión de los fenómenos de la guerra y carácter amable, pero le faltaba la continuidad en la acción y la energía incansable, requeridas también para llevar a cabo grandes empresas.

En conocimiento Calzada de la superioridad de las fuerzas de Valdés se retiró a Patía sin ser perseguido. Valdés entró en Popayán muchos días después, el 15 de julio, con 2.400 hombres.

Sobre administración.

Con el objeto de corregir los abusos introducidos en los pueblos de naturales de Cundinamarca, contra las personas y sus resguardos y aun contra sus libertades, el 20 de mayo dispuso el Libertador, se devolvieran a los indígenas las tierras de los resguardos y se repartiese a cada familia la extensión de terreno que pudiera cultivar, según el número de personas, teniendo en cuenta la extensión de los resguardos. En cada pueblo se establecerían escuelas para los niños donde se les enseñaran las primeras letras, la aritmética, los principios de la religión y los derechos y deberes de los ciudadanos. Ni los curas, ni los jueces políticos ni ningún funcionario podría servirse de los naturales sin pagarles el salario estipulado ante el juez político. Los sueldos de los maestros de escuela se pagarían con los arrendamientos de las tierras sobrantes.

Al día siguiente Bolívar expidió otro decreto, en favor de la agricultura, el comercio y la industria de grandes resultados si hubiera sido cumplido religiosamente. Por este decreto se establecía en cada capital de Provincia una Junta Provisional de Comercio y Agricultura compuesta de seis cónsules y un procurador consular, presidida por el gobernador político de la Provincia. Los demás miembros los nombraría el cuerpo de hacendados y comerciantes de la Provincia. Estas juntas debían establecer otras subalternas en puntos importantes de las Provincias y jueces de agricultura y comercio donde fuera conveniente; y tenían el encargo de promover la agricultura en todos sus ramos, procurar el aumento y mejoras de las crías de ganados caballar, vacuno y lanar; propender al cultivo del añil, cacao, café, algodón, lino, grana, olivo y la vid; presentar proyectos e ilustrar al pueblo en estas artes; fomentar la industria, establecer premios, y procurar el establecimiento de fábricas de papel, paños y otras telas, y mejorar caminos y trasportes. Para estos objetos las juntas usarían las liberalidades del comercio y la agricultura y las rentas sobrantes de propios de la provincia.

Las juntas debían además ocuparse de estudiar los terrenos baldíos y asesorar al Gobierno en su distribución, fundar pueblos en lugares desiertos, mejorar los caminos públicos y enviar a lugares a propósito los vagos y mal entretenidos de la provincia. Este decreto debía ponerse en práctica en la Nueva Granada, para extenderlo a los otros países de la República luego de libertados.

El 20 de junio, mientras se podían introducir reformas en la educación pública, dió un decreto declarando que el patronato, dirección y gobierno de los colegios de estudios y educación, establecidos en la República, pertenecía al gobierno, cualquiera que fuera la forma del establecimiento (57).

(57) Decretos de 20 y 21 de mayo y 20 de junio. Boletín de la Academia de la Historia, Nº 93, páginas 146 a 153.

II

Operaciones en Venezuela

Carácter de la guerra.

En la desolada Venezuela no quedaban sino restos de su antigua riqueza. El fuego de la destrucción había recorrido al país desde el Alto Apure hasta el extremo oriental. La guerra desató las pasiones contenidas por el régimen español, y la revuelta popular contra los principios republicanos y la independencia arrolló la parte ilustrada de la población de donde habían partido aquellos. La tempestad política dio nacimiento a nuevos elementos de lucha: tras un momento de reposo, al llegar el ejército de Morillo, el país se dividió otra vez en dos bandos, y sofrenados los desórdenes y disciplinadas las fuerzas, en incesantes combates se multiplicaban odios y rencores. Los hombres de armas de ambos bandos, infatigables, manteníanse en este año al igual de los anteriores, frente a frente, observándose como bestias feroces, y luchaban en frecuentes combates, aun cuando esperaban la decisión de la contienda de una batalla general. A Venezuela, en cambio de su ruina, sólo le quedó la gloria de haber dado a la América los más grandes libertadores y a la madre patria sus más fieles y heroicos defensores.

El Estado independiente se había organizado bajo principios republicanos, como lo permitían las circunstancias. Los españoles, sometidos al Gobierno absoluto, iban a sufrir un cambio radical al adoptar el sistema constitucional dispuesto por la metrópoli, funesto a la conservación de su soberanía en América, por la anarquía del partido vencedor en España, incapaz de allegar los medios necesarios para reducir las provincias de ultramar.

El Congreso de Angostura.

Glorioso por sus servicios a Venezuela, y la creación de Colombia, el Congreso cerró sus sesiones el 20 de enero. Sus últimos actos, ennoblecidos por Bolívar, hicieron olvidar las debilidades de setiembre. El doctor Zea, en el célebre manifiesto de clausura, presentaba a Colombia con un pie en el Atlántico y otro en el Pacífico dispuesta a ofrecer sus riquezas al comercio del mundo. En los días precedentes el cuerpo expidió una serie de decretos, algunos honrosos y útiles y otros poco meditados. El 11 de enero creó una comisión encargada de la liquidación de las deudas de la República y dió un decreto sobre la libertad de los esclavos. En él declaraba abolida de derecho la esclavitud, dejaba al próximo Congreso fijar los medios para su extinción gradual, y por lo pronto concedía la libertad a los esclavos alistados en servicio de la República. El 12 decretó un indulto en favor de los presos políticos, desertores, emigrados y de los españoles adictos a la República. El 13 creó una Diputación Permanente, de un presidente y seis vocales miembros del Congreso, con facultad de interpretar las leyes y resolver varios asuntos; y dispuso que la Alta Corte de Justicia de Venezuela sirviera para toda la República hasta la reunión del próximo Congreso, medida absurda, imposible de llevar a la práctica por la dificultad de las comunicaciones entre Cundinamarca y Guayana; y por decreto del 14 en los juicios militares las apelaciones irían a la Corte Suprema, donde serían sustanciadas en última instancia, y se daría la aprobación o desaprobación a las sentencias de los consejos de guerra de oficiales generales (58).

En vista de corresponder esta facultad al Poder Ejecutivo, encargado del mando supremo de las armas, y de conservar la subordinación en el ejército, el Libertador resolvió suspender la ejecución de este decreto, y para cubrir su responsabilidad encargó al Vice-Presidente de Colombia, residente en Angostura, someter a la Comisión del Congreso las siguientes consultas:

1º Si subsistían sus facultades ilimitadas para dirigir la guerra, acordadas por el congreso.

2º Si éstas lo autorizaban para suspender o modificar el cumplimiento o ejecución de leyes o decretos del Congreso en el territorio en guerra, cuya estricta observancia pudiera estar en contradicción con la seguridad del ejército, con la de los países recién libertados o con la disciplina, por falta de justos y oportunos castigos (59). El 31 de mayo la Diputación contestó, como era de esperarse, afirmativamente a estas preguntas (60).

---

(58) Correo del Orinoco, Nºs. 52. y 53.

(59) Oficio del 12 de abril. O'Leary XVII, 122.

(60) Boletin Nº 93 de la Academia de la Historia, página 104.

El decreto de indulto no se podía aplicar en la Nueva Granada por existir en las cárceles, realistas influyentes perjudiciales a la seguridad pública, mientras no se decidiera la campaña. No sucedía lo mismo en Venezuela donde rara vez se había dado cuartel o se perdonaba la vida a los enemigos peligrosos. El Libertador se vió obligado a suspender la ejecución de este decreto en aquel país.

Lo mismo dispuso respecto a la jurisdicción de la Corte de Justicia de Angostura en la Nueva Granada y autorizó a la de Bogotá a continuar en sus funciones. Así logró calmar la justa efervescencia causada en los granadinos por el decreto de 13 de enero, y con este motivo se dirigió mas adelante a la Diputación Permanente, y entre otras observaciones le expuso las siguientes: "Cuando los fundamentos de la unión no son aun sólidos; cuando los espíritus, todavía preocupados con la independencia recíproca y el ejercicio inmediato del poder, están dispuestos a mirar y recibir siniestramente las mas simples acciones que tiendan o puedan parecer inclinadas a sujetar un país a otro, o enagenar sus derechos, no deben adoptarse ni imaginarse medidas que irriten y exalten ni aun a los ánimos mas desprevenidos y ligeros. Basta un solo descontento para turbar todo un pueblo, cuando la masa general de él es halagada siquiera con ilusiones de grandeza y prosperidad y se le opone por contraste el vilipendio y la sujeción a hombres que no tienen a su favor el prestigio que dá el hábito de la antigua dominación" (61). Por fortuna el decreto había sido autorizado, como Presidente del Congreso y Vice-Presidente de Colombia, por un granadino, el insigne doctor Zea (62). Quizás por rivalidad con este hombre célebre, o porque en su corazón guardara resentimientos provinciales, Santander dió demasiada importancia al error del Congreso, medida por otra parte transitoria, mientras se reunía la nueva asamblea general, y fácilmente corregida por el Libertador de la manera indicada. La Diputación Permanente aprobó por unanimidad el 14 de agosto la resolución dictada por él a este respecto (63), pero no quiso modificar el decreto del Congreso.

(61) Oficio de 27 de junio. O'Leary XVII, 248.
(62) Correo del Orinoco N° 55.
(63) O'Leary XVII, 375.

Se quejó Bolívar también a la Diputación Permanente de haber dado sin necesidad al doctor Zea nuevos y exagerados poderes para la misión a Europa, cuando ya había recibido instrucciones de él conforme al reglamento de las atribuciones del Poder Ejecutivo expedido por el Congreso; y objetó los gastos de diverso orden dispuestos por este último, o la Diputación Permanente, en detrimento de los más urgentes de la guerra, y los sueldos de los miembros de la Diputación cobrados íntegramente contra lo dispuesto en el decreto de 16 de octubre del año anterior, por el cual se mandó abonar solamente la mitad de la paga a todos los empleados de la República así civiles como militares. En consecuencia encargó al Vice-Presidente Roscio representar a su nombre ante la Diputación "la absoluta necesidad de que los pequeños fondos de las rentas se aplicaran exclusivamente a la guerra, y no se hicieran en adelante nuevas asignaciones, ni se causasen gastos que precisa e indispensablemente habían de producir el atraso del servicio y la ruina del ejército y de la República". Los congresales, por el afan inconsiderado de gobernar y de dar leyes, y por interés propio, cometieron todos estos errores (64). Los burócratas no amaban a Bolívar.

El Vice-Presidente de Colombia.

El doctor Zea, dotado de talentos literarios y vastas miras políticas y principal colaborador en la creación de Colombia, parecía el hombre destinado a reemplazar a Bolívar cuando se restableciera la paz, pero sus errores como Vice-Presidente de Colombia, desvirtuaron esta idea. Uno de ellos fue entregar las Misiones del Caroni al negociante Hamilton mientras se pagara una cuenta de artículos suplidos a la República, sin pensar en las necesidades del Estado, sostenido por los ganados, caballos y frutos de esos establecimientos, y como consecuencia de dicha medida tuvo que mandar a comprar carne a los Estados Unidos para mantener al Gobierno y a las tropas de Guayana (65). Se hizo dar por la Diputación del Congreso la autorización mencionada para hacer cuanto creyera conveniente en su misión al exterior, disposición absurda contra la cual protestó el Libertador ante la Diputación por medio del doctor Roscio, en nota del 1° de mayo, declarando

(64) Oficio de San Cristóbal, 1° de mayo de 1820. O'Leary XVII, 143.
(65) Carta del Libertador a Santander de 22 de junio. Lecuna. II, 201

nulo cuanto hiciese el Enviado fuera de los poderes que él legalmente le había cometido (66). Libró dineros a favor de Mariño y otros individuos, inútilmente, y permitió a este caudillo, disgustado y disidente del Gobierno ausentarse para Trinidad contra las órdenes expresas del Libertador; en San Thomas cambió a bajo precio las barras de oro destinadas a sus gastos y se apoderó del dinero dado a Hamilton para comprar armas y del sobrante no empleado por Sucre en el mismo objeto (67); y por último no fue a los Estados Unidos, donde la situación era favorable y convenía su presencia.

Le sucedió en la Vice-Presidencia de Colombia el honorable doctor Juan German Roscio, Vice-Presidente del Departamento de Venezuela, pero este hombre de letras, honrado y juicioso, no fue mas feliz en sus gestiones: no tuvo energía para oponerse a las extralimitaciones de la Diputación, ni mostró la actividad indispensable a la administración y la dirección de la guerra, y ni él ni los ministros informaban con frecuencia al cuartel general del estado político y militar. Con motivo de este abandono el Libertador dió ordenes perentorias y mandó a establecer un sistema de postas, de Angostura al Apure, cada ocho días, hubiera o no despachos o cartas por remitir, y por último creyendo mejorar los negocios públicos nombró Vice-Presidente interino de Venezuela al general Soublette, le encomendó dirigir la guerra en Oriente y lo autorizó a tomar en Apure la infantería necesaria para defender a Guayana en caso de invasión de los enemigos. El doctor Roscio continuó de Vice- Presidente de Colombia, encargado particularmente de las relaciones exteriores (68). Soublette honorable y de refinada cultura carecía de iniciativa.

Fuerzas del Gobierno español.

El ejército de Morillo, compuesto de los batallones 1º de la Unión, 2º de Burgos y 1º y 2º de Hostalrich, 2º de Valencey, 1º

(66) Oficio al Vice-Presidente de Colombia. San Cristóbal, 1º de mayo de 1820. O'Leary XVII, 145.

(67) Carta del Libertador a Santander, 22 de julio. Lecuna II, 231.

(68) Oficio de San Cristóbal, 1º de mayo de 1820. O'Leary XVII, 145. Nota al general Páez, de 2 de mayo. Boletín de la Academia de la Historia, número 93 página. 117.

de Barbastro y 2° de Castilla y tres regimientos de caballería, Dragones, Húsares y Guías, por todo 3.500 combatientes, se extendía por un lado de Valencia a San Carlos y Guanare, y por otro a Barquisimeto. El brigadier Real con la primera división, de 1.000 veteranos, mitad infantes y mitad jinetes, desde Guanare había enviado tropas a Barinas y mantenía ocupada esta plaza. En los Valles de Aragua tenía el general en jefe el 1° de Valencey de 800 hombres, a cargo del valeroso español Tomás García; en Caracas una compañía de Granada, dos del primero de Barbastro y un escuadrón, en junto 700 hombres, y en La Guaira una compañía de 140 soldados, convalecientes de diversos cuerpos.

El general Morales desde Calabozo, ciudad fortificada con parapetos y cuatro fortines de campaña, vigilaba el Apure con el N° 1 de Burgos, y el N° 2 del Infante, el primero de 700 plazas y el segundo de 400, y unos 1.800 jinetes venezolanos aguerridos. Morillo gozaba por su valor y dotes guerreras, de gran prestigio entre estos llaneros y podía contar con su lealtad. Acostumbrado Morales a manejarlos, desde tiempo de Boves, los había organizado en diez regimientos, de dos escuadrones, y los mantenía en excelente pie de disciplina. Regían estos escuadrones Ramos, Torrealva, Severo Castillo, Mata Calderón, Narciso López, José Antonio Martínez, Juan José Lara y otros. A la derecha apoyaban a esta división las guerrillas de caballería del occidente de la provincia de Caracas, situadas desde los confines de Barinas y la Guadarrama, hasta los Tiznados y San Carlos, y a la izquierda las del Alto Llano de Caracas, desde el Calvario, Ortiz y el Sombrero al Valle de la Pascua y Orituco, estimadas unas y otras en 1.300 a 1.500 combatientes.

En Cumaná 1.000 hombres de los batallones Granada, la Reina y el Provincial, a las órdenes del coronel Antonio Tovar, sustituto del coronel Cires, guarnecían la plaza y dominaban la costa. El activo coronel Manuel Lorenzo, ocupaba a Carúpano y Río Caribe con 400 hombres del batallón Clarines y una compañía de Cachirí, formada con oficiales y soldados escapados de San Félix, y contenía a la guarnición y guerrillas de Güiria. El comandante Eugenio de Arana, jefe de operaciones en la provincia de Barcelona, disponía de 600 veteranos pertenecientes a dos compañías de Navarra, una de Valencey y dos del batallón de La Reina, de varias guerrillas locales arraigadas en el territorio, se apoyaba en los pueblos de indios flecheros, de extraordinario valor y opiniones realistas, situados al sur y al oeste de la cuidad: podía juntar fácilmente 1.000 hombres para operaciones activas, y desde su cuartel de Onoto a la margen del río Unare, mantenía en jaque a Monagas y sus partidas. Sus principales tenientes Hilario Torrealva en el Potrero, Bernardino Lozano en Güere, y Francisco Guzmán —alias Chicuán— en San Mateo, venezolanos avezados a la guerra, disponían de 700 hombres de armas distribuidos en sus respectivos cantones.

La división del general La Torre desde Mérida y Bailadores hacía frente a la de Urdaneta, situada en la línea de San Cristóbal Táriba y Lobatera. Su efectivo de 1.200 hombres, compuesto de un batallón veterano del regimiento de Navarra, de algunos reclutas y de las compañías veteranas de la Nueva Granada, lo elevó Morillo a un poco más de 2.000 hombres en marzo y abril enviándole el excelente batallón de Barinas de 600 plazas, todo de venezolanos, y el regimiento de Húsares de Fernando VII, de 360 recientemente reconstituido, con algunos españoles y venezolanos aguerridos.

Agregando las guarniciones de Puerto Cabello y de Coro de 200 y 300 hombres respectivamente, y los 500 a 600 existentes en Maracaibo, aparecen en Venezuela defendiendo al imperio español unos 15.000 a 15.500 soldados, venezolanos en sus dos terceras partes, incluyendo en estos muchos granadinos, tan firmes todos en sus sentimientos realistas como los mejores soldados de la Península.

El ejército libertador.

Las tropas colombianas eran menores, por haber enviado Bolívar a la Nueva Granada las de Oriente, pero las alentaba la opinión cada día más extendida a favor de la independencia, a medida que llegaban noticias siempre favorables a la revolución de España. Páez disponía en Apure de 2.000 jinetes y 1.800 infantes, de estos la tercera parte ingleses; y cubrían su frente seis o siete guerrillas de lanceros y carabineros con 700 a 800 hombres. El cuartel general se hallaba en Achaguas, el general Pedro Leon Torres mandaba la guarnición de San Fernando. En el Alto Llano Sedeño podía mover 1.000 jinetes de sus tropas y de las de Zaraza fuera de guerrillas estimadas en 600 hombres. Bermúdez partió de Maturín hacia el Orinoco con 640 soldados: Rojas disponía de 400 y los de Güiria sumaban 380; Montes en Cumanacoa reunía fácilmente 400 y otros tantos existían en armas en el golfo de Santa Fe y en la Península de Paria. A Margarita la custodiaban 500 hombres fijos y 700 licenciados temporalmente. Las flecheras tenían unos 600 hombres de armas y en las dos Guayanas había 640 de guarnición y 700 en la escuadrilla sutil. El total, 10.800 a 10.900 hombres, podía pasar fácilmente de 12.000, y contando la división de Urdaneta, los defensores de la patria en Venezuela sumaban 13.500 combatientes.

El ejército de Oriente.

Por decreto del Presidente, dado en Matiyure el 24 de enero el ejército de Oriente, a cargo de Bermúdez según otro decreto de reciente fecha, se compondría de dos divisiones, la primera con las tropas de las provincias de Caracas, Barcelona y Guayana, al mando de Sedeño y la segunda, con las de Cumaná, a las órdenes de Rojas. Cubrir el territorio libre de estas provincias, molestar al enemigo con guerrillas y reunidos defender a Guayana en caso de invasión, era el encargo dado a este ejército. A Sedeño, designado segundo jefe, se le encomendaba especialmente hostilizar cuanto pudiera a los enemigos en la provincia de Caracas. Sucre había desempeñado con actividad y eficacia el encargo de comprar armas en San Thomas.

Correrías de Arana. Entrevista con Monagas.

Para distraer el ejército de Apure, amenazando a Guayana, Morillo encargó al comandante Arana penetrar al sur de Barcelona hasta el Orinoco. En el mes enero llegó en su correría al sur y suroeste a los hatos del Socorro y Boquerones, incendió los campamentos de emigrados y patriotas desertores, y de vagabundos, denominados *rochelas* por los realistas, y sus habitantes huyeron al oeste, a San Fernando de Cachicamo, lugar retirado en sabanas desiertas, donde se hallaba Zaraza enfermo. En febrero Arana se limitó a enviar partidas contra los acantonamientos patriotas al este de su territorio. Por su orden las guerrillas de Lozano y Chicuán Guzmán destruyeron a Urica y Santa Bárbara al sur del río Amana. En el primero mataron 6 criollos civiles y algunos soldados, y en el segundo, asiento de un hospital, acuchillaron 76 criollos y 29 ingleses, casi todos enfermos. En las columnas realistas se batían con denuedo y se señalaban por su crueldad, partidas de indios caribes, armados de flechas. El guerrillero Guzmán retrocedió luego sobre una columna de Monagas al mando de José María Aguilera y la sorprendió y destruyó el 13 de febrero en Cuyumacuar. El jefe independiente gravemente herido, perdió 25 hombres muertos y muchos heridos y dispersos.

Logradas estas ventajas, Arana emprendió marcha a principios de marzo sobre el Orinoco. El 5 reunió 700 infantes y 170 jinetes en el paso denominado Tacarigua del río Ipire. El 9 asaltó inopinadamente su retaguardia en el hato de las Babas el valeroso Julián Infante, con dos escuadrones de la caballería de Zaraza, y aun cuando la halló desprevenida no pudo vencerla, y se retiró con pérdida de 20 muertos y otros tantos heridos. Al día siguiente volvieron los de Zaraza a hostigar la columna real sin otro resultado que dejar en el campo 8 muertos y 13 heridos. La infantería española rápidamente formaba cuadros invulnerables a los jinetes. El 14 Arana destruyó las numerosas rochelas del Pueblo Viejo a orillas del río Suata, y el 17 se presentó en Santa Clara, después de incendiar el pueblo de Arivi, al Sur del asiento del pueblo del Pao. Este último y San Diego habían desaparecido por el fuego en las campañas anteriores.

Por su parte Monagas proponiéndose impedir que los españoles se establecieran cerca del Orinoco había quemado el pueblo de Santa Clara y muchas habitaciones aisladas y trasladado al otro lado del río cuantos habitantes y ganados pudo; hecho esto avanzó por las sabanas cubiertas de ceniza sobre los enemigos con 430 jinetes, 360 infantes y dos piezas ligeras de campaña, y al encontrarlo cerca de Santa Clara apoyó sus infantes a un morichal y con la caballería dió a los contrarios varias cargas con la mayor intrepidez. En una de ellas le mataron el caballo. Arana salvó la mayor parte de sus jinetes cubriéndolos con los cuadros de la infantería y después de varios choques, con muchos muertos y heridos de ambas partes, pidió suspensión de armas, y tuvo una entrevista con Monagas: los dos jefes a pie, rodeados de sus oficiales, hablaron a muy corta distancia, sin otro resultado que convenir en batirse en campo raso al día siguiente; pero al romper el alba el realista emprendió la retirada ante el avance de

Monagas, sin oponer resistencia, y siguió a la Villa de Aragua, y mas tarde a su campamento de Onoto. Monagas sólo lo persiguió por espacio de dos leguas.

Alarma en Guayana.

Al mismo tiempo de esta incursión de Arana la escuadra española, compuesta de dos corbetas, tres goletas y doce balandras y piraguas, se dirigió de Cumaná a bloquear a Margarita, aprovechando la ausencia del almirante Brión, ocupado en la expedición a Río Hacha. Los realistas cañonearon los puertos y tomaron algunos buques menores pero no pudieron impedir a las flecheras patriotas mantener las comunicaciones de la isla con el exterior. Al cabo de algunos días se retiraron.

Poco antes un oficial atrevido, Domingo González, con un esquife y una piragua bien armados, sorprendió y destruyó en Caño Colorado en la madrugada del 13 de febrero, la escuadrilla de 10 buques, cañoneras y flecheras, organizada por Arismendi para la defensa del Golfo Triste. Sorprendiéndola arrimada a la orilla y a los tripulantes dormidos, mató a muchos, dispersó los restantes, y sin fuerzas suficientes sólo se llevó dos buques e incendió los demás. Estos hechos sacaron al gobierno de Guayana de su apatía: alarmado en grado sumo dió orden a Bermúdez, situado en Maturín con 600 a 700 hombres, de aproximarse al Orinoco y aumentar su división; destacó al capitán Antonio Díaz, con la escuadrilla principal estacionada en Angostura y Guayana la Antigua hacia la isla de Yaya, en el nacimiento del delta del Orinoco, a cubrir la entrada del río y proteger los buques de comercio y los conductores de armas, y despachó a Sedeño a la sazón en la capital, a reunir sus jinetes y estacionarse en Soledad (69). Desde mucho antes Bolívar había ordenado al ejército de Oriente, considerar la defensa de Guayana como su principal deber, y a Páez enviar 1.000 infantes en su socorro en caso de apuro (70).

Combate de Güiria.

A principios de mayo la escuadrilla realista de Cumaná, de 8 flecheras y 350 hombres de pelea, al mando del intrépido teniente

(69) Oficios de 14 y 18 de marzo. O'Leary XVII, 99 y 101.

(70) Oficio del 13 de abril al Vice-Presidente Roscio. O'Leary XVII, 124.

coronel José Guerrero, penetró por el caño Mánamo, apresó un esquife el 3 de mayo, por el caño Macareo entró al Orinoco, se apostó entre la isla Yaya y el pueblo de Barrancas y capturó una goleta cargada de mulas y cueros. Díaz se retiró en solicitud de refuerzos, pero volvió pronto contra los enemigos y los echó del río sin combatir, pues no quisieron esperarlo. Estos se fueron al Golfo Triste y atacaron a Güiria el 16 de mayo, defendida por el coronel Francisco Rojas, oficial experto y valeroso. Los realistas en su mayoría veteranos del batallón Clarines, desembarcaron cerca del pueblo, avanzaron por tierra y momentaneamente ocuparon la plaza, mientras los buques cañoneaban el fuerte y las baterías. Después de tres horas de combate el coronel Rojas decidió la acción con una carga a la bayoneta. Los realistas, de los cuales algunos se ahogaron al reembarcarse, tuvieron grandes pérdidas, pero en cambio regresaron a Cumaná el 21 de mayo, después de recorrer la costa sur de Margarita, con muchos buques menores apresados. Mientras tanto los capitanes Díaz y Rosales salieron al mar con sus escuadrillas, recorrieron el Golfo Triste sin encontrar enemigos, tocaron en las costas de Trinidad y regresaron a Yaya (71).

En el Alto Llano de Caracas.

Situado Sedeño en San Fernando de Cachicamo, en vez de obrar con todas sus fuerzas reunidas, dispuso varias operaciones parciales. El coronel Pedro Hernández penetró por Orituco hasta el Tuy con 150 hombres a socorrer una sublevación en Tácata y Cúa. Extinguida ésta cuando pudo llegar a los lugares el 24 de abril, sorprendió y tomó el cuartel de milicias de Ocumare, mató 24 oficiales y soldados, y puso en libertad los prisioneros, enseguida atacó enérgicamente, sin éxito, el de veteranos defendido por 90 soldados de Navarra, perdió 28 de los suyos entre muertos y heridos, y replegó al alto llano perseguido durante algunas horas por el capitán Narváez. En esta acción un fiel esclavo de la familia Machillanda salvó la vida al Conde de La Granja uno de los jueces del Consejo de Guerra que había juzgado a los rebeldes de Tácata y Cúa. Los pueblos del Tuy, en gran parte realistas, reunieron pronto 400 milicianos, para la defensa del te-

(71) Correo del Orinoco Nº 68. Montenegro Colón, IV, 335.

rritorio. En su retirada Hernández batió y capturó cerca de Orituco, una partida de 87 hombres y les quitó 300 reses.

Pocos días después, a fines de abril, Jesús Barreto batió a una columna de 130 hombres en el Javillal, cerca de Tucupido, en marcha para reunirse a Arana. En el combate se pasó a los patriotas el capitán José Barrajola (72), al parecer el mismo asesino del infortunado y eminente general José Félix Ribas, vencido en Urica y Maturín. Un mes mas tarde el comandante de dicho pueblo José García, batió la guerrilla del Padre Arbelaiz, cura del Guapo, hombre turbulento y amigo de andar alzado sin sujeción a ningún gobierno. Bartolomé Alfonzo procediendo con singular actividad destruyó a fines de mayo y en los primeros días de Junio cuatro guerrillas realistas a inmediaciones de Chaguaramas y mató al guerrillero Márquez; y el comandante José Francisco Blancas, llanero experto y sagaz, dependiente de Sedeño como los anteriores, con 100 fusileros a cargo de Hipólito Rondón y 70 jinetes de Lorenzo Belisario, sorprendió el 10 de Junio a Bartolomé Martínez, esforzado y tenaz comandante de los pueblos de Orituco, en San Rafael, lugar de su residencia. El jefe español solo disponía en aquel momento de 110 hombres por haber destacado el resto de su columna. En ardiente lucha los patriotas tomaron el cuartel y mataron a Martínez y a la mayor parte de sus soldados. Belisario había prestado valiosos servicios a las órdenes de Zaraza, y era jefe de familia distinguida, de grande influencia en el alto llano. De iguales méritos era Hipólito Rondón, de origen humilde.

Los españoles dirigidos por Manuel Ramírez, guerrillero de gran fama, comandante de los Güires, recuperaron los pueblos de Orituco. Ramírez fue nombrado comandante del cantón, y una de sus partidas batió el 26 de junio al guerrillero independiente Jerezano, en el sitio de Rivero.

Ofensiva en Barcelona y Cumaná.

Monagas quiso tomar el desquite de los daños que le había causado Arana. A mediados de mayo destacó varias partidas sobre el territorio enemigo. La de Pedro Correa batió el 28 de mayo la guerrilla de San Pablo, en la vía de Onoto a Clarines, y

(72) Correo del Orinoco N° 65.

de regreso, cerca de Güere, cinco días después, batió y mató al capitán Manuel Almea, y el mismo Monagas partió de Santa Clara con 200 hombres escogidos, y caminando de noche y descansando de día en lugares ocultos, sorprendió el 7 de junio al guerrillero venezolano Bernardino Lozano en el sitio denominado Morillo, cerca del río Güere. Le batió sus 130 hombres, lo cogió prisionero y lo mandó a decapitar. Lozano se había distinguido por su intrepidez y constancia en aquellos llanos (73). La guerra a muerte impuesta por las pasiones ardientes de nuestro pueblo y de sus opresores se practicaba con todo rigor. En estos días Morales ordenaba a Manuel Ramírez, al designarlo para reemplazar a Martínez, matar a cuantos patriotas cayeran en sus manos y lo mismo hacían otros jefes.

Las guerrillas de Cumaná tampoco habían estado inactivas, ni en Paria, ni en Santa Fe, ni en Cumanacoa; una de estas a cargo del teniente Juan Santos López batió y mató cerca de Cumaná, a principios de mayo, al capitán Pedro Ortega, criollo valeroso al servicio de España desde 1814 (74).

En el Apure.

Durante el año de 1820 el ejército Páez permaneció acantonado en la línea del río Apure, con ligeros cuerpos de observación sobre el territorio enemigo. La infantería compuesta de la Legión Británica a cargo de Blossett subdividida en dos batallones y un escuadron y el batallón Bravos de Apure del coronel Torres, formaban una brigada, a las órdenes de Iribarren, estacionada en Achaguas; y dos batallones criollos, Boyacá y Tiradores, a cargo de Lugo y Herás, constituían otra brigada regida por este último y situada en San Fernando. El efectivo de estas tropas de 1.300 hombres a principios de enero se elevó pronto a 1.800 por el ingreso de algunos ingleses provenientes de Guayana y de reclutas venezolanos y granadinos. La caballería dividida en ocho regimientos de a dos escuadrones, a cargo de los renombrados jefes Muñoz, Mujica, Elorza, Silva, Ortega, Romero, Aramendi y Rangel, se extendía desde el Bajo Apure hasta Nutrias en diversos acantonamientos y sumaban 2.000 jinetes. En estos números no se incluyen ni reclutas de los depósitos ni enfermos

(73) Correo del Orinoco N° 68.
(74) Correo del Orinoco N° 65.

en hospitales. Después del regreso de Páez de Barinas, en enero, el ejército no realizó ninguna otra operación importante. Sólo las guerrillas estuvieron en constante actividad, provocando o conteniendo a los contrarios, fuertes y tenaces. A principios de enero el coronel Aramendi batió cerca de Barinas un escuadrón de la guardia de honor de Morillo y le quitó 600 caballos y el capitán Caraballo batió la guerrilla de Guanarito. El coronel realista Severo Castillo partió de Guardatinajas hasta Camaguán con 200 jinetes, y abandonó pronto este pueblo, amenazado por una columna de Páez. El comandante español Manuel Ferrús sorprendió en La Cruz el 11 de enero una guerrilla patriota y le mató 23 hombres. Hallándose Morillo en el Tinaco, el comandante llanero Claudio Peraza, destacado del cuartel general, se fue al sur y derrotó en el paso de las Garzas el 22 de febrero a los capitanes independientes Miguel Montilla y Juan Martínez, los cuales dejaron 40 hombres en el campo entre muertos y heridos, mientras las pérdidas de Peraza apenas alcanzaron a la mitad. Pocos días después el célebre llanero Antonio Ramos, jefe principal de caballería de la división de Morales, batió en los Médanos de Quitacalzón a un escuadrón de Apure que intentó sorprender su vanguardia, perdiendo los insurgentes 18 hombres entre muertos y heridos y otros tantos los realistas. Ramos pasó el Apurito el 30 de abril, llegó frente a Arichuna y se retiró velozmente al avanzar contra él parte de la guarnición de San Fernando.

Del pueblo de la Cruz partió el jefe apureño Francisco Abreu con 200 jinetes a sorprender a Guanare, a tiempo que los españoles destacaban al capitán venezolano Domingo Loyola con 100 jinetes y al capitán español Pita, jefe de estado mayor de la 5a. división con 100 infantes, a destruir la guarnición y las *rochelas* establecidas en dicho pueblo. Las dos partidas realistas cayeron sobre La Cruz el 17 de marzo, y lo tomaron después de sangrienta pelea. Mataron 57 soldados y 5 oficiales y se apoderaron de las armas y 197 caballos. El jefe independiente Lázaro García escapó gravemente herido. Loyola perdió 18 hombres muertos y 26 heridos. El comandante Abreu vengó la derrota pocos días después, destruyendo la retaguardia de Loyola a cargo del capitán Lucena, el cual pereció con todos sus soldados. Igual suerte tuvo en Pedraza el comandante Valentín Terán, sorprendido con su partida por un escuadrón de Aramendi.

El capitán Juan José López, al frente de un escuadrón de Apure, penetró a mediados de mayo hasta San José de Tiznados, batió un destacamento de carabineros de guarnición en el Pueblo, y se retiró llevándose muchos caballos y algunos prisioneros. En su retirada evadió la persecución del experto comandante José Antonio Martínez destacado por Morales desde Calabozo para interceptarlo, pero dos días después fue alcanzado en Piritalito, perdió algunos hombres en un nuevo combate y regresó al Apure con su escuadrón reducido, pero cargado de despojos.

Páez, vigilante y activo, tomaba interés en la administración, no podía impedir ciertas omisiones y descuidos, pero mantenía al ejército en orden y disciplina, hasta donde lo permitían los hábitos llaneros, y las distancias a los diversos acantonamientos. Los ingleses reclamaban con frecuencia contra las duras privaciones de la campaña, cuando eran los únicos regularmente vestidos y se les destinaba, así como a los hospitales, el pan y ron de las remesas de tiempo en tiempo despachadas de Angostura, mientras las tropas criollas sólo recibían ración de carne.

Disposiciones del Libertador.
Quejas de Santander y Páez.

Cuando Bolívar de regreso al Apure, en enero de 1820, resolvió aplazar la campaña contra Morillo, dispuso cuidar y mantener las divisiones de Venezuela a la defensiva, y recomendó aumentar su efectivo, mientras él marchaba a la Nueva Granada a activar las operaciones en este nuevo teatro de la guerra. De allí constantemente apuraba el envío de armas y de ganados. Las tropas en aquel país estaban casi desarmadas, como hemos visto, y para aumentarlas era necesario proveerlas de fusiles y asegurar su subsistencia. Estos asuntos fueron motivo de órdenes repetidas al Apure y a la desobediente provincia de Casanare. La comisión dada a Rangel de enviar 10.000 reses a Cúcuta no dió por lo pronto el resultado esperado, y provocó amargas observaciones de parte de Santander por quejas de Casanare y protestas de Páez con motivo de atropellos en Apure. El primero escribió al Libertador que "la República era de cuatro malvados aduladores que a título de guapos querían obtener toda clase de autorización para robar, y que ojalá se desengañara, a costa de incomodidades, como le decían los hombres de juicio, y se persuadiera de que sin tales guapos podían vivir", y llevar la República adelante como hicieron la campaña de Boyacá" "sin el ruidoso Nonato y sin el afortunado Piar". En estos desahogos visiblemente dirigidos contra jefes venezolanos, habilmente disimulados por el origen de los dos nombrados, influían sin duda prevenciones provinciales. Bolívar desentendiendose del sentido de esas palabras le contestó que "era necesario ser justos y reconocer que, sin el valor de Piar, la República no contaría tantas victorias, sin el de Nonato Pérez, no vivirían muchos ilustres patriotas, y sin Rondón no sabía lo que hubiera sido de ellos en la batalla de Vargas". Rangel, de familia distinguida de Mérida, reunía brillantes cualidades, de valor y actividad al frente de las tropas y no se sospechó de su honradez. En verdad ciertos jefes de nombradía, llaneros incultos, como Aramendi y Mora, no cumplían las órdenes del gobierno para abastecer el ejército y la división Urdaneta se sostuvo cierto tiempo con partidas de ganados compradas a particulares, de las cuales algunas pertenecían a esos dos jefes (75), pero de estos hechos no se debía deducir una regla general. Al coronel Iribarren, de origen semejante al de Rangel, se le hizo el mismo cargo y logró justificarse plenamente (76). Páez se había resentido por considerar que la comisión de los ganados se debió encomendar por su conducto, nimiedad insostenible, pues las distancias y la premura del asunto, imponían el sistema adoptado.

Descuidos en el servicio.

A la negligencia de ciertos jefes llaneros se unían las dilaciones en Guayana. Un armamento fue despachado al Apure doce días después de su llegada y no se dió oportuno aviso al cuartel general (77), y lo mismo ocurrió en otros casos. A fín de apresurar el trasporte Bolívar dispuso que los nuevos envíos, embarcados hasta el Apure, debían seguir por tierra en mulas o

(75) Bolívar y Santander 140. Lecuna, Cartas del Libertador. II, 148. O'Leary XVII, 201 y 203.

(76) O'Leary XVII, 193.

(77) O'Leary XVII, 152.

caballos a San Cristóbal, por Guasdualito y San Camilo, para evitar la dilatada navegación del Meta o la del Arauca. A todas estas dificultades se añadía que muchos fusiles llegaban dañados por el agua, el barro y los golpes, aun cuando Bolívar desde Cúcuta mandaba con frecuencia a componer el infernal camino de la montaña de San Camilo. Los armamentos encargados o contratados en Angostura a su regreso de Boyacá llegaron a la Nueva Granada de cinco a ocho meses después.

El ejército de Oriente.

El general del ejército de Oriente recibió órdenes repetidas de aumentar y disciplinar sus tropas. Este ejército debía defender el territorio libre, aumentar sus fuerzas y estar listo para entrar en campaña cuando se le ordenara (78), pero esto estaba sujeto a contingencias pues en Oriente como en Apure se licenciaba parte de los soldados, en ciertas épocas, para atender a sus casas y labranzas, medida indispensable en un Estado sin dinero para pagar las tropas. Del enviado de la Nueva Granada en los primeros meses, Bermúdez solo recibió pequeñisimas partidas y Páez una sola remesa de $25.000 porque casi todo se destinó a comprar armas.

Propósitos de tomar la ofensiva.

Temiendo Bolívar que Morillo al saber la victoria de Calzada en Popayán y la marcha de la división Valdés al sur, referidas en la primera parte de este capítulo emprendiera con fuerzas importantes sobre Cúcuta, pensaba retirarse hasta concentrar las suyas; y encargó a Páez como hemos dicho, proceder en este caso con la mayor audacia, invadir la provincia de Caracas y arrostrándolo todo entrar por Trujillo y Mérida a tomar la espalda a los enemigos; y si estos se dirigían a Oriente obrar del mismo modo, variando de dirección (79). Pocos días después mandó al comandante Herás con su regimiento a Guasdualito donde estaba el coronel Rangel con el suyo y les envió orden de avanzar a San Josesito a la primera noticia de invasión de Morillo, y cargarlo por la espalda si se atrevía a dirigirse a Cúcuta (80).

(78) Oficio del 13 de abril O'Leary XVII, 126.
(79) Oficio del 14 de febrero. O'Leary XVII, 68.
(80) Oficios del 17 de febrero O'Leary XVII, 74 y 77.

Mas adelante desimpresionado Bolívar de estos temores, al divulgarse los trastornos revolucionarios de los liberales españoles, resolvió el 8 de marzo, hallándose en Bogotá, abrir la campaña en mayo o junio, marchando personalmente con la guardia de Honor, o sea la división de Urdaneta convenientemente reforzada, a través de los Andes venezolanos mientras Páez, partiendo de San Fernando se arrojase sobre la división de Morales en Calabozo hacia el primero de junio fecha en la cual Bolívar consideraba haber ocupado a Mérida. El pensaba obrar con prudencia porque si perdía sus tropas perdería a la Nueva Granada, mientras a Páez le ordenaba proceder con audacia, pues aun cuando sufriera un revés no perdería el Apure, resguardado por la barrera inabordable de las innundaciones. "V.S., escribía al caudillo llanero, inmediatamente que entren las lluvias, debe batir las fuerzas que cubren la provincia de Caracas, y buscar a Morillo, donde quiera que esté, que muy probablemente se encontrará delante del ejército de V.S. Yo haré frente, amenazaré y destruiré a Morillo si puedo. Si nó, esperaré la cooperación de V.S. para ejecutarlo" (81). Estas órdenes, generales y perentorias, suponían maniobras atrevidas, semejantes a las realizadas por él mismo en 1813 y 1818, propias de su genio impetuoso; pero agenas al carácter del gran jefe llanero, poco inclinado a empresas arriesgadas fuera de sus amplias llanuras. Sin embargo curado por la victoria de Boyacá de las rebeldías de 1818, le contestó con estas expresivas palabras: "Viva V.E. seguro de que todo será cumplido conforme a sus deseos, y que no habrá obstáculo que no supere para la ejecución de lo que se me previene" (82). Y así fue su obediencia al Libertador hasta el fin de la guerra. La imposibilidad de alejarse de la cordillera mientras subsistiera el peligro del Sur, el azote del paludismo en los granadinos al bajar a los llanos, dolorosamente probado meses atrás, imponían al abrir la campaña, entretanto podían reunirse ambas fuerzas, las dos líneas de operaciones, correspondientes a la división de los españoles en dos ejércitos, el de Morales y el de Morillo.

Reforzada a fines de mayo la división de Urdaneta con la segunda brigada de infantería de Apure, y reemplazada esta úl-

(81) Oficio de 8 de marzo. O'Leary XVII, 96.

(82) Oficio del 3 de abril. Andrés E. de la Rosa. Firmas del Ciclo Heroico, 82.

tima en el ejército de Páez con hombres de los depósitos y un contingente de irlandeses llegado recientemente a Guayana, quiso Bolívar en junio emprender por fin la campaña contra Morillo en los tres meses subsiguientes y al efecto consultó a Páez si consideraba suficientes sus tropas para emprender sobre Calabozo, Barinas y Guanare y cual juzgaba mejor vía en razón de los obstáculos naturales y de la facilidad de conducir vituallas, en la inteligencia de convenir la vía de Barinas y Guanare, para facilitar la reunión con el ejército de Urdaneta, compuesto de los batallones de la Guardia y todos los cuerpos situados a la espalda de esta, ejército que conduciría personalmente el Libertador por la cordillera venezolana. Pero en el caso de llegar al Apure otro contingente fuerte de irlandeses, como se había anunciado, Páez debía emprender sin falta el movimiento, quedando solo en libertad de elegir la dirección, y avisando anticipadamente la fecha, para avanzar Bolívar al mismo tiempo (83). Tomarían parte en la campaña, una expedición marítima a las costas de Caracas, del ejército de Oriente a cargo de Bermúdez, abastecido de lo necesario por el Vice-Presidente general Soublette; y la división de Sedeño, obrando esta última por los llanos de Caracas o por los Valles del Tuy, expediciones destinadas a divertir y dividir la atención del enemigo, mientras el Libertador lo atacara por Occidente (84). El plan era análogo al realizado en 1821.

Dificultades naturales retardaron las operaciones y luego no se llevaron a cabo en 1820 por la propuesta de armisticio del general español.

Margarita, base de los corsarios.

El general Arismendi, al dejar el ejército de Oriente, recibió orden de encargarse de nuevo del mando en Margarita. Descontento Bolívar de las dificultades opuestas por el comandante general Francisco Esteban Gómez a la expedición de Montilla, le escribió el 14 de abril: "Ya es tiempo de que esa isla entre en el orden, como ha sucedido en todo Venezuela y Cundinamarca" (85). Este hombre valiente y virtuoso, apegado a los

(83) Oficio del Rosario, 22 de junio. O'Leary XVII, 234.
(84) Oficios del Rosario, 9 y 21 de junio. O'Leary XVII, 218 y 233.
(85) Oficio de 14 de abril. O'Leary XVII, 130.

principios liberales, nulo en el gobierno, será más tarde un oposicionista sistemático del Libertador. Aun sin tomar parte en las luchas de Tierra Firme, Margarita prestaba invalorables servicios como base de operaciones de la escuadra y de los corsarios, asiento de la corte del Almirantazgo, y semillero de marinos para buques de toda clase.

El almirante Brión y los corsarios.

La marina llamaba toda la atención de Bolívar, pero sin fondos para comprar buques, se limitó a dar órden a Guayana de enviar al Almirante $25.000 para aplicarlos en parte a pago de su deuda o a gastos urgentes de sus buques, y conformarse mientras tanto con los existentes en servicio. Brión, sufriendo ya de enfermedad incurable, puso toda su energía al servicio de la expedición a Río Hacha y al sitio de Cartagena, última empresa, de su gloriosa vida, en favor de Colombia (86).

Los corsarios, navegando con bandera y patente de la República, continuaron este año sus cruceros con actividad por todo el Caribe. Brión les daba instrucciones e indicaba donde debían operar, en tiempo determinado de corto número de meses, al término del cual tenían obligación de regresar a Margarita a dar cuenta de su cometido y entregar las presas para su distribución de acuerdo con la sentencia de la Corte de Almirantazgo, si las declaraba buena presa. Interceptar el comercio de Tierra Firme con las Antillas Menores y España y hostilizar el de otras posesiones españolas, como Cuba y Puerto Rico, eran sus tareas habituales. En el crucero sobre la primera de estas islas tenían el incentivo de los barcos negreros, contrabandistas, pues ya estaba prohibida la trata, bien partieran dichos barcos provistos de abundantes víveres para el viaje de ida y vuelta, o bien regresaran cargados de negros. Los buques ocupados de exportar frutos de La Guaira a San Thomas y Cádiz, fáciles de capturar, cuando se arriesgaban sin escolta de buques de guerra, eran otro objeto de la codicia de los corsarios. A fines de 1819 y principios de 1820 cruzaban el Caribe la "Perla Oriental" capitán Nattá, "El general English", "El Gavilán", de Bernardo Ferrero, el "Buitre" del capitán Rafetti, el "Almeida", la "Flor de la Mar" capitán Botino, el "Brión" capitaneado por el célebre Joly y muchos

(86) Oficio del 13 de abril.O'Leary XVII, 125.

otros. Los corsarios prestaron sin duda valiosos servicios durante la lucha, pero la mayor parte de ellos cometían abusos y delitos odiosos, imposibles de castigar por el almirante Brión, comandante general de marina, o por la Corte de Almirantazgo, y frecuentemente daban motivo a reclamos enojosos de comerciantes extranjeros, o de las potencias marítimas en protección de sus súbditos.

El pirata Luis Aury.

En la isla de La Providencia, perteneciente a la Nueva Granada, y situada al Norte de Panamá, se había establecido el pirata Luis Aury, diciéndose autorizado por las repúblicas de Buenos Aires y Chile. Bernardo Ferrero, uno de los marinos de la Expedición de los Cayos, recaló allí en enero de 1820 por averías de su buque, con una presa negrera, y el pirata lo despojó de propia autoridad, y lo detuvo preso algún tiempo con el pretexto de ejercer represalias contra el almirante Brión, del cual se quejaba por haber ordenado arbitrariamente a la Perla Oriental detener a la goleta Diana y conducirla a Margarita, cuando nada de esto había ocurrido. Aury, intrigante y arbitrario, enemigo gratuito de Brión, había hecho en Haití cuanto le fue posible por impedir o estorbar la expedición de Los Cayos. Libre la Nueva Granada logró el apoyo de Santander en su deseo de entrar al servicio de Colombia, pero el Libertador, en conocimiento del carácter y condiciones de este hombre, recordando su conducta infame con los infelices emigrados de Cartagena, las intrigas puestas en práctica por el pirata para sembrar la desconfianza entre los patriotas y su pérfida conducta en la expedición conducida por el general Cadenas de Los Cayos a México, se opuso a aceptarlo en el servicio y prácticamente lo echó de Colombia con una orden trascrita por nosotros en el Volumen I de esta obra, página 428 (87).

Proyectos de Morillo. Su opinión sobre la campaña.

Perdida la Nueva Granada y en la imposibilidad de defender todo el territorio ocupado por sus armas, Morillo desde fines de 1819, resolvió mantenerse a la defensiva, y al avanzar el ejército libertador abandonar la mayor parte del país, reunir sus fuerzas

(87) Lecuna. Cartas del Libertador II, 300.

y oponer una resistencia enérgica. Diseminado en todas partes se consideraba débil (88).

El ejército, escribía al Rey, "sometido a los horrores de la naturaleza, en el desorden de la creación, atravesando sin medios adecuados las llanuras o los bosques", se había reducido a la tercera parte de su efectivo, por la miseria, las enfermedades y los combates: y a todo esto, inevitable por la naturaleza de la campaña, se añadía la falta de dinero, el vivir de exacciones, casi siempre sin recibir sueldos. En los primeros tiempos Morillo acudió a los empréstitos forzosos, enagenándose la voluntad de los propietarios y cuando estos quedaron arruinados, el soldado solo recibía raciones de carne y miserables socorros en efectivo. La Corte sorda a sus clamores, no le envió reemplazos, ni otros auxilios fuera de algunos víveres y vestuarios despachados de la Habana, utilizados solamente por la guarnición de Cumaná (89).

El estado ruinoso de la marina y su impotencia absoluta para extinguir a los corsarios, daba facilidades a los insurgentes para realizar sus expediciones y destruir el comercio español. En la administración se cometían abusos, como los del batallón de milicias autorizado a cobrar sumas a los vecinos notables de Caracas para eximirlos del servicio de milicianos, y había plazas supuestas, y cierto dinero de las cajas no lo veían los soldados (90). De estos y otros abusos el general en jefe se quejaba al Ministerio.

Entre sus dotes militares sobresalían la sagacidad y la previsión. El 10 de febrero expuso al Rey, desde el Pao, con exactitud, la situación militar y los proyectos de Bolívar y Páez, deducidos de sus movimientos y operaciones, y le hizo presente cuanto había aumentado Bolívar sus tropas despues de la jornada de Boyacá, y con acierto atribuía su demora en invadir a Caracas, por el mucho tiempo necesario para organizar tropas en la Nueva Granada y conducirlas a Venezuela (91). "Los insurgentes decía en otra nota a la Corona, conciben sus planes con extensión y

(88) Oficio del 24 de setiembre de 1819. Rodríguez Villa, IV, 70 a 74.

(89) Oficios de 15 de abril y 4 de julio de 1820. Rodríguez Villa IV, 172 y 194.

(90) Oficio de Caracas, 14 de diciembre de 1819. Rodríguez Villa IV, 93.

(91) Oficio del Pao, 10 de febrero de 1820. Rodríguez Villa IV, 162.

tienen quien los dirija con mucha inteligencia y acierto" (92). Todas las previsiones de Morillo, en sus oficios al Ministerio, se realizaron al pie de la letra.

Previendo los socorros que enviaría el Libertador desde Pamplona a la expedición de Montilla reforzó a La Torre con el batallón Barinas y le ordenó el 29 de marzo "avanzar a los valles de Cúcuta, batir cualquier cuerpo enemigo que los ocupase, y amenazar a Pamplona y la provincia de Tunja, para detener algún tiempo las operaciones que intenten los insurgentes sobre la costa" (93), y lo logró en parte, porque amenazado el cuartel general en el mes de abril, el coronel Lara, como hemos visto, no pudo partir hacia Ocaña y Chiriguaná sino el 20 de mayo, aun cuando La Torre no se atreviera a atacar a la división de Urdaneta establecida en la línea San Cristóbal, Táriba y Lobatera. Bolívar, por su parte, acertando las intenciones de Morillo, reemplazó las tropas destinadas a la costa con la segunda brigada de infantería de Apure.

La Constitución española.

Divulgada en las provincias la jura de la constitución por el rey, era forzoso ponerla en vigencia aun cuando las autoridades militares, la real audiencia, el ayuntamiento, el clero y en general las personas de más juicio partidarias de España, creyeran pernicioso su establecimiento, por debilitar al partido español y dar fuerza a la insurrección, como sucedió en efecto. Morillo resistió cuanto pudo la promulgación, pero al fin impelido por cuantos deseaban innovaciones, o eran de ideas liberales, y por el ejemplo de la Habana y de otros puntos de Indias, procedió a efectuarla, y tuvo lugar la ceremonia con gran aparato militar el 7 de junio en la plaza mayor de Caracas.

La nueva constitución negaba a los pardos el derecho de ciudadanía, mientras se instruyesen y pudieran acudir a las Cortes para obtener la carta correspondiente. Proponiéndose Morillo fortificar la disciplina y reforzar sus tropas, dió un decreto, interinamente, hasta la aprobación de las Cortes, declarando ciuda-

---

(92) Oficio de San Carlos, 17 de octubre de 1819. Rodríguez Villa IV, 83.

(93) Oficio de Valencia, 29 de marzo de 1820. Rodríguez Villa, IV 165.

danos españoles a los oficiales pardos y morenos, acreditados de buena conducta, a los soldados de tres años de servicio por lo menos, a los heridos en acción de guerra aunque tuvieran poco tiempo de servicio y a los inválidos licenciados o retirados a sus pueblos. Al mismo tiempo dió una proclama invitando a los emigrados a regresar a Venezuela si aceptaban la constitución de Cádiz, es decir, si abjuraran de la independencia, y sostuvieran el imperio español.

El 10 de julio quedó instalado el nuevo ayuntamiento constitucional, presidido por Juan Rodríguez del Toro y Manuel González de Linares, del cual formaban parte caballeros distinguidos como el realista Francisco de Azpurúa, comerciante e insigne hombre de letras, y los antiguos patriotas, retirados de la lucha, Juan de la Madriz, agricultor notable, y Marcelino Plaza, edecán de Bolívar en 1813 y 1814 y hermano del célebre Ambrosio Plaza; y servía de secretario el letrado Vicente del Castillo, antiguo secretario de Ribas y Soublette, y prisionero de los españoles en la campaña de Oriente en 1815 (94).

(94) Gaceta de Caracas N° 310, del 14 de junio de 1820.

CAPITULO XVIII

PERIODO DEL ARMISTICIO

I

Preliminares

Primeras Negociaciones con España.

Después de vana resistencia, el Rey de España dispuso jurar el 7 de marzo de 1820 la constitución liberal, proclamada por Riego y Quiroga. La noticia, ansiosamente esperada por Bolívar, llegó a su cuartel general el 19 de junio. Inmediatamente escribió a Santander este acertado juicio: "¡ Albricias, mi querido general¡ ¿Quien sabe si en este momento tenemos en Angostura alguna idea de negociación? Y sin quien sabe, aseguro que ya está decretada en España. Apunte Vd. este día y compare las fechas para que vea si soy buen profeta" (1). Al mismo tiempo se dirigió al Secretario de Relaciones Exteriores, residente en la capital guayanesa, encargándole librar órdenes a los agentes en Londres y Washington, para que sin dilación hicieran saber a los ministros del Gobierno Constitucional de España, los ardientes deseos del Gobierno Colombiano de terminar la guerra suscitada y sostenida hasta entonces por el Gobierno Absoluto. Los agentes debían además publicar en aquellas capitales el plan de Colombia de aguardar el primer paso del Gobierno Constitucional de España para tratar con él; y exponer nuestra situación militar, la más fuerte e imponente de la República desde su origen, relevando su mérito, a fin de aumentar en el ejército español su repugnancia a venir a América, causa verdadera e inmediata de

(1) Lecuna. Cartas del Libertador, Carta a Santander de 19 de junio, II, 198.

la rebelión de Cádiz y por último declarar como única base de todo tratado o negociación el reconocimiento de la independencia y ventajas recíprocas e iguales (2).

Pasados pocos días, el 6 de julio, tuvo Bolívar confirmación de sus previsiones, al recibir en el Rosario una nota del general La Torre, fechada el 2 en Bailadores, anunciándole que el general Morillo, ignorando el asiento preciso del cuartel general, le había escrito a diversos puntos, proponiéndole con autorización del Rey, tratar sobre la tranquilidad de estos países, y al efecto había facultado a La Torre, para proponerle una suspensión de hostilidades durante un mes. Así lo hizo este general por medio del teniente coronel José María Herrera, enviado expresamente con este objeto a San Cristóbal. En la conferencia con el Libertador, el oficial mostró "bastante franqueza y aun buena fe", dió muchas noticias importantes de la revolución de España y del ejército español en Venezuela, y dejó entender que en el partido del Rey se esperaba la paz, deseada ardientemente por todos los españoles, y en particular por el general Morillo (3). ¡Era un cambio radical de las relaciones entre los dos bandos! ¡Suceso extraordinario, explicable solo por el cansancio, después de diez años de encarnizada guerra a muerte! Indicio cierto, por otra parte, de la decadencia de España, y de que el partido liberal, tan incapaz como el absoluto de organizar el Estado, no podría mantener el imperio español, pues las negociaciones no debió iniciarlas para ofrecer la libertad civil a los americanos, única concesión posible al interés y al honor de España, sino después de enviar a las Indias fuerzas imponentes de mar y tierra, capaces de afirmar el señorío de la Corona. Este paso del nuevo gobierno se podía considerar como el principio del fin, pues ¿como esperar otra cosa de unas negociaciones en las cuales España no podría imponer sus seculares derechos? Imaginarse que los americanos independientes se contentarían con promesas vagas de una constitución insegura, en cambio de la independencia por la cual habían luchado tesoneramente, era un error manifiesto. La causa de España en América no estaba perdida a principios de 1820. La revolución de Riego, y la oposición a enviar un ejército a las Indias le dió

(2) Oficio del 19 de junio. O'Leary XVII, 230.
(3) Oficio a Santander, 7 de julio. O'Leary XVII, 263.

el golpe de muerte. "Nuestra causa se ha decidido, escribió Bolívar, en el tribunal de Quiroga"! (4).

El 7 de julio contestó el Libertador a La Torre aceptando con la mayor satisfacción, el armisticio propuesto de 30 días, pero solamente para el ejército del Norte y respecto a la noticia dada por el teniente coronel Herrera del proyecto del Gobierno de Madrid, de enviar dos comisionados a tratar de la paz, le anticipaba la resolución unánime del gobierno de solo negociar sobre la base del reconocimiento de la independencia de Colombia (5). Al convenir La Torre en limitar el armisticio a sus tropas y a las de Urdaneta admitió la posibilidad de extender el plazo si se consideraba conveniente.

La base de Cúcuta.

Durante la mayor parte del año de 1820 el Libertador dirigió la administración, la guerra y la formación del ejército, desde San Cristóbal y los Valles de Cúcuta. En estos estableció depósitos de viveres, armas, municiones, vestuarios y las maestranzas; y alli concurrían los reclutas adiestrados en los depósitos de Pamplona, el Socorro y Tunja. Cúcuta era la base central e inmediata del ejército y se abastecía, del Apure, de las citadas provincias granadinas, administradas directamente por Bolívar, y de recursos de Cundinamarca, enviados por el Vice-Presidente Santander.

La guardia colombiana.

El ejército principal, denominado del norte, desde esta época tomó el nombre de la Guardia Colombiana. Para su mejor manejo se distribuyó en dos divisiones, la 1ª. a cargo de Urdaneta comprendía los batallones Vencedor en Boyacá, Granaderos y Tiradores, y la 2ª. encomendada a Sucre se componía de los batallones Boyacá, Vargas, Tunja y Bogotá y toda la caballería. Fuerte por su número y disciplina, para una campaña activa le faltaban fusiles de repuesto. Los batallones reforzados con reemplazos granadinos sacados de los depósitos mencionados, excelentes por su fuerza física y obediencia, presentaban el mejor aspecto. Los dos primeros de Urdaneta casi en su totalidad se

(4) Lecuna. Cartas del Libertador. II, 156.
(5) O'Leary XVII, 265.

componían de veteranos de las últimas campañas; en los tres primeros de Sucre y en el tercero de Urdaneta, formados en los últimos meses bajo la inspección de Bolívar, predominaban, en los cuadros, venezolanos prácticos en la guerra, y en los soldados, granadinos de las provincias altas con algunos venezolanos y libertos de Antioquia. El de Bogotá levantado e instruído en la capital de Cundinamarca al cuidado de Santander, poseía igual espíritu de cuerpo. Vargas, recién llegado en esqueleto de una excursión al Magdalena había recuperado su efectivo (6).

Debiendo el Libertador marchar a la cabeza del ejército encomendó la base de Cúcuta al sub-jefe de Estado Mayor, coronel Bartolomé Salom. A su cargo quedaron depósitos de reclutas, los hospitales, las maestranzas, el trasporte de armas y ganados de Venezuela, y las remesas de dinero de Cundinamarca; en suma, desde allí debía preparar, reunir y enviar elementos de toda clase al ejército, constantemente renovados, para conservarle su integridad. Este funcionario, oficial de valor y disciplina, se acreditó por su extraordinaria actividad y eficacia.

Proyecto para la campaña decisiva.

Provistas las columnas encargadas de hostilizar a Cartagena y Santa Marta al Norte, y de cubrir a Popayán en el Sur, de reemplazos adiestrados en depósitos de Mompox y Neiva, y de armamento suficiente para sostenerse; y libre casi toda la Nueva Granada, era tiempo de emprender la campaña contra Morillo aplazada tantas veces.

Las fuerzas principales de la República se hallaban situadas en un extenso arco, de centenares de leguas, alrededor del territorio ocupado por el general en jefe español; y debíase disponer la reunión sin dejar a los enemigos ocasión de estorbarla, y al mismo tiempo asegurar la salubridad y sustento de las tropas. A estos principios obedecieron los diferentes planes formulados en el trascurso de varios meses, de acuerdo con las circunstancias del momento, hasta el definitivo de la campaña de Carabobo en 1821.

(6) Nota del 12 de julio al comandante general del Socorro. En los Copiadores del Libertador. Boletín de la Academia de la Historia, Nº 95, pag. 357.

Según el primero, dispuesto en San Cristóbal el 8 de Agosto de 1820, el ejército, dirigido por Urdaneta, mientras el Libertador hacía una excursión a Cartagena, emprendería marcha por los Andes Venezolanos sobre la provincia de Mérida el 1º de octubre, con instrucciones de reunirse en Barinas al de Páez a quien se encargaba cruzar el Apure el 1º de noviembre. A Urdaneta se le encomendaba conducir personalmente la 1ª división de la Guardia, y lo seguiría Sucre con la 2ª. De Mérida Urdaneta debía bajar a Barinas y Sucre continuar en la cordillera su marcha a Trujillo a cubrir el movimiento de Urdaneta y a recibir la división del coronel Lara, que Bolívar pensaba trasladar personalmente de la costa norte de la Nueva Granada a Trujillo, por la vía de Maracaibo, atravesando el Lago hasta el puerto de Moporo. El ejército de Oriente concurriría al Apure a unirse a Páez, o bien avanzaría por Calabozo sobre el territorio enemigo, obrando en este caso independientemente. Lograda la unión de la división de Lara, Sucre debía cruzar las cumbres de la serranía y bajar a los llanos por el fácil camino de Chabasquén a reunirse con el ejército en Guanare.

A cubierto de una sorpresa, por lo distante de los enemigos establecidos de Barquisimeto a Valencia y Caracas, las tropas independientes, se reunirían detrás de obstáculos naturales, como son los ríos que bajan de la cordillera, todos crecidos en esa época del año. Este plan fue modificado el 12 de agosto en cuanto se dispuso para mayor seguridad la marcha conjunta de las tropas de Urdaneta y las de Sucre, por el camino de Chabasquén a reunirse con las de Páez en Guanare. De esta manera las primeras evitaban el escabroso y solitario camino de las Piedras y de los Callejones de Mérida a Barinas (7).

Tomadas estas disposiciones el Libertador partió hacia el Bajo Magdalena a dar mayor actividad a la administración y a la guerra, y con la idea de encargarse personalmente de la difícil tarea de conducir la división Lara desde el Magdalena hasta Guanare, libertando de paso la ciudad de Maracaibo, débilmente guarnecida por los españoles; empresa de grande aliento por las distancias, las dificultades del terreno en su mayor parte despo-

(7) Oficios de 8 y 12 de agosto. O'Leary XVII, 354, 355 y 373.

blado, y la escasez de trasportes en el Lago (8). Urdaneta y Briceño Méndez quedaron autorizados a tratar con los comisionados españoles destinados al cuartel general.

Viaje al Bajo Magdalena.

Partió Bolívar del Rosario el 9 de agosto, el 10 se hallaba en San Cayetano, el 11 en Salazar y el 12 en el sitio de Gallinazo, de donde expidió las últimas disposiciones referidas para la concentración del ejército en Guanare. El 16 estuvo en Ocaña, el 18 en Agua Chica, el 19 en Regidor, y el 20 llegó a Mompox. En once días recorrió en sentido inverso el fragoso y extenso camino de su gloriosa campaña de enero de 1813. Llevaba el propósito de reunir las tropas de Montilla, Lara y Córdova, libertar a Cartagena, Santa Marta y Maracaibo, y arrebatar así, de un vuelo, un extenso territorio al enemigo, mientras las tropas de Páez y Urdaneta marcharan a reunirse en Guanare. Todo realizable, es verdad, pero no tan pronto como su imaginación lo soñaba, pues como vamos a ver las tropas del Bajo Magdalena, en parte colecticias y azotadas por el vómito negro, carecían de consistencia, faltaba dinero para pagar los fusiles y municiones pedidos a Jamaica, los adversarios habían logrado entusiasmar a sus partidarios y la insurrección de los pueblos del interior de Santa Marta, cobraba nuevo impulso. Tantos inconvenientes impedían la rápida ejecución del proyecto (9).

El coronel Lara metido en las montañas al norte de Ocaña, con muchos enfermos y hostigado por guerrillas enemigas, partió el 12 o el 13 de Marchena, derrotó y destruyó el 17 de julio en el Valle de Upar una columna de 400 realistas, único resto de la división batida por él mismo en Chiriguaná, y en vez de seguir atrevidamente a Maracaibo por la vía de Perijá, operación recomendada con preferencia por el Libertador, cruzó a la izquierda, dando la espalda a la gloria de libertar él solo ciudad tan importante, y se dirigió al Magdalena a contribuir a la toma de Santa Marta, a lo cual estaba también autorizado. En ambas vías debía

(8) Oficio a Páez de 12 de agosto. O'Leary XVII, 374.

(9) Bolívar dispuso el 21 de julio enviar al Bajo Magdalena $. 30.000 de Bogotá y $. 100.000 de Antioquia para estas operaciones, pero sólo habían llegado pequeñas cantidades. Véanse los Copiadores del Libertador. Boletín de la Academia de la Historia N° 95, pag. 361.

recorrer distancias iguales, escaso de víveres, pero la de Maracaibo, en gran parte despoblada, presentaba mayores dificultades.

Después de muchos días de marcha y privaciones Lara llegó el 20 de agosto al Piñón, lugarejo situado a la margen derecha del Magdalena, cerca de Barranquilla. Para asegurar sus operaciones Bolívar había ordenado al coronel Montesdeoca, comandante de Mompox, primero enviar 200 hombres a Chiriguaná a reforzar la partida del teniente coronel José Ramos, encargado de castigar la guerrilla que había asesinado al comandante de aquel punto; y segundo marchar con el resto de su batallón por Tenerife al recibir las armas pedidas por él, reunirse a Ramos en Valle de Upar, tomar el mando de toda la columna, servir de apoyo a Lara, guardar sus comunicaciones, y destruir o alejar las guerrillas levantadas de nuevo en el territorio hasta Río Hacha (10). Montesdeoca podía disponer de los reclutas enviados de Antioquia, según orden del Libertador de 14 de junio, entre ellos de 300 jinetes, destinados a formar un regimiento con un cuadro de llaneros enviado a Mompox con ese objeto a cargo del comandante Miguel Antonio Figueredo (11). De esta Villa, Bolívar encargó a Lara, establecido en el Piñón y a Montilla situado en Soledad, tener sus tropas listas para obrar sobre Santa Marta cuando él llegara.

Los patriotas en la costa.

Cartagena estaba sitiada como lo permitía la falta de elementos adecuados y de tropas instruídas. En el fondo de la más hermosa bahía del país, con un frente al mar abierto, rodeada de murallas y obras exteriores de primer orden, la plaza era una de las más fuertes del Nuevo Mundo. Por tierra sólo tenía acceso del lado de la Popa, al sureste, y para establecer artillería de batir por este lado necesitábase conducirla por la laguna de Tesca, todavía en poder de los españoles. Por lo pronto el comandante general Montilla, con sus tropas colecticias y algunas piezas de batalla, solo podía guarnecer los puntos principales. El Almirante bloqueaba la costa. Alrededor de Cartagena mantenía cinco

(10) Oficios del Rosario, 1º de agosto. O'Leary XVII, 340 y 341.

(11) Oficio al comandante general interino de Antioquia. Publicado en los Copiadores en el número 93 del Boletín de la Academia de la Historia, pag. 145.

buques mayores, escasos de todo, y sobre Santa Marta la excelente escuadrilla sutil del Magdalena, reforzada con flecheras de Margarita. Montilla había reunido en la posición central de Sabana Grande el batallón de Honda, el levantado en Mompox por el teniente coronel Antonio Piñeres, un batallón de Córdova y otro de reclutas al mando de Maza, con el objeto de llevarlos a Cartagena o destinarlos a la toma de Santa Marta, según conviniera. La división Lara, de tropas selectas, acantonada mas arriba, podía incorporarse en pocas horas. Los pueblos de las Sabanas y otros del interior de la provincia proveían por contribuciones el mantenimiento de estas fuerzas, y fuera de algunos auxilios de Cundinamarca no había otros recursos porque los productos de la aduana de Sabanilla no se cobraban todavía por carecer de dinero los introductores (12). La entrada al Magdalena estaba defendida por el fuerte de este puerto y las fuerzas sutiles. Los almacenes se habían establecido en Barranquilla.

Tal era la situación cuando el 22 de agosto llegó el Libertador a San Antonio del Magdalena. El mismo día pasó revista a la división Lara en el Piñón y siguió a Soledad y Barranquilla adonde llegó el 23. En estos pueblos inspeccionó las tropas de Montilla, Córdova y Maza, y parte de la escuadrilla, visitó el arsenal, organizado por Brión, los almacenes y hospitales, y siguió a Turbaco en la noche del 23 (13). Revisados la línea y los cuarteles escribió a Montilla el 27 de agosto sus temores de una posible salida de los enemigos hacia ese punto con todas sus fuerzas, mandó a proveerlo de mayor cantidad de municiones (14), y le indicó la necesidad de su presencia en la línea; más por empeños de Montilla convino en dejarlo primero tomar a Santa Marta, fácil de rendir, relativamente, y desde la cual los españoles mantenían en insurrección el interior de la provincia. Una vez realizada esta operación Montilla debía despachar a Lara a tomar a Maracaibo y proceder a levantar nuevas tropas con los fusiles esperados de un momento a otro. "Encarezca V.S. —le escribió Bolívar— a todos los jefes militares, mi mortal impaciencia por ver levantar

(12) Relación de Montilla. Soledad, 20 de agosto. O'Leary XVII, 389 a 392.

(13) Carta de José María del Castillo. Archivo de Santander V, 122.

(14) Oficio a Montilla. O'Leary XVII, 398. Carta de Montilla de 20 de agosto. O'Leary VI, 391.

y disciplinar volando, volando, volando, muchas tropas de esta provincia. Confieso que tengo la mayor inquietud por la falta de tropas, armas y municiones, y que mucho temo un mal suceso por la falta de ellas, principalmente en esta línea de Turbaco que debe mantenerse a todo trance y a costa de los mayores sacrificios" (15).

El Libertador prefiere negociar.

Comunicaciones del comisario realista González de Linares, y de Urdaneta y Briceño Méndez, recibidas por Bolívar el 21 y 30 de agosto, respectivamente, le sugirieron la posibilidad de un arreglo conveniente con los españoles. Los últimos le decían haber deducido de las conferencias con los enviados de Morillo, el firme propósito de los funcionarios reales, de estipular un armisticio hasta la llegada de los embajadores esperados de España, o hasta que Colombia enviara los suyos a la Corte; y fijar entre tanto por un acuerdo los límites de jurisdicción y las relaciones propias para subsistir en paz. En vista de esto, del estado embrionario de las tropas del Bajo Magdalena, y de la necesidad de mejorar el equipo de los batallones de la guardia, prefirió negociar a combatir, proponiéndose ganar tiempo y sacar algún partido respecto a las plazas de Cartagena, Maracaibo, Cumaná y Barcelona. A Montilla le comunicó estas impresiones y le recomendó proceder con prudencia (16), y a Santander le escribió: "Sería una locura nuestra arriesgar una nueva campaña cuando se nos está ofreciendo la paz" (17).

La razón le servía de freno a los ímpetus de su carácter belicoso. Dejó obrar su audacia mientras no había otra manera de impulsar la revolución, pero asegurada la suerte de Colombia, solo la prudencia guiaba sus pasos. Hacemos una vez mas esta observación para rebatir el falso concepto de algunos escritores extranjeros de que obraba por impulsos irreflexivos, conseja propalada por los gacetilleros españoles, como arma de combate en la guerra, pero insubsistente al menor análisis de cualquiera de sus actos o de sus operaciones.

(15) Oficios de Turbaco del 27 y 28 de agosto, O'Leary XVII, 398 y 401.

(16) Carta de Mahates, de 30 de agosto. Lecuna II, 253.

(17) Carta de Mahates de 30 de agosto. Lecuna II, 254.

El 22 de julio Bolívar había opinado en contra de un armisticio en comunicación dirigida al Gobierno de Guayana, basándose en las ventajas del momento para la campaña contra Morillo, y en los inmensos gastos necesarios para sostener el ejército durante una tregua (18), y dió las órdenes expuestas en páginas atrás de mover las tropas sobre el territorio enemigo; pero estas nuevas instancias de los españoles y la marcha de la revolución en la Península le hicieron concebir la esperanza de lograr el reconocimiento de Colombia sin arriesgar una batalla. Ambos sistemas tenían ventajas y desventajas. Apresurando la campaña ahorraba sacrificios sin cuento a los pueblos, pero como ya lo hemos expuesto en otra parte, el general español podía abandonar la mayor parte del país ocupado por sus armas y presentar en el campo de la acción decisiva fuerzas imponentes, mientras el ejército libertador, aunque de mayor efectivo, para concentrar sus divisiones debia recorrer espacios inmensos, debilitarse en las marchas y llegar quizás frente al enemigo inferior en número. Esta última consideración lo inclinaba a celebrar el armisticio pero como una vez establecido no podría mantener la 2ª división de la Guardia en la Nueva Granada, por estar agotadas las provincias destinadas a ese objeto, resolvió en Turbaco el 29 de agosto, cambiar el proyecto adoptado para la campaña y la posición de las tropas, y esperar preparado el resultado de las negociaciones con los españoles.

Según el nuevo plan la 1ª división de la Guardia, al mando de Urdaneta, compuesta de los batallones Vencedor, Granaderos, Tiradores y Anzoátegui, constituido este último con los hombres de la columna de Briceño, debían marchar de San Cristóbal lentamente por la montaña de San Camilo a reunirse al ejército de Páez en el Apure. La división de Sucre, formada con los batallones Boyacá, Tunja, Vargas y Bogotá, y la caballería de La Guardia, ocuparía las posiciones abandonadas por aquellas tropas. Esta distribución tenía por objeto facilitar la manutención de los cuerpos, ahorrar gastos a la Nueva Granada, y conservar las tropas lo mejor posible, porque destinaba a los llanos a los venezolanos y soldados viejos y a los libertos de Antioquia, más resistentes a la malaria, y mantenía en las tierras frías a los cuerpos compuestos en su mayoría de granadinos. Solo exceptuaba de esta

(18) Oficio al Ministro de Estado y Hacienda. O'Leary XVII, 328.

regla la caballería, casi toda venezolana, necesaria en las provincias del Norte. En suma, Sucre tuvo el encargo de cubrir la Nueva Granada, mientras Urdaneta marcharía a los Llanos para unirse a Páez y estar listo a cruzar el Apure a la primera señal (19). De Mahates adonde estuvo el 30 de agosto, Bolívar modificó las órdenes de la víspera limitando a tres batallones los destinados al Apure, y deteniendo a los otros en sus acantonamientos, y regresó rápidamente a la cordillera, por Plato, Mompox, el Banco, San Pedro, Río de Oro y Ocaña.

En la línea de sitio. Sorpresa de Turbaco.

Mientras tanto en la línea de Cartagena ocurría un acontecimiento vergonzoso. Desde su llegada a esos lugares, Bolívar entabló correspondencia con las autoridades de la plaza, tratando de ganarlas a su partido; en una contestación el gobernador Torres, torpemente, le intimó reconocer al gobierno de España y jurar la constitución; y Bolívar indignado le replicó en términos justos, pero excesivamente irritantes para los españoles, hasta el punto de anticipar estos para vengarse, una salida que venían preparando contra la línea sitiadora, y la efectuaron el 1º de setiembre cuando todavía Montilla no había tenido tiempo de poner en práctica las recomendaciones de Bolívar en el oficio de 28 de agosto citado. A la media noche partieron de Cartagena 420 hombres del regimiento de León y 60 artilleros al mando del coronel Balbuena, desembarcaron en Cospique y avanzaron sobre Turbaco. La descubierta situada en Bellavista a cargo del oficial Calvo, sorprendida a las seis de la mañana, huyó cobardemente a los montes sin dar aviso a la línea y 1.000 hombres de los batallones Cazadores del Magdalena y Bajo Magdalena, y de un escuadrón de Soledad, apostados en el pueblo con cuatro piezas a las órdenes del coronel Ayala, se desbandaron casi sin oponer resistencia. Los españoles mataron a 125 personas entre soldados, paisanos, mujeres y niños e hirieron a otras 50 escapados milagrosamente. En la iglesia, donde se refugiaron las familias, los altares quedaron empapados de sangre. De Torrecilla acudieron dos pelotones de caballería al mando del capitán veterano Diego Jugo, y una compañía de infantería veterana, a las del experto capitán Florencio Jiménez, y estas tropas atacaron resueltamente y recu-

(19) Oficio a Urdaneta, 29 de agosto. O'Leary XVII, 404.

peraron el pueblo, sin mayor lucha porque los españoles ya lo estaban evacuando, después de haber quemado parte del caserío y clavado los cañones. En los días siguientes no se pudo reunir ni la mitad de los dispersos. Montilla acudió a restablecer la línea con el batallón Antióquia, disciplinado por Córdova, una compañía veterana de Húsares de La Guardia, dos compañías de la Sabana y un escuadrón de tropas colecticias. Este desgraciado suceso, debido a la inexperiencia del oficial Calvo, al descuido del comandante Ayala, y a la escasez de oficiales veteranos, retardó las operaciones sobre Santa Marta. Para mayor ventaja de los realistas, el mismo día, 1º de setiembre, entró a la plaza la corbeta de guerra Ceres, procedente de la Habana con 600 barriles de harina. Los buques de Brión, mal tripulados, la dejaron pasar y se retiraron a Sabanilla.

Bolívar tuvo noticia de estos acontecimientos en Mompox el 5 de setiembre e inmediatamente mandó a reforzar la línea con el batallón Girardot, levantado recientemente en Antioquia, al mando del distinguido oficial José María Ricaurte, y con uno de los batallones de Córdova; dispuso activar la recluta para llenar con ventaja las bajas sufridas por las tropas y encargó a Montilla concretarse a dirigir en persona el sitio de Cartagena y dejar al coronel Lara el encargo de tomar a Santa Marta.

En Turbaco se hallaba el centro de la línea de asedio. Los cañones clavados por los españoles fueron fácilmente puestos en servicio. La derecha de la línea se extendía adelante del pueblo de Santa Rosa con escuchas en la laguna de Tesca. El 16 el capitán llanero Bolívar alanceó dos partidas de la plaza desembarcadas en Cospique en busca de víveres y el capitán Rocha poco después destruyó otra destacada con igual objeto.

Se aplaza la liberación de Santa Marta.

Era urgente la toma de Santa Marta más los medios disponibles no bastaban para una acción rápida. Sólo el batallón Rifles tenía consistencia para un asalto. Montilla, asmático y sufriendo de malaria, con frecuencia estaba enfermo; en los hombres de tierra fría hacía estragos el vómito negro o sea la fiebre amarilla, de la cual murió con gran sentimiento del ejército y del gobierno, el joven teniente coronel José María Ricaurte, comandante del batallón Girardot; no había llegado dinero de Antióquia, faltaban fusiles, y oficiales veteranos para completar los cuadros de los nuevos batallones. Por todo esto se pospusieron las operaciones contra Santa Marta, mientras convalecían las tropas y llegaban de Jamaica 2.000 fusiles contratados por Montilla. Para abonar a cuenta de esta contrata Santander, haciendo sacrificios, remitió 10.000 pesos (20).

Nuevo proyecto de campaña.

De regreso del Bajo Magdalena a Cúcuta Bolívar descansó dos días en Ocaña y, prosiguiendo las marchas con rapidez, el 21 de setiembre se hallaba en San Cristóbal. En su ausencia la situación había cambiado favorablemente al ejército del Norte. El 29 de agosto, término del armisticio parcial en la cordillera venezolana, La Torre se retiró a Mérida con su división reducida a 700 hombres por haber devuelto antes algunas tropas, y las pérdidas debidas a la deserción. Dejó el mando al coronel Tello y se dirigió al cuartel de Morillo. Un destacamento de Urdaneta al mando de Mellado, ocupó el territorio evacuado.

Los clamores del Reino propiamente dicho, es decir de las provincias altas de la Nueva Granada, por los gastos y exacciones ocasionados por las tropas y la penosa medida, de enviar al Apure las tropas desarmadas a proveerse de fusiles, por la escasez de trasportes, movieron a Bolívar a dar las órdenes del 29 de agosto (21) referidas en páginas anteriores. Pero este proyecto, como es bien sabido, tenía el grave inconveniente de exponer al azote del paludismo a los granadinos y a los venezolanos no aclimatados al bajar a los llanos (22). Por otra parte, aunque llegaron al cuartel general algunas partidas de armas procedentes de Guayana y del Apure, los batallones no estaban todavía bien provistos de ellas. Una batalla perdida reanimaría a los españoles, al par-

(20) Informe de Montilla del 21 de setiembre. O'Leary XVII, 450.
(21) Turbaco, 29 de agosto. O'Leary XVII, 404.
(22) Lecuna. Cartas del Libertador. Carta a Santander del 13 de setiembre. II. 255. Los Venezolanos son tan sensibles al paludismo como los granadinos, pero en el ejército abundaban venezolanos refractarios al flagelo, seleccionados en anteriores campañas, mientras en los granadinos, no sometidos a esta prueba, era mayor el número de víctimas.

tido realista todavía firme a favor del Rey, y a los facciosos internos, mientras que desde el comienzo de las negociaciones se notaban síntomas marcados de desaliento en estos adversarios francos u ocultos.

Por todas estas consideraciones Bolívar suspendió desde Río de Oro, cerca de Ocaña, el 12 de setiembre, las órdenes dadas el 29 de agosto. La división de Urdaneta permanecería adelante del río Táchira, hasta su llegada al cuartel general, y los batallones de Sucre en los puntos alcanzados en las provincias del Socorro y Pamplona en su movimiento de avance hacia Mérida (23); y al llegar a San Cristóbal dirigió una nota a Morillo ofreciéndole convenir en un armisticio general si se le dieren a Colombia seguridades y garantías en cambio de las ventajas militares fáciles de obtener emprendiendo la campaña abierta desde ese momento (24).

Su novísimo proyecto era adelantarse a Mérida y Trujillo solamente con las dos brigadas de la división Urdaneta, y mover los demás cuerpos, en la misma dirección, cuando hubiera formado depósitos suficientes de provisiones, para lo cual envió nuevos comisionados activos a recoger ganados en el Alto Apure, y apremió cuanto pudo el envío de fusiles, urgentísimos para completar el armamento de algunos cuerpos y el de los reclutas de los depósitos (25). Si los enemigos no aceptaren el armisticio, en condiciones convenientes, Bolívar llevaría todo el ejército por Trujillo a Guanare, adonde debía concurrir Páez hacia el 15 de noviembre con el ejército de Apure; más este general consultado, por medio del edecán Diego Ibarra, le insinuó la conveniencia de aplazar su marcha hasta mediados de diciembre, para dar tiempo a bajar las aguas y reponer los caballos, con pastos frescos de ese mes. Bolívar primero insistió en emprenderla en aquella fecha y luego, en atención a retardos inevitables, convino en extender el plazo hasta el 30 de noviembre (26), y por último hasta el 15 de diciembre como quería Páez.

Al mismo tiempo el ejército de Oriente a cargo del general

(23) Rio de Oro, 12 de setiembre. O'Leary XVII. 430.
(24) San Cristóbal, 21 de setiembre. O'Leary XVII, 449.
(25) Oficio de San Cristóbal, O'Leary XVII, 457.
(26) Oficios del 9 y 18 de octubre. O'Leary XVII, 497 y 507.

Bermúdez, aunque mal equipado por la miseria y devastación de esas heroicas regiones, debía moverse sobre el territorio español, penetrar en los Valles del Tuy y apoderarse de Caracas procurando evitar una batalla contra fuerzas superiores; diversión no sólo útil sino de grande trascendencia porque obligaría a los enemigos a destacar fuerzas para defender su base principal, y al mismo tiempo era la mejor manera de emplear las tropas de Oriente y evitarles extensas marchas si se hubiera intentado reunirlas a las de occidente. "Esta operación, escribió Bolívar a Bermúdez, dará a V.S. la mayor gloria, y el golpe mortal al enemigo" (27). Palabras proféticas, pues así mismo ocurrió.

Empeñado el Libertador en que todas las fuerzas de la República concurrieran a la lucha decisiva dispuso también enviar de Margarita por mar una expedición de 1.000 hombres en combinación con el ejército de Oriente, a desembarcar en la costa de Curiepe, al Oriente de Caracas, abundante en productos agrícolas. Debían formarla tropas margaritenas, oficiales y soldados sueltos de los cuerpos ingleses de English y D'Evereux y algunos criollos, dados de alta en los hospitales de la isla, y mandarla el general Arismendi o el general Gómez o ambos a la vez. La escuadra enemiga reducida a defender el comercio de La Guaira y Puerto Cabello no podría oponérsele en el corto tránsito, que debía recorrer, con el viento y las corrientes a su favor. Pero como estos jefes habían opuesto toda clase de obstáculos en otras ocasiones, a expediciones fuera de la isla, alegando el pretexto de la oposición de los naturales a abandonar su suelo, los declaró responsables del cumplimiento de esta orden, y les ordenó en último caso si no encontraban soldados, marchar solos con los jefes y oficiales destinados a la expedición, y con armas y municiones a insurreccionar la costa de Curiepe, a levantar tropas, y a dividir por consecuencia la atención del enemigo (28).

Designios sobre el Perú.

Durante sus campañas —desde 1813— Bolívar no cesó de expresar en oficios y proclamas, el anhelo de llevar sus armas hasta los confines del Perú. En cuenta por un oficio del Director

(27) Oficio del 10 de octubre. O'Leary XVII, 499.

(28) Al Vice Presidente de Venezuela , 18 de octubre. Trujillo. O'Leary XVII, 505.

O'Higgins de 17 de agosto, de la partida de la expedición del general San Martín al Perú, previendo con exactitud el porvenir, escribió el 18 de octubre al doctor Juan Germán Roscio, Vice-Presidente de Colombia, esta síntesis de sucesos futuros: "Se acerca el día de la independencia del Sur América: el Perú va a recibir su libertad por las armas de Chile y Buenos Aires. Las armas de Colombia cumplirán sus deberes libertando a Quito, y satisfarán luego sus votos empleándose en favor de los hijos del Sol" (29).

Estado general de las tropas.

A pesar de la economía más severa, y de los esfuerzos de la administración, el ejército padecía todo género de escaceses. Baste decir que en ciertos días de mayo Bolívar mantuvo al cuartel general con unos cuantos reales ganados por el coronel llanero Leonardo Infante al cura de San Cayetano jugando a los dados (30). A tanta miseria se anadía el extraordinario número de enfermos existentes siempre en los hospitales aun en las provincias altas de climas fríos. En las tierras calientes y bajas, como las del Apure y el Magdalena los estragos del paludismo, especialmente en los granadinos eran horribles. A este respecto escribía Páez: "Yo me he esmerado cuanto ha estado en lo posible por conservar los reinosos: los he destinado al cuido de casas particulares, los he mandado al campo a variar de clima con asistencia de labradores honrados; he reunido gran número de vacas para suministrarles leche; he hecho fermentar la chicha para racionarlos diariamente y en fin he puesto los medios más eficaces y nada ha bastado ni a aclimatarlos, ni a conservarles la vida." (31).

Siendo escaso el sueldo y los soldados reclutas recogidos por la fuerza, la deserción era inmensa, aun en los cuerpos mejor asistidos: el batallón Boyacá, por ejemplo, en revista de Pamplona, a mediados de octubre, contaba 1.100 hombres, y descontados los enfermos llegó a Trujillo el 7 de noviembre con 500 disponibles. Para conservar los cuerpos era indispensable renovarlos constan-

(29) Al Vice-Presidente de Colombia, Trujillo, 18 de octubre de 1820. O'Leary XVII, 508.

(30) Carta a Santander. El Rosario 20 de mayo. Lecuna II, 170.

(31) Oficio a Soublette. Achaguas 29 de agosto. Enrique Ortega Ricaurte. Archivo del general Páez. Bogotá, 1939, 267.

temente: el batallón Tiradores tenía el 23 de setiembre 600 plazas, y había recibido desde su creación, un año antes, 6.000 hombres, casi en totalidad reclutas. Solo se mantenían en las filas voluntariamente los oficiales y cierto número de soldados, endurecidos en campañas anteriores y afectos al servicio por sus inclinaciones guerreras. El mayor o menor número de estos hombres daba carácter al cuerpo.

Concepto popular sobre Bolívar.

Exponiendo Páez, al Ministro de la Guerra, la desnudez de sus jinetes, y el desamparo y pobreza de sus familias, en medio de las innundaciones excepcionales de ese año, causa de extraordinaria escasez de mantenimientos, usó de una hermosa imagen, reflejo del concepto popular respecto al Libertador por su amor a los pueblos: "yo sé —decía— que si a él le fuere posible, refundiría en sí mismo todas las indigencias generales de la República, con tal de alejar de ella la miseria para siempre" (32). El desinterés y la abnegación de Bolívar en todos sus actos políticos cimentaron su extraordinario prestigio.

La Legión Británica.

En situación tan angustiosa se sublevó en Achaguas el 28 de octubre la Legión Británica contra sus jefes, con el propósito de matarlos, y embarcarse para Guayana. Botaron las raciones de carne al recibirlas por considerarlas de clase inferior. El experto y valeroso coronel Blossett pudo escapar, los tenientes coroneles Noble y Davy resistiendo heroicamente cayeron gravemente heridos. El vecindario corría por las calles. Páez ordenó sigilosamente retirar los buques del Puerto y acudió al lugar del tumulto. Mandó a formar la tropa y dar un paso al frente a los agitadores, y a sablazos, él y sus asistentes, decapitaron a los más culpables. Una compañía intentó salvarlos, pero aterrada cuando el invulnerable caudillo se precipitó sobre ella con la espada ensangrentada en alto, presenció inmóvil la decapitación de los otros cabecillas. Recorriendo las filas, Páez amenazó de muerte a quienes mostraran semblante airado o afligido. La Legión, compuesta de 500 hombres, rendida, ante aquel cíclope de dos ojos, jamás visto en otra

(32) Oficio de Achaguas, 26 de agosto de 1820. Ortega Ricaurte. Archivo del general Páez 1818-1820. Bogotá, 1939. Página 262.

parte, se retiró en orden a sus cuarteles. Páez solo contaba en aquel momento trágico con 80 cazadores, todos venezolanos (33).

Un mes antes, el 24 de setiembre, el Libertador había dado un decreto en San Cristóbal prohibiendo la admisión de nuevas tropas y oficiales extranjeros al servicio de la República, por ser excesivamente gravosos y enfermarse a causa del clima (34), según la expresión oficial; pero además de estas razones influyeron las pretensiones desmedidas de unos cuantos aspirantes a grados superiores, la rebelión de los irlandeses en Río Hacha, las intentadas por los ingleses en Margarita y Barcelona, y los graves disgustos promovidos por estos mismos en Apure, menospreciando a los hombres de color, hasta el extremo de tener Páez que dar una proclama para tranquilizar a los ofendidos. Aprobada por Bolívar no se publicó por temor al mal efecto en el exterior. En cambio muchísimos ingleses e irlandeses, oficiales y soldados, pacientes y adaptados al medio, contribuyeron a establecer la disciplina perfecta de las tropas, y se cubrieron de gloria en numerosas batallas y combates.

Marcha a Mérida y Trujillo.

El 22 de setiembre parte de la primera división, a las órdenes del coronel Plaza, por enfermedad de Urdaneta, emprendió marcha hacia Mérida. Adelante iban los batallones Granaderos y Vencedor, y seguían el de Tiradores y los regimientos de Lanceros, Guías, Dragones y Cazadores a Caballo, por todo 2.300 hombres. Debido a la escasez de mantenimientos quedaron en San Cristóbal los batallones Anzoátegui, Bogotá y Boyacá, y en la provincia de Pamplona los de Tunja y Vargas. Este ejército denominado La Guardia constaba de 5.300 combatientes.

En menos de quince días quedaron libres las dos provincias de Mérida y Trujillo. La división acampó el 29 en Estanques a orillas del río Chama, después de forzar el coronel Rangel con pocos hombres el desfiladero de las laderas de San Pablo y el puente, débilmente defendidos por los españoles. El 30 se incorporó el Libertador, y el 1º de octubre, adelantándose a las tropas

---

(33) Oficio de Páez al Vice-Presidente de Venezuela. Achaguas 29 de octubre. Ortega Ricaurte, Archivo del general Páez 305.

(34) Oficio del 24 de setiembre. San Cristóbal. O'Leary XVII, 467.

entró a Mérida con su estado mayor, entre aplausos y aclamaciones, como en su gloriosa campaña de 1813, mientras la 3ª división de los españoles, que la ocupaba, a las órdenes de Tello, de 1.200 hombres efectivos, acompañada del Obispo Lasso de la Vega, se retiraba a pasos acelerados. El coronel Rangel con un escuadrón de Cazadores y el batallón Vencedor, del coronel Carrillo, marchó en su persecución. Alcanzada la retaguardia del otro lado del páramo de Mucuchíes, Rangel le quitó 73 reses, 12 cargas de pertrechos y 14 soldados. Los españoles se detuvieron el 2 en Timotes, y en la tarde siguieron en dirección de Carache. El coronel Carrillo, sin poderlos alcanzar, partió de aquel punto el 3. La descubierta a cargo del coronel Gómez los siguió de cerca mientras Rangel perseguía al Obispo, y su escolta de 200 hombres hacia el puerto de Moporo en el Lago de Maracaibo. El Libertador llegó el 7 a Trujillo, ciudad patriótica, célebre desde la campaña de 1813 por el terrible decreto de guerra a muerte. La división Tello continuó la retirada, tramontó la cumbre de la cordillera por esa parte, y fue a descender al Tocuyo, ciudad situada en el extremo sur de la mesa de Barquisimeto.

Hacer acopios de víveres para los batallones de la 2ª división, en esta región agotada por la larga estancia de los españoles, enviar espías en todas direcciones y organizar el gobierno y las rentas, fueron las atenciones más urgentes de los independientes. La 1ª división se estableció en Trujillo y sus inmediaciones. Pronto debían incorporársele el batallón Anzoátegui, uno de los suyos, y los de Bogotá y Boyacá de la 2ª división. Estos últimos partirían del Rosario el 31 de octubre al entrar el de Anzoátegui a Mérida. El comandante Segarra tenía el encargo de proporcionarles víveres. Padrón, Alvarez y Ascanio remitían ganados de Guasdualito.

Avance de Morillo.

Mientras ocurrían estos sucesos Morillo se hallaba en Caracas, ocupado en la administración militar, en presidir una Junta de Pacificación compuesta de los principales funcionarios, y en contener las tendencias anárquicas de los liberales de su partido, envalentonados con la constitución. Avisado del movimiento ofensivo de Bolívar, se dirigió el 10 de octubre a Valencia, a donde llegó el 15, y de allí envió el batallón No. 1º de Valencey y el regimiento de Húsares de Fernando VII a reforzar la 3a. división del mando de Tello: y la segunda, regida por Pereira, a Calabozo a reforzar la Vanguardia, encomendada a Morales. Tello reunió 2.200 combatientes casi todos de infantería y Morales 4.000, la mitad infantes y la mitad jinetes.

Cubriendo los llanos de Occidente existía en Guanare y Barinas la 1ª división española de 1.000 hombres de armas, a las órdenes de Real, constituida por dos regimientos de caballería, el de Dragones Leales, situado en la segunda de estas ciudades y el de Guías establecido en Guanarito; y el batallón del Príncipe en Obispos y Guanare. Expuestas estas tropas por la presencia de Bolívar en Trujillo, se retiraron a San Carlos, y Barinas fue ocupada el 2 de noviembre por el comandante Juan Antonio Romero con un escuadrón de Apure, al abandonarla el comandante de los Dragones, el teniente coronel venezolano Antonio Gómez. El 17 de noviembre el teniente coronel Juan N. Briceño batió un escuadrón realista, y ocupó a Guanare con el regimiento apureño de caballería la Venganza, pero a los tres días la evacuó y se retiró al Apure por haber avanzado a reocupar la ciudad el teniente coronel Antonio Gómez con dos regimientos de caballería, el de Guías y uno de Húsares, y la 5ª división al mando del coronel Herrera.

A la derecha de los españoles, se hallaba en Carora el coronel indio Reyes Vargas, condecorado con la cruz de Carlos III por sus largos servicios a la corona. Tenía por misión defender la mesa de Barquisimeto y cubrir la provincia de Coro. Sus tropas, 400 infantes y 35 jinetes, en su mayoría indios valerosos de Siquisique, lo obedecían ciegamente como a su cacique natural. Convencido este hombre de la ruina de su partido, abrazó el de la patria el 20 de octubre con todos los suyos. Este acontecimiento tuvo grande importancia por el prestigio de Reyes Vargas en Occidente. El Libertador lo admitió en el ejército con su mismo grado y le envió de refuerzo el 27 de octubre dos compañías de Cazadores.

De Valencia se dirigió Morillo rápidamente a San Carlos y Barquisimeto adonde llegó a fines de octubre con dos batallones y un escuadrón de caballería. Sumando su fuerza a la de Tello podía presentar a los patriotas de 3.000 a 3.200 combatientes de los batallones 1º de la Unión, Barbastro, Barinas, Navarra y 1º de Valencey, el regimiento de Húsares de Fernando VII y un escuadrón de Guías. Otros cuerpos acudían a San Carlos, punto previsto para asamblea del ejército del Rey en caso de romperse las negociaciones. Pocos días después Morillo avanzó al Tocuyo, se unió a Tello, y siguió al Humocaro el 10 de noviembre, pueblo situado en la falda de la serranía al lado opuesto de los valles ocupados por Bolívar. Por este movimiento hábil el general español cerraba a los independientes el camino de Chabasquén y Biscucuy, el más cómodo para bajar de la cordillera a Guanare y Barinas.

Otra ventaja obtuvo el general español y fue que el 3 de noviembre la columna de 300 infantes y 50 jinetes destacada por Tello al mando del comandante Valomir sobre Carora, reforzada por dos compañías con 200 hombres, enviadas por Morillo al mando del capitán Rebollo, batieron a Reyes Vargas y ocuparon a Carora. El experto indio se sostuvo en las inmediaciones, dejó sus guerrillas convenientemente establecidas, como se le había recomendado, y fue en persona al cuartel general.

Reincorporada la columna de Valomir, Morillo avanzó el 16 de noviembre a Carache, al otro lado de la cumbre de los cerros, de donde se retiró el pequeño destacamento que lo ocupaba mandado por los jefes llaneros Juan Gómez y Julián Mellado, y estos, luego de enviar la mayor parte de sus hombres hacia atrás, con 30 jinetes sostuvieron la retirada brillantemente, en las angostas vegas del río Carache, y merecieron del jefe español grandes elogios, y la galantería de devolver a Bolívar el único llanero que pudo capturar. Este heroico jinete, muerto su caballo, no quiso rendirse, casi cercado mató a dos enemigos, y cuando cubierto de heridas lo iban a ultimar, Morillo le salvó la vida. En retribución el Libertador remitió al general español varios prisioneros españoles.

Conteniendo a Páez permanecía Morales en Calabozo con sus 4.000 hombres de infantería y caballería llanera. Morillo envió a La Torre a revisar sus tropas y asesorarlo, en los movimientos previstos para reunir el ejército en San Carlos. La Torre regresó a esta ciudad el 10 de noviembre y destacó como hemos expuesto a la 5a. división, el 3o. de Húsares y el regimiento de Guías, a recuperar a Guanare, operación importante para cubrir la izquierda del ejército y recoger ganados.

Aunque Bolívar presumía que Morillo no había avanzado a combatir sino a negociar, tenía todo dispuesto en Trujillo para retirarse en buen orden hasta incorporar sus cuerpos situados a retaguardia y dar una batalla con ventaja, aun cuando el general español recibiera nuevos refuerzos. En este caso Páez debía marchar sobre Morales, batirlo y tomar a Caracas, mientras Bolívar contenía o batía a Morillo (35). En seguida, en cuenta el Libertador de no tener su adversario al emprender la marcha a Carache más de 3.000 a 3.200 hombres, trasladó su ejército a Sabana Larga al noreste de Valera, y a tres leguas de Trujillo, campo ventajoso para obrar la caballería en una batalla. Con este oportuno movimiento sin retirarse adquiría una ventaja decisiva sobre el enemigo por la superioridad de su caballería. El 16 de noviembre hallándose ya en su nuevo campo, nombró a Sucre, jefe de estado mayor general en propiedad (36). Aunque el ejército se estableció en aquel punto, Trujillo no fue evacuada, y Bolívar se dirigió a ella el 18 a continuar las negociaciones.

Informado Morillo en Carache de las fuerzas de Bolívar, y de sus reservas en marcha, y en cuenta del movimiento que había efectuado días antes a Santa Ana, visiblemente con el objeto de atacar a Tello en el Tocuyo, juzgó como era la verdad, que Páez podía tener instrucciones de marchar a Barinas y Guanare, y en consecuencia ordenó a Morales estar pronto a trasladarse por los Tiznados a San Carlos, a la primera señal de movimientos ofensivos del jefe apureño. En este caso la 5a. división situada en Guanare desde el 20 de noviembre, debía retirarse también a San Carlos. La correspondencia de los dos caudillos con sus subalternos, en aquellos días, como en tantos otros, revela la exactitud de juicio de cada uno respecto a la apreciación de fuerzas y proyectos del adversario (37).

(35) A Páez, 2 de noviembre. O'Leary XVII, 533.

(36) O'Leary, XVII, 559.

(37) Correspondencia con Morales. Carache, 21 de noviembre. Rodríguez Villa, IV, 327.

II

EL ARMISTICIO

Armisticio y Regularización de la guerra.

Bolívar había propuesto al general español para celebrar el armisticio en proyecto la plaza de San Fernando. Morillo le contestó de San Carlos el 20 de octubre aceptando la propuesta y anunciándole el envío de sus comisionados, pero no pudiendo Bolívar separarse del ejército por una repentina enfermedad de Urdaneta, se designó la ciudad de Trujillo para las pláticas.

El Libertador escribió a Morillo el 3 de noviembre proponiéndole celebrar también un tratado de "regularización de la guerra, verdaderamente santo, monumento de civilización, de humanidad y de filantropía" (38), destinado a suprimir de un todo la guerra a muerte, fuente de lágrimas y sangre en todo el país durante más de siete años. Enseguida, para abreviar la conclusión del armisticio envió a Sucre y a Plaza al cuartel de Morillo en Humocaro Bajo, a dar explicaciones sobre los deseos y necesidades de los patriotas. Pasado un día en el campamento español, los dos enviados regresaron sin haber entrado en tratos por no haber llegado todavía los comisionados españoles. Morillo contestó de oficio negándose a ceder un territorio exigido por Bolívar por no infringir la Constitución, pero manifestaba al mismo tiempo deseos de celebrar un ajuste sobre bases aceptables (39).

Luego el general español envió a su edecán teniente coronel Pita a sondear al Libertador. Recibido cortesmente fue invitado a comer y en conversación cometió la imprudencia de insinuar como ventajosa a la negociación la retirada de los independientes a sus anteriores posiciones en Cúcuta. Indignado Bolívar le replicó enseguida: "Diga Vd. al general Morillo, que él se retirará a sus posiciones de Cádiz antes que yo a Cúcuta, y que hacerme semejante proposición es un insulto, que yo devuelvo con desprecio"; y a una carta fuerte de Bolívar, el general español, deseoso de llegar a un arreglo y de regresar a España y aconsejado por los

(38) Blanco y Azpurúa VII, 455. O'Leary XVII, 534.

(39) Baralt y Díaz, II, 29. Edición de Brujas. Blanco y Azpurua VII, 497.

comisionados realistas, contestó con moderación desautorizando al edecán.

Estos comisionados, a saber: el general Correa y los señores Juan Rodríguez del Toro y Francisco González de Linares, fueron recibidos en Trujillo por los de Colombia, el general Sucre, el coronel Briceño Méndez y el teniente coronel José Gabriel Pérez. Como ambos partidos deseaban llegar a un arreglo no fue difícil entenderse. Los colombianos considerando justas las razones alegadas por Morillo, desistieron de la cesión de la provincia de Maracaibo, parte de la de Barinas y una faja en el Alto Llano exigidas por ellos. El 25 de noviembre se firmaron dos tratados. En el primero se ajustó un armisticio por seis meses conservando los contendientes sus posiciones, y en el segundo, propuesto y redactado por Bolívar, se comprometían los dos bandos a regularizar la guerra, al estilo de pueblos civilizados, a respetar los prisioneros, y a establecer obligatorio su cange, en suma a eliminar de un todo la guerra a muerte, practicada con tanta ferocidad por ambos bandos, a pesar de los esfuerzos del Libertador desde 1816 por abolirla.

Por una casualidad sorprendente este segundo tratado, verdadero monumento de piedad aplicada a la guerra, según expresión de Bolívar en la biografía de Sucre, se firmó en la misma ciudad de Trujillo, donde él había decretado la guerra a muerte, en momentos trágicos, siete años antes, para crear el espíritu nacional, y contrarrestar las prácticas crueles de los jefes españoles.

Cuando se abrieron estas negociaciones el 17 de junio, Morillo se dirigió también al Congreso de Angostura y hubo fuertes discusiones entre la Diputación Permanente y el Vice-Presidente de Colombia Juan Germán Roscio, sobre quien debía recibir y contestar la nota del general español, aunque en el fondo todos estaban de acuerdo en no transigir respecto a la independencia. La Diputación convocó otros miembros, se constituyó en Congreso y mandó devolver al comisionado español, ya adelantado del otro lado del Orinoco, portador de la contestación del Vice-Presidente, para darle también la suya. Lo más grave fue la pretensión del Congreso, ilegal a todas luces, por el origen de su convocatoria, de asumir el mando militar de la capital y su distrito. Estas disenciones al fin se calmaron y cesaron de un todo, cuando se recibió en Guayana la nota de Bolívar a Roscio, de 23 de julio, recordandole estar expresamente cometida al Presidente de la República la celebración de treguas y tratados de paz por el artículo 8º, sección 3a, título 7º de la constitución, y por tanto no debía la Diputación Permanente ocuparse de la misión del general Morillo, ni de ninguna otra, hasta recibir informes de lo actuado por el gobierno.

Entrevista de Santa Ana.

Ratificados los tratados el general Morillo quiso conocer al Libertador y le invitó a una entrevista. Aceptada con agrado la propuesta, se fijó el 27 de noviembre para celebrarla en el pueblo de Santa Ana en territorio español. Aunque Bolívar confiaba en la lealtad del bravo general, su adversario de tantos años, por precaución justificada, momentos antes de partir a los puestos enemigos, delegó por un oficio en el general Urdaneta, comandante general de la Guardia, el mando de todos los ejércitos de Colombia, y se dirigió a Santa Ana, acompañado de Sucre, Briceño Méndez y sus edecanes (40). Morillo acudió con varios jefes y oficiales y una escolta. En este episodio, como en tantos otros, se destacaba la grandeza moral del héroe. El general español admirado retiró su escolta, y se adelantó a recibirlo, y como preguntara a O'Leary cuando se acercaba, cual era Bolívar, exclamó al señalárselo: "¿Cómo, aquel hombre pequeño de levita azual y gorra de campaña y que viene en una mula?" Después de darse un estrecho abrazo, se dirigieron a una casa del pueblo donde Morillo había mandado a preparar un almuerzo. En la mesa los dos jefes, el general La Torre y otros oficiales, pronunciaron brindis en honor de ambos partidos.

En el curso del día y en la comida, dice el edecán O'Leary, se habló alegremente sobre los sucesos de la guerra. Sentimientos de noble generosidad fueron el tema de las conversaciones en aquel día memorable. Bolívar recomendó someter cualquier duda sobre algún punto del tratado, a arbitramento, y designó desde luego como árbitro por parte de Colombia al general Correa, español honrado y justiciero. Morillo propuso la erección de un

(40) Oficio firmado por el jefe de estado mayor A. J. de Sucre, en Trujillo el 27 de noviembre de 1820. Boletín de la Academia de la Historia No. 95, pág. 349.

monumento en el sitio de su primer encuentro, y aceptada la idea por Bolívar, colocaron la primera piedra. En la noche durmieron profundamente los dos adversarios, en el mismo cuarto, "desquitándose de las muchas vigilias que mutuamente se habían dado. Al día siguiente se separaron para siempre" (41). Convencido Morillo de la ineficacia de sus esfuerzos propuso el armisticio y trató de igual a igual a los denominados por él rebeldes y traidores, tal era su ardiente deseo de restituirse a España y dejar a otro el desairado papel de abandonar por la fuerza la colonia. El mismo empeño lo indujo a aceptar el tratado de regularización de la guerra, tan extraño a su corazón duro. ¡Cuan distantes estaban sus procedimientos en estos días de aquellos empleados en sus primeras campañas, cuando mandó un catalán a Jamaica a asesinar al Libertador, y llevó al patíbulo a los hombres más ilustres de la Nueva Granada, rendidos sin resistencia! Representante de un sistema torpe y gastado se retiraba vencido por el genio y la cultura.

El Libertador en Barinas.

Apenas firmado el armisticio Bolívar hizo un viaje a Barinas a recorrer "la línea de circunvalación" del territorio patriota por ese lado, y a establecer la 1ª brigada de la Guardia al mando del coronel Plaza desde esa ciudad y Torunos hasta Santa Lucía, en la margen derecha del río Santo Domingo, donde podía obtener ganados para la subsistencia. Existen muy pocos documentos de esos días por haberse perdido los copiadores de órdenes de Bolívar del mes de diciembre. El 2 de este mes partió de Trujillo, por el páramo de la Cristalina descendió al hermoso valle de Boconó, luego subió a lo más alto de la Cordillera por ese lado pasando por Niquitao, y bajó a Barinas, por Calderas, Masparrito y Barrancas. Estuvo en esta ciudad del 7, feoha de una proclama, hasta el 11, en cuyo día escribió a Morillo: el 12 desde Pedraza encargó a Páez empotrerar 10.000 reses para el ejército, y por caminos solitarios o quizás por la Montaña de San Camilo volvió a la Cordillera (42). El 21 llegó a San Cristóbal, el 24 a Cúcuta y de allí se

(41) O'Leary, Narración II, 57.

(42) Lo suponemos así, porque todavía mas largo es el camino para regresar de Pedraza a San Cristóbal, por Barinas, Las Piedras, Apartaderos y Mérida. Es muy probable que de Pedraza fuera directamente a Mérida por un sendero en la tupida montaña de la falda de la Cordillera, hoy perdido. De

dirigió a Bogotá. Viajes penosos, por las inmensas distancias y la escabrosidad de los caminos, recorridos por el Libertador, en pleno vigor físico, con la mayor facilidad.

Sucre lo acompañó en su carácter de jefe de estado mayor general. La ciudad de Barinas situada al pie de la cordillera, y capital de la provincia de su nombre, antes populosa y rica, estaba destruida. Incendiada por los españoles Puy y Yañez en 1813 tenía la mayor parte de sus casas sin techo y en ruinas. Casi todas las familias distinguidas habían desaparecido. "El Libertador, dice la orden del día firmada por Sucre, ha contemplado con dolor la ruina de un país llamado por su situación a ser de los más bellos y abundantes de Colombia, y ha ofrecido a los pueblos que ellos serán luego restablecidos al favor del gobierno beneficioso y paternal de la República, y que la capital de Barinas recobrará el esplendor a que es tan acreedora por su amor a la libertad y por su posición ventajosa" (43). En las guerras civiles Barinas fue incendiada y saqueada otras veces y al presente no se ha levantado todavía de su postración, consecuencia de la anarquía y la guerra.

El teniente coronel Juan Manuel Silva, tenaz servidor de España, comandante del cantón de Guaca, en la montaña de San Camilo, se pasó con sus hombres al servicio de la patria el 26 de julio, y recibido con su mismo grado conservó el puesto de comandante en Guaca en medio de la montaña donde tenía familia e intereses y prestó servicios en el trasporte de armamentos (44). De Barinas se escapó Blas Ampueda, reputado capitán del regimiento realista de Dragones y vino a presentarse a Páez el 2 de setiembre. Poco después llegó también a Achaguas, procedente de Cogedes el teniente coronel realista Fernando Torrealva, acreditado por sus hazañas desde 1814 en los llanos del Baúl y Guadarrama. Algún tiempo antes noblemente se había separado del servicio. Enviado por Páez a recoger hombres de armas, sus antiguos compañeros le pusieron una celada y lo mataron (45). Durante el armisticio reconocieron la República dos antiguos jefes de grande influencia y nombradía en las provincia de Barinas: el

Barinas a San Cristóbal recorrió de 70 a 90 leguas según la vía adoptada, y 100 de este punto a Bogotá.

(43) Firmas del Ciclo Heroico, por Andrés Eloy de la Rosa 1938, 127.

(44) Oficio del Libertador, 4 de agosto. O'Leary XVII, 349.

(45) Ortega Ricaurte. Archivo del general Páez, 270 y 276.

coronel Remigio Ramos célebre jefe de caballería desde 1814, y el presbítero coronel Andrés Torrellas, comandante en jefe en Apure en 1816; el primero se presentó el 24 de abril en Barinas, donde tenía su familia, y el segundo, natural de Burere, cerca de Carora, adoptó el partido de la patria a la cabeza de 90 jinetes y 60 infantes en Sarare el 7 de mayo con su hermano Nicolás Torrellas, alcalde del lugar. También se pasaron a la República otros jefes locales de menor importancia.

III

EN LA NUEVA GRANADA

Batalla de la Ciénaga. Liberación de Santa Marta.

La corbeta española Ceres, después de desembarcar víveres en Cartagena, regresó a la Habana, y apenas había partido llegaron a Santa Marta enviados por Morillo, las corbetas Diana y Descubierta, la goleta Morillo, armadas en guerra, y un bergantín mercante con algunos socorros. Dejaron en la plaza provisiones y 200 infantes e hicieron rumbo sobre los buques de Brión, situados de manera de bloquear a Cartagena. El Almirante tuvo tiempo de refugiarse en Sabanilla y acoderó sus buques, muy inferiores a los enemigos, bajo la protección de las baterías del fuerte. Los españoles no se atrevieron a atacarlo y después de algunos días, para evitar las corrientes y vientos contrarios, regresaron por la ruta de Puerto Rico a su base de Puerto Cabello (46).

El Gobernador Porras, de Santa Marta, en cuenta de los preparativos de los patriotas, resolvió hacer la defensa de la plaza en el pueblo de San Juan de la Ciénaga, situado a orillas del mar, punto obligado de la vía principal sobre la plaza y poblado de indios valientes adictos al Rey. Construyó obras de campaña, eficazmente ayudado por los naturales, y dió el mando de las tropas al comandante Esteban Díaz. La línea principal, de bastante extensión consistía en palizadas de palo a pique, con amplios fosos, y baterías de piezas ligeras de trecho en trecho.

La división Lara se había trasladado, cruzando el Magdalena, del Piñón al pueblo de Sabana Larga, donde Lara enfermo re-

(46) Restrepo III, 55.

signó el mando en su segundo el coronel Carreño. El teniente coronel O'Connor, de regreso de Jamaica, fue nombrado jefe de estado mayor. Terminados los preparativos para emprender las operaciones Montilla ordenó a Carreño trasladar la división a la derecha del Magdalena y proceder a la toma de Santa Marta en combinación con la escuadrilla. Esta llevaría a bordo la columna de Maza, mientras Carreño marcharía por tierra.

El jefe realista Sánchez Lima, envalentonado por el traslado de la división Lara a la izquierda del Magdalena, habia avanzado hasta Pivijay con 600 veternos, conjeturando poder sostenerse a la derecha del río. Carreño repasó rapidamente el Magdalena en Guáimaro con 1.300 hombres, y se dirigió en su busca; forzó el paso del caño Cotiné, y siguió adelante por la llanura. Sánchez Lima se retiró aceleradamente hacia la Fundación de San Sebastián, al sur de Santa Marta, dejando a Carreño el paso franco a la plaza, con la idea de caerle por la espalda cuando el jefe republicano atacara los puestos fortificados, pero Carreño abandonando el camino de la plaza, siguió rápidamente contra él, y lo alcanzó apostado detrás del río de la Fundación. El 30 de octubre, después de una hora de fuego, Carreño flanqueó la posición, y lo obligó a retirarse con grandes pérdidas. El español solo pudo sacar del combate 303 hombres y con ellos se situó en una altura nombrada El Codo, a una legua del río. Tres compañías de Rifles, conducidas por Carreño y Sandes, subieron intrépidamente a la altura, despreciando el fuego, atacaron vigorosamente y dispersaron a los realistas. Los Húsares de la Guardia conducidos por el mismo Carreño los persiguieron hacia el este por espacio de seis leguas hasta aniquilarlos. Sánchez Lima huyó casi solo al Valle de Upar. En ambos combates y en la persecución los españoles perdieron 38 muertos, 60 heridos y 122 prisioneros. Carreño solo tuvo 21 muertos y heridos.

El jefe independiente retrocedió a Cotiné, a esperar la combinación con la escuadrilla y preparar la marcha a los pueblos de la Ciénaga. El 3 de noviembre envió partidas de caballería a Sevilla a recoger ganados y dispersos. Repuestos sus hombres de las marchas precipitadas de los últimos días, y recogidos por el escuadrón de Húsares de la Guardia los ganados necesarios, avanzó sobre los atrincheramientos enemigos. En el Río Frío se hallaban fortificados 200 españoles al mando del comandante Lavarcés, resueltos a defender el paso. Carreño los distrajo con los cazadores mientras flanqueaba la posición y vadeaba el río mas arriba. Los enemigos replegaron a Pueblo Viejo. Puesto el jefe republicano en comunicación con Padilla, comandante de los buques menores, fijó el 10 de noviembre a las nueve de la mañana para atacar las posiciones enemigas de San Juan de la Ciénaga y las baterías de la Barra y Pueblo Viejo. Al amanecer del día fijado los patriotas avanzaron a un tiempo. Carreño rodeando la línea fortificada de los realistas atacó vigorosamente por la espalda al pueblo de San Juan en tres columnas, la más fuerte a la izquierda mandada por él mismo, a tiempo que Padilla rompía el fuego sobre la escuadrilla enemiga. Por la disposición del ataque las famosas baterías dispuestas por el gobernador al frente de San Juan resultaron inútiles. Los indios se defendieron en las casas desesperadamente como la mejor tropa. Una columna realista trató de flanquear a Carreño, pero este jefe en persona se volvió contra ella, la cargó y destruyó con la caballería. Tras sangrienta lucha el pueblo fue tomado al paso de carga. Padilla atacó los buques realistas con denuedo, los tomó en corto tiempo, ocupó casi sin resistencia las baterías de la Barra y Pueblo Viejo, luego desembarcó con la columna de Maza de 650 hombres y mandó la escuadrilla a las órdenes del capitán Chitty a unirse al almirante Brión frente a la plaza. Tomado San Juan, Carreño marchó sobre Santa Marta llevando adelante la columna de Maza. Abandonada por el gobernador la ciudad se rindió sin resistencia al día siguiente. Los españoles tuvieron en estos sangrientos combates 621 muertos, 257 heridos y 633 prisioneros. Los patriotas tomaron 182 piezas, 812 fusiles útiles, abundantes municiones, 8 buques de guerra y 36 bongos. Carreño perdió 40 hombres muertos y 114 heridos (47). Esta victoria lo colocó entre los más reputados capitanes de Colombia. El había dejado un brazo en los Cerritos Blancos en 1814 y tenía 17 heridas, de diferentes combates. Aunque acostumbrado a la guerra a muerte se abstuvo de fusilar los prisioneros españoles y los remitió a Montilla contando serían perdonados. Sus soldados venezolanos habían matado muchos en el momento de capturarlos. En la acción se distinguieron el coronel Padilla, por su intrepidez y acierto en las operaciones maríti-

(47) Partes de Carreño y Montilla. Blanco y Azpurúa VII, 460 y 462. Correo del Orinoco número 98.

mas, los tenientes coroneles Sandes y Manuel León, y el mayor Peacock, del batallón Rifles, el teniente coronel O'Connor, jefe de estado mayor, el comandante Calderón de Húsares y muchos otros. Los españoles disponían antes de empezar las operaciones de 2.730 hombres y los independientes de 2.450. En Santa Marta se incorporaron al ejército libertador el capitán alemán Felipe Braun, célebre después en las campañas del Perú, y el distinguido conde sueco Federico Adlercreutz, quien prestó notables servicios en Cartagena.

Rebelión en el interior de Santa Marta.

Las dos provincias de Santa Marta y Cartagena presentaban un contraste singular. En la primera al libertarse la capital se recrudeció la insurrección en el interior a favor de España; en la segunda, estando la capital todavía en poder de los españoles, todo el interior se había decidido por la patria. El coronel Montesdeoca, comisionado oportunamente por el Libertador para batir las guerrillas del Valle de Upar a Río Hacha permaneció largo tiempo inactivo con sus 300 hombres en Tamalamequito, cerca de la margen derecha del Magdalena y se dejó arrebatar por engaño 200 fusiles y 18.000 cartuchos, por la facción llamada de los Colorados, capitaneada por dos criollos de apellido Jácome y un tal Javier Alvarez. Esta facción incrementada hasta contar 500 hombres armados tomó a sangre y fuego la ciudad de Ocaña, defendida por el coronel Miguel Antonio Figueredo con 200 infantes, de los cuales sólo escaparon 50; auxiliado enseguida este oficial por el sub-jefe de estado mayor Salom con 200 fusileros al mando del mayor José María Monzón, quiso recuperar a Ocaña pero fue de nuevo batido. El cabecilla de los revoltosos, Eustaquio Valles, ocupó a Chiriguaná, el Guamal y otros pueblos de la derecha del Magdalena (48).

Por falta de fusiles Salom no había podido enviar fuerzas mayores a estos lugares. Cuando llegaron los de Apure el coronel Encinoso, dispuso una columna de 600 hombres al mando del coronel Manrique para rescatar a Ocaña, pero en esto ocurrió el armisticio y como la ciudad quedó en territorio de los patriotas, el comisionado español mandó a desarmar las guerrillas del lugar,

(48) Restrepo III, 59.

más sólo obedecieron algunas y se procedió a perseguir a las irreductibles. En punto tan importante para las comunicaciones fue necesario mantener 200 hombres, y encomendados al coronel Narváez destacado en la línea de sitio de Cartagena, pacificó con ellos el Guamal y otros pueblos de la derecha del Magdalena. Río Hacha permaneció en territorio español.

La provincia de Santa Marta requería una atención especial para conservarla y tranquilizarla. Al efecto Bolívar ordenó a Montilla reclutar a cuantos hombres habían servido en las guerrillas enemigas, aumentar la recluta hasta 2.000 hombres, elevar el batallón Rifles a 1.500 plazas y tener prontas estas fuerzas y el escuadrón de Húsares de la Guardia, a las órdenes del coronel Carreño, para tomar a Maracaibo en su oportunidad.

Cartagena.

Tomada Santa Marta se procedió a estrechar el sitio de Cartagena. El coronel Lara fue destinado con la columna de Maza a cubrir la costa y los llanos de Corozal, al sur de la plaza, de donde los sitiados sacaban algunos víveres, y Padilla se estableció con las fuerzas sutiles en el canal, cerca de Mahates, para obrar oportunamente sobre la bahía. El Almirante volvió a bloquear la plaza como lo permitía el mal estado de sus buques.

Considerando el Libertador la dificultad de mantener en perfecto orden un cuerpo de tropas sitiando a Cartagena, después de rotas las hostilidades, por carecer nuestros oficiales y soldados del cuidado constante, necesario en un sitio, y por tanto exponerse a una sorpresa, aconsejó a Montilla convertir el sitio en asedio y al efecto establecer un sistema de campos volantes para impedir a los sitiados tomar víveres, mantener un cuerpo de Dragones recorriendo los principales puntos sobre la plaza, situar el grueso de sus tropas en un lugar conveniente para socorrer las partidas y combatir con ventaja a los enemigos, si se atrevían a hacer salidas. Este sistema al reducir a la miseria a los sitiados había dado resultado en Angostura y San Fernando (49).

(49) Oficio de San Cristóbal, 22 de diciembre de 1820. Firmado por Sucre en su carácter de Jefe de Estado Mayor. Boletin de la Academia de la Historia No. 95, 350.

Popayán y Pasto.

Como va expuesto en el capítulo anterior Valdés por no proseguir la ofensiva después de su triunfo en Pitayó el 6 de junio, perdió el efecto moral de la victoria, y dió tiempo a los enemigos a rehacerse y aumentar sus fuerzas. En la guerra, como en todos los negocios humanos, las oportunidades favorables no se presentan sino pocas veces, y el talento consiste en saberlas aprovechar.

Disminuido el ejército en la inacción y agotados los recursos de Popayán su situación se hacía cada día más grave. La deserción, las intrigas y la hostilidad de los enemigos internos mermaban la división diariamente, hasta el punto de no bastar a cubrir las bajas los reclutas y fusiles enviados por el Vice-Presidente, y Valdés desalentado llegó a escribirle que si no le enviaba el batallón Bogotá, a la sazón disciplinándose en la capital para marchar al ejército del Norte, no le respondía de la seguridad de la Provincia, y calculaba además necesarios para marchar a Pasto 3.000 hombres por lo menos. Acostumbrado a la guerra en Venezuela, donde todas las providencias eran duras, según sus palabras, y con alma de soldado, se quejaba, en cierto modo con razón, de no poder hacer lo mismo en la Nueva Granada. En realidad la diferencia consistía en el efecto de la guerra a muerte al fijar a los hombres a sus banderas. En cada localidad de Venezuela había una población comprometida, obligada a vencer o morir, y gracias a esta circunstancia los jefes podían conservar sus tropas o rehacerlas después de una derrota. Por otra parte bajo la influencia del ambiente realista de la ciudad Valdés abultaba en su imaginación las fuerzas de los enemigos estacionados en Mercaderes, a seis jornadas de distancia: recién llegado a Popayán en 21 de julio aseguraba no tener municiones sino para media acción, y aunque esto se remedió pronto, no cobró más ánimo. En vista de este estado moral del jefe independiente, temeroso Santander de una sorpresa o derrota, lo autorizó según su juicio a dejar o nó a Popayán y regresar a Cali o Caloto, y así lo efectuó Valdés contra el parecer de Concha, y con daño de la moral del ejército y de la opinión de los pueblos (50). El Libertador engolfado en la campaña de Venezuela, sin poder extender su influencia hasta el Cauca, ni

(50) Archivo de Santander V. 119.

comunicar impulso a Valdés, aprobó oficialmente la evacuación de Popayán, quizás sin considerarla necesaria en su fuero interno.

Más adelante, cuando se entablaron las negociaciones del armisticio, Bolívar se empeñó en renovar la ofensiva en el Sur con el objeto de ocupar la mayor extensión de territorio antes de la firma del tratado, y de Trujillo repitió a Santander, el 6 de noviembre, la orden de mandar a Valdés hacia adelante, y levantar un cuerpo de reserva en el Cauca, como fuente de reemplazos y garantía de sus progresos (51).

También pensó dejar abiertas las operaciones en el Sur para ir personalmente a libertar a Quito durante los meses del armisticio, pero no pudo lograr de los españoles esta condición (52).

Impuesto el 5 de enero al llegar a la capital, de la hostilidad de los habitantes del Cauca, de la escandalosa deserción de los reclutas, y de la inacción de Valdés, dió un decreto el 7 mandando levantar 4.000 reclutas con penas draconianas contra los desidiosos o desertores, pero no encontrando suficiente esta medida, el día 11 nombró a Sucre para reemplazar a Valdés (53).

Este general había emprendido marcha de la Villa de Palmira hacia Popayán el 2 de diciembre con 1.400 hombres, fuerza inferior o por lo menos igual a la misma suya de seis meses antes, a raiz del combate de Pitayó, pero no pasó de aquella ciudad, aunque los enemigos según informaban los espías se habían retirado a Pasto, y sabía las noticias de la revolución de Guayaquil y el desembarco de San Martín en Pisco, acontecimientos funestos a los españoles de Quito (54). Admitiendo Bolívar la posibilidad de una derrota había ofrecido a Santander el 25 de setiembre enviarle la orden de marcha para Valdés al tener la certidumbre del armisticio, con el objeto de ganar terreno si salía triunfante, o protegerlo con el tratado en caso de derrota y así lo hizo el 6 de

(51) O'Leary XVII, 537. Véase también el oficio de 19 de octubre, al Vice-Presidente. Boletín No. 95, de la Academia de la Historia, pag. 381.

(52) Oficios a Santander. Trujillo 31 de octubre y 7 de noviembre. De La Rosa. Firmas del Ciclo Heroico 111 y 121.

(53) O'Leary XVIII, 11 y 19.

(54) Oficio de Valdés a Santander, 2 de diciembre. Correo del Orinoco No. 92.

noviembre como hemos indicado (55), pero Valdés no partió de Popayán sino el 15 de enero, cuando ya Sucre estaba nombrado para reemplazarlo. Al aproximarse a las posiciones de los enemigos en el río Juanambú tuvo la habilidad de rodearlas sin tropiezo alguno, pero fue a dar un combate desgraciado el 2 de febrero en el paso de la quebrada de Jenoi a tres leguas de Pasto, con unos 900 combatientes, contra fuerzas iguales a las suyas. En repetidos asaltos el jefe independiente, arrogante siempre en el peligro, y acompañado por los ingleses y los llaneros, hizo los mayores esfuerzos por vencer. Sus pérdidas alcanzaron a 200 muertos y heridos y 100 prisioneros entre los primeros el valiente Juan Carvajal de los vencedores en el Magdalena y Pitayó. Los Guías de la Guardia y Albión, cuerpos célebres en el ejército libertador por su disciplina y entereza, quedaron destrozados. Tantas pérdidas de los patriotas no dieron mayores alientos a los españoles. Estos sufrieron muchas y no se atrevieron a perseguir con actividad. En la retirada Valdés encontró en el Trapiche los comisionados enviados a participar el armisticio, y con ellos llegó Sucre a encargarse del mando y a reorganizar los restos de la reducida división, denominada ejército del Sur.

La provincia de Guayaquil.

Los patriotas de Guayaquil no pudieron secundar la revolución de Quito en 1809 por la presteza de las autoridades en prender a sus principales corifeos, el coronel Bejarano, comandante de milicias y su sobrino Vicente Rocafuerte. Logrado esto por los realistas, los otros conspiradores no se atrevieron a moverse. Aunque débilmente fortificado el puerto, sus ventajas naturales le daban gran importancia para el dominio del Pacífico. Marinos notables en diversas epocas trataron de interceptar su comercio. En 1816 fue batido en la Puná, isla situada a la entrada de la ría, el corsario Brown, de Buenos Aires. Dos años después partió de Valparaíso la corbeta Rosa de los Andes, al mando del inglés Juan Illingworth a hostilizar el comercio español, y aunque fue batido el 24 de junio de 1819, frente a la misma isla de Puná por la fragata Piedad, pudo escapar y reparado su buque en Galápagos, evadió más tarde la persecución de las fragatas Prueba y Venganza

(55) Lecuna. Cartas del Libertador II, 261.

en un crucero hacia el Norte, y de regreso tocó en la isla de Taboga, frente a Panamá, y en los puertos de Buenaventura, Tumaco y Esmeraldas. Alcanzado el 12 de mayo de 1820 en Punta Galera, al sur de este último huyó maltrecho, después de un combate heroico con la Prueba al mando del perito capitán español José Villegas, y fue a encallar en la boca del río Iscuandé, en la costa de la provincia de Popayán. De allí el valiente Illingworth pasó al cuartel general de Bolívar y quedó al servicio de Colombia (56). Mientras este marino cruzaba hacia el norte el Vice-Almirante Cochrane al frente de la escuadra chilena, capturó cerca de la Puná, en noviembre de 1819, a dos fragatas mercantes armadas en guerra, sin que la Prueba apostada en Punta de Piedra, dentro de la ría de Guayaquil, pudiera salvarlas.

Estos movimientos marítimos, los triunfos del Libertador en La Nueva Granada en 1819 y 1820, la revolución de España en enero de este año y el desembarco de San Martín en Pisco el 8 de setiembre de 1820 conmovieron los espíritus y los prepararon a la revolución. Los desórdenes ocurridos en la Península y los principios adoptados por el gobierno liberal, sin acompañarlos de fuerzas de mar y tierra, capaces de sostener los derechos de España, paralizaron a las autoridades españolas de América, y provocaron defecciones.

Este estado de cosas produjo la revolución de Guayaquil el 9 de octubre de 1820. Parte de la guarnición se pronunció por la independencia y sin mayor resistencia se apoderó de toda la ciudad. Contribuyeron en primer término a este movimiento los capitanes León de Febres Cordero y Luis Urdaneta, venezolanos, antiguos oficiales del batallón Numancia, y otros oficiales y personas notables de la ciudad.

Tres días después de consumada la revolución, el comandante general de la provincia, Gregorio Escobedo, invitó al general Valdés, comandante del ejército del Sur, al comunicarle el acontecimiento de la revolución, a libertar los países intermedios (57). El cabildo de Guayaquil nombró una Junta Provisional de Go-

(56) Camilo Destruge. Guayaquil y la Campaña Libertadora de 1820 a 1822, 147 y siguientes.

(57) Nota de Valdés. Cali, 8 de noviembre. Blanco y Azpurúa, VII, 458.

bierno. Aunque la provincia pertenecía de hecho y de derecho a la Presidencia de Quito, y por tanto a Colombia (58) las relaciones de algunas familias con la sociedad de Lima, la ocupación temporal del puerto, por tropas peruanas, y las relaciones comerciales, habían formado un pequeño partido adicto al Perú, pero la mayoría deseaba la autonomía con Quito, y en último caso la incorporación a Colombia, subordinado este movimiento a los resultados de la guerra. Separada Colombia de la provincia por el territorio de Quito ocupado por los españoles, predominó por lo pronto el partido autonomista: los electores decretaron la independencia de la provincia, se dieron una constitución propia, y crearon la Junta de Gobierno presidida por el gran poeta José Joaquín de Olmedo, primer gobernante constitucional del Ecuador y Padre de la Patria (59).

Los patriotas fueron desgraciados en los primeros combates. La columna enviada al Norte, a cargo de Urdaneta quedó vencida en Huachi, cerca de Ambato, el 22 de noviembre. El vencedor González siguió contra los patriotas de Cuenca, y los derrotó en Verdeloma el 20 de diciembre. Una nueva expedición de Guayaquil organizada por el coronel argentino Luzuriaga, enviado por el general San Martín como asesor militar, fue batida en Tanizahua, cerca de Guaranda, el 3 de enero, y prisionero su comandante el jefe argentino José García, fue decapitado y su cabeza enviada a Quito. A pesar de estos triunfos los españoles no pudieron atacar a Guayaquil, cubierta en dichos meses por las innundaciones de la estación de las lluvias, copiosas en esa región del hemisferio Sur, en los meses de octubre a mayo. Dos días después de esta derrota, el 5 de enero de 1821, el coronel Tomás Guido, enviado especial del general San Martín y el coronel Luzuriaga regresaron a Lima, sin haber logrado su propósito de promover la incorporación de Guayaquil al Perú (60).

---

(58) Véanse la Real Orden de 7 de julio de 1803 y la Real Cédula de 23 de junio de 1819 que determinan la dependencia de Guayaquil al Virreinato de la Nueva Granada. Boletín de la Academia de la Historia No. 94, páginas 214 a 216. Véase también *La Cuestión de Guayaquil,* Tomo XI de las Cartas del Libertador, pag. 205. New York, 1948.

(59) Abel Romeo Castillo. Olmedo, el Político, Guayaquil, Imprenta de la Universidad, 1946.

(60) Camilo Destruge. Guayaquil y la Revolución Libertadora de 1820 a 1822, 230.

De Bogotá el Libertador encargó el 10 de enero al general José Mires, español valeroso, de sentimientos patrióticos, víctima de su arrojo en los primeros años de la Revolución, conducir por la Buenaventura al Guayas 1.000 fusiles y las municiones correspondientes, y ofrecerlos a la Junta de Gobierno, con sus servicios personales; al mismo tiempo debía felicitar al gobierno y pueblo guayaquileño, y asegurarle del vivo interés de Colombia en el bienestar y desarrollo de la provincia. En la comunicación a la Junta el general Bolívar manifestaba su respeto a los derechos y libertades del pueblo, la resolución del gobierno colombiano de defenderlo contra el poder español y le anuncia su pronta marcha hacia la provincia con un ejército capaz de emprender toda clase de operaciones (61). Política bien calculada por la situación independiente de la provincia, sin dar ninguna manifestación en favor de la incorporación a Colombia. Pocos días después, el 21 de enero, antes de alejarse de Bogotá, a emprender la campaña de Venezuela, el Libertador resolvió aumentar los socorros a la provincia y envió a Sucre a Guayaquil con amplios poderes y nuevos elementos militares (62), nombramiento feliz, origen de la libertad de Quito y de la consolidación de la independencia del Guayas y provincias limítrofes.

Elogio de Sucre.

Desde el año anterior Bolívar había elevado a este joven general, de 25 años de edad, a los más altos destinos. De regreso de la comisión a comprar armas en San Thomas, y de encaminarlas de Guayana al Apure y a la Nueva Granada, lo nombró como hemos visto, comandante de la segunda división de la Guardia y sucesivamente ministro de guerra interino, jefe de estado mayor general y comandante general del Sur; y en su elogio le decía al edecán O'Leary el 20 de setiembre en Cúcuta: "Sucre es uno de los mejores oficiales del ejército, reune los conocimientos profesionales de Soublette, el bondadoso carácter de Briceño, el talento de Santander y la actividad de Salom; por extraño que parezca no se le conoce ni se sospechan sus aptitudes. Estoy resuelto a sacarlo a luz persuadido de que algún día me rivalizará" (63).

(61) Oficios de 10 de enero de 1821. O'Leary XVIII, 16 y 18. El último en esta obra, por error de imprenta, tiene la fecha de 1° de enero.

(62) Instrucciones, 21 de enero, O'Leary XVIII, 31.

(63) Memorias de O'Leary. Narración, II, 67.

IV

EN EL ORIENTE DE VENEZUELA

Ejército de Bermúdez.

En virtud de las órdenes del Libertador de cubrir a Guayana y hostilizar la provincia de Caracas, Bermúdez se trasladó a fines de julio de Maturín a San Fernando de Cachicamo, centro de operaciones de Zaraza, al sur del Alto Llano. Sedeño encargado de hacer la guerra en esta región por enfermedad de Zaraza, fue llamado a exigencia suya al cuartel general. Desde aquel punto Bermúdez dirigía las guerrillas encargadas de hostilizar a Orituco, Chaguaramas, La Pascua, Tucupido y Chaguaramal de Perales, lugares defendidos hasta esa época por tenaces caudillos locales.

Desparramado en un territorio inmenso, escaso de recursos por la ruina del país, el ejército de Oriente no recibía de Angostura sino armas, y de tiempo en tiempo algunos vestuarios. Aunque contaba oficiales valientes y experimentados la necesidad de extenderse frecuentemente para subsistir no le permitió adquirir disciplina perfecta. Su prestigioso jefe se estableció en el mes de agosto al norte de Cachicamo en el punto central de La Iguana, donde propiamente empieza el Alto Llano, 90 kilómetros al sureste de la Pascua. Allí recibió las órdenes del Libertador trasmitidas por Soublette, de dirigirse al Apure el 15 de octubre a tomar parte en la marcha ofensiva contra Morillo; enseguida reunió algunas de sus columnas y procedió con actividad a organizar unos 800 a 900 infantes, de sus propias fuerzas, y 400 a 500 jinetes, antiguos soldados de Zaraza y de Sedeño para marchar con ellos el día señalado.

Mientras tanto Monagas debía tomar a Barcelona y Zaraza cubrir con sus jinetes el Alto Llano de Caracas. Pero luego por nuevas disposiciones del Libertador de 12 de agosto, trasmitidas por Soublette el 26 de setiembre, se desistió de la marcha de Bermúdez al Apure y se le encomendó hostilizar a Caracas con todas sus fuerzas por el Alto Llano y enviar una columna al Bajo Tuy o sea a la región al este de Caracas denominada Barlovento (64).

---

(64) O'Leary XVII, 373 y 473.

Para estar pronto a marchar sobre esta capital, por la vía del Tuy, Bermúdez llevó su cuartel el 13 de octubre hacia el norte, al sitio del Terrón a unos 20 kilómetros al sureste de La Pascua (65).

Barcelona.

La situación creada por la revolución de España obligó a Morillo a desguarnecer algunos territorios defendidos tesoneramente hasta entonces por sus veteranos. Tales fueron los llanos de Barcelona y el Alto Llano de Caracas. A este último, de donde sacaban los españoles carnes para el ejército y la capital, no lo podían defender sin el apoyo de las fuerzas del primero. El comandante Arana recibió orden de Morillo de encomendar al coronel Saint Just la defensa de la ciudad de Barcelona, y de retirarse con el resto de su columna hacia Orituco para cubrir los valles del Tuy, al sureste de Caracas. En cumplimiento de esta disposición Arana embarcó en Píritu para La Guaira, a los enfermos, las municiones sobrantes y algunos víveres. El 7 de agosto emprendió la retirada desde San Andrés de Onoto, a orillas del Unare, con 500 infantes del batallón de La Reina y una compañía de Navarra. Pasó por Tucupido, La Pascua y Chaguaramas y de este punto cruzó al norte hacia Orituco, y dejó en el tránsito, desertados, a muchos soldados nativos de la provincia. Barreto, dependiente de Bermúdez, sólo lo persiguió por espacio de dos leguas. Las aguerridas fuerzas locales, hasta entonces defensoras de la integridad de España, quedaron encomendadas al teniente coronel Hilario Torralva, establecido en una ventajosa posición a seis leguas al sur de Onoto, denominada el Potrero, centro de comunicaciones de Barcelona, Píritu y los llanos; pero este jefe, viéndose abandonado después de siete años de esfuerzos estériles, aunque recelaba de su antiguo contendor Monagas, cedió a las insinuaciones de Zaraza, enviado por Bermúdez a ofrecerle toda clase de garantías y conservarlo en el mando si reconocía al gobierno de Colombia, y el 19 de agosto se pronunció con sus hombres por la patria en el pueblo del Carito. De acuerdo con la práctica establecida desde el armisticio, Bermúdez le ratificó su nombramiento de comandante de Onoto y el Potrero. El 21 llegó Monagas a este último lugar y le encomendó sublevar a los valientes pueblos de indios inmediatos a Barcelona, sumisos a él como su jefe natu-

(65) Correo del Orinoco, número 87.

ral. En pocos días se pronunciaron San Pablo, San Lorenzo, San Francisco, San Miguel, Clarines y Píritu. El capitán indio José María Chaurán, uno de los vencedores con sus expertos flecheros en el combate de Clarines, el 9 de enero de 1817, dió muerte antes del pronunciamiento a los oficiales españoles existentes en su pueblo, y hostilizado por los suyos huyó a la isla de Margarita.

Monagas rindió al capitán Tomás Antonio Rengel y sus 80 hombres en Güere el 31 de agosto. En seguida destacó una columna a San Mateo contra el temido caudillo Chicuán Guzmán, envió comisionados a las guerrillas de Chamariapa y San Joaquín a proponerles la paz o la incorporación a Colombia, y por encargo de Bermúdez procedió a reunir sus columnas para atacar a Barcelona.

En este estado se hallaba la campaña cuando Bermúdez se presentó en el Potrero a imponerse de las ventajas adquiridas, y dar dirección a las fuerzas. Pasó revista a las de Torralva, le recomendó poner en los pueblos comandantes respetuosos de las propiedades y recoger ganados para las fuerzas de Monagas próximas a embestir a Barcelona. Luego regresó a su cuartel de La Iguana.

En informes a la corona Morillo predijo las defecciones de estos caudillos locales, desamparados por las armas reales, y sin poder separarse del territorio por no abandonar sus familias (66). Sólo espíritus heroicos, dispuestos al sacrificio podrían oponerse a esta ley inexorable.

Uno de estos, Francisco Guzmán, de una familia distinguida, y denominado Chicuán, resuelto a todo, antes de abandonar la causa del Rey, reunió sus hombres en San Mateo, replegó a Curataquiche, posición adelante de Barcelona, y allí esperó la columna al mando del teniente coronel Miguel Sotillo enviada por Monagas contra él. Empeñada la lucha con furor, por adversarios de tantos años, terminó con la victoria del realista, último halago de la fortuna. Mientras tanto Monagas reunía sus columnas en la Villa de Aragua, y continuaba reduciendo el territorio al oeste de Barcelona: Calixto Hernández de Armas, de grandes servicios a

(66) Oficio de Valencia, 28 de agosto de 1820. Rodríguez Villa, IV, 220.

España, desde el comienzo de la Revolución, así como sus hermanos y parientes, se rindió en Guanape el 30 de setiembre y Jesús Alemán, oficial valeroso, se entregó poco antes en Uchire donde tenía su esposa. Monagas reorganizó su infantería con elementos enviados de Angostura. En los primeros días de octubre partió de Aragua y el 22, dueño ya de casi toda la provincia, atacó la capital con 800 infantes y 300 jinetes.

El coronel español Saint Just, por la pequeñez de su guarnición de 270 hombres, no pudo defenderla. Cortó el puente sobre el Neverí y se atrincheró en el barrio Portugal, pero receloso de caer prisionero de las fuerzas superiores de Monagas, después de corta lucha, replegó al promontorio fortificado del Morro, donde se sostuvo algún tiempo apoyado por tres flecheras.

El jefe independiente, dejó bien asegurada a Barcelona, estableció solidamente algunas tropas a la entrada del Morro y se dirigió al sudeste a marchas forzadas sobre el guerrillero Chicuán Guzmán. El combate tuvo lugar adelante de Quiamare el 2 de noviembre. Guzmán se defendió con valor, inútilmente, pues casi cercado por fuerzas superiores a las suyas abandonó la posición con pérdida de muchos hombres, una pieza de campaña, 65 fusiles, 33 reses y 20 caballos y se salvó tirándose a nado con algunos de sus hombres al río invadeable en aquel punto. Monagas regresó a Barcelona.

No era fácil capturar a Guzmán, en un territorio abrupto, y rodeado de amigos dispuestos a sostenerlo. Monagas le envió al teniente coronel Miguel Sotillo con una escolta a proponerle la paz. La entrevista tuvo lugar en San Mateo, residencia del guerrillero, Guzmán al principio se manifestó dispuesto a ceder, pero rotas las pláticas, atacó a Sotillo en el mismo pueblo y lo mató a él y a cuantos lo acompañaban. Monagas corrió a vengar a su teniente: Guzmán lo esperó el 12 de noviembre en los Bajos de Quiamare; tras empeñado combate se vió obligado otra vez a ceder el campo y murió en la retirada espada en mano con todos los suyos combatiendo contra la columna del capitán Antonio Tomás Rojas enviada a perseguirlo (67).

(67) Oficios de Bermúdez y Monagas. Correo del Orinoco, números 78, 79, 80, 86 y 87. Memorias de Monagas y Parejo. Boletín de la Academia Nacional de la Historia número 21, páginas 1.091 y siguientes.

El coronel Saint Just, sin esperanza de recibir socorros, evacuó el Morro de Barcelona el 26 de noviembre, al agotársele los víveres. Quemó las casas, y las enramadas de las trincheras. Se llevó sus tres flecheras, y abandonó un champán. Monagas lo hacia tirotear diariamente (68).

En el Alto Llano.

A principios de agosto Zaraza había marchado con tres escuadrones de Cachicamo sobre la izquierda del Unare, y desde estos lugares, como hemos visto, contribuyó por su influencia personal, y los ofrecimientos de Bermúdez, a la defección de Torralva el hombre de armas más importante de los realistas en las llanuras de Barcelona y aun en el Alto Llano.

Situado el jefe patriota en San Rafael de Unare, envió emisarios a Guanape y Uchire y a otros puntos a influir en los caudillos locales en favor de la patria; luego cruzó a la izquierda, en dirección de Lezama, acompañado de su segundo Lorenzo Belisario. Al informarse de su marcha Arana se retiró por Macayra hacia el Tuy el 19 de agosto. Desde aquel pueblo Zaraza logró el 20 reducir al comandante de Tucupido José Antonio García. Tres años antes había sido decapitado en Camatagua por infidente otro capitán realista del mismo nombre.

El capitán Manuel Ramírez, comandante de los pueblos de Orituco, firme en sus ideas realistas, se refugió por el momento en la montaña de los Güires entre los ríos Orituco y Memo; Zaraza hostilizó en su marcha a 200 jinetes enviados de Calabozo a Arana, de los cuales muchos se pasaron a sus filas. En diversas partidas se le unieron 47 infantes y 82 jinetes. Belisario por su parte recogió en Maguare 38 desertores de Arana, escapados de Apamate, cerca de Altagracia. Zaraza consiguió el 1º de setiembre decidir al capitán Centeno, comandante de la Pascua, a jurar la independencia.

Así mismo se le rindieron otras partidas de Chaguaramas y Taguay. Tantas ventajas obtenidas por el jefe independiente obligaron a Morales a destacar a Camatagua al comandante Sicilia con el 3er batallón del Rey y tres escuadrones, y al Calvario, al comandante Mata con un escuadrón. Sólo así los realistas pudieron contener el mivimiento del Alto Llano de Caracas en favor de la

(68) Correo del Orinoco Número 89.

patria. Estas defecciones como las ocurridas simultáneamente en Barcelona, consecuencia de la nueva política de España, tuvieron lugar al esparcirse en el país la noticia del armisticio en proyecto.

Invasión a Barlovento.

Aun antes de las órdenes citadas, trasmitidas por Soublette, Bermúdez destacó al coronel Macero con 200 hombres del batallón Bajo Orinoco a apoderarse de los pueblos de la costa de Tacarigua y cortar las comunicaciones de Barcelona y Caracas. El 12 de setiembre Macero llegó a Guanape, y facilitó la defección de los caudillos locales. Allí recibió la orden de avanzar a Barlovento. Reunida la partida de 100 hombres del capitán Armas, siguió por Cúpira al itsmo entre la laguna de Tacarigua y el mar con el objeto de penetrar al Bajo Tuy. El comandante Cova con la descubierta avanzó a Machurucuto pero informado de la aproximación de Arana con su división, replegó a Uchire donde se unió a Macero. Por fortuna Arana se embarcó para La Guaira, y sólo dejó unos 150 hombres en la laguna de Tacarigua al mando de Ferrón. Arrojarlos del puesto el 6 de octubre fue obra de pocos momentos. Macero siguió adelante y entró a Río Chico el 8. Los realistas se dispersaron, excepto una compañia veterana del batallón de Castilla, de 75 hombres, y esta se retiró por el camino de Curiepe.

Macero se apoderó de 70 fusiles, 2.000 cartuchos, una balandra y tres faluchos. De allí destacó al comandante Cova a Curiepe con 100 hombres y marchó con 200 al Limón al sur del Tuy, llamado por el capitán realista Juan José Navarro, el cual se pasó a los patriotas con unos 90 hombres, y Macero lo envió a Caucagua en dirección a Caracas, pero luego se presentó por el camino de Capaya el teniente coronel José Istúriz con 300 veteranos del batallón No. 2 de Castilla, llegó hasta el pueblo de Tacarigua (69), al norte del Tuy, batió el 15 de octubre a Cova, le mató 12 hombres, e interceptó a Navarro internado en Caucagua. Cova se incorporó el 16 a Macero en la Boca del Tuy.

Navarro había capturado una partida de 54 fusileros en Caucagua, pero ante el avance de Isturiz se retiró a la Montaña de

(69) El pueblo de Tacarigua, queda a la izquierda del río Tuy, distante de la laguna del mismo nombre, situada a lo largo de la costa, al este de las Bocas del Tuy.

Urba, y amenazado por el jefe español disolvió sus hombres y huyó por el bosque. Los reclutas levantados por Cova en Curiepe se pasaron a los enemigos. De la Boca del Tuy, Macero se retiró a Río Chico el 28 de octubre donde se quedó largo tiempo. Las operaciones conducidas mas adelante con flojedad no produjeron el resultado esperado (70).

Combate Naval en Santa Fe.

El 25 de agosto tuvo efecto un combate heroico en la bahía de este nombre, fatal para los dos jefes contendores: el suceso ocurrió de esta manera: el capitán Francisco José Gutierrez con la flechera margariteña Flor de la Mar, capturó frente a Cumaná un bergantín cargado de víveres, envió la presa a Margarita y siguió cruzando la costa, pero no impunemente, pues el capitán dominicano José Guerrero, defensor por el Rey de las costas de Cumaná, casi siempre victorioso, partió en su busca en el falucho Hércules, acompañado de una flechera bien armada. Al encontrarse los dos marinos, antiguos contendores en muchos combates, juntaron sus naves y se prepararon al abordaje. Gutierrez fuerte y bravo como Guerrero, logró derribar a su adversario de un lanzaso, pero al momento de proceder al asalto del falucho, zozobró la Flor de la Mar y Gutierrez cayó al agua con sus compañeros. Los realistas los acometieron desarmados nadando, mataron al jefe y a muchos otros y se llevaron a los demás a Cumaná, donde los condenaron a trabajos forzados. Unos pocos escapados en la flechera llevaron la noticia a Margarita. El triunfo costó a los vencedores 40 muertos y heridos (71).

Carúpano.

La península de Paria se había señalado en toda la contienda por su decisión en favor de España. Excepto unos cuantos patriotas, de familias distinguidas, enlazadas con las de Cumaná, el resto de la población era realista, y opuso al Libertador cuando tomó la plaza en junio de 1816, tanto en la ciudad como en los campos, todo género de obstáculos. La mayor parte de los hombres abandonaron a Carúpano en aquellos días de la ocupación de los inde-

(70) Correo del Orinoco, números 86, 87 y 88.

(71) Morillo recomendó al Rey la viuda y una hija de Guerrero. Oficio de Valencia, 8 de setiembre de 1820. Rodríguez Villa, IV, 228.

pendientes y fueron a engrosar las guerrillas realistas opuestas a las columnas encargadas de recoger hombres y víveres. Uno de los guerrilleros nombrado Nacario Martínez dominó casi toda la región durante el predominio realista, y al presente abandonado por sus compañeros de las correrías anteriores, se había refugiado en la plaza.

El 16 de agosto se sublevaron en Carúpano cuatro compañías del batallón Clarines de infantería ligera, seducidos por el teniente Juan Guillermo Navas, pero no pudieron dominar al resto de la guarnición, acaudillada por el comandante de la plaza coronel Manuel Lorenzo Ferino. Este español enérgico y experto se sostuvo en el cuartel principal, y los sublevados después de sufrir grandes pérdidas, se embarcaron en el curso de la noche, en el bergantín danés Circe, al mando del capítan Colinette. Al salir del puerto los españoles les hicieron fuego de los fuertes y del muelle causándoles algunos daños. Los fugitivos en número de 121 llegaron el 18 al puerto de Juan Griego en Margarita (72), y fueron enviados por Arismendi a cargo del comandante granadino Luis Felipe Rieux, con algunos oficiales y soldados ingleses, dados de alta en los hospitales de la isla, al cuartel de Montilla, situado en las bocas del Magdalena.

En Noviembre estalló la rebelión al oeste de Carúpano. José Rufino Guánches, corregidor del Pilar y San José, atacó a Carúpano el 23; rechazado con vigor volvió a atacar la plaza el 25 con el concurso de una columna organizada en Cariaco por los tenientes Leon y Lemus y los sublevados dos días antes en este pueblo. El comandante Carbonell y el capitán Nacario resistieron largo rato, y luego se encerraron en el fuerte, pero sin víveres se dieron a partido y reconocieron la República. Los patriotas se apoderaron de un bergantín y una goleta armados en guerra y de dos goletas mercantes. El comandante Carbonell, bien quisto en el lugar y natural del país, dando por perdida la causa de España, siguió con una columna a reducir a Río Caribe y Yaguaraparo, cuyos jefes eran amigos suyos. Pronto regresó a Carúpano dejando reconocido el gobierno de Colombia en toda la costa hasta Güiria (73).

---

(72) Correo del Orinoco Número 82, Montenegro Colón IV, 339.

(73) Correo del Orinoco. Números 88 y 89. Yanes. Relación Documentada, II, 87.

En Cumaná y Maturín.

Establecido Montes en Cumanacoa, al frente de sus 400 hombres distribuidos en guerrillas, hostilizaba frecuentemente a la plaza de Cumaná. Los españoles, temiendo siempre un asalto mejoraron las fortificaciones; reducidos a un corto territorio y escasos de recursos se sostenían con la pesca y víveres enviados de La Guaira. El coronel Lorenzo partió del puerto el 29 de noviembre con 300 hombres en tres buques mayores, dispuesto a retomar a Carúpano, pero hallándolo reforzado con la columna del coronel Montes se devolvió sin intentar el ataque. Para atender mejor a su defensa y al sitio de Cumaná el comandante general Armario estableció su cuartel general en Cariaco. A los pocos días recibió órdenes de suspender las hostilidades de acuerdo con el armisticio de Santa Ana. El general Andrés Rojas mantuvo siempre en paz el departamento de Maturín, enlace de las posesiones de Oriente con Guayana.

Quejas de Venezuela.

Una carta del Libertador para Santander de 31 de julio, da idea de las quejas de Venezuela llegadas a su conocimiento. No se debían a la pobreza suma del pais, consecuencia de los esfuerzos inauditos realizados para formar patria, sino a la miseria de las pasiones de los hombres. Ciertos jefes estaban disgustados porque les había llevado sus tropas a la Nueva Granada; algunos diputados al congreso a causa del sacrilegio de mandar a ponerlos a media paga: Páez con motivo de reprensiones sobre extralimitación de facultades: Pumar, el secretario de Páez, intrigaba con descaro porque no pudo realizar un negocio de mulas, embargadas para el estado: un antiguo amigo de Bolívar, hombre "de cerebro vacío y de hiel en el corazón", preparaba un manifiesto, para derribarlo de una plumada al decir de los demagogos. Mariño, en Güiria, trabajaba en su oficio predilecto, de conspirador. Era la hostilidad de los preocupados solamente por intereses personales y próximos, contra el hombre consagrado a servir los intereses generales y a preparar el bienestar de las generaciones venideras. A Bolívar lo sostenía la victoria, y lo sostendrá todavia varios años, pero cansados al fin los pueblos, los intereses locales y las ambiciones bastardas destruirán su obra política, en medio de la indiferencia general (74).

(74) Lecuna. Cartas del Libertador, II, 237.

INDICE DE CAPITULOS

INDICE DE GRABADOS